12-25-05

Lidia:

Que El Estudio de Esta Sea Para El Crecimiento de Su Vida-Espiritual Suya y de los Que la Rodean y - En Especial Que la Pueda Compartir Mientras Pueda y Que Cuando Cristo Jesus Venga Nos encuentre trabajando en Su Hobra y Cada Vez Que la estudie Se Recuerde de Nosotros

Dios La Bendiga

De Ronaldo y Naty

Herederos de PROMESAS

LECTURAS DEVOCIONALES PARA ADULTOS

Herederos de PROMESAS

"Porque todas las promesas son en él Sí, y en él AMÉN..."
2 CORINTIOS 1:20

miguel y olga VALDIVIA

Pacific Press® Publishing Association
Nampa, Idaho
Oshawa, Ontario, Canadá
www.pacificpress.com

Dirección editorial: Ricardo Bentancur
Diseño de la tapa: Michelle Petz
Fotografía de la tapa: © David Epperson/Getty Images
Interior: Steve Lanto

Publicado y distribuido en Norteamérica por
PUBLICACIONES INTERAMERICANAS
División Hispana de la Pacific Press® Publishing Association
P. O. Box 5353, Nampa, Idaho 83653,
EE. UU. de N. A.

Primera edición: 2005

ISBN 0-8163-9376-1

Printed in the United States of America

05 06 • 02 01

PREFACIO

EN ÉL SÍ, Y EN ÉL AMÉN

Cada vez que un joven pretendiente declara su amor a la que ha de ser su pareja, expresa sus esperanzas por medio de promesas. En cierto sentido, las promesas de la Biblia son la declaración del amor de Dios, una revelación de la dicha que él desea otorgar a sus hijos, a su esposa: la iglesia.

Un versículo importante para entender el alcance y carácter de las promesas divinas es el texto de 2 Corintios 1:20: "Porque todas las promesas de Dios son en él Sí, y en él Amén, por medio de nosotros, para la gloria de Dios" (2 Cor. 1:20). En términos teológicos nos afirma la centralidad de Jesucristo como la revelación máxima de Dios, pero contiene algunos matices especialmente cautivantes.

Las promesas de Dios son Sí en Jesús, porque Jesús es el Sí de Dios. Jesucristo es la demostración indiscutible del favor de un Dios que quiere nuestra salvación y nuestra felicidad definitiva. Dios nos declaró su amor en Jesús; con los brazos clavados y las sienes sangrientas del Nazareno escribió en el papel de la historia su Sí eterno. Así se confirmó el plan de Dios de reunir todas las cosas en su Hijo, de que él fuera el nexo y la clave para entender la Deidad.

Usted y yo podemos responder a esta declaración personal del amor de Dios. La Biblia sugiere que nuestra respuesta al acercamiento de nuestro Amante divino es la fe. Jesús es el Sí de Dios, la fe es el sí nuestro, nuestro asentimiento a su promesa de redención.

Desde el primer evangelio en Génesis 3:15, hasta la invitación del Espíritu y la Esposa en Apocalipsis 21, la Biblia vibra con las promesas de lo que Dios quiere hacer a favor nuestro. No hay riqueza tal de buenos deseos en ningún otro libro sagrado. Dios es el Benefactor de las familias en el Génesis, el Libertador en el Éxodo, el Esposo en Oseas y Cantares, el Mesías en Isaías, el Profeta en Joel y Malaquías. El *crescendo* se torna estremecedor en los Evangelios. Llega el Reino, el Novio, el Rey, el Maestro, el Dador de la vida. Nadie queda fuera de su círculo de amor; somos sus ovejas extraviadas, los enfermos sanados, los ignorantes que lo escupieron y ultrajaron.

Jesús es Todo lo que necesitamos. Nuestro Pan, nuestro Camino, nuestro Pastor, nuestra Vid sustentadora, nuestro Amigo, nuestro futuro, nuestro destino, nuestro perdón. El Esposo que pronto viene a buscar a su esposa. El Amén que confirma el pacto de Dios con los hombres.

Es nuestro deseo como autores* y coadmiradores de este precioso Salvador, que las meditaciones de este año nos acerquen más al Sí de Dios y produzcan en nosotros la respuesta de la fe y el amor.—Miguel Valdivia, 21 de abril, 2005.

---

* Valga una aclaración editorial. Aunque la vida y las promesas nos unen al transitar juntos el camino de la vida, mi esposa y yo pensamos lo suficientemente diferente como para necesitar indicar con nuestras iniciales cuál de los dos escribió cada lectura. Las mujeres y los hombres podemos complementarnos maravillosamente, pero somos distintos. Esperamos que esta variedad contribuya a la riqueza de los conceptos presentados.

EL PRINCIPIO

En el principio creó Dios los cielos y la tierra. Y la tierra estaba desordenada y vacía, y las tinieblas estaban sobre la faz del abismo, y el Espíritu de Dios se movía sobre la faz de las aguas. Y dijo Dios: Sea la luz; y fue la luz. Y vio Dios que la luz era buena; y separó Dios la luz de las tinieblas. Génesis 1:1-4.

En el principio Dios". Este es un elemento básico en nuestro viaje de descubrimiento espiritual. El lugar de partida. Ni usted ni yo podemos evadir racionalmente el interrogante de la existencia de Dios. El agente creador es indispensable. Si aceptamos que Dios es el origen de todo, entonces todo tiene una explicación. Antes de que ninguna cosa existiera, Dios es.

Si Dios es el creador, entonces la vida sólo tiene sentido en conexión con él. En la creación actuaron en perfecta sinergia el Padre, el Espíritu Santo (Gén. 1:3) y el Hijo (Juan 1:1-9; Heb. 1:4). Es probable que haya habido un período largo de tiempo entre "el principio" y la acción creadora, pero el caso es que cuando Dios decide actuar, el resultado siempre es mejor que el estado inicial.

En vez de desorden, orden y estructura; en vez de un vacío, plenitud y obra terminada. En vez de tinieblas, luz; en vez de tristeza, contentamiento y confianza. En estas primeras palabras del relato de la creación, hay una promesa: Una aseveración fundamental de la existencia de Dios. Él vive. Más allá de nuestras percepciones, más allá de nuestra comprensión. Allí en el comienzo, en nuestros orígenes, dando lugar en nuestro corazón a un cálido sentimiento de confianza y pertenencia.

Sin Dios estamos vacíos, porque de él partimos. Intentar ignorarlo es inútil, como sería inútil negar nuestra humanidad. Una de las leyes físicas elementales es la entropía, la tendencia de todo cuerpo al movimiento y al desorden. Ni los astros, ni el líquido, ni el gas ni las partículas subatómicas mantienen orden y un espacio definido sin la agencia de un principio ordenador como la gravedad. Dios es el principio regidor del universo. Sin él, nuestras vidas permanecen en desorden, por estructuradas que nos parezcan.

Necesitamos comenzar este nuevo año por el "principio" que es Dios. Nuestro lugar se encuentra allí, en sus manos que moldearon a Adán y a Eva, en la mente que concibió el universo, en las palabras que dieron origen a nuestro mundo. Allí estamos seguros.

Señor, ayúdame a afianzarme en la promesa de tu existencia. Gracias porque en ti percibo mi verdadero origen. Detrás de todo conocimiento, más allá de toda ciencia o filosofía, estás tú, y en ti encuentro plenitud. MAV

UNA IMAGEN IMBORRABLE

Entonces dijo Dios: Hagamos al hombre a nuestra imagen, conforme a nuestra semejanza... Y creó Dios al hombre a su imagen, a imagen de Dios lo creó; varón y hembra los creó. Génesis 1:26, 27.

La simple revelación de nuestro origen constituye una promesa inicial de aceptación y pertenencia de parte de Dios. ¿Qué significa para nosotros hoy? Que partimos de un designio divino, que no somos producto de un giro caprichoso de la naturaleza.

Varios estudios científicos de la estructura genética humana sugieren que los genes originales surgieron en algún lugar del norte de África. Los creyentes sabemos que nuestro ADN proviene de un primer ser humano formado por las manos de Dios.

En términos espirituales, nuestro origen divino abre una puerta de insospechadas riquezas. Somos criaturas de un Dios sabio y bondadoso. Somos la corona de la creación y sus mayordomos. La escala es sencilla: El Creador, la humanidad y la naturaleza. No adoramos la creación en ninguna de sus formas.

Haber sido hechos a la imagen de Dios no significa que podemos entender a Dios a partir de nuestro conocimiento de la humanidad. No sería válido hacer deducciones en esa dirección, pues siempre hay una distancia infinita entre el Creador y su creación. Pero a la misma vez, nuestra semejanza nos confiere un grado de dignidad que quizá no apreciamos enteramente. Somos "poco menor que los ángeles" (Sal. 8:5), llevamos en nosotros rasgos que muestran nuestra afinidad divina. Al igual que nuestros hijos se parecen a nosotros, ellos y nosotros nos parecemos a nuestro Padre celestial.

La imagen divina se divisa cada vez que actuamos por amor, cada vez que expresamos caridad, paciencia, generosidad. La imagen de Dios se encuentra en cada una de sus criaturas, por muy alejadas de él que éstas se encuentren. Ni el polvo de la indiferencia, ni los terribles obstáculos de las adicciones y las miserias humanas, pueden borrar enteramente esa imagen. ¿Cómo hacer para que nuevamente sea reconocible?

"Por tanto, nosotros todos, mirando a cara descubierta como en un espejo la gloria del Señor, somos transformados de gloria en gloria en la misma imagen, como por el Espíritu del Señor (2 Cor. 3:18).

Padre, gracias por la promesa de pertenencia. Gracias porque me parezco a ti, al igual que nos parecemos unos a otros como hijos tuyos que somos. Esto me llena de ánimo y de nuevas fuerzas para el día de hoy. MAV

PROMESA EN LA AMENAZA

Y mandó Jehová Dios al hombre, diciendo: De todo árbol del huerto podrás comer; mas del árbol de la ciencia del bien y del mal no comerás; porque el día que de él comieres, ciertamente morirás. Génesis 2:16, 17.

Qué puede haber de promesa en una amenaza? Depende de varias cosas. Quién la profiere, cuál es la intención y cuál es su mensaje. De parte de un secuestrador o un asesino, el anuncio de un castigo nos estremecería y llenaría de temor. De parte de un padre amante, la misma amenaza vendría acompañada de preocupación, en tono de advertencia bien intencionada.

En primer lugar, Adán y Eva tenían a su disposición todo el huerto. Al gozar de una relación íntima con Dios, podían disfrutar de todo fruto de todo árbol. Dios no deseaba privarlos de ninguna bendición, sino que la advertencia del huerto era un anuncio de consecuencias. La intención era evitar la conducta peligrosa. No era que Dios iba a matar a Adán y Eva como castigo por sus actos, sino que éstos traían como consecuencia la muerte. Cuando un padre le dice a un hijo pequeño "no toques la estufa", no lo dice porque desea que sufra las consecuencias, sino porque desea librarlo de éstas.

Esta ley de las consecuencias que leemos en el Génesis se repite en el Nuevo Testamento en la conocida máxima: "Todo lo que el hombre sembrare, eso también segará" (Gál. 6:7). El lado positivo de estos principios es que tanto en el huerto del Edén como en nuestra vida cristiana actual, la salvación es aquello que podemos perder; esto es, la condición humana natural es la vida eterna. Fuimos creados para vivir. La muerte vino cuando Adán y Eva decidieron ignorar la advertencia divina.

Hoy podemos comer de los otros árboles del huerto. Tenemos a nuestra disposición un mundo repleto de bendiciones. Si sabemos dónde se encuentra el peligro de perder nuestras almas, y contamos con la ayuda de Dios para evitarlo, la vida abundante está a nuestro alcance.

Señor, enséñame hoy a permanecer en comunión contigo, de manera que el árbol del bien y del mal no pueda ejercer influencia sobre mí. MAV

LA PROMESA DEL COMPAÑERISMO

Y dijo Jehová Dios: No es bueno que el hombre esté solo; le haré ayuda idónea para él. Génesis 2:18.

Dios instituyó varios sistemas de importancia básica en el Edén. Creó el tiempo, con sus límites, la semana con su secuencia septenaria y un día de reposo. Creó la naturaleza con sus ciclos renovadores. Y creó la familia.

No sabemos cuánto tiempo pasó, pero Adán, la única criatura pensante y consciente de su propia existencia, no recibió inmediatamente una pareja. Hubo un período de tiempo, dedicado a la tarea de poner nombres a las criaturas del huerto, en el que Adán advirtió que algo le faltaba. Por alguna razón, Dios permitió que Adán advirtiese que carecía de un componente vital para la continuación de la existencia humana. El anhelo de compañía que se gestó en el corazón de Adán no podía satisfacerse con ninguna otra criatura.

El dictamen de Dios se aplica a más que la continuidad de la raza. La soledad no es buena para el ser humano. Para que el corazón humano florezca se requiere intimidad con otro. Los sueños y los anhelos son para ser compartidos, como también las penas y las angustias de la vida.

Dios creó a Eva para "tener una unidad inseparable y compañerismo de toda la vida con el hombre... 'ella debía estar a su lado como su igual, para ser amada y protegida por él' [*Patriarcas y profetas,* p. 27]" (*Comentario bíblico adventista,* t. 1, p. 238). Adán, quien había puesto nombre a muchos otros seres, continúa su función taxonómica y nombra a Eva "varona", *ishshah,* una palabra derivada de la palabra hebrea para varón, *ish.*

Dios no instituyó la primera pareja meramente para cumplir funciones reproductivas, sino para ser compañeros, para satisfacer la necesidad de diálogo y apoyo de seres inteligentes. Dios empleó la figura del matrimonio como símbolo de la relación entre Cristo y la iglesia. La raza humana perdió la relación directa con Dios por causa del pecado, y quedó en nosotros una carencia que ninguna otra relación puede satisfacer. Pero algún día no muy lejano, Cristo vendrá a buscar a su esposa, la iglesia, para fundirse con ella en un abrazo eterno.

Señor, gracias por mi familia, por los compañeros que me has dado en el viaje de la vida. Y gracias, porque al final del camino, nos uniremos nuevamente contigo, para no separarnos jamás. MAV

VENCEDORES SOBRE LA SERPIENTE

Y pondré enemistad entre ti y la mujer, y entre tu simiente y la simiente suya; ésta te herirá en la cabeza, y tú le herirás en el calcañar. Génesis 3:15.

Esta es una de las promesas más importantes de las Escrituras. Se la ha llamado el "protoevangelio", la promesa precursora de la salvación ganada por Jesús en la cruz. Fue promulgada por Dios en su maldición a la serpiente en el jardín del Edén, y la imagen es la de un hombre que levanta el pie para aplastar a una serpiente, pero sufre una mordida mientras lo hace.

Dios declara enemistad entre la raza humana (representada por Eva) y Satanás. Por muy desalentadora que parezca la condición de este mundo pecador, entre los seres humanos y el enemigo de Dios no puede haber compatibilidad completa. Nunca se puede ser plenamente feliz en su servicio. Aunque el hombre parece disfrutar del abandono moral, de los placeres egoístas o desenfrenados, siempre dentro de sí siente que hay algo mejor, que quizás es víctima de un colosal engaño.

La simiente de la mujer es Cristo (ver Apoc. 12:1-5; Gál. 3:16, 19). Él vino "para deshacer las obras del diablo" (1 Juan 3:8). No es una multitud de los descendientes de Eva la que aplasta la cabeza de la serpiente, sino un solo individuo. Cristo derrotó a Satanás en el cielo (Apoc. 12:7-9), y como representante de la raza humana lo derrotó nuevamente en la tierra (Heb. 2:14), y lo destruirá por completo al fin del milenio (Apoc. 20:10).

La mujer fue la primera en caer ante la tentación, y Adán la culpó por ello, pero de ella —la primera señalada y acusada por causa del pecado— saldría el Libertador, la simiente prometida. Cuando Eva y Adán cayeron, la misericordia de Dios puso en acción un plan de redención, basado en el sacrificio voluntario del Hijo de Dios. Desde ese momento, Dios utilizó todos los medios de enseñanza para que los seres humanos entendiesen que la Simiente divina tendría que entregar su vida para saldar la deuda de la transgresión del hombre.

Desde el rito de los sacrificios en el Antiguo Testamento hasta el rito de la Santa Cena en el Nuevo, Dios revela que el pecado y sus consecuencias no durarán para siempre, porque Jesucristo ya recobró el dominio perdido y nos ha abierto un camino franco a la salvación.

Gracias, Señor, porque siempre has tenido un plan para la recuperación de la felicidad que tuvimos contigo en el Edén; porque aunque Jesús fue herido, su victoria sobre nuestro enemigo fue gloriosa y definitiva. MAV

LA SEÑAL DE DIOS

Y le respondió Jehová: Ciertamente cualquiera que matare a Caín, siete veces será castigado. Entonces Jehová puso señal en Caín, para que no lo matase cualquiera que le hallara. Génesis 4:15.

Caín cometió el primer pecado público y el primer homicidio. Mató a su propio hermano y proveyó la primera demostración importante de cómo opera el corazón humano bajo los efectos del pecado. Caín trajo el producto de sus esfuerzos al altar del sacrificio, y al hacerlo pasó por alto el propósito del acto.

Inmediatamente que Adán y Eva pecaron, Dios instituyó el sistema de sacrificios que anunciaría la suprema intervención de Jesucristo en la historia humana. Dios mismo mató al primer cordero para vestir a los rebeldes y les dio la primera lección ilustrada respecto de que la expiación de los pecados del hombre tenía que lograrse en base al derramamiento de sangre de un Sustituto.

Dos estilos opuestos de vida se manifestaron en Caín y Abel. El camino del hombre y el camino de Dios. El camino del hombre se fundamenta en las obras humanas. Este es el camino de Babilonia, del 666, del manto de la justicia humana que apenas alcanza a ser un trapo de inmundicia (Isa. 64:6). El camino que Dios propone, reposa sobre las obras de Cristo. Por eso él es "el camino, la verdad, y la vida" (Juan 14:6).

Caín, el primer homicida, tuvo acceso a la misericordia divina en la forma de una promesa de protección. Él sabía que merecía la muerte, y temiendo ser objeto de venganza de parte de sus numerosos hermanos y hermanas que iban naciendo (ver Gén. 5:4), pidió la conmutación de tal pena de muerte.

Aunque Caín hubo de sufrir el destierro, al proteger su vida Dios le dio la oportunidad de recapacitar y arrepentirse. Pero la obra capital de la vida de Caín fue la construcción de una ciudad, lo que parece sugerir que desconfió de la promesa de Dios de protegerlo. Esta es otra evidencia del estilo de vida apartado de Dios.

Durante la salida de Egipto, Dios hizo poner señales de sangre en los dinteles de las puertas de los israelitas como protección ante el ángel exterminador (Éxo. 12:13, 22, 23). Al fin de los tiempos, los salvados habrán vencido por "medio de la sangre del Cordero" (Apoc. 12:11). Permitamos que nuestra fe en la sangre de Cristo hoy nos señale para salvación.

Querido Dios, gracias por la oportunidad de conocerte y escoger hoy el camino de la salvación. MAV

EL ARCA DE LA SALVACIÓN

Y he aquí que yo traigo un diluvio de aguas sobre la tierra, para destruir toda carne en que haya espíritu de vida debajo del cielo; todo lo que hay en la tierra morirá. Mas estableceré mi pacto contigo, y entrarás en el arca tú, tus hijos, tu mujer, y las mujeres de tus hijos contigo. Génesis 6:17, 18.

Los capítulos 5 y 6 de Génesis señalan la degradación de la raza humana y el primer pacto de Dios con un remanente. A Dios "le dolió en su corazón" (6:6) el rechazo contumaz del hombre y su inclinación constante hacia el mal. Por eso decide que para preservar la raza, debe detener su rápida carrera hacia la extinción total. Quizás advirtió que si el pecado seguía su curso, ni siquiera encontraría la manera de proveer el Salvador prometido que habría de nacer de una mujer.

Dios escoge a Noé, "varón justo", "perfecto en sus generaciones". Dios hace lo que hará a lo largo de la historia, levanta a seres humanos para que compartan de su parte el Evangelio de misericordia. Noé, al igual que Enoc, "caminó con Dios" (6:9). Esto no significa que alcanzó la justicia divina por sus propios esfuerzos, porque Hebreos 11:7 asegura que fue salvo como todo otro ser humano, por la fe. En realidad, Noé no fue más piadoso que su padre o su abuelo Matusalén, sino que fue escogido por Dios para una función especial de "pregonero de justicia" (2 Ped. 2:5).

El nombre de Noé, *nóaj*, que significa descanso, expresaba el deseo de su padre de que fuese la simiente prometida. En cierto sentido, su ministerio representó un asilo de salvación en medio de las torrenciales lluvias del pecado y la violencia. Y el arca, un barco diseñado sólo para flotar, se tornó en la única esperanza de supervivencia para el remanente antediluviano.

¿Qué mensaje nos trae la promesa de Dios a Noé a aquellos que vivimos en el tiempo del fin? En primer lugar, Dios siempre ha tomado la iniciativa en el plan de salvación. Dios sabe que la condición del hombre, cuyos pensamientos son "de continuo solamente el mal" (Gén. 6:5), no le permite buscar de sí mismo la restauración de su salud espiritual.

En segundo lugar, Noé nos enseña a vivir en comunión íntima con Dios. En cierto sentido, el arca era la materialización de la relación estrecha que tanto Noé como Enoc habían tenido con Dios. Para nosotros también, el arca es vivir con Cristo y para él.

Señor, a veces siento que me anegan las aguas de la maldad y el desánimo. Hoy, como antaño, permíteme entrar en el arca de la salvación. MAV

UN AMIGO GRANDULLÓN

Y haré de ti una nación grande, y te bendeciré, y engrandeceré tu nombre, y serás bendición. Bendeciré a los que te bendijeren, y a los que te maldijeren maldeciré; y serán benditas en ti todas las familias de la tierra. Génesis 12:2, 3.

La peregrinación de Abrahán y su familia tuvo dos etapas. Junto a su padre, Taré, sale de Ur de los Caldeos con la intención de llegar a Canaán, pero se detiene en Harán y allí echa raíces. Dios repite su llamado a Abrahán y lo invita a proseguir el viaje hasta la tierra de Canaán. Quizá por la edad avanzada de Taré, o por los atractivos de la fértil zona, Taré y su hermano Nacor permanecieron en esta ciudad que queda a medio camino desde Ur hasta Canaán.

El llamado de Dios también tuvo dos etapas. Primero le pide a Abrahán que abandone su lugar de origen, la cultura que le es familiar, y luego le pide que abandone también a su familia. Nunca más ha de volver a los de su propia sangre o raza. Pero la promesa y sus resultados compensaron con creces la fe de Abrahán. Perdió los lazos nacionales, pero Dios hizo de él una nación; perdió su familia, pero aún hoy se invoca su nombre como padre espiritual de judíos, musulmanes y cristianos.

La aceptación del llamado de Dios tuvo varios resultados en la vida de Abrahán. Tuvo acceso a la mayor bendición espiritual de todas, ser justificado por la fe en el Salvador. Esta bendición se extiende hoy expresamente a nosotros. Gálatas 3 explica: "Abraham creyó a Dios, y le fue contado por justicia. Sabed, por tanto, que los que son de fe, éstos son hijos de Abraham" (vers. 6, 7).

Dios promete establecer una amistad increíble con Abrahán. Esto incluye hacer con él causa común. Dios compartiría los amigos de Abrahán y trataría a sus enemigos como enemigos propios. Me viene a la mente la amistad de un compañero mayor que yo durante mis tempranos años en la escuela primaria. Tener un amigo grandullón significó para mí un precioso sentido de seguridad y de protección ante los matones de mi clase. Éstos, por temor a mi amigo de once años, se cuidaron muchas veces de no molestarme.

Hoy nuevamente Dios ofrece hacer causa común con los hijos de Abrahán por la fe. Dios ofrece un tratamiento especial a los que deciden confiar en él y aceptan vivir una vida de fe. Reclamemos hoy la promesa dada a Abrahán.

Mi Dios, sé que me has llamado a mí también. Puede ser que hoy sea el día en que debo partir de Harán. Si así es, dame las fuerzas para seguir tu voluntad. MAV

JEHOVÁ NUESTRO ESCUDO

Después de estas cosas vino la palabra de Jehová a Abram en visión, diciendo: No temas, Abram; yo soy tu escudo, y tu galardón será sobremanera grande. Génesis 15:1.

Esta es la primera ocasión que se menciona la palabra "visión" en las Escrituras. Aquí se presenta a Abrahán como un profeta que recibe un comunicado de Dios. Pero Dios se comunica de muchas maneras con nosotros: (1) Por la manifestación de Jesucristo, (2) mediante una voz audible, (3) mediante la obra ministradora de los ángeles, (4) por medio de la acción poderosa del Espíritu Santo sobre la mente, (5) mediante sueños, y (6) por medio de visiones.

El mensaje de Dios para Abrahán en ese momento tenía la intención de animarlo en medio de una situación incierta. Rodeado de reyes y ejércitos agresivos, apenas había regresado de rescatar a su sobrino Lot, a quien había llevado como prisionero de guerra por ser un ciudadano pudiente de Sodoma. Sus palabras son una de las promesas más hermosas del Antiguo Testamento, y nosotros también podemos apropiarnos de ellas.

Dios promete ser "nuestro escudo" y "nuestro galardón". Según Efesios, el escudo alude a la fe y nos protege contra "los dardos de fuego del maligno" (Efe. 6:16). Hebreos nos enseña que el que tiene fe también cree en que Dios le dará un galardón (Heb. 11:6).

Dios nos llama a no temer; a confiar en él; a vivir basados en la convicción de su existencia y su deseo de beneficiarnos. Esa fe nos permite edificar sobre realidades, vivir una vida con significado. Vivir sin Dios es vivir con temor: temor al fracaso, temor a la enfermedad, temor a la muerte, temor al futuro. Vivir con Dios es confiar en su gracia, es sentirnos seguros en su amor, es saber que una existencia mejor nos aguarda. H. G. Wells, reconocido autor de *La guerra de los mundos*, en uno de sus libros coloca las siguientes palabras en boca de uno de sus protagonistas: "Hasta que el hombre encuentra a Dios y es encontrado por él, comienza sin un comienzo y trabaja sin un fin a la vista".

Unámonos al sentimiento alentador del salmista, cuando dijo: "Jehová, roca mía y castillo mío, y mi libertador; Dios mío, fortaleza mía, en él confiaré; mi escudo, y la fuerza de mi salvación, mi alto refugio" (Sal. 18:1).

Señor, a veces me falta valor para vivir. Siento que las circunstancias amenazan mi seguridad, y no me siento tranquilo. Pero te agradezco por la invitación de hoy a confiar en tu protección y en el supremo galardón de tu presencia. MAV

DIOS PROVEERÁ UN CORDERO

Y respondió Abraham: Dios se proveerá de cordero para el holocausto, hijo mío. E iban juntos. Génesis 22:8.

Aunque no por ello pierda su intenso dramatismo, la Escritura demuestra que Abrahán estaba totalmente confiado en la voluntad benévola de Dios, su Amigo. Desde que Dios le comunica la naturaleza de la prueba máxima, Abrahán no discute la orden divina de sacrificar a su único hijo sobre un altar de leña en el monte Moriah. Más bien expresa a los siervos que él y su hijo van a adorar a la cima de la montaña y que juntos volverán.

Una de las escenas más sobrecogedoras de la Biblia tiene que ser el diálogo entre el jovencito y su anciano padre. "He aquí el fuego y la leña —señala Isaac—; mas ¿dónde está el cordero para el holocausto?" Y Abrahán responde: *Jehová-jireh* (Dios proveerá).

Llegados al lugar, todo parece normal mientras Abrahán coloca piedra sobre piedra hasta formar un sencillo altar y acomoda encima la leña traída por Isaac. Entonces toma a su precioso hijo y ante los ojos de asombro y desconcierto del joven, ata sus manos y sus pies y penosamente lo pone sobre el altar.

No es que Abrahán supiese exactamente qué iba a suceder, sino que había decidido confiar en Dios totalmente. Dios proveyó un cordero y Abrahán gozoso efectúa el intercambio entre su hijo y el cordero símbolo del Hijo de Dios.

Siglos más tarde, en otro monte, se efectuó el divino intercambio. Usted y yo fuimos desatados, fuimos librados de un destino de muerte y perdición eterna, y Otro tomó nuestro lugar. Dios colocó en nuestro medio a su precioso Hijo, trabado en el zarzal de la humanidad y de la historia. Hoy podemos disfrutar las consecuencias de aquel acto de trascendencia cósmica. Dios no dejó a la humanidad librada a su suerte. Nuestra creación no fue un momento de entretenimiento caprichoso para el divino Arquitecto, sino que nos amó tanto desde el mismo comienzo que estuvo dispuesto a pagar el precio máximo por asegurar nuestra restauración a su presencia.

Jehová-jireh, Dios proveerá. "En el monte de Jehová será provisto" (Gén. 22:14). Ya Jehová proveyó lo más importante sobre el monte Calvario. ¿Estaremos dispuestos a creer que con él nos dará también todas las cosas?

Querido Dios, ayúdame a no despreciar hoy al Cordero del Calvario. MAV

SEÑAL DE PARTE DE DIOS

Jehová, Dios de los cielos, que me tomó de la casa de mi padre y de la tierra de mi parentela, y me habló y me juró, diciendo: A tu descendencia daré esta tierra; él enviará su ángel delante de ti, y tú traerás de allá mujer para mi hijo. Génesis 24:7.

El pasaje de Génesis 24 relata la búsqueda de esposa para Isaac, y en el proceso nos brinda una valiosa lección en cuanto a cómo funciona la fe y cómo debemos responder a las promesas de Dios. Abrahán había visto en su vejez la respuesta inicial a la promesa de un descendiente en el nacimiento de Isaac. Ahora le asigna a su criado el encargo de encontrar una compañera para Isaac entre los familiares de Abrahán en Mesopotamia. Abrahán ha interpretado que la promesa de Dios implica que Isaac no se case con una mujer cananea, cuya religión politeísta y prácticas inmorales podrían corromper la línea genealógica, la cual traería la máxima bendición a todas las naciones en la persona del Mesías.

La fe de Abrahán se expresa en los tonos seguros de la victoria. "El enviará su ángel... y tú traerás de allá mujer para mi hijo". Esa expresión de fe de Abrahán fue luego proclamada al pueblo de Israel como promesa, y por extensión a la iglesia cristiana. Hebreos dice que Dios enviará a los ángeles "para servicio a favor de los que serán herederos de la salvación" (Hebreos 1:14).

El siervo, por su cuenta, pide una señal para saber a cuál doncella ha de escoger como esposa de Isaac. Pero la señal que pide al Dios de Abrahán no implica un acto sin sentido, sino que incluye una demostración de bondad y generosidad. Hay personas que piden señales a Dios que son poco más que actos de magia o la confirmación de sus caprichos. La señal que pide Eliezer implica la demostración de un carácter noble y generoso de parte de la joven.

No conviene rogarle a Dios que nos hable al abrir la Biblia al azar, o que nos indique la persona con la que hemos de casarnos por la forma en que esté vestida. Es indudable que en ciertas ocasiones Dios otorga señales de índole personal, pero las señales que pidamos deben brotar de una comunicación íntima con él, y responder a los valores y el carácter del Señor. En todo caso, es preferible ser guiados por el Espíritu Santo a través de los confiables principios de la Palabra de Dios, en vez de tratar a éste —en algunos casos— como si fuese un adolescente celestial.

Querido Dios, guíame desde ahora y hasta el momento de reposar. Hazme recordar tu Palabra y enséñame a aceptar tu voluntad a medida que la descubra. MAV

APRECIADOS POR DIOS

Y vio Jehová que Lea era menospreciada, y le dio hijos; pero Raquel era estéril. Génesis 29:31.

Una de las causas más poderosas de la infelicidad es sufrir el menosprecio de otras personas. Esta desvalorización de los seres humanos responde a múltiples motivos y toma muchas formas. A veces surge en base a diferencias raciales o étnicas, cuando individuos de cierta raza o grupo catalogan de inferiores a otros. Este dañino juego de percepciones ocurre en todas partes y dentro de los mismos grupos que menosprecian a otros. En países como la India, la sociedad está organizada en base a castas incambiables que dictan desde el nacimiento el nivel social de la persona.

El menosprecio de Lea se debía a preferencias emotivas. "Y se llegó también a Raquel, y la amó también más que a Lea" (29:30). La poligamia lleva consigo las semillas del celo y la humillación, y a Lea le tocó jugar el papel secundario en los afectos de Jacob. Lo que las Escrituras introducen en este drama familiar es la preocupación de Dios por el sufrimiento de Lea. ¿Qué significa esto para nosotros hoy?

Aquí se muestra la solicitud divina por el sufrimiento de los seres humanos. Hoy también hay esposas que sufren el menosprecio de sus cónyuges, lo que a menudo culmina en el adulterio y el divorcio. En los Estados Unidos, más del 50 por ciento de las parejas que se casan se divorcian. En países como Cuba, la proporción de parejas que se deshacen podría ascender a 3 de cada 4 matrimonios. El adulterio es algo institucionalizado por varias culturas.

Dios supo lo que es el rechazo en la persona de Jesucristo. "Despreciado y desechado entre los hombres, varón de dolores, experimentado en quebranto; y como que escondimos de él el rostro, fue menospreciado, y no lo estimamos" (Isa. 53:3). Génesis nos dice que esa sensibilidad divina se traduce en preocupación por la infelicidad de cada ser humano. Hoy, él se preocupa por usted y por mí cuando otros nos juzgan por el color de nuestra piel, o por nuestros fracasos o defectos físicos. Él ve que somos menospreciados y nos ayuda a sobreponernos y a superar el miasma de las opiniones negativas. Lo que realmente importa es lo que Dios piensa de nosotros, ya que sus pensamientos hacia nosotros son altamente positivos (ver Jer. 29:11).

Gracias, Señor, porque tú también miras mis sufrimientos y te preocupas por ellos. Ayúdame hoy a concentrarme en tu aceptación de mi persona y a hacer de esto la base de un nuevo optimismo. MAV

REGRESAREMOS

He aquí, yo estoy contigo, y te guardaré por dondequiera que fueres, y volveré a traerte a esta tierra; porque no te dejaré hasta que haya hecho lo que te he dicho. (Génesis 28:15).

Esta promesa es admirable. Alienta y coloca un canto de alegría en el corazón del abatido hijo de Dios. Fue dirigida originalmente a Jacob mientras yacía cansado, solitario y triste hacia Harán. No sólo le confirmó Dios todas las promesas hechas a sus antepasados, sino también le prometió protegerlo en su viaje y traerlo de nuevo al hogar que abandonaba con corazón pesaroso.

El cumplimiento de esta promesa, sin embargo, todavía estaba en un futuro muy lejano, pero Dios conoce el corazón del hombre, y no deja ningún detalle fuera de su plan de amor. Por eso no se olvidó de añadir la firme seguridad: "No te dejaré hasta que haya hecho lo que te he dicho".

Es muy posible que al ver pasar el tiempo sin que la promesa se cumpliera, Jacob llegó a dudar en algún momento de la fidelidad de la Palabra de Dios. Pero el magnífico broche con que el Salvador cerró aquella promesa, vibraría por siempre con júbilo en su mente, infundiéndole confianza y ánimo.

"Porque no te dejaré hasta que haya hecho lo que te he dicho", nos dice también a nosotros Jehová. La declaración es más que una promesa. Es el juramento divino dirigido a Jacob con el nombre suyo y mío rondando en la mente de Dios. Fue hecha en primera persona, con lo que se deduce el interés divino por cada hijo suyo individualmente. No hay ninguna promesa en la Biblia que haya sido hecha específicamente para un solo hombre. Las promesas de Dios son para cada hijo suyo. Y hoy en día se nos asegura lo mismo que se le aseguró a Jacob.

Me imagino al amante Salvador, cara a cara conmigo, mientras me jura que aunque se desplome el cielo y se desvanezca la tierra, no dejará de actuar en mi favor hasta que me haya traído de vuelta al hogar celestial como legítimo hijo de Dios.

Si se le hace larga la espera, mire al Salvador y verá la misericordia en sus ojos. El juramento se aplica a usted específicamente. Dígase a sí mismo: "Jehová estará conmigo, y me acompañará a lo largo de toda mi trayectoria sobre esta tierra. Me cuidará, me protegerá, y aun después de muerto velará por mis huesos, de manera que pueda morar nuevamente con él en el hogar de dónde un día fui expulsado".

Señor, que nunca pierda la esperanza de encontrarme contigo. OLV

UN NUEVO FUTURO

Y el varón le dijo: No se dirá más tu nombre Jacob, sino Israel; porque has luchado con Dios y con los hombres, y has vencido. Génesis 32:28.

A veces las promesas de Dios involucran un cambio radical de nuestra naturaleza. Como resultado de un esfuerzo o actitud basada en la fe, Dios decide reconocer y afirmar un cambio en nuestro carácter.

El nombre de Jacob significaba en esencia "suplantador", y reflejaba lo sucedido en ocasión de su nacimiento, cuando se aferró del pie de su hermano gemelo Esaú. Su vida había modelado vez tras vez la tragedia de vivir huyendo de las consecuencias de su traición. Engañar a su padre para recibir la bendición del primogénito trajo como consecuencia que nunca más pudiera ver a su madre, y que su hermano lo persiguiese durante muchos años con el afán de vengarse.

Muchos repiten el error de Jacob y viven una vida de temor y resentimientos. Intentan ganar ventajas sin importar el precio que pagan ellos u otros, pero saben que en el fondo no son lo que pretenden ser. Buscan prestigio y aceptación, pero sienten que toda su vida es una enorme farsa.

El cambio de nombre incluye un nuevo propósito en la vida. De "suplantador", Jacob pasó a ser "príncipe de Dios", el líder y patriarca de una nueva nación. Aunque Jacob era un hombre rico, no tenía paz con Dios ni con su hermano ni consigo mismo. Su mayor pecado había consistido en intentar hacer por su propia cuenta lo que Dios habría hecho de otras maneras. La aceptación de Dios cambia todo esto. Con el perdón de pecados simbolizado por el cambio de nombre, obtuvo una nueva función y un nuevo futuro.

Si hoy nos sentimos abrumados por la carga de algún pecado, no permitamos que éste nos aleje de Dios. Luchemos en oración ferviente con el Ángel que es Cristo (ver *Patriarcas y profetas*, p. 196), y aferrémonos de Aquel que "no puede desoír los ruegos del pecador" (*Ibíd.*, p. 197) y desea darnos la bendición que nuestra alma anhela.

Querido Señor, deseo encontrarme contigo en el arroyo de Jaboc, aferrarme a ti como nunca y no dejarte ir hasta que hayas perdonado mi pecado. Cambia entonces mis pensamientos y hazme una nueva criatura. MAV

CUANDO NO PODEMOS HABLAR

Ahora pues, ve, y yo estaré con tu boca, y te enseñaré lo que hayas de hablar. Éxodo 4:12.

En el diálogo entre Dios y Moisés, son evidentes varios elementos. Dios tiene un plan y ha escogido a Moisés para que sea su representante. Los versículos 7 y 8 expresan la intención de Dios. Él ha notado la aflicción de su pueblo y ha decidido librarlo de la esclavitud egipcia y llevarlo a una nueva tierra. Desde el mismo comienzo, es claro que Dios es quien habrá de sacar a los israelitas de Egipto. Moisés es meramente el agente visible de Dios.

Pero Moisés insiste en la importancia de su función humana. "¿Quién soy yo para que vaya a Faraón, y saque de Egipto a los hijos de Israel?" (vers. 11). "Yo estaré contigo", es la promesa de Dios. La nueva reacción de Moisés es: "Ellos no me creerán".

Dios entonces le proporciona señales con las cuales demostrar que su misión es legítima. Su vara se torna en culebra. Su mano se cubre de lepra e inmediatamente queda sanada, y se le da el poder de tornar en sangre las aguas del río Nilo.

Estas eran señales poderosas e impresionantes. La serpiente habría de ser tomada por la cola para mostrar confianza absoluta en Dios. La lepra era una enfermedad temible e incurable, y el Nilo era la fuente de la prosperidad de Egipto. Pero a todo este arsenal de milagros, Moisés antepone su falta de elocuencia: "Nunca he sido hombre de fácil palabra".

Moisés pretende tener dificultades para hablar, pero la verdad era otra. Su propuesta final a Dios de que se nombrara a otra persona (vers. 13), demuestra que sus excusas se debieron a que no quería aceptar la comisión divina, y en el fondo indicaban su desconfianza en las promesas y propósitos de Dios.

Si Moisés desconfiaba de Dios es porque no lo conocía plenamente. Lo sorprendente en este relato es la paciencia de Dios para tratar con su renuente profeta. Conocía el corazón de Moisés, y a medida que la fe de éste creció, obró a través de él algunos de los milagros más impresionantes de la historia, milagros que lo convirtieron en un precursor del Mesías, considerado "poderoso en sus palabras y obras" (Hech. 7:22).

Señor, reconozco que cuando me concentro en mi falta de capacidad, quizás estoy expresando desconfianza en tu poder y tu voluntad. Permite que hoy me concentre en tus propósitos y no en mis habilidades humanas. MAV

LOS TESOROS DE DIOS

Ahora pues, si diereis oído a mi voz, y guardareis mi pacto, vosotros seréis mi especial tesoro sobre todos los pueblos. Éxodo 19:5.

Siempre me ha fascinado la idea de hallar un tesoro escondido. Con tal de hallar un tesoro hay quienes están dispuestos a enterrarse vivos en las profundas cavernas de la tierra, o sumergirse en los abismos insondables del piélago. El anhelado botín es su obsesión. Buscan de todo: metales, reliquias, joyas, trozos de cerámica, huesos, herramientas del pasado, entierros, y vestigios de todo tipo que descubran el paso del hombre sobre la tierra.

La búsqueda de un tesoro, sin embargo, es costosa. Requiere no sólo conocimientos teóricos y experiencia en rastreos y excavaciones, sino también equipos sofisticados y de alta tecnología. Miles de dólares se emplean en la manufactura de detectores, radares de penetración, sonómetros, aparatos de sondeo submarino, medidores de resistividad del suelo, equipo automático y robotizado de exploración, y un sinnúmero de diversos dispositivos. ¿Pero qué realmente constituye un tesoro, o por qué un tesoro se considera un tesoro?

Por definición, un tesoro es un "objeto precioso y oculto que se descubre por casualidad". Si esto es así, ¿cómo pues se le ocurre a Dios llamar a sus hijos su especial tesoro?

El espíritu de profecía nos dice: "De una raza de esclavos, los israelitas fueron ascendidos sobre todos los pueblos, para ser el tesoro peculiar del Rey de reyes. Dios los separó del mundo, para confiarles una responsabilidad sagrada. Los hizo depositarios de su ley, y era su propósito preservar entre los hombres el conocimiento de sí mismo por medio de ellos" (*Patriarcas y profetas,* p. 322).

No podemos gobernar nuestros pensamientos, impulsos y afectos. Nuestras promesas no cumplidas y nuestros votos quebrantados nos hacen menos que aquella hojarasca que la tempestad arrastra. Sin embargo, escondidos entre el polvo y los despojos del camino, Dios nos halló un día. Vio en nosotros un gran tesoro, y nos recogió, nos lavó y nos prometió que si vivimos en armonía con su voluntad de bien, seremos valorados como objetos preciosos ante todo el universo.

¡Qué privilegio! ¡Qué valor se nos confiere! De pecadores empedernidos a hijos del Rey del Universo.

Gracias, Señor, por tu amor maravilloso que me rescata del pecado y me infunde el valor de una hermosa joya. OLV

BENDICIÓN EN EL HOGAR

Honra a tu padre y a tu madre, para que tus días se alarguen en la tierra que Jehová tu Dios te da. Éxodo 20:12.

Los cambios que han perjudicado a la familia durante las últimas décadas han dejado un extraordinario saldo de víctimas, especialmente entre los niños y jóvenes.

Más del 80 por ciento de los adolescentes en hospitales psiquiátricos proviene de hogares deshechos. Aproximadamente tres de cada cuatro suicidios ocurren dentro de hogares donde uno de los padres se ha ausentado. Un estudio de los habitantes de la isla de Kauai encontró que cinco de cada seis delincuentes provienen de familias donde falta uno de los padres. Incluso se ha comprobado que los niños que viven lejos de uno de sus padres tienen de un 20 a un 40 por ciento mayor probabilidad de enfermarse.

Es obvio que la familia tradicional de padre y madre en el hogar es mejor. Los niños primero, y la sociedad después, son los más beneficiados. En ese sentido, los tiempos pasados pudieron haber sido mejores.

La familia es una invención de Dios. Dios ofició la primera unión entre un hombre y una mujer. Nadie entiende o sostiene el hogar mejor que Dios, su autor inicial. ¡Cuánto mejores serían los hogares si cada padre y madre dijera como Josué: "Yo y mi casa serviremos a Jehová"!

La familia es el lugar donde los seres humanos aprendemos el amor y la tolerancia. El énfasis en el individualismo y el materialismo ha atentado contra el ingrediente básico del amor verdadero: la dadivosidad. En la Biblia y en el plano humano, amar es dar. Según Fromm, el amor capacita al hombre a "superar su sentimiento de aislamiento... En el amor se da la paradoja de dos seres que se convierten en uno y, no obstante, siguen siendo dos". El amor permite que podamos aceptarnos y unirnos a pesar de nuestras diferencias.

Por eso, honrar a nuestros padres es una aplicación del principio del amor. Honramos a nuestros padres al amarlos. El amor a nuestros padres se manifiesta en respeto, consideración, protección, cuidado, diálogo, etc. Este amor que va y viene entre padres e hijos produce personas con mayores recursos psicológicos y sociales, que están mejor preparadas para aceptar los profundos desafíos de la vida moderna.

Querido Señor, gracias por darnos a los humanos el apoyo de la familia. Ruego por los que se encuentran solos, que han perdido a sus padres, y por los que hoy no comprenden el amor de nuestro Padre celestial. MAV

¿QUÉ DIOS COMO TÚ?

Y habitaré entre los hijos de Israel, y seré su Dios. Y conocerán que yo soy Jehová su Dios, que los saqué de la tierra de Egipto, para habitar en medio de ellos. Yo Jehová su Dios. Éxodo 29:45, 46.

El hombre es un gran hacedor de dioses. Se mira a sí mismo, y al darse cuenta de su desalentadora condición de ser humano busca algo mayor que él a quien pueda darle su adoración. Entonces transforma el barro y la piedra para crear sus propios dioses y deidades. Los crea a su conveniencia para justificar sus actos, para acallar sus conciencias o para apaciguar sus llantos y temores. Pero sus ídolos no pueden ayudarlo, ni salvarlo de su condena. Fueron creados por él mismo, y surgen de su mente con sus mismas deficiencias y con su misma inaptitud para salvar.

En busca de un salvador se adora a las ratas, a las ranas, a los buitres y a los muertos. En ciertas regiones de Guinea se veneraba a una especie de dios, de sólo unos cuarenta centímetros de altura, que era mitad hombre y mitad sapo. Asimismo, los árabes eran adoradores de genios demoníacos frecuentadores de cementerios que portaban características similares a las de los murciélagos. Los aztecas adoraban al dios del fuego, y al dios de la inmundicia, o Tlaelquani. Otros, como los celtas y los caldeos, veneraban a Bel-Dagan, un dios con cabeza humana y cuerpo de pez. ¡Pero pobre humanidad caída! Ningún dios inventado podrá liberarlos de sus pecados y restaurar la paz perdida.

Hay un único Dios. Un Dios poderoso y magistral que no responde a la lógica de los humanos, y se escapa de los parámetros prefijados por el hombre. Ese Dios rige mundos y controla el universo. Su gloria sobrepuja todo entendimiento, y sin embargo ha consentido habitar entre los hombres y ser su Dios.

¿Por qué adorar al mar, a las montañas, o al sol y las estrellas, cuando contamos con el Dios infinito que creó los mismos elementos que se adoran? Vayamos a él, y con un corazón contrito por el agradecimiento, decidamos adorarle y rendirle toda nuestra pleitesía. Después de todo, ¿qué dios hay en el cielo o en la tierra que haga obras y proezas como las tuyas? (Deuteronomio 3:24).

Sólo tú mereces nuestra adoración, por sacarnos de la tierra de Egipto y ponernos en camino a la Canaán celestial. OLV

EL DIOS QUE NOS ACOMPAÑA

Y él dijo: Mi presencia irá contigo, y te daré descanso. Éxodo 33:14.

¡Qué reconfortante es saber que alguien en quien confiamos va con nosotros cuando nos toca viajar! Si alguna vez se ha sentido solo, en un lugar desconocido, o se ha visto envuelto en una situación precaria sin la compañía o el apoyo de sus seres queridos, o de sus amigos, ya sabe a lo que me refiero. La soledad, en general, puede representar una de las pruebas más duras de la vida.

Cierta vez me tocó viajar sola en avión con mi hijo recién nacido. Joven, inexperta en mi función como madre primeriza, y cargando varias maletas, me dispuse a cruzar el país rumbo a mi hogar. Con mi hijito recién nacido en brazos, me sentía sola y anhelaba la compañía de mis seres queridos. Pero no estaba sola. Tenía a un Dios poderoso que velaba por mí. Junto a mí, se sentó un joven que aunque desconocido no dejó de prestarme la ayuda que tanto necesitaba en todo el transcurso del vuelo. Sin darme cuenta, pronto llegamos. Dios no me había enviado a un ángel para que me socorriera, pero sí me había revelado su presencia mediante la compasión humana.

La enseñanza más admirable del cristianismo es que Dios se despojó de la gloria de su divinidad para integrarse plenamente con la humanidad. En este proceso, Jesús mostró al mundo que los seres humanos pueden ser santos al practicar la compasión por el necesitado, el oprimido, el incapacitado, el paria y el extranjero. La Palabra de Dios revela la innegable verdad de que Jesús se conmovía ante las necesidades humanas y respondía mediante actos de misericordia. Y nosotros, sus hijos, debemos seguir el ejemplo compasivo de nuestro Señor Jesucristo. El Señor nos ha prometido que durante nuestro caminar por este mundo su presencia irá con nosotros, pero muchas veces somos nosotros, a través de la compasión y la misericordia, los encargados de mostrarle al mundo la plenitud de la gracia de Dios.

Ayúdame, Señor, a ser compasivo y ejercer la misericordia, para mostrarle al mundo tu amor inefable. OLV

¡OH SÍ, LE VEREMOS!

Y dijo aún Jehová: He aquí un lugar junto a mí, y tú estarás sobre la peña; y cuando pase mi gloria, yo te pondré en una hendidura de la peña, y te cubriré con mi mano hasta que haya pasado. Éxodo 33:21, 22.

Esta mañana, el sol quería despuntar tardío. Fue rodando despacito sobre las montañas que se pierden detrás de mi cocina hasta que apareció, como yo, soñoliento sobre la tierra fría. Me senté junto a la ventana que perpetuaba la calma oscura de la mañana, y en la quietud invernal en que se sumía el mundo quise ver el rostro de Dios. Entonces, sin vacilación, desde mi lugar detrás del vidrio frío, subí la escalera invisible que me condujo hasta los aposentos santos de mi Hacedor.

¿Ha sentido usted también alguna vez el ferviente deseo de encontrarse con Dios? Esto no es presunción. Mucho menos lo considero una forma de confianza desmedida. Al contrario. Este anhelo no es otra cosa que el gran vacío existente en el alma del caído, que reconociéndose falto de Dios se atreve a alzar el grito desmedido de los anhelos silenciados del corazón para decirle a su Creador cuánto lo necesita.

No le tema a lo impensable cuando de Dios se trata. Escoja la oración como el símbolo de una comunión real e ininterrumpida entre el Dios del cielo y su pueblo aquí en la tierra, y espere ver al Altísimo cara a cara.

El hombre puede recibir seguridad y fuerza al acercarse a la presencia divina. Y Dios anhela que lo hagamos. Él quiere que sus hijos aprendan a recurrir a su cámara de audiencias tan frecuentemente como lo necesitemos para buscar el consejo de Aquel cuya sabiduría es infinita.

De una manera u otra, mientras vivamos en este mundo, las sombras de Satanás no dejarán de proyectarse sobre nuestra senda para obstruir nuestra fe y dejarnos abatidos en el desánimo. ¿Por qué entonces no clamar al Altísimo por una visión de su gloria? Quizá no seamos testigos de una manifestación sobrenatural como Moisés, pero seguramente sentiremos la dulzura de su presencia.

Padre, de oídas te había oído; más ahora mis ojos te ven. OLV

LA ABSOLUCIÓN DE NUESTRAS CULPAS

Porque en este día se hará expiación por vosotros, y seréis limpios de todos vuestros pecados delante de Jehová. Levítico 16:30.

Es cierto que los sentimientos no comprueban ni desaprueban la verdad, pero yo no recuerdo haber sentido la paz del perdón luego de haber confesado mis pecados ante un sacerdote. La recitación de mis faltas de niño y, luego, la repetición de oraciones memorizadas, no producían en mí la satisfacción de estar bien con Dios. Recuerdo más bien la satisfacción de haber completado un deber inevitable.

En realidad, no hay acto humano que provea absolución de nuestra culpa. Todos sabemos que hemos pecado y que no hemos alcanzado la norma que Dios espera de nosotros. Ni siquiera hemos alcanzado las normas que nosotros mismos nos hemos fijado.

El drama actuado del día de la expiación ilustraba visualmente la eliminación de los pecados que los israelitas habían confesado durante los doce meses anteriores. Al presenciar los sacrificios, comprendían que no merecían la bondad de Dios. Entendían que la paga del pecado era la muerte, pero que Otro había muerto en su lugar.

La expiación conllevaba un autoexamen descrito con las palabras "afligiréis vuestras almas" (vers. 29). Debía hacerse un análisis de la vida espiritual, un ajuste de cuentas con Dios y los hombres, y un ayuno para preparar la mente y el espíritu para la experiencia de la absolución. Pero la figura central en el rito de la expiación era un animalito, un macho cabrío que era sacrificado y cuya sangre purificaba el santuario de las "inmundicias de los hijos de Israel… de sus rebeliones y de todos sus pecados" (vers. 16, 19). Luego se transferían los pecados a un segundo animal, el macho cabrío de Azazel, que era abandonado en el desierto.

No hay perdón sin derramamiento de sangre. No hay absolución sin un sacrificio, pero Dios proveyó la víctima divina. La ceremonia del Día de la Expiación era sólo la sombra de un acontecimiento histórico y cósmico con efectos reales y eficaces. Cristo murió por nuestros pecados. Ese día, nuestros pecados fueron transferidos a su sangre, y cuando concluya el día del juicio, serán cargados sobre Satanás, el originador y responsable de esta tragedia.

Hoy podemos ser limpios por la gracia de Dios en Cristo. El día de su venida seremos total y definitivamente libres del pecado y de todas sus consecuencias.

Gracias por los símbolos que nos enseñan tu plan de salvación. Que hoy quede limpio por tu sangre y que sienta en mi corazón el aroma de tu perdón. MAV

SE ACERCA EL DÍA DE NUESTRA LIBERACIÓN

Y pregonaréis libertad en la tierra a todos sus moradores; ese año os será de jubileo, y volveréis cada uno a vuestra posesión, y cada cual volverá a su familia". Levítico 25:10.

El 8 de mayo de 1984, el misionero presbiteriano Benjamín Weir fue secuestrado a punta de pistola por radicales musulmanes chiítas, en Beirut. Durante los 16 meses de su cautiverio fue constantemente amenazado de muerte. La primera noche del secuestro, un hombre enmascarado entró a la recámara donde permanecía amarrado, y lo obligó a ponerse contra la pared. "Quédate quieto y ponte esto", le ordenó. Su verdugo le colocó una máscara de esquiar taponada en los ojos, que sujetó con fuerte cinta adhesiva. Tan pronto se la puso, Benjamín perdió todo contacto con la luz. Desde ese momento su mundo sería una perpetua noche. El sol se le había puesto, y no había nada que pudiera hacer.

Más tarde, este hijo de Dios escribió: "En la funesta oscuridad que de repente invadió mi vida, las palabras del himno *Tras negra sombra*, resonaron en mi cerebro con increíble claridad. De pronto, la realidad de mi vida se volcó sobre mi entendimiento con terrible vulnerabilidad. Me sentí indefenso, atemorizado y muy solo. Mis ojos comenzaron a inundarse de lágrimas. Pero entonces recordé la promesa de Jesús en las estrofas del himno aquél: 'Tras la amargura, viene la dicha; tras la lucha; viene dulce paz. Tras negra sombra, el sol alumbra; tras la tristeza gozo habrá; sí habrá. Tras el trabajo viene el reposo, y al fin del viaje llegaré a mi hogar'. Bien sabía yo que nada había en mí que mereciera la gracia de Dios, pero acepté la promesa de su presencia divina, y su cuidado, como un admirable regalo".

Las promesas de Dios fueron el bálsamo que sustentó a Benjamín Weir durante más de un año en cautiverio y oscuridad. Su esperanza y su gozo se centraron en la realidad de que él no habitaba en cautividad, porque su alma radicaba en Cristo, quien es nuestro Libertador supremo.

El dolor, la ansiedad y la tristeza son las vendas que usa el enemigo de Dios para recluir a sus hijos en la oscuridad, pero aun en la noche surge con fuerza la esperanza y el deseo de ver ese glorioso día cuando Cristo nos libere de todo sufrimiento. El gran día de nuestra liberación se acerca. Cristo está por volver a la tierra como lo ha prometido. Volveremos a tomar posesión de lo que nos ha sido quitado, y cada cual volverá a su familia.

Gracias, Padre eterno, por tus promesas de liberación. OLV

LLUVIA EN SU TIEMPO

Si anduviereis en mis decretos y guardareis mis mandamientos, y los pusiereis por obra, yo daré vuestra lluvia en su tiempo, y la tierra rendirá sus productos, y el árbol del campo dará su fruto... y comeréis vuestro pan hasta saciaros, y habitaréis seguros en vuestra tierra. Levítico 26:3-5.

Esta es una promesa con condición. Indica que su cumplimiento depende de la conducta humana. La condición es la obediencia. Ni más ni menos. No puede referirse a obras de salvación, porque las obras no salvan; ni tampoco puede referirse a una obediencia inspirada por motivos impuros o egoístas. Simplemente dice que Dios bendice a la persona que vive en armonía con sus principios.

En los tiempos bíblicos, la tarea de conseguir y preparar alimentos consumía gran parte del tiempo de las personas. La sociedad giraba en torno a la agricultura y el pastoreo de ovejas. Las familias generalmente cosechaban o compraban de los agricultores el alimento, para después procesarlo, muchas veces sin recurrir al servicio de otros.

La agricultura, por su parte, dependía en gran medida de la disponibilidad de agua, mayormente aquella provista por las lluvias de la primavera y del otoño. La tierra tenía que ser trillada y sembrada, y finalmente se cosechaban sus productos para el consumo. En una zona como Palestina, la lluvia tenía una importancia vital.

Cuando Dios promete a su pueblo lluvias, éxito en sus cosechas y alimento abundante, les está asegurando aquellos elementos que son básicos para la existencia. Él sabe que las necesidades del hombre siguen una escala de prioridades, y que requerimos de cierto nivel de seguridad para sentirnos felices.

Dios suplirá nuestras necesidades básicas para que podamos pasar con él a un nivel superior de relaciones. Ya no la relación de un suplicante constante, para el cual Dios es poco más que un benefactor o una fuente de terapia, sino una relación entre entidades que aportan libremente emociones, opiniones y sentimientos. En fin, una relación entre amigos.

Señor, que hoy yo pueda disfrutar tus bendiciones materiales, pero que éstas no me hagan perder el camino, sino que me permitan y me animen a buscar tu rostro en comunión de amigos. MAV

LA BENDICIÓN DE SU PAZ

Y yo daré paz en la tierra, y dormiréis, y no habrá quien os espante; y haré quitar de vuestra tierra las malas bestias, y la espada no pasará por vuestro país. Levítico 26:6.

La promesa de Levítico 26:6 es parte de una lista de promesas sujetas a una vida de obediencia a los decretos de Dios. Promete paz para el pueblo de Dios y protección contra la violencia de los enemigos. Contiene varios elementos que representan grandes bendiciones también en nuestros días.

Hay guerra entre las naciones y entre grupos étnicos o políticos. Antiguos conflictos siguen dictando la agenda de los organismos que procuran la paz. ¿Y qué en cuanto a la paz con aquellos que nos rodean? ¿Cuántas personas sobreviven diariamente a enemistades con familiares o compañeros de trabajo? ¿Cuántos incluso consideran que viven bajo el mismo techo con su peor enemigo?

Pero el texto también se refiere a la paz personal, de mente y de espíritu. "Y dormiréis" se relaciona con tener una mente tranquila, de una existencia libre de temor. Dios promete darnos tal actitud, no por medio de una vida exenta de todo conflicto, sino como producto de una relación de fe con Jesús.

No podemos dormir bien cuando estamos demasiado cansados, cuando nos abruma el peso de la culpabilidad, cuando estamos enfermos, o cuando sentimos que estamos en peligro. Conectarnos con Dios durante el día mediante la oración y el estudio de su Palabra tendrá un efecto beneficioso sobre nuestro período de descanso.

Dios desea darnos paz en la tierra. Librarnos de las enemistades. Protegernos del peligro. Pero primero quiere que lo adoremos en verdad. Los primeros versículos del capítulo se refieren a la primera tabla de la ley. No hacernos ídolos ni adorarlos, guardar el sábado, respetar el santuario de Dios. Es una proposición sencilla y de consecuencias eternas y trascendentes. Tendremos paz en la tierra y en nuestra vida cuando primero hagamos las paces con Dios.

Señor, permíteme hoy reconocerte como mi Dios y vivir en la paz de tu presencia. MAV

LA PRESENCIA PERSONAL DE DIOS

Y pondré mi morada en medio de vosotros, y mi alma no os abominará; y andaré entre vosotros, y yo seré vuestro Dios, y vosotros seréis mi pueblo. Levítico 26:11.

Si Israel hubiese obedecido, la presencia de Dios en el santuario habría hecho de la nación una fuente de bendiciones para todo el mundo. Pero la promesa de la presencia personal de Dios entre los hombres trasciende el alcance de la promesa a Israel. Estar separados de nuestro Creador sustenta en todos los seres humanos ansias de reencuentro y reconciliación. No podemos ser plenamente felices sin una conexión divina. Vivimos como hijos cuyo padre se ha marchado a un viaje muy largo, y seguimos augurando su regreso.

Esta promesa tuvo un cumplimiento glorioso en la persona de Jesús. Dios habitó entre nosotros. Nos dio a conocer su carácter y nos reveló su amor. Anduvo entre nosotros, sufrió nuestros dolores, compartió nuestra debilidad física. Abrazó a nuestros niños, sanó a nuestros enfermos y lloró a nuestros muertos.

Esa cercanía física de Dios volverá a repetirse porque es el estado ideal de las partes que se aman. Ya no una presencia velada por los ritos del santuario, ni limitada por un ministerio histórico de algunos años, sino una unión permanente y por la eternidad. Tiene que ser así.

Que Dios decida morar entre nosotros es un pensamiento sorprendente. Que Dios habite aquí, en nuestro mundo de imperfecciones y rencores, de ambiciones y búsqueda de placer vano es asombroso. Si pensáramos en términos más personales, ¿qué encontraría nuestro nuevo Vecino en nuestros hogares?

El tío Carlos que se "ocupa" de su sobrina de un modo no recomendable; la esposa que esconde los moretones; el esposo que oculta la botella de licor; la viuda que sigue usando pastillas para el dolor aunque no las necesita; la jovencita que decide abortar la criatura que ha concebido. ¿Y qué de nuestra familia? ¿Estamos nosotros listos para convivir con Jesús?

Este es un mundo herido, en muchos sentidos vacío. Nos falta la presencia de Jesús. Necesitamos que comience hoy su morada en nuestros corazones.

Gracias, Señor, por cumplir tu promesa de acercamiento en Jesús. Gracias por la cercanía de tu Espíritu y por la esperanza de una reunión física y total contigo. MAV

JEHOVÁ TE BENDIGA

Jehová te bendiga, y te guarde; Jehová haga resplandecer su rostro sobre ti, y tenga de ti misericordia; Jehová alce sobre ti su rostro, y ponga en ti paz. Números 6:24-26.

El versículo de hoy se encuentra en medio de una serie de instrucciones a Moisés que habrían de gobernar el funcionamiento civil y religioso de Israel. El capítulo 6 es una descripción del voto de nazareo, un proceso de apartamiento momentáneo simbolizado por varios cambios de conducta y apariencia física. El nazareo se abstenía de bebidas alcohólicas y otros productos de las uvas. Dejaba crecer sus cabellos y se dedicaba a una vida de contemplación y santidad hasta el cumplimiento de su tiempo.

El pasaje que sigue es un recuento de las ofrendas traídas por los príncipes de Israel para la santificación del tabernáculo. En medio de ambos pasajes, la bendición de Números 6:24-26 podría parecer fuera de lugar, una especie de interrupción en el flujo del libro. ¡Pero cuánta inspiración hay en sus palabras!

Esta era una bendición pública, pronunciada ante toda la congregación. Anuncia la protección divina y una larga vida de felicidad. Augura la iluminación de la gloria de Dios sobre la vida del creyente, y la dispensación del favor y la gracia divinas. El que Dios alce su rostro sobre nosotros significa que nos mira con bondad. Lo opuesto sería que ocultara su rostro de nosotros (Deut. 31:17, 18; Job 13:24), o que volviera su rostro contra nosotros (Sal. 30:7; 34:16), lo que representaría nuestra muerte y destrucción.

La paz prometida, *shalom*, significa "unidad", "bienestar", "prosperidad" y "salud". El resultado de una relación genuina con Dios resulta en todo esto. No se ponen condiciones en el texto, pero el Antiguo Testamento es claro en la distinción entre el destino del justo en contraste con el del impío. Estas son las bendiciones para el pueblo de fe, para el creyente que respeta y atesora su relación con Dios.

La bendición de Números 6 es un verdadero antídoto para el negativismo y el desánimo de nuestros días. Es totalmente positiva; no se debe a esquemas ni condiciones humanas. Nos llega inmerecidamente. No se pide nada a cambio. No responde a nuestras bondades ni a nuestros talentos, ni siquiera a nuestras actitudes. Es una exhibición del carácter generoso de Dios, siempre dispuesto a beneficiar a su pueblo.

La bendición que deseas darme es demasiado grande para mí. No sé cómo agradecerte todo lo que me ofreces, pero lo acepto humildemente y me regocijo en ello. MAV

GUIADOS POR UNA NUBE

Al mandato de Jehová los hijos de Israel partían, y al mandato de Jehová acampaban; todos los días que la nube estaba sobre el tabernáculo, permanecían acampados. Números 9:18.

El episodio de la nube sobre el tabernáculo es mencionado primariamente en los libros de Éxodo y Números. Ocurre cuando se inicia el servicio en el santuario, luego de haberse preparado los utensilios, la tienda de dos departamentos, y haberse instituido el sacerdocio a cargo de Aarón y sus hijos. En el capítulo 9 se relata la celebración de la pascua y se dan reglamentos para la participación en la pascua de parte de personas inmundas (por contacto con cadáveres) y extranjeros.

El versículo 15 introduce el fenómeno: "El día que el tabernáculo fue erigido, la nube cubrió el tabernáculo sobre la tienda del testimonio; y a la tarde había sobre el tabernáculo como una apariencia de fuego, hasta la mañana". La nube cumplió entonces la función de dirigir la ruta y los lugares de descanso del pueblo de Dios. Se convirtió en una señal visible de la voluntad de Dios. Cuando se alzaba, el pueblo levantaba el campamento y la seguía hasta que ésta descendía nuevamente sobre el tabernáculo.

Aquí hay varios detalles que nos conviene destacar. Puede verse en primer lugar el deseo de Dios de conducir a su pueblo. Esta nube es especial porque responde a la voluntad sobrenatural de Dios. Esta no es una nube amenazadora, que presagia una horrible tormenta, sino un símbolo de esperanza y bendición para los creyentes.

De día, Dios utilizaba una nube; de noche una luz como de llamas. La nube resguarda del sol, un pabellón natural de protección. La luz también ofrecía seguridad al iluminar las tinieblas. Ambas manifestaciones se mostraban sobre el tabernáculo, el lugar donde reposaban las tablas del pacto: los Diez Mandamientos. Ambas simbolizaban el favor de Dios hacia su pueblo.

Pero un símbolo o señal funciona únicamente si aquellos para los cuales se da, la reconocen como tal. El pueblo israelita reconoció la naturaleza sobrenatural y benigna de la nube y aceptó que Dios estaba manifestando su voluntad por ese medio. ¿Será posible que Dios esté guiándonos a nosotros hoy por medios que a veces no reconocemos?

Querido Dios, gracias por el deseo indiscutible que tú tienes de guiarnos. Te ruego que hoy yo siga tu nube en mi vida. MAV

EL DIOS DE LOS MILAGROS

Entonces Jehová respondió a Moisés: ¿Acaso se ha acortado la mano de Jehová? Ahora verás si se cumple mi palabra, o no. Números 11:23.

Cumple acaso Dios su palabra como promete? ¿Ha dejado Dios de obrar en nuestros días, tal como lo hacía en épocas bíblicas?

La Palabra de Dios nos dice: "He aquí que no se ha acortado la mano de Jehová para salvar, ni se ha agravado su oído para oír" (Isaías 59:1). El hecho de que creamos que tenemos un Dios cuyo poder es limitado, radica más bien en nuestra percepción espiritual y no en el poder obrador de Dios. Dios sigue siendo bueno y fuerte, su brazo aún es poderoso, y su oído todavía está atento al clamor de sus hijos. Puede ayudarnos y lo hará.

No tenemos por qué dudar de su palabra. Él obra en grande y en pequeño. Obra a la luz del día y en la oscuridad de la noche. Obra en colores y obra en blanco y negro. Su presencia divina se manifiesta hoy en las grandes ciudades y en las urbanizaciones rurales de nuestros tiempos, tan poderosamente como lo hacía en el Israel de antaño.

Jesucristo no ha cesado de actuar por sus hijos terrenales como muchos hoy en día piensan. Incontables milagros silenciosos se realizan diariamente en el corazón y en las vidas de los seres humanos en todo el mundo. Y nos quejamos porque no vemos más manifestaciones divinas.

Pensemos por un momento en nuestra propia vida. Vamos y venimos, nos movemos y subsistimos en grandes y modernas ciudades atascadas de gente y de automóviles. El peligro nos acecha con miles de rostros diferentes, y estamos acostumbrados a suponer que regresaremos a casa tan felices como salimos. A veces, de camino a la oficina, zigzagueando entre automóviles y gigantescos camiones con apariencia de trenes, me maravillo del cuidado de Dios. Un descuido humano, y somos reducidos a nada. Tomamos nuestra vida a la ligera. Damos por comunes las carreteras por donde transitamos cada día, la casa donde vivimos y el suelo donde moramos. Pero si no fuera por la constante protección divina, estaríamos expuestos a tantos desastres naturales como a las agresivas calamidades del clima de nuestros días. Es por el amor de Dios y su misericordia que nuestras vidas se desarrollan sin mayores percances.

Padre, levanto la vista al cielo y te agradezco por todo lo que haces en mi favor. OLV

EL PODER DE LA MINORÍA

Por tanto, no seáis rebeldes contra Jehová, ni temáis al pueblo de esta tierra; porque nosotros los comeremos como pan; su amparo se ha apartado de ellos, y con nosotros está Jehová; no los temáis. Números 14:9.

El relato de la incursión de los espías israelitas en la tierra de Canaán contiene una serie extraordinaria de lecciones para nuestros días. Los enviados eran doce príncipes de Israel, uno por tribu. Pero de esos doce, sólo dos escogieron confiar en Dios y en sus promesas.

Se les dieron instrucciones específicas e implementaron un recorrido desde el sur de Palestina, tierra de pastoreo de ganado, hasta las montañas del centro y Hebrón. Aparentemente, Palestina en esos tiempos era mucho más fértil y verde de lo que es actualmente, y los espías la describieron como tierra que fluía leche y miel.

El informe inicial mencionó la fertilidad de la tierra y mostró los frutos cortados junto al arroyo de Escol (ver capítulo 13:21-33), pero seguidamente se refirió a los obstáculos y los peligros de conquistarla. Únicamente Caleb y Josué animaron al pueblo a tomar posesión de la tierra.

El relato nos dice que servir a Dios por la fe muchas veces nos coloca en una minoría. Ser parte de una minoría implica ser diferente, tener costumbres y actitudes peculiares; a veces ir en contra de la mayoría. En el caso de los espías, significó la diferencia entre una fe vibrante y el desánimo.

Para el ser humano, la manera lógica de evaluar una situación comienza por un análisis de las evidencias o detalles surgidos a través de la observación o experimentación. Según el informe de diez de los doce espías, las posibilidades de conquistar las ciudades de la tierra prometida eran mínimas. Era una tarea peligrosa y abrumadora, pero había un detalle importante: Dios les había prometido su ayuda y conducción.

"Con nosotros está Jehová". Esa era la diferencia; el elemento que cambiaba todo lo demás. Dios les había entregado la tierra y les había ordenado que la poseyeran. Él estaba detrás de la conquista. En realidad, la iniciativa siempre había sido de Dios. Por eso la minoría tenía razón. No habrían de vencer por sus propias fuerzas, sino porque Dios estaría con ellos.

Cuando nos toque enfrentar los desafíos de hoy, recordemos que con Dios la minoría es mayoría.

Querido Señor, ayúdame a no dejarme desanimar por los gigantes que encuentro en mi camino. MAV

TRASPASO DE VALORES

Y guarda sus estatutos y sus mandamientos, los cuales yo te mando hoy, para que te vaya bien a ti y a tus hijos después de ti, y prolongues tus días sobre la tierra que Jehová tu Dios te da para siempre. Deuteronomio 4:40.

Al escribir estas líneas, mi esposa y yo acabamos de regresar de una de las empresas más difíciles que alguna vez nos hubiera tocado. Ayer dejamos a nuestra hija de 18 años en una universidad a más de 1.600 km de la casa. Primero nos tocó presenciar el proceso de escoger lo que habría de llevar con ella a su nueva vida, y lo que dejaría en su habitación verde claro. En su nueva morada, la ayudamos a colocar sus pertenencias, a equipar su dormitorio de toda la tecnología que requiere un estudiante moderno. Luego de varios viajes a los comercios, quedamos satisfechos de que estaría casi tan cómoda como en el hogar de sus padres.

Al regresar anoche a la casa, descubrimos que nuestra hija nos había dejado sendas tarjetas. En la mía, ella decía que aunque a veces dio la impresión de que no apreciaba todas las reglas del hogar y los valores que le habíamos inculcado, de todos modos tomaría muy en cuenta nuestras enseñanzas. Mi hija me estaba afirmando que escogía recorrer el camino de la vida guiada por principios. Sus sentidas palabras auguran que está ocurriendo en ella una transferencia exitosa de los valores de sus padres creyentes.

En Deuteronomio y en otros lugares se hace referencia a una transmisión de bendiciones de padres a hijos, como también de las consecuencias de la desobediencia sobre las generaciones que siguen. ¿Cómo se logra que las bendiciones espirituales que hemos recibido pasen a nuestros hijos?

El texto sugiere que la obediencia a la voluntad de Dios trae bendiciones para nosotros y nuestros descendientes. Esto puede significar que una vida de consonancia con el Dios de las Escrituras produce ciertas condiciones positivas de manera natural. La honestidad, el trabajo esforzado, un estilo de vida saludable, la amabilidad que cultiva el creyente, resultan en la aceptación de otros y en una mejor salud y nivel de satisfacción psicológica.

También puede aludir al poder del ejemplo de padres cristianos. Una vida consecuente, que busca agradar a Dios, aunque sea en algunos sentidos defectuosa, es un poderoso argumento a favor del Evangelio a los ojos de nuestros niños. Quizás ellos prestan más atención de lo que parece.

Señor, gracias por bendecir a nuestros hijos. MAV

JEHOVÁ MI DIOS

Yo soy Jehová tu Dios, que te saqué de tierra de Egipto, de casa de servidumbre.
Deuteronomio 5:16.

Las palabras iniciales de los Diez Mandamientos establecen la relación entre Dios y su pueblo. La identidad de Dios queda clara. Él presenta en primer lugar su nombre: "Jehová tu Dios"; sus actos respecto a Israel: "te saqué de tierra de Egipto, de casa de servidumbre".

Este es el Dios que siempre se ha relacionado con ellos, el Dios de Abrahán y de Jacob. En realidad no hay otro Dios verdadero. "¿Qué dios hay en el cielo ni en la tierra que haga obras y proezas como las tuyas?", había escrito anteriormente Moisés (Deut. 3:24). El gran desafío de las Escrituras es el concepto de un solo Dios verdadero que nos creó y mantiene una relación con nosotros. Cuando las religiones cananitas ofrecían una variedad de deidades, aparte del panteón de dioses egipcios y sumerios, las Escrituras judías planteaban la existencia de un Dios único, sin principio ni final, cuyo nombre mismo significa "el que es".

La confesión de fe en el único Dios resuena en los libros del Pentateuco y el resto del Antiguo Testamento. He aquí algunos ejemplos:

"Porque Jehová vuestro Dios es Dios de dioses y Señor de señores, Dios grande, poderoso y temible" (Deut. 10:17).

"Por tanto, tú te has engrandecido, Jehová Dios; por cuanto no hay como tú, ni hay Dios fuera de ti" (2 Sam. 7:22).

"Jehová Dios de Israel, no hay Dios como tú, ni arriba en los cielos ni abajo en la tierra" (1 Rey. 8:23).

"Porque ¿quién es Dios sino sólo Jehová? ¿Y qué roca hay fuera de nuestro Dios?" (Sal. 18:31).

Y en Isaías 45:22, el Señor nos lanza una invitación inmemorial a una vida de fe en él como el único Dios.

"Mirad a mí, y sed salvos, todos los términos de la tierra, porque yo soy Dios, y no hay más".

El desafío llega hasta nosotros a través de los siglos. ¿En quién hemos de creer? ¿Aceptaremos a Jehová como nuestro Dios?

Señor, Dios de Israel y de Abrahán, Dios del Antiguo y del Nuevo Testamento, tú eres mi Dios. MAV

HAMBRE DE DIOS

Y te afligió, y te hizo tener hambre, y te sustentó con maná, comida que no conocías tú, ni tus padres la habían conocido, para hacerte saber que no sólo de pan vivirá el hombre, mas de todo lo que sale de la boca de Jehová vivirá el hombre. Deuteronomio 8:3.

Lo que Dios hizo por el pueblo de Israel durante cuarenta años en el desierto fue verdaderamente sorprendente. La lista de milagros incluyó: (1) La creación y distribución de un alimento misterioso que caía del cielo y que obviamente tenía todos los nutrientes necesarios para sostener la vida de un pueblo de más de dos millones de habitantes, (2) la preservación sobrenatural de las vestimentas, (3) la presencia visible de Dios en una columna de fuego en las noches y una nube durante el día.

La caída del maná incluía varias lecciones implícitas. En esencia, Dios reconoció el hambre de su pueblo y proveyó una solución completamente ajena a las gestiones humanas.

Los científicos han intentado explicar uno tras otro los milagros del Éxodo. Proponen que la plaga del agua ensangrentada se debe a la proliferación de ciertas algas, que las codornices estaban enfermas y que su presencia se debía a patrones regulares de migración, etc. Acerca del maná no hay explicación ni evidencia de su existencia, el caso es que el pueblo no habría podido sobrevivir 40 años en el desierto sin una fuente externa de alimentación.

La caída del maná implicaba otra lección, que a la vez de ser una sentencia de Jesús es una promesa: "No sólo de pan vivirá el hombre, sino de toda palabra que sale de la boca de Dios" (Mat. 4:4). El hombre ha recibido la posibilidad de ganarse el sustento, de cultivar y preparar sus alimentos, pero esto no significa que no necesita de Dios. Las necesidades humanas van más allá de los alimentos físicos. La caída del maná, al igual que la multiplicación de los panes y los peces en el Nuevo Testamento, muestra que Dios puede proveer ambos tipos de alimentos: el físico y el espiritual. Sucede así, porque en ambas ocasiones Dios emplea medios sobrenaturales para proveer alimento físico.

Dios es el Señor tanto de lo físico como de lo espiritual. Él puede hacer caer maná del cielo, y también puede perdonar nuestros pecados. Él puede sanar enfermedades del cuerpo y del alma. Él puede sostenernos en medio de cualquier circunstancia, y ha provisto abundante alimento espiritual en su Palabra y obras derivadas de ésta.

Señor, gracias por proveer alimentos a tus hijos. MAV

DE JEHOVÁ ES LA BATALLA

Porque Jehová vuestro Dios va con vosotros, para pelear por vosotros contra vuestros enemigos, para salvaros. Deuteronomio 20:4.

Cuando era adolescente, cierta vez tuve problemas con una pandilla de agresivas jóvenes que juraron hacerme daño. "Prepárate mañana", me dijeron como regalándome un tiempo de gracia. Cuando llegué a casa esa tarde, le conté a mi madre lo que me había sucedido. Estaba atemorizada. Las alternativas de "huye o pelea" no eran adecuadas a mi personalidad. No sabía qué hacer, pero mi madre era una hija de Dios habituada a confiar en el poder y la protección de su amante Padre celestial, y sí sabía qué hacer. Allí mismo se arrodilló conmigo, y oró por mí. Luego abrió la Biblia, y me dijo: "Acuérdate de esto: 'Porque has puesto a Jehová, que es mi esperanza, al Altísimo por tu habitación, no te sobrevendrá mal, ni plaga tocará tu morada. Pues a sus ángeles mandará acerca de ti, que te guarden en todos tus caminos (Salmo 91:9-11)'. Mañana, cuando llegues a la escuela, anda delante de ellas confiada en tu amigo Jesús. Porque el Señor irá contigo".

A la siguiente mañana, cuando llegué a la escuela, ya las chicas me estaban esperando. Dos de ellas se habían colocado a ambos lados de la entrada por donde yo tenía que pasar, mientras las otras rondaban cerca, estudiando cada uno de mis movimientos con caras de terroristas. Algo, sin embargo, sucedió, pues al pasar junto a ellas de repente se apartaron a un lado y me dejaron pasar sin tocarme, como si yo hubiese estado acompañada por un hermano mayor. Y efectivamente así era.

Jesús, nuestro Hermano Mayor, quien contempla el rostro de nuestro Padre celestial diariamente, nos ha prometido ir con nosotros para pelear contra nuestros enemigos. En un mundo atestado de peligros de toda suerte, cuán reconfortante es saber que tenemos un Dios grande, fuerte y poderoso que nunca nos abandonará.

Gracias, querido Hermano Mayor, por prometer que me acompañarás cuando enfrente a mis enemigos. OLV

ESCOGED HOY A QUIÉN SERVIR

A los cielos y a la tierra llamo por testigos hoy contra vosotros, que os he puesto delante la vida y la muerte, la bendición y la maldición; escoge, pues, la vida, para que vivas tú y tu descendencia. Deuteronomio 30:19.

El 7 de septiembre de 1964, las programaciones principales de la televisión estadounidense fueron repentinamente interrumpidas por el anuncio publicitario de corte político más famoso de su tiempo. En ese anuncio, una niña de cabellos largos apareció en medio de un campo de margaritas recogiendo flores. Mientras deshojaba una de ellas, se la escuchaba contar: "1, 2, 3...". Al mismo tiempo, en el fondo de aquel pacífico panorama, se escuchaba conjuntamente la voz de un hombre que en forma regresiva iba contando: "10, 9, 8...".

Mientras cada uno seguía con su propio conteo, la voz del hombre se fue intensificando, a la vez que la de la niña palidecía en el trasfondo. Cuando el uno llegó al 10, y el 10 a 0, en ese preciso momento una descomunal bomba nuclear estalló, destruyéndolo todo. Sobre las catastróficas imágenes de aquel desastre, se escuchó otra voz que, tipificando la voz de Dios, decía: "Este es el gran desafío del vencedor: Someted vuestros esfuerzos a la edificación de un mundo donde cada hijo de Dios pueda vivir en paz, o habréis de caminar en dirección a la oscuridad. Este es el fin: O nos comprometemos a amarnos unos a otros, o es menester perecer".

Aquella voz, en realidad era la voz del presidente Lindon Johnson, quien urgía al pueblo norteamericano a votar por él en las elecciones del 3 de noviembre. Paradójicamente, nuestro Supremo Comandante, Jesucristo, hizo lo mismo mediante su muerte en la cruz. Por un momento interrumpió el curso de nuestra vida, para instarnos a decidirnos por él.

Hay dos caminos. El Señor nos dice: "Escogeos hoy a quién sirváis" (Josué 24:15). Se nos ha puesto delante la vida y la muerte, la bendición y la maldición, y si queremos vivir eternamente, junto con nuestra descendencia, habremos de escoger servir a Cristo. Está en nuestras manos la decisión. La ecuación es simple: Hemos llegado al fin: O nos comprometemos a vivir por Jesucristo, o es menester perecer.

Querido Salvador, abre mis ojos ciegos para que vea yo tu luz. Abre mi intelecto adormecido en la comodidad de los días de paz para ver tu glorioso rostro más allá. Tú lees los pensamientos de mi corazón arrepentido, y sabes que mi voto es por ti. OLV

APOYADOS EN LAS PROMESAS DEL SEÑOR

Nadie te podrá hacer frente en todos los días de tu vida; como estuve con Moisés, estaré contigo; no te dejaré, ni te desampararé. Josué 1:5.

A veces, durante nuestro peregrinar por este mundo, necesitamos reafirmar nuestra fe. No es irreverente ni atrevido doblar nuestras rodillas delante de nuestro Padre Celestial cuantas veces sea necesario, para pedirle enfáticamente que nos asegure que su presencia irá con nosotros.

Después de la muerte de Moisés, Dios se comunicó con Josué y le dijo: "Ahora, pues, levántate y pasa este Jordán, tú y todo este pueblo, a la tierra que yo les doy a los hijos de Israel" (Josué 1:2). La tarea que Dios requería de Josué era ardua y apuntaba hacia un camino lleno de dificultades. Josué necesitaba escuchar que el Dios que le pedía que avanzara era el mismo Dios omnipotente que había acompañado a Moisés y a sus antepasados, y que su misericordia no había cambiado. Quería específicamente que Dios le asegurara que su presencia continuaría reconfortándolos hasta el final del camino. Y el Señor no dudó en asegurarle: "Nadie te podrá hacer frente en todos los días de tu vida; como estuve con Moisés, estaré contigo; no te dejaré, ni te desampararé" (1:5).

Dios había hecho un pacto con su pueblo. Prometió a los hijos de Israel darles heredad sobre la tierra, y no había nada ni nadie en el mundo que pudiera inmovilizar al Dios del universo en el cumplimiento de su promesa. Lo mismo ocurre hoy. El Señor nos promete su poder para avanzar, y nos ofrece su presencia fiel. "Nadie te podrá hacer frente", nos dice. Sin embargo, no debemos olvidar que la presencia de Dios y su mano poderosa no excusaban al pueblo de Israel de sus responsabilidades. Dios ya había entregado a los enemigos de Israel en sus manos, pero los israelitas tenían que hacer su parte, y obrar conforme a toda la ley que Moisés les ordenó. No debían apartarse de ella ni a diestra ni a siniestra, porque ese era el requisito divino para ser bendecidos. El Señor nos ha prometido vida eterna y un maravilloso arribo a la patria celestial. Solamente requiere de nosotros fidelidad y esfuerzo. Nos dice: "Nunca se aparte de tu boca este libro de la ley, sino que de día y de noche meditarás en él, para que guardes y hagas conforme a todo lo que en él está escrito; porque entonces harás prosperar tu camino, y todo te saldrá bien" (Josué 1:8).

Padre, necesito confiar en tu poder para poder enfrentar situaciones que hoy pudieran desanimarme o detenerme en el camino. Ayúdame a serte fiel y a cumplir tus mandamientos. OLV

VALOR PARA VENCER

Mira que te mando que te esfuerces y seas valiente; no temas ni desmayes, porque Jehová tu Dios estará contigo en dondequiera que vayas. Josué 1:9.

Las palabras de Josué 1:9 llegan en un momento oportuno. Josué está enfrentando el mayor desafío de su vida. Hasta el momento, ha sido un fiel subalterno de Moisés, pero ahora el gran caudillo de Israel ha muerto y Josué ha sido escogido como su sucesor.

No es lo mismo ser un asociado del jefe que el jefe mismo. Hay diferencias de grado y de función. Cumplir órdenes puede ser muy desafiante, y puede requerir dones de liderazgo si se trata de dirigir a su vez a otros, pero la persona a la cual toca la responsabilidad última de una empresa siente unas presiones que rara vez experimentan sus seguidores. En el caso de Moisés, sus funciones incluían actividades administrativas, de comunicación, de consejería y legislatura, de relaciones humanas y análisis de personas y situaciones. A eso se añadía una dimensión pastoral y de mediador ante Dios. Esta última escapa a las descripciones de trabajo de cualquiera de nosotros.

No sólo existían presiones propias del cargo, sino que ante Josué y el pueblo se alzaba el enorme desafío de conquistar la tierra prometida de manos de sus habitantes. La promesa de Dios cubre no sólo el aspecto logístico de la conquista, sino la condición anímica de Josué. Le asegura que entregará la tierra en sus manos (vers. 3), y lo anima a ser valiente diciéndole que no lo dejará. (En el versículo 5, el hebreo original repite la misma frase: en vez de "no te dejaré, ni te desampararé", en realidad dice "no te dejaré, no te dejaré".)

Este aspecto humano de la promesa de Dios nos corresponde a nosotros hoy. Su llamado a ser valientes es para todo creyente que enfrenta pruebas. "Nadie te podrá hacer frente" es una promesa para todo cristiano. El mismo Dios que impartió ánimo a Josué, es el Dios poderoso que ha dedicado todos sus recursos a ayudarnos.

El temor es lo opuesto a la fe. Josué conocía a Dios, pero probablemente se sentía inepto para el cargo que se le confería. Desconfiaba quizá de la parte humana en el binomio de Dios y él. Dios le aseguró que actuaría por medio de él, al igual que había hecho con Moisés (vers. 5). Hoy también necesitamos valor: valor para servir a Dios en un mundo casi totalmente secular, valor para creer en la Biblia y seguir sus preceptos, valor para desempeñar las tareas que Dios nos pide.

Señor, por favor dame la fe que me llenará de valor para hacer y decir lo que tú me pides hoy. MAV

PENSANDO EN LOS DEMÁS

Guardad, pues, con diligencia vuestras almas, para que améis a Jehová vuestro Dios. Josué 23:11.

Esta es la despedida de Josué y quizá las palabras que expresan mejor el carácter de este gran hombre. Para este entonces, Josué probablemente había entrado en su último año de vida: tenía unos 110 años de edad. Cuando Israel entró en Canán, Josué tenía unos 83 años. Cuando terminó la conquista, habrá tenido 90 años. Así que habían pasado 20 años desde el establecimiento de Israel como pueblo en la tierra prometida.

Esta fue la primera de dos reuniones de Josué con los líderes de su pueblo: los príncipes de las tribus, los jefes de familia, los jueces y otros funcionarios. Las palabras de Josué no tratan de detalles de gobierno ni de nombramientos o decisiones políticas. La máxima preocupación de Josué es la salud espiritual de su pueblo. No le preocupa lo que piensen de él, sino lo que piensen de Dios. Su pedido básico es: "Mas a Jehová vuestro Dios seguiréis, como habéis hecho hasta hoy" (vers. 8).

Dios había prometido estar con su pueblo y con Josué, y su presencia se había manifestado vez tras vez a su favor. Josué se sentía satisfecho con lo que Dios había hecho. Ahora muestra su temple espiritual al concentrar su interés en la vida espiritual de su pueblo.

Josué señala cómo Dios ha cumplido todas sus promesas: "No ha faltado ni una palabra". Así actúa Dios. Dios siempre cumple sus promesas. Él promete perdón, compañía, valor y un cometido en la vida. Sus promesas son generales y personales. De la misma manera que se preocupó por el ánimo de Josué ante una tarea abrumadora al comienzo de su liderazgo, Dios personaliza sus promesas dentro del plan que contempla para nuestras vidas.

Si aceptamos su llamado particular, si nos disponemos a ser sus instrumentos, nuestro futuro contará con la presencia de Dios. Es así de sencillo. No importan nuestras circunstancias ni nuestra herencia ni nuestra edad ni nuestros talentos humanos. Lo que importa es que aceptemos como Josué caminar por el camino de la fe. La invitación está en pie. Las promesas son absolutamente seguras.

Querido Dios, quiero transitar el camino que tú me depares. Contigo quiero conquistar las ciudades que me pidas; y al terminar mi carrera, permíteme transmitir a los que me rodean el tesoro de la fe. MAV

RECORDAD A DIOS

Reconoced, pues, con todo vuestro corazón y con toda vuestra alma, que no ha faltado una palabra de todas las buenas palabras que Jehová vuestro Dios había dicho de vosotros; todas os han acontecido, no ha faltado ninguna de ellas. Josué 23:14.

El verso de hoy no es exactamente una promesa, sino más bien la corroboración del cumplimiento de las promesas divinas. ¿Cumple acaso Dios lo que promete? Por supuesto que sí. La Palabra de Dios nos dice: "Fiel es el que os llama, el cual también lo hará" (1 Tesalonicenses 5:24).

El hombre no puede vivir sin promesas. Las promesas son el pan cotidiano que ilusiona y anima el alma del ser humano. Esperar el cumplimiento de una promesa, es esperar a que se cumplan los anhelos del corazón. ¡Cuánto más las promesas de Dios! Sin las promesas divinas, no seríamos nada. No podemos vivir en esta tierra y esperar ser felices, sin la certeza de la promesa del regreso de Jesucristo.

¿Pero cómo se cumple una promesa? ¿Cuáles son las condiciones necesarias para que se efectúen? Las promesas se cumplen según nuestra respuesta al requisito propuesto.

Uno de los pocos momentos en que el pueblo de Israel se vio exento de guerras y disfrutó de paz fue durante el liderazgo de Josué. Desde el Jordán hasta el Mar Grande, el pueblo poseyó la tierra, tal como Dios les había prometido. Antes de morir, Josué reunió a todas las tribus de Israel en Siquem y les dijo: "Esforzaos, pues, mucho en guardar y hacer todo lo que está escrito en el libro de la ley de Moisés, sin apartaros de ello ni a diestra ni a siniestra" (Josué 23:6). "Más a Jehová vuestro Dios seguiréis, como habéis hecho hasta hoy"(ver. 8).

¡Con razón la promesa de la posesión de la tierra se había cumplido! El pueblo de Israel había hecho su parte en el contrato. Ahora podían sentarse a disfrutar las bendiciones de Dios. Y así funciona el mecanismo de la promesa: Se hace la entrega cuando se cumple, y se cumple cuando se hace la entrega. Es un acuerdo de doble lealtad.

Cumplimos el requisito de una promesa cuando hay interés en obtener lo prometido. ¿Y tenemos interés en que se efectúen las promesas divinas? Claro que sí.

Estimado lector, la parte del contrato que usted tiene que cumplir es amar a Dios y guardar su Palabra. Amarlo implica consumar nuestra parte del contrato y confiar en que recibiremos lo prometido.

Señor, hemos decidido servirte, de manera que cumplamos la condición de tus promesas. OLV

PROSPERAREMOS

Nunca se apartará de tu boca este libro de la ley, sino que de día y de noche meditarás en él, para que guardes y hagas conforme a todo lo que en él está escrito; porque entonces harás prosperar tu camino, y todo te saldrá bien. Josué 1:8.

Aquí se presentan varias acciones en conexión con el libro de la ley, la Palabra de Dios escrita que estaba disponible al final de los cuarenta años del Éxodo. En primer lugar, se menciona la proclamación física y personal de la Palabra. En segundo lugar, se alude a la meditación sobre su contenido, una consideración continua y permanente de las Escrituras. En tercer lugar, se dice que esta proclamación y meditación deben ser acompañadas de la obediencia. El resultado de este proceso será la prosperidad y el éxito.

Para la persona de una sociedad moderna, el éxito se describe en términos muy diferentes. No tiene nada que ver con la lectura de documentos antiguos, ni con la meditación continua sobre conceptos filosóficos o espirituales, aunque muchos maestros religiosos actuales enseñan la meditación. El éxito se mide en base a los logros, generalmente materiales. O en base a la influencia que se ejerce sobre los demás. El dinero. La apariencia. Los talentos. Todas estas palabras o conceptos son tomados como sinónimos de una vida exitosa.

¿Tendrá razón la Palabra de Dios? ¿Será que nos conviene aprenderla y repetirla? ¿Será que meditar en ella tiene más que ver con el éxito genuino que las posesiones?

Aquí hay una invitación a una clarificación de valores. ¿En qué pensamos cuando nos referimos a la prosperidad? ¿Tendremos los mismos conceptos que la sociedad secular que nos rodea? ¿Qué dicen nuestras palabras? ¿En qué abundan nuestros pensamientos y qué demuestran nuestras acciones?

Podemos expresar nuestras convicciones y nuestros deseos de ser espirituales con palabras, pero la manera en que empleamos nuestro tiempo —especialmente nuestro tiempo libre— demuestra cuáles son nuestros anhelos más íntimos.

En el texto de hoy, Dios exige un lugar primordial, ¿se lo daremos?

Querido Dios, permíteme hoy establecer prioridades que tomen en cuenta la suprema importancia que tú tienes en mi vida. MAV

CONQUISTA O CONVIVENCIA

También la casa de José subió contra Bet-el; y Jehová estaba con ellos. Jueces 1:22.

Bet-el estaba a unos 16 km al norte de Jerusalén, en la zona montañosa central. Su nombre significa "Casa de Dios", y proviene de la visión que Jacob tuvo allí de la escalera que subía al cielo (Gén. 28:10-22). El pasaje no es una promesa directamente, pero expresa cierta actividad de un sector del pueblo de Dios que resultó en la bendición de la presencia de Dios.

La enseñanza más destacada del pasaje probablemente se encuentra en el contraste entre las tribus de Benjamín y de José. En este momento de la última etapa de la conquista de la tierra prometida, estas dos tribus actúan de maneras decididamente diferentes. Los versículos anteriores mencionan que los benjamitas, cuyo territorio incluía la ciudad de Jerusalén, no fueron los que conquistaron la ciudad de Jerusalén, sino que ésta fue conquistada por la tribu de Judá. Luego que los jebuseos fueron vencidos por los de Judá, los benjamitas comenzaron a establecerse en las afueras de la ciudad.

Aunque a primera vista parecería encomiable que los de Benjamín intentaran convivir con los habitantes de Jerusalén, en realidad su conducta muestra que les faltó resolución para tomar la ciudad tal como Dios les había ordenado. El pueblo de Benjamín no aprovechó las oportunidades que Dios le había ofrecido de conquistar la ciudad. Más adelante, el libro de Jueces indica que durante ese período los jebuseos predominaban en la ciudad. Fue David, muchos años después, quien finalmente conquistó Jerusalén.

La casa de José se presenta en el versículo 22 con una actitud diferente. Sale en pie de guerra contra Bet-el y logra la victoria gracias a la bendición de Dios. Dos actitudes y dos resultados.

Hoy nos toca decidir transitar por el camino de la fe, o escoger la senda del temor y la inactividad. En nuestra experiencia cotidiana tendremos que elegir entre conquistar o convivir. O conquistamos el mundo para Cristo o convivimos pasivamente en una sociedad secular, compartiendo sus valores y sus actividades.

Señor, dame hoy el valor de salir a conquistar por la fe los desafíos del día. MAV

AGUA EN LEHI

Y teniendo gran sed, clamó luego a Jehová, y dijo: Tú has dado esta grande salvación por mano de tu siervo; ¿y moriré yo ahora de sed, y caeré en mano de los incircuncisos? Entonces abrió Dios la cuenca que hay en Lehi; y salió de allí agua, y él bebió, y recobró su espíritu, y se reanimó. Por esto llamó el nombre de aquel lugar, En-hacore, el cual está en Lehi, hasta hoy. Jueces 15:18, 19.

La vida de Sansón es una lección ilustrada de la ruina provocada por las malas decisiones. Su persistencia en vivir según sus deseos lo fue llevando de tragedia en tragedia. Su relación con Dios, simbolizada por los rasgos exteriores y las costumbres estipuladas antes de su nacimiento, fue decayendo a medida que Sansón iba abandonando los principios y características que lo hacían especial (ver voto del nazareo en Números 6; Jueces 13:4, 5).

Aunque el voto de nazareo incluía reglas de abstinencia y no cortarse los cabellos, Sansón contaminó su cuerpo con banquetes y disolución. Escogió una compañera en un pueblo pagano, y finalmente menospreció la única señal física que le recordaba su pacto con Dios: su larga cabellera.

El relato muestra que Sansón oró en sólo dos ocasiones. En esta ocasión, después de la batalla de Lehi, y cuando estaba por morir. La batalla librada en Lehi arroja varios detalles interesantes respecto a lo ocurrido. Sansón declara la guerra personal contra los filisteos por haber quemado a su esposa y a la familia de ésta. Cuando los filisteos se levantan en pie de guerra contra los hebreos para vengarse de lo hecho por Sansón, los miembros de la tribu de Judá deciden entregarlo a sus enemigos. Tres mil hombres vienen a Sansón y le reprochan haberse rebelado contra el gobierno filisteo.

¡Cuánto podrían haber logrado estos 3.000 si hubiesen confiado en Dios como los 300 de Gedeón!

La victoria subsiguiente de Sansón se debe a la ayuda divina, y esta es la lección que Dios quiere enseñarle a Sansón cuando éste comienza a desfallecer de sed. Su condición es tan débil, que si los filisteos lo atacaran ahora, seguramente caerá ante ellos. Ahora, en medio de una crisis sin solución aparente, es cuando recurre a la ayuda divina.

¡Cuán triste es que nosotros también nos limitemos a orar cuando caemos en aflicción, rechazando la preciosa comunión con Dios que goza aquel que ha aprendido a relacionarse con él cada día!

Señor, que no abandone nunca lo que me acerca a ti. Que nunca desprecie las ataduras de tu amor. MAV

NUESTRA MENTE SECULAR

Cuando el Ángel del Señor se le apareció, le dijo: "El Señor está contigo, varón esforzado y valiente". Jueces 6:12.

En Gedeón tenemos un personaje de ricos matices en el relato bíblico. En primer lugar, cuando analizamos un poco su conducta, descubrimos una persona cautelosa, incluso temerosa, nada que justifique humanamente los calificativos empleados por el Ángel del Señor. Encontramos a Gedeón sacudiendo el trigo en el lagar de las uvas, para evitar ser visto por los madianitas. Incluso después que Dios le dio una prueba de su identidad haciendo brotar fuego de una roca, Gedeón siguió las instrucciones del Señor y destruyó un altar de Baal, pero de noche para no ser visto por los hombres de la ciudad (vers. 27).

Gedeón pide prueba tras prueba del favor de Dios antes de aceptar el liderazgo del pueblo. En su diálogo con Dios, Gedeón parece entender que el éxito dependía de su humanidad. Más adelante, cuando pide la prueba del vellón (Jueces 6:36-40), Gedeón insiste en su posición humanista e introduce su pedido con las palabras: "Si has de salvar a Israel por mi mano, yo pondré un vellón de lana", y prosigue con varias condiciones.

La mentalidad de Gedeón no sería nada extraña en nuestros días. Se aferraba a la idea de que el éxito dependía de sus habilidades y los preparativos humanos. Su mente era una mente secular, que coloca a Dios en la periferia de las convicciones y las decisiones. Una mente que analiza las evidencias naturales y rechaza lo que no responde a esquemas probados. Muchos de nosotros somos así. Sabemos que Dios existe, pero nuestro acondicionamiento científico nos limita a intentar aquello que creemos que podemos hacer según nuestras fuerzas.

Otra enseñanza del pasaje es que el concepto de valentía que Dios expone no responde a los parámetros humanos. Dios no mintió al referirse a Gedeón como varón valiente y esforzado. No estaba ejerciendo un método psicológico para sugestionar a Gedeón. Para Dios, valiente parece ser aquel que, a pesar de sus dudas, decide confiar en él y seguir los designios divinos.

Señor, aumenta hoy mi fe para que siga tu voluntad. Si tú estás conmigo, lo que yo haga en tu nombre será siempre una victoria. MAV

¿NO TE ENVÍO YO?

Y mirándole Jehová, le dijo: Ve con esta tu fuerza, y salvarás a Israel de la mano de los madianitas. ¿No te envío yo? Jueces 6:14.

El desafío mayor de Gedeón no estaba en la enorme tarea de liberar a su pueblo de los ataques de los pueblos nómadas que los saqueaban impunemente, sino en entender que la victoria dependería enteramente de la obra de Dios por medio de él.

Cuando el Señor le extiende el llamado por primera vez, curiosamente se adelanta a lo que Gedeón estaba pensando: "Ve con tu fortaleza y salva a Israel de mano de los madianitas. ¿No te envío yo?" A esto, Gedeón explica que él es el menor de su familia y que su familia no era una familia de muchos recursos. El Señor entonces replica: "Yo estaré contigo" (vers. 16).

Su diálogo con Dios y sus excusas demuestran que él creía que si la victoria dependía de sus fuerzas, difícilmente la obtendrían. El problema de Gedeón era que en esencia desconfiaba del poder y la fidelidad de Dios. Lo que éste esperaba y espera del instrumento humano hoy es que confiemos en sus promesas y seamos un conducto de su gracia hacia su pueblo.

Dios le demostró tal cosa a Gedeón al guiarlo en la adopción de un plan de batalla que demostró a todas luces que la victoria no provino de la habilidad ni de iniciativas humanas. De un ejército de 10.000 hombres, Dios lo redujo a 300; y en el momento de la batalla, los instrumentos de mayor eficacia fueron 300 cántaros, 300 teas y las voces de 300 hombres dispuestos a confiar en la conducción divina. Incluso fueron los madianitas quienes se mataron unos a otros.

Dios se manifestó a Gedeón en el nivel de fe imperfecta de éste. Su llamado fue expresado en las palabras y conceptos humanos que Gedeón entendía. Al no haber vivido en relación estrecha con Dios, para él el éxito de una empresa como ésta, dependía en primer lugar de la capacidad del líder, de su influencia, sus habilidades y la valentía y preparación de sus seguidores. Dios le fue demostrando que la victoria real en los asuntos humanos viene de una sociedad de fe con él.

Señor, hoy quiero ser tu instrumento. Ayúdame a confiar menos en mis habilidades y más en tu poder. MAV

MI PARIENTE REDENTOR

Reposa esta noche, y cuando sea de día, si él te redime, bien. Si no te quiere redimir, yo te redimiré, vive Jehová. Descansa hasta la mañana. Rut 3:13.

La promesa de Booz a Rut también hoy tiene valor para nosotros. Rut, una extranjera de Moab, llega a ser bisabuela de David y parte de la línea genealógica del Mesías. Tanto su experiencia como las instituciones sociales de sus tiempos se combinan para darnos una preciosa ilustración de la manera en que Dios actúa en nuestras vidas.

En la sociedad israelita la heredad era transmitida de varón a varón. Si un hombre moría y no tenía herederos varones, la viuda y otras mujeres de la familia podían quedar sin tierras ni posesiones. Las tierras de Elimelec probablemente habían sido vendidas para pagar deudas y sólo había una manera de recobrarlas. Un pariente cercano tenía varias responsabilidades y derechos respecto de las viudas o necesitados de su familia.

En primer lugar, tenía el deber de comprar de nuevo la propiedad de parte de los acreedores (Lev. 25:25; Rut 4:4). Debía redimir a aquellos parientes vendidos como esclavos, lo que sucedía cuando una persona entraba en deudas imposibles de pagar (Lev. 25:48, 49). Debía vengar la sangre de un pariente asesinado, y casarse con la viuda sin hijos de un pariente cercano y asegurar que los hijos nacidos de esa unión tuviesen derecho a la propiedad del pariente difunto.

Los autores bíblicos tomaron la figura del "pariente cercano" (*go'el*) y la aplicaron a Dios como nuestro redentor. Job dijo en una exclamación gloriosa de fe: "Yo sé que mi Redentor [*go'el*] vive, y al fin se levantará sobre el polvo; y después de deshecha esta mi piel, en mi carne he de ver a Dios". Isaías utilizó el término 18 veces para referirse a Dios como el que redime a Israel de sus enemigos y a los hombres del pecado (ver la explicación de Rut 2:20 en el *Comentario bíblico adventista*).

Jesús es nuestro *go'el*, nuestro "pariente cercano" que aceptó las responsabilidades de tal relación. Como raza, el pecado amenaza con arrebatarnos nuestra herencia eterna; pero si como Rut nos acercamos a los pies del *go'el*, él tampoco nos rechazará (ver Juan 6:37).

Hoy me acerco a ti con humildad, sin merecer la salvación ganada por mi "Pariente cercano", Cristo Jesús. Permite que sienta tu aceptación como un manto sobre mí. MAV

LA FE DE UNA MUJER

Jehová empobrece, y él enriquece; abate, y enaltece. 1 Samuel 2:7.

La fe de Ana, la madre del profeta Samuel, siempre me ha conmovido. Su cántico de alabanza y de certeza en el poder de Dios es uno de los más hermosos de toda la Biblia.

Ana llegó a ser madre por fe, pero si le contásemos su historia a los millones de mujeres que están buscando una solución a sus problemas de infertilidad, muchas nos tildarían de oscurantistas.

La infertilidad es motivo hoy del sufrimiento y de la desesperación de muchas parejas. Los laboratorios de embriología y las clínicas de fertilización abundan por todo el mundo. La humanidad busca prolongar su herencia a través de métodos modernos: la inducción de la ovulación, la inseminación artificial homóloga, o de donante, la microinyección de esperma y hasta la fertilización in-vitro (los bebés de probeta). Los seres humanos tienden a confiar en la ciencia en situaciones como éstas, y olvidan que es Dios quien rige los destinos de los hombres. Pero Ana tenía una clara concepción de lo que Dios podía hacer por ella.

La historia bíblica no expone la causa de la infertilidad de Ana. Pero sí conocemos su aflicción. La estructura básica sociopolítica y religiosa del pueblo de Israel en la época del Antiguo Testamento era el patriarcado. La condición de la mujer era de notable inferioridad, y la esposa estéril era despreciada por la fecunda. Penina, la rival de Ana, "la irritaba enojándola y entristeciéndola, porque Jehová no le había concedido tener hijos" (1 Sam. 1:6). Pero para Ana, su vida se reducía a un problema de fe.

Cuando oraba en el templo, clamó a Dios: "Jehová empobrece, y él enriquece; abate, y enaltece. Él levanta del polvo al pobre, y del muladar exalta al menesteroso... Porque de Jehová son las columnas de la tierra, y él afirmó sobre ellas el mundo" (2:7, 8).

El Creador del cielo y de la tierra era la columna inmutable en la que se recostaba Ana. Y él no desatendió su pedido de fe. Dios otorgó a Ana lo que había pedido; recibió el regalo por el cual había implorado con tanta fe y tanto fervor. ¡Y cuán grande fue su recompensa!

Cuando Ana regresó al templo, pudo decir con un corazón agradecido: "Vive tu alma, Señor mío, yo soy aquella mujer que estuvo aquí junto a ti orando a Jehová. Por este niño oraba, y Jehová me dio lo que le pedí" (1:26, 27).

Gracias, Padre, conocedor de mi vida, porque sabes aquello que me conviene, y contestas mi oración de fe según tus designios para mi vida. OLV

POR LA CURIOSIDAD MUERE EL GATO

El guarda los pies de sus santos, más los impíos perecen en tinieblas. 1 Samuel 2:9.

Ayer domingo en la tarde, mi esposo y yo decidimos lavar nuestro automóvil antes de sumergirnos nuevamente en la faena de otra semana de trabajo. La limpieza fue profunda y cabal. Sacamos las alfombras, limpiamos los vidrios y abrimos el baúl en un intento unánime de limpiar lo que había dentro. Nada más satisfactorio que sentarnos luego a descansar y contemplar los resultados de nuestro trabajo.

Satisfechos con el brillo de los aros, y el esplendor que portaba nuestro viejo cacharrito, salimos a dar un paseo. Aunque el aire acondicionado no funcionaba, el intenso calor del valle no pareció molestarnos, o cautivar tanto nuestra atención, como sí lo hizo el maullido que escuchamos dentro del auto, en cierto recodo del camino. Por lo absurdo del hecho, sólo nos miramos con mi esposo, sin comentar nada. Pero cuán grande fue nuestra sorpresa cuando a la mañana siguiente, al abrir el baúl, nos saltó encima nuestra gatita "Peluche", medio atolondrada. Sucedió que el animalito se había introducido en el baúl cuando limpiábamos el auto, y allí había permanecido durante casi 24 horas.

"La curiosidad mata al gato", dice el adagio. Asimismo, a veces al ser humano le toca enfrentar peligro de muerte, antes de salir de las tinieblas donde la curiosidad por lo prohibido lo ha conducido. La Palabra de Dios nos dice: "Los perversos de día tropiezan con tinieblas, y a mediodía andan a tientas como de noche" (Job 5:14).

Hay quienes se encuentran aprisionados por la aflicción, porque permanecen rebeldes a las palabras de Dios, y aborrecen su consejo. Pero no es necesario perecer en oscuridad. Si siente que ya le falta el aire sin Cristo, clame a Jehová en su angustia, quien lo librará de su aflicción. Se nos ha prometido que nuestro Padre celestial nos sacará de las tinieblas, y de las sombras de muerte, y romperá nuestras prisiones (ver Salmo 107: 10-14).

"Ningún otro asilo hay, indefenso acudo a ti, mi necesidad me trae, porque mi peligro vi". OLV

¿A QUIÉN ESCUCHAREMOS?

Y dijo Elí a Samuel: Ve y acuéstate; y si te llamare, dirás: Habla, Jehová, porque tu siervo oye... Y Jehová dijo a Samuel: He aquí haré yo una cosa en Israel, que a quien la oyere, le retiñirán ambos oídos. 1 Samuel 3: 9, 11.

Richard Ramírez, más conocido dentro del mundo de los asesinos en serie como el "Merodeador Nocturno", aterrorizó la ciudad de Los Ángeles a mediado de la década de 1980 con una plétora de infracciones, violaciones, agresiones, robo a mano armada, y el asesinato en serie de más de una docena de personas, según confesó, motivado por voces satánicas que le indicaban lo que tenía que hacer.

La muerte como propuesta principal era el contenido de las canciones satánicas que Ramírez escuchaba mientras seleccionaba a sus víctimas amparado en la oscuridad de la noche, y luego plasmaba símbolos satánicos en las paredes con la propia sangre de sus muertos.

"¡Yo estoy por encima del bien y del mal!" "¡Lucifer está dentro de todos nosotros!", le gritó Ramírez al tribunal que lo juzgaba, mientras era expulsado de la sala jurídica el día de su condena. Así, atestiguaba que las voces que escuchaba y que le dictaban lo que tenía que hacer, eran del amo a quien servía.

Igual que Ramírez, muchos otros asesinos en serie atribuyen el origen de sus crímenes a un espíritu diabólico, o a una voz que se apodera de su voluntad y les ordena matar. La ciencia continúa estudiando lo que se cree es el mayor enigma de la psicología criminal, y, mientras tanto, Satanás continúa engañando a los seres humanos como lo viene haciendo desde el Edén.

Cuando escucho estas historias, no dejo de sorprenderme: ¿Por qué los hijos de Satanás pueden escuchar y obedecer su voz, y a los hijos del Altísimo se nos dificulta tanto escuchar la voz de Dios y obedecerla?

Dios habla a cada hijo suyo. "Y quien oyere, le retiñirán ambos oídos" (vers. 3:11). Estimado lector, aprenda el texto bíblico de hoy y trate de identificarse con Samuel, en su actitud de oyente. Exprésele a su amigo Jesús su deseo de servirle y escuchar su voz en todo proyecto y camino que emprenda. Y una vez que escuche su voz, dígale: "Aquí estoy Señor, habla, que tu siervo escucha".

Padre, ayúdame a distinguir el tono sagrado de tu voz, y enséñame a obedecerlo. OLV

ESCOGIDOS POR DIOS

Y Jehová respondió a Samuel: No mires a su parecer, ni a lo grande de su estatura, porque yo lo desecho; porque Jehová no mira lo que mira el hombre; pues el hombre mira lo que está delante de sus ojos, pero Jehová mira el corazón. 1 Samuel 16:7.

El libro de 1 de Samuel relata la transición de la teocracia, el gobierno de Dios por medio de profetas y jueces, al reinado. El reinado del primer rey de Israel, Saúl, fue plagado de problemas y resultó en el establecimiento de otra línea de reyes que comenzó con David.

En el texto de hoy vemos un contraste entre dos maneras de juzgar: la humana y la divina. Aunque Samuel ejerce los dos ungimientos, el primer rey fue pedido por el pueblo, con las características que el pueblo quería. El segundo fue escogido por Dios, sin tener tanto en cuenta las expectativas del pueblo. Los resultados fueron evidentes. Saúl gozó del apoyo divino desde el mismo comienzo (ver 1 Samuel 10:2-13), pero pronto demostró un criterio pobre, un desprecio de los asuntos sagrados y una personalidad inestable y ansiosa (capítulo 15). David, en cambio, a pesar de serios errores y pecados, mantuvo una relación mansa y dependiente con Dios.

El relato del ungimiento muestra a Samuel, el profeta de Dios, quien sigue las instrucciones divinas para escoger a un nuevo rey. Evidentemente, su corazón aún se apega a Saúl, y cuando llega el momento de elegir, nuevamente busca características físicas que le den éxito al monarca.

Todavía hoy el aspecto físico puede ser un factor determinante en la obtención de empleos y promociones. Varios estudios de ejecutivos norteamericanos, muestran que la estatura parece jugar un papel importante en cuanto a quiénes son favorecidos con el liderazgo. El grado de atractivo físico también puede influir en nuestra trayectoria, como también la raza y el sexo.

La elección de David no responde a criterios humanos. El pueblo estaba satisfecho con Saúl, y David era el hijo menor de sus padres en una sociedad que ponía mucha importancia en el orden de nacimiento y la edad. No era ni alto ni extraordinariamente fuerte, y su escuela fue el pastoreo de ovejas. Pero Dios lo escogió y se propuso guiarlo como había guiado a Saúl. ¡Qué maravilloso es saber que Dios mira más allá de nuestro aspecto externo, y que cuando nos escoge, también nos capacita para la tarea!

Señor, gracias por haberme escogido para un aspecto de tu misión. Hazme tu instrumento y ayúdame a mantenerme humilde ante tu majestad y soberanía. MAV

NUESTRA FUERZA ES JEHOVÁ

Dios es el que me ciñe de fuerza, y quien despeja mi camino. 2 Samuel 22:33.

Esta promesa debería llenar nuestra alma de seguridad. Particularmente para la mujer, es de esencial valor. Creer en lo que connota esta promesa libera el espíritu del enclaustro donde la misoginia y la discriminación han colocado a la mujer.

Cierta debilidad natural de la mujer ha inducido a algunos de los personajes más ilustres de la historia a considerarla un ser inferior al varón. En tiempos bíblicos, la situación no era mejor. La mujer judía tenía más desventajas que ventajas. Su papel era mal interpretado y despreciado. Se la consideraba la causante de la entrada del pecado en el mundo, por lo tanto, se la culpaba por cualquier padecimiento resultante del pecado. La mujer no era importante, y su valor se restringía únicamente a su capacidad de tener hijos.

Hoy nos parece que aquello no sólo era absurdo, sino también una señal de ignorancia; no obstante, era lo que se practicaba como señal inequívoca de que Dios así lo había querido. Es por eso que aprecio tanto el relato bíblico de Débora y Jael.

Cuando Barac aceptó el desafío de ir hasta el arroyo de Cisón y matar allí a Sísara, capitán del ejército de Jabín, nunca se imaginó la respuesta que recibiría de la profetisa de Dios. "Iré contigo —le dijo Débora—; mas no será tuya la gloria de la jornada que emprendes, porque en mano de mujer venderá Jehová a Sísara" (Jue. 4:9).

Y asimismo fue. Aunque Barac siguió los carros del ejército de Sísara hasta Haroset-goim, y allí todos ellos cayeron a filo de espada, la gloria de la victoria fue dejada en manos de una mujer. Esto constituye un hecho extraordinario en el contexto cultural en el que ocurre, y muestra la estima que Dios otorga a la mujer.

Muchas grandes mujeres de todos los tiempos han quedado sepultadas de mil modos en el polvo de la historia, pero debemos recordar que Dios ama a la mujer piadosa que confía en él. Es Jesucristo quien nos ciñe de fuerza —tanto a hombres como a mujeres—, para desempeñar aquellas labores y cometidos que nos parecen imposibles.

Gracias, Padre eterno, porque tuviste un trato diferente y especial con los desposeídos, entre los que se contaba la mujer. OLV

TU PACTO SERÁ GUARDADO

No es así mi casa para con Dios; sin embargo, él ha hecho conmigo pacto perpetuo, ordenado en todas las cosas, y será guardado, aunque todavía no haga él florecer toda mi salvación y mi deseo. 2 Samuel 23:5.

Estas son las últimas palabras registradas de David. Hablando de sí mismo evoca: "Aquel varón que fue levantado en alto, el ungido del Dios de Jacob, el dulce cantor de Israel: El Espíritu de Dios ha hablado por mí" (vers. 1, 2).

Y sigue: "Habrá un justo que gobierne entre los hombres... será como la luz de la mañana, como el resplandor del sol en una mañana sin nubes", refiriéndose posiblemente al Mesías. Entonces añade con un dejo de pesar: "No es así mi casa para con Dios".

Aquí se encapsulan los dos grandes extremos de la experiencia de David. Las elevadas alturas de una vida confiada en Dios, y objeto de la conducción divina, y las tenebrosas profundidades del pecado, con sus resultantes miserias y aflicciones. En algún lugar dentro de esos dos extremos nos encontramos también nosotros. Bendecidos, agradecidos, inspirados, fieles... egoístas, pesimistas, descontentos. Buenos y malos. Espirituales y carnales. Luces y sombras.

Dios le hizo grandes promesas a David. Promesas que señalaban hacia el futuro y el reinado del Mesías. Nosotros también hemos sido depositarios de grandes promesas. El pacto de la salvación ha sido ofrecido universalmente a "todo aquel que cree". Al igual que David podía confiar en el cumplimiento seguro de las promesas divinas, nosotros también sabemos en quién hemos creído.

Hablando de su hijo Salomón con palabras que también podrían aplicarse al Mesías, David declaró: "Será su nombre para siempre, se perpetuará su nombre mientras dure el sol. Benditas serán en él todas las naciones; lo llamarán bienaventurado" (Sal. 72:17). Esta bendición se extiende a nosotros. El pacto "será guardado". Tarde o temprano. Indefectiblemente.

El pacto central de la vida de David fue la promesa de un Mesías que nacería de su descendencia. El Mesías cumplió su parte y sentó las bases de la salvación. Ahora resta el establecimiento definitivo y absoluto de su reino prometido. Mientras esperamos el desenlace del pacto divino de Dios con los hombres, aprendamos como David a confiar en el cumplimiento de sus promesas.

Señor, a veces siento que no soy la persona que debo ser, pero ayúdame hoy a aferrarme a la esperanza de tu triunfo final, porque ese será también mi triunfo. MAV

UN TESTAMENTO DE FE

Guarda los preceptos de Jehová tu Dios, andando en sus caminos, y observando sus estatutos y mandamientos, sus decretos y sus testimonios, de la manera que está escrito en la ley de Moisés, para que prosperes en todo lo que hagas y en todo aquello que emprendas. 1 Reyes 2:3.

Especialmente en la segunda mitad de la vida, los seres humanos comenzamos a preocuparnos por el legado que estamos pasando a las generaciones posteriores. Este deseo de dejar algo de nosotros, de que nuestra vida cuente, se manifiesta de muchas maneras. Algunos emplean habilidades creativas para escribir libros, componer poesías y canciones, crear obras de arte, edificar casas y plantar jardines. Otros persiguen la acumulación de bienes para asegurar la dicha futura de sus descendientes. Muchos advierten que ninguna proyección a la inmortalidad se compara con la sagrada oportunidad de transmitir a nuestros hijos los valores que les permitirán vivir una vida productiva y feliz.

David fue uno que entendió que no hay herencia más importante que la confianza en Dios. Aunque sus conversaciones con Salomón incluyeron muchos detalles en cuanto a la preparación para la edificación del templo (1 Crónicas 22-29), aquí se refiere a la vida espiritual de Salomón.

Lo amonesta a que obedezca la voluntad de Dios expresada en su Palabra. David solicita de su hijo una relación de fe con Dios. Las promesas que Dios le había hecho respecto a Salomón (2 Sam. 7:8-17) no podían ser cumplidas sin la participación voluntaria y confiada de éste. Dios le había señalado a David que si sus hijos andaban delante de Dios "con verdad, de todo su corazón y de toda su alma", jamás habría faltado un sucesor de David en el trono de Judá. Desdichadamente, el mismo hijo de Salomón no cumplió estas condiciones.

Dios nos extiende también esta promesa. Su recompensa está delineada: prosperidad en todo lo que hagamos y emprendamos. Dios dio sus leyes para el beneficio de sus hijos. Una vida de fe trae bendiciones maravillosas al creyente: salud, alegría, paz mental, propósito y la esperanza de una vida infinitamente mejor.

Cuando después de muchos años Salomón escribe la expresión de su propio legado en el libro de Eclesiastés, concluye con palabras que hacen eco al pedido de su padre: "El fin de todo discurso oído es este: Teme a Dios, y guarda sus mandamientos; porque esto es el todo del hombre" (Ecle. 12:13).

Señor, te ruego que cuando me toque transmitir lo más importante de mí a mis hijos y a cuantos me rodean, mi fe en ti ocupe el lugar central en mi testamento. MAV

UN MAÑANA MEJOR

Dijo entonces Eliseo: Oíd palabra de Jehová: Así dijo Jehová: Mañana a estas horas valdrá el seah de flor de harina un siclo, y dos seahs de cebada un siclo, a la puerta de Samaria. 2 Reyes 7:1.

El rey de Siria había establecido un sitio alrededor de Samaria, la capital de Israel, el reino del norte. La situación llegó a niveles impresionantes de desesperación, hasta el punto que algunas madres llegaron a comerse a sus propios hijos. Total necesidad, total angustia. En estas condiciones, Eliseo transmite un mensaje de esperanza. Al día siguiente, según las palabras de Dios, habría un cambio total de circunstancias.

Ni el rey Joram ni el pueblo tenían razones humanas para esperar ser liberados. Sus sentidos y su conocimiento les decían que no había posibilidades de librarse de sus enemigos ni de recibir ayuda externa. La salvación vino de Dios y fueron cuatro leprosos, no los líderes políticos ni militares, los que advirtieron los resultados de la actuación divina. Los sirios habían abandonado el campamento sorpresivamente, atemorizados por ruidos que parecían provenir de un gran ejército atacante.

Al otro día, tal como Dios había prometido, el pueblo salió y saqueó el campamento de sus enemigos. Eran tan abundantes las provisiones del enorme ejército, que inmediatamente se estableció la venta de alimentos a precios sumamente razonables.

Quizás el elemento más sobresaliente del suceso fue la transformación total y radical de una situación desesperada. De un momento a otro el pueblo pasó de lágrimas angustiosas a clamores de alegría, de total miseria a prosperidad, de oscuridad abyecta a la luz de una nueva oportunidad. Dios respondió, no a la súplica de fe de los líderes de su pueblo, sino a la condición triste y necesitada de sus hijos.

Dios puede cambiar las cosas. Cuando el enemigo parezca rodearnos y ahogar toda esperanza, recordemos que Dios puede hacer lo que ni siquiera imaginamos para darnos una nueva oportunidad y un nuevo día.

Señor, te ruego que en el momento más oscuro me recuerdes que tú traerás la luz. MAV

SEÑOR, TODO LO DEBO A TI

Las riquezas y la gloria proceden de ti, y tú dominas sobre todo; en tu mano está la fuerza y el poder, y en tu mano el hacer grande y el dar poder a todos. 1 Crónicas 29:12.

La cuestión con las riquezas es que éstas no tienen una cualidad intrínseca que las haga malas, sino que el problema radica en que se pierda de vista su origen. Para la persona que no ha captado la grandeza y el poder de Dios, la acumulación de posesiones responde a un proceso de causa y efecto. Si tenemos talento o trabajamos arduamente o tenemos suerte o una buena apariencia o buenas conexiones, la sociedad suele premiarnos con ganancias materiales.

David había reunido grandes cantidades de materiales preciosos para la construcción del templo (1 Crón. 29: 2-4). Si tomamos en cuenta que el término talento (vers. 4) es una medida de peso conocida en el Antiguo Testamento, el peso del oro entregado por David ascendió a las 102 toneladas. En este proyecto había empleado todas sus fuerzas (vers. 2), pero David no se ufanó de sus propios logros. Desde antes, David había entendido que la perspectiva divina presenta una escala diferente de valores. Había aprendido a contrastar la insignificancia humana con la majestad divina.

"De Jehová es la tierra y su plenitud —afirmaba uno de sus salmos—-; el mundo, y los que en él habitan" (Sal. 24:1). ¿Qué representan los logros humanos o las mayores fortunas amasadas por el hombre ante la magnificencia del Creador? ¡Cuán diminutos son los símbolos de la grandeza humana ante las obras de la creación! ¡Cuán risible habrá de resultar la arrogancia de los magnates terrenales ante la vista de los ángeles o los seres de otros mundos!

Todo lo que tiene el ser humano lo recibe de Dios. Esto incluye la disposición de trabajar y reunir las riquezas, el talento para hacer negocios, la salud para acometer cada empresa. No existe situación o condición humana en la que no necesitemos de Dios. En la necesidad o en la abundancia, en la salud o en la enfermedad, en la alegría o en la tristeza, somos criaturas suyas, creadas para relacionarnos con él en amor y confianza.

Cuando comprendemos quiénes somos y el incalculable privilegio de adorar a Aquel que nos creó, los resultados son el gozo, la dadivosidad y la alabanza.

Permíteme entender, como David, que todo lo que soy y tengo lo debo a ti. Líbrame de la mezquindad y el egocentrismo que tanto daño nos hace. MAV

EL REGALO DEL PERDÓN

Si tu pueblo Israel fuere derrotado delante del enemigo por haber prevaricado contra ti, y se convirtiere, y confesare tu nombre, y rogare delante de ti en esta casa, tú oirás desde los cielos, y perdonarás el pecado de tu pueblo Israel, y les harás volver a la tierra que diste a ellos y a sus padres. 2 Crónicas 6:24, 25.

Escoger regalos para otras personas según la ocasión y los gustos particulares del receptor es un arte difícil de practicar. Para algunos se trata de una pesada carga que los deja exhaustos física y emocionalmente.

Dios, por su parte, ofrece un obsequio que puede ser compartido ventajosamente con todos. Lo único que se requiere de nosotros es convicción, confesión y petición. Y cuando recibimos el perdón divino nos tornamos en deudores de Dios y los hombres. Por esto le propongo que hagamos nuestro el ministerio del perdón. He aquí otras razones:

1. *Todos podemos perdonar.* El perdonar es prerrogativa de toda persona ofendida. Quizás el dolor causado por otros es tan profundo que pensamos que perdonar es imposible. Pero no es así. Lo que sucede es que justificamos nuestros sentimientos de rencor y creemos que lo que sentimos responde a la justicia, que la otra persona debe recibir al menos el castigo eterno de nuestro disgusto.

2. *Perdonar es saludable.* A veces pasamos años torturados por estos sentimientos de ira sin advertir que somos nosotros los que sufrimos más. Puede ser difícil, pero el perdón es posible, porque en realidad no depende de la actitud del ofensor. Con la ayuda de Dios podemos decidir dejar la ofensa y la justicia en sus manos.

3. *El perdón restaura relaciones.* En las relaciones humanas, todos sentimos cierto nivel de disgusto ante ciertas acciones o actitudes de algunas personas. A medida que este disgusto se hace más profundo, vamos perdiendo la habilidad para relacionarnos abierta y satisfactoriamente. Si las pequeñas heridas no son restañadas a medida que se van creando, el disgusto puede alcanzar un nivel de gravedad que nos hace más fácil cerrarnos a la comunicación con la persona.

Sólo cuando comprendemos el perdón de Dios, podemos brindar el perdón adecuado de ofensas serias. Si usted tiene dificultades en perdonar a alguien por algo que le ha causado dolor, o no puede perdonarse a sí mismo por algo que usted ha hecho, necesita conocer el perdón total y absoluto de Dios.

Te confieso, no sólo mis pecados, sino mi incapacidad para amar y perdonar como tú. Ayúdame a ser hoy un instrumento de reconciliación. MAV

CONDICIONES PARA LA SANIDAD ESPIRITUAL

Si se humillare mi pueblo, sobre el cual mi nombre es invocado, y oraren, y buscaren mi rostro, y se convirtieren de sus malos caminos; entonces yo oiré desde los cielos, y perdonaré sus pecados, y sanaré su tierra. 2 Crónicas 7:14.

Esta promesa, además de ser una promesa condicional, es una de las más hermosas de toda la Biblia. En esencia, lo que Dios pide de nosotros es algo que nosotros mismos desearíamos hacer si poseyéramos una comprensión realista de nuestra situación como seres humanos.

Se destacan varias partes: Debemos humillarnos, pero no porque Dios disfruta en vernos postrados o dependientes, sino porque todos los seres humanos tenemos que contender con el poderoso instinto de defensa de nuestro ego o personalidad. Este deseo de sentirnos especiales o importantes puede arruinar nuestro desarrollo espiritual, simplemente porque impide nuestra recepción agradecida de la gracia y las bondades de Dios.

La posición de humillarse ante Dios, le permite al pecador aferrarse sin tapujos a la misericordia divina. Cuando uno está sobre sus rodillas o sobre un lecho de enfermedad, es algo natural mirar hacia Dios en busca de ayuda. Cuando reconocemos nuestra impotencia y necesidad, entonces Dios puede hacer en nosotros lo que él puede y desea hacer.

Hemos de orar y buscar el rostro de Dios. Se trata de una oración sincera, con el entendimiento de que no hay satisfacción plena fuera de la presencia de Dios. En nosotros no se encuentran todas las respuestas. Bien dijo el profeta Isaías: "Mirad a mí, y sed salvos" (45:22). Es el deseo de Dios que nos extendamos fuera de nosotros mismos y concentremos nuestra esperanza en él.

Esta búsqueda intensa de Dios conduce al abandono de nuestros pecados. Acercarnos a Dios nos aleja del pecado, que es una condición de rebelión contra nuestro Creador. Es más, no podemos abandonar nuestros pecados en un sentido real sin acercarnos a Dios. La promesa comienza y termina con el compromiso divino de escucharnos, perdonarnos y sanarnos. Dios no desea nuestra infelicidad, mucho menos nuestras enfermedades ni nuestra muerte. Cuando él permite nuestras aflicciones, no lo hace porque tal cosa le produzca deleite, todo lo contrario. Pero en un mundo que está bajo los efectos del pecado, sólo la presencia de Dios nos permite entrar al plano de una existencia verdaderamente bendecida.

Gracias, Señor, porque tus intenciones para nosotros siempre son las mejores. Hoy te quiero buscar y gozar en tu presencia. MAV

PREPARA LA GUERRA

No temáis ni os amedrentéis delante de esta multitud tan grande, porque no es vuestra la guerra, sino de Dios. 2 Crónicas 20:15.

A través de la historia de la humanidad, en tiempos bélicos los pueblos de todas las edades se han esmerado en la elaboración de grandes planes de guerra y tácticas militares. Ningún pueblo sale a enfrentarse contra su enemigo sin estar preparado. Inmediatamente después que el presidente George W. Bush declarara la guerra contra Irak, siete buques de guerra recibieron órdenes de zarpar. Cada uno de ellos cargaba una fuerza de desembarco de más de ocho mil infantes de marina. Sólo entre los Estados Unidos y Gran Bretaña se alistaron más de 200.000 soldados. Como estrategia de guerra, el ejército contaba con equipos especializados en misiles, especialistas en inspección biológica, expertos químicos y un despliegue grandioso de aviones de combate, además de las unidades de artillería y respaldo logístico.

Cuando el pueblo de Israel tuvo problemas con los madianitas, el Señor le dijo a Moisés: "Haz que los israelitas tomen venganza de los madianitas. Luego irás a reunirte con tu parentela" (Números 31:1). Moisés, siguiendo el consejo de Dios, escogió a mil hombres por cada tribu, y consignó a Finees, hijo del sacerdote Eleazar, para que llevara en su mano los objetos sagrados y las trompetas del clamoreo. Después de haber seguido la táctica de guerra escogida por Dios, 12.000 hombres armados salieron contra Madián, cargando los vasos del santuario y las trompetas de guerra.

Hoy, en perspectiva histórica, sabemos cuán poco ha logrado la guerra y cuanto dolor y sufrimiento ha sembrado y sigue sembrando en el corazón de los hombres. Hay, sin embargo, una guerra en la que no tenemos duda de que Dios participa como nuestro supremo jefe: la guerra contra el pecado. En un sentido espiritual, los cristianos estamos en guerra. Contamos con un enemigo que anda rondando el campamento del Hijo de Dios. Satanás está listo al saqueo espiritual y al aniquilamiento de quienes siguen al Capitán de las huestes celestiales. El enemigo de Dios socava nuestra alegría y nos hace creer que estamos perdidos en este combate. Pero nuestro Señor Jesucristo nos quiere asegurar que el enemigo ya está vencido. Sus tácticas de guerra obtuvieron el triunfo máximo en el Getsemaní.

Debemos apreciar y cultivar la fe acerca de la cual testificaron los profetas y los apóstoles, la fe que echa mano de las promesas de Dios y aguarda la liberación que ha de venir en el tiempo y de la manera que el Señor nos señaló.

Gracias, querido Padre, porque la batalla ya está ganada. OLV

JEHOVÁ PELEARÁ NUESTRAS GUERRAS

No habrá para qué peleéis vosotros en este caso; paraos, estad quietos, y ved la salvación de Jehová con vosotros... no temáis ni desmayéis... porque Jehová estará con vosotros. 2 Crónicas 20:17.

Esta promesa me conforta. Mientras más la leo, más me convenzo del maravilloso poder de Dios, quien lucha a favor de su pueblo acorralado por la beligerancia de las huestes de su enemigo Satanás.

La promesa en sí es indicativa de victoria y de resultados admirables a nuestro favor. El Señor nos dice: "No habrá para qué peleéis vosotros... no temáis ni desmayéis; que Jehová estará con vosotros" (2 Crón. 20:17). ¿Pero cómo habremos de detenernos y estar quietos en pleno campo de batalla? Indiscutiblemente, para que el triunfo sea nuestro es imprescindible luchar. Seguir estas instrucciones en tiempo de guerra sería fatal. Pero fue eso precisamente lo que le ordenó Dios al pueblo de Israel, y lo que también les ordena a sus hijos, al contemplarnos envueltos en nuestras luchas espirituales.

Cuando los hijos de Moab y de Amón vinieron contra Josafat a la guerra, el pueblo de Israel enfermó de miedo. Se preguntaban cómo harían para salir victoriosos de tan grande multitud de guerreros. El Señor, hablándoles a través del sacerdote Jahaziel, les dijo: "Oíd, Judá todo, y vosotros moradores de Jerusalén, y tú, rey Josafat: No temáis ni os amedrentéis delante de esta multitud tan grande; porque no es vuestra la guerra, sino de Dios" (vers. 15).

La única condición para la victoria de aquel pueblo radicaba en una confianza absoluta en Dios. Ni siquiera les era necesario pelear. "Estad quietos, y ved la salvación de Jehová con vosotros" (vers. 17), se les dijo. Y la promesa se cumplió.

Los hijos de Dios nos encontramos en terreno hostil. Somos atacados impunemente por las fuerzas enemigas de Satanás. Su avanzada y sus adeptos son muchos. Pero no tenemos que amedrentarnos. La guerra entre el bien y el mal no es nuestra, es de nuestro Señor Jesucristo, quien ya la ganó.

En la cruz del Calvario se enfrentaron las fuerzas que mueven al mundo en un sangriento duelo que culminó en la victoria del Hijo de Dios. Y su victoria es también la nuestra.

¡Oh!, pueblo de Dios. No temáis ni desmayéis, salid contra ellos, que Jehová estará con vosotros.

Gracias, Padre, porque eres tú quien peleas nuestras guerras por nosotros. OLV

CONFIANDO EN DIOS

La mano de nuestro Dios es para bien sobre todos los que le buscan. Esdras 8:22.

Se cuenta la historia de un náufrago que logró nadar hasta cierta isla luego que su embarcación se hundiera. Allí construyó como pudo una humilde choza de guano y ramas, en la que se refugió de los elementos naturales con la esperanza de ser rescatado pronto. Sin embargo, pasaron los días y la inmensidad verde azul de un mar que se perdía en el lejano horizonte, no traía la ayuda que tanto ansiaba el desesperado.

Una mañana, temiendo ya por su vida y cansado de tanto esperar por el socorro que no venía, discutió con Dios y se lamentó de su suerte. "Señor —dijo el hombre en voz alta—, ¿me has salvado la vida para ahora dejarme morir solitario en esta isla?"

Después de pasar varias horas pescando, se dispuso a regresar a la choza, pero al darse vuelta en dirección a ella, cuál no fue su angustia al ver que su casa provisoria ardía en llamas. Desmoronado, se sentó sobre una piedra a contemplar cómo su refugio se convertía delante de sus ojos en un mustio recinto de cenizas. "¿Cómo puedes dejar que me ocurra esto, Señor?"—lloró el hombre. En ese mismo instante, sintió el toque de una mano que se posaba sobre su hombro, y escuchó que alguien le decía: "Arriba amigo".

El hombre pensó que estaba soñando, pero al darse vuelta vio frente a él a un marinero uniformado que le corroboraba lo que creyó haber escuchado. "Tiene suerte amigo —le dijo—. Vimos sus señales de humo pidiendo socorro, y hemos venido a rescatarlo".

Asimismo, cuántas veces nuestros barcos internos naufragan y nuestros refugios mentales se queman. Y cuántas veces, a la vuelta de los problemas y de las adversidades de esta vida, nos quejamos como aquel hombre, y culpamos a Dios por ellos. Sin embargo, Dios no es el culpable de nuestros problemas, y de acuerdo a sus propósitos eternos podemos descansar seguros de que todas las cosas contribuirán al bienestar de los que le aman.

Gracias Señor, porque has prometido que nada puede lastimar o lesionar a un hijo tuyo a menos que tú lo permitas. Y ayúdame a recordar que si tú permites que nos sobrevengan sufrimientos y perplejidades, no es para destruirnos, sino para refinarnos y santificarnos. OLV

AL MENOS UN REMANENTE

Oh Jehová Dios de Israel, tú eres justo, puesto que hemos quedado un remanente que ha escapado, como en este día... Esdras 9:15.

Los libros de Esdras y Nehemías constituyen una unidad literaria e histórica. Fueron escritos en parte por Esdras, un escriba y sacerdote judío quien, además de constatar los sucesos durante una época de importantes acontecimientos, fue uno de los reformadores más ardientes y fieles de la historia del pueblo de Dios.

Los hechos descritos por estos dos libros comienzan con la caída de Babilonia ante las fuerzas persas en 539 a. C. Los judíos han estado en el exilio babilónico. El templo se encuentra destruido y los muros de Jerusalén arruinados. Esdras como líder espiritual, y Nehemías, como dirigente político, son escogidos por Dios para marchar al frente del pueblo en el camino de la reconstrucción y la reforma.

En el libro de Esdras se registran los decretos y asistencia de tres reyes seculares sucesivos a favor del pueblo de Dios. El último decreto, el de Artajerjes (Esdras 7:1-8), juega un papel importantísimo en el cuadro profético del tiempo del fin, según Daniel 9:24 y 8:14. Primero se edificó el templo de Jerusalén, bajo la protección de Ciro y luego de Darío, pero la mayoría de los exiliados no regresaron sino hasta que el muro fue reconstruido bajo la dirección de Nehemías.

Los capítulos 9 y 10 relatan las primeras reformas de Esdras respecto al casamiento de los judíos con extranjeros. El texto de hoy se encuentra en la conclusión de la confesión de Esdras que comienza en el versículo 7. No sólo se habían unido en yugo desigual con personas no creyentes, sino que habían infringido los mandamientos. Estaban repitiendo la misma actitud que había causado su cautiverio. Pero la esencia del texto es la misericordia de Dios a pesar del pecado del pueblo de Israel.

La confesión de Esdras reconoce que el pueblo se había apartado de Dios aunque él los había colmado de favores. Lo que es más importante aun es que reconoce que Dios es justo, pues ha preservado un remanente. En nuestra vida se repite a menudo el proceso. Cuando nuestros muros espirituales se encuentran destrozados, cuando contaminamos el templo de nuestra mente con conceptos ajenos a Dios, él no nos desampara en nuestro exilio espiritual, sino que inclina sobre nosotros su misericordia (ver Esdras 9:9).

Señor, gracias porque eres justo, porque siempre preservas en mí un remanente de fe y amor por ti. MAV

INVITACIÓN A LA CONFIANZA EN DIOS

"Luego les dijo: Id, comed grosuras, y bebed vino dulce, y enviad porciones a los que no tienen nada preparado; porque día santo es a nuestro Señor; no os entristezcáis, porque el gozo de Jehová es vuestra fuerza" (Nehemías 8:10).

Este versículo es una declaración de gozo y festividad. Una invitación a la santa convocación inspirada en la confianza en Dios. ¡Cuántos hay hoy día que necesitan urgentemente una palabra de aliento! Personas cuya hoja de balances claramente muestra una vida cargada de tristezas, sinsabores y hasta miserias.

La alegría aparece acompañada de alimentos. Había momentos para el ayuno que generalmente incluían actos de arrepentimiento, una actitud sobria, de reflexión y análisis. Estos momentos son necesarios. Pero en el calendario de las fiestas judías, sólo una exigía "afligir" el alma (ver Lev. 23:27). Todas las demás eran ocasiones de celebración de la bondad de Dios, ocasiones para compartir momentos y alimentos con familiares y conocidos que se daban cita en Jerusalén de todas las ciudades vecinas.

En realidad, la religión judía no era tan sombría como algunos pueden imaginarse. Cuando se hacían sacrificios de gratitud, el ofrendante comía la parte mayor de la víctima con su familia en una cena festiva. Tampoco la observancia del sábado era de una solemnidad seria y austera. Éste era un día de deleite espiritual y alegría (Isa. 58:13, 14).

Otro elemento de esta convocación fue la preparación de "porciones" para los que no tenían nada preparado. Era importante compartir con ellos, para que la alegría de la ocasión no los pasase por alto. Finalmente, el fundamento de esta ocasión festiva fue la lectura y comprensión de la Palabra de Dios. Bajo la dirección del sacerdote Esdras, los levitas leyeron y explicaron el "libro de la ley de Dios", y su lectura fue clara, y su explicación eficaz.

Aquí hay una fórmula para la satisfacción del ser humano. Abraham Maslow, el famoso psicólogo ruso, propuso una escala progresiva de necesidades humanas en forma de pirámide. A la base las necesidades físicas básicas, incluyendo las de casa y comida. En la cúspide, la realización total del individuo en todas sus dimensiones. Según Maslow, los individuos van avanzando progresivamente hasta que alcanzan el estatus superior. Según Nehemías, el creyente lo puede tener todo en Dios. Seguridad, alegría, la relación con los demás y con Dios. La satisfacción de adorarlo y sostenernos por la fe en él.

Señor, ayúdame hoy a entender que en ti lo tengo todo. Seguridad espiritual, sostén físico, compañerismo y alegría. OLV

FELICIDAD PLENA, AHORA

Y todo el pueblo se fue a comer y a beber, y a obsequiar porciones, y a gozar de grande alegría, porque habían entendido las palabras que les habían enseñado.
Nehemías 8:12.

Mientras mis dedos se hunden en la harina y doy forma a la masa que dentro de dos horas habrá de ser un pastel de manzana, recuerdo aquellos años de mi adolescencia cuando mi madre trataba de instar en mí modalidades caseras. ¡Cuánto me gustaba observar sus dedos ágiles y diestros convertir cualquier cosa que tocaban en una obra de arte!

¿Sabría ella en aquel entonces que los simples momentos de camaradería que me dedicaba y el amor que compartía conmigo en la soledad de su cocina, son el yacimiento de la felicidad que tanto busca el mundo desesperadamente?

Mi madre había aprendido las verdades que tantas veces a mí me es menester recordar. Había aprendido que la felicidad no radica en el gozo de ver terminada una labor al final del día, o en alcanzar una meta cualquiera, sino en la satisfacción y el gozo que experimentamos durante dicho proceso.

Tener la casa limpia o la cena lista antes de que caiga el sol el viernes por la tarde no significa nada si durante el proceso hemos herido a nuestros seres queridos. La Mensajera de Dios nos dice: "Enseñad con bondad y afecto. Padres y madres, tenéis una obra solemne que realizar. La salvación eterna de vuestros hijos depende de vuestra conducta. ¿Cómo educaréis con éxito a vuestros hijos? No reprendiéndolos, porque no hará ningún bien. Hablad a vuestros hijos como si tuvierais confianza en su inteligencia. Tratadlos con bondad, ternura y amor. Decidles lo que Dios espera que hagan. Decidles que Dios desea que se eduquen y se preparen para ser obreros con él. Cuando hagáis vuestra parte, podéis confiar que el Señor hará su parte" (*Conducción del niño,* p. 31).

Es erróneo pensar que la felicidad es un estado imposible de alcanzar. La felicidad se hace de los pequeños trozos de instantes que vivimos a lo largo de cada día. Muchos creyentes viven vidas desprovistas de alegría. Mientras viven, no hallan deleite en Dios, no encuentran placer en lo que hacen y descuidan el amor de quienes viven a su lado.

Nuestro Padre celestial quiere que seamos felices. Quiere que entendamos que el cristiano verdadero no es aquel que deambula por esta vida en espera de un mundo y una vida nueva para entonces ser feliz.

Toma mi vida hoy y moldéala según tu sabiduría. Ayúdame a vivir en la felicidad de tu presencia. OLV

INSTRUMENTO DE LA PROVIDENCIA

Reúne a todos los judíos que se hallan en Susa, y ayunad por mí, y no comáis ni bebáis en tres días, noche y día; yo también con mis doncellas ayunaré igualmente, y entonces entraré a ver al rey, aunque no sea conforme a la ley; y si perezco, que perezca. Ester 4:16.

El libro de Ester pareciera el guión de una película de Hollywood. Incluye un concurso de belleza, tramas políticas, celos, envidias, muerte y acción bélica. Junto con el Cantar de los Cantares, es uno de los dos libros de la Biblia que no mencionan el nombre de Dios, pero ilustra la providencia de Dios y las actitudes y conductas propias de personas de fe.

El versículo de hoy, probablemente el pasaje más conocido de Ester, es una magnífica declaración de valor y determinación en medio de una crisis. La joven judía que llega al reino fortuitamente, debe enfrentar las maquinaciones de un enemigo del pueblo de Dios. Influenciado por Amán, el rey Asuero (hijo de Darío y conocido por Jerjes en Esdras y Nehemías) ha decretado el exterminio de los judíos en todo su reino, pero Dios emplea a Ester y a su primo y padre adoptivo, Mardoqueo, para revertir su suerte .

Hay varias lecciones en este libro. Una de ellas es la manera en que Dios actúa en favor de sus hijos. Dios usa a una humilde joven de extraordinaria belleza, que además demuestra gran aplomo, inteligencia y valor.

La pregunta de Mardoqueo al pedirle que interceda por su pueblo, sugiere la manera en que Dios puede escoger y dirigir a sus hijos para cumplir funciones determinantes en momentos decisivos. "¿Quién sabe si para esta hora has llegado al reino?" (Ester 4:14) contiene un desafío para cada creyente. ¿Tendrá Dios una función determinante también para nosotros?

La heroicidad de Ester no sólo salvó la vida del pueblo judío en un momento crítico, sino que preservó la actitud favorable de los reyes persas hacia el pueblo de Dios. El hijo de Jerjes, Artajerjes, promulgó el edicto que condujo a la reconstrucción del templo de Jerusalén y que marcó el comienzo de los grandes períodos proféticos de Daniel, los que llevan hasta el Mesías y el pueblo remanente actual.

El libro de Ester también enseña la naturaleza transitoria del poder terrenal. Amán pasa de ser un funcionario real de gran influencia, a un ejecutado en cuestión de días. Dios humilla al soberbio y bendice al fiel.

Señor, ayúdame hoy a aceptar el desafío que hoy quieras traer a mi vida. Que cuando llegue el momento decisivo, yo también esté listo para cumplir mi función. OLV

CUANDO DIOS CORRIGE

Bienaventurado es el hombre a quien Dios castiga; por tanto, no menosprecies la corrección del Todopoderoso. Porque él es quien hace la llaga, y él la vendará; él hiere, y sus manos curan. Job 5:17, 18.

Tal vez, a primera vista, el versículo de hoy se preste para malentendidos. Puede ser que a lo que se le llama bienaventuranza, para nosotros sólo represente el amargo sabor de las desgracias.

La naturaleza humana explora cualquier sendero que pueda conducir a la dicha y la felicidad. Repele el dolor, el castigo y el azote. Por eso se nos dificulta entender este razonamiento. Uno de los efectos más valiosos del castigo, es que nos enseña lecciones de gran valor que de otra manera no aprenderíamos. Pero a veces no podemos entender cómo esto puede ser posible.

Cuando tenía unos siete años, cierta vez acompañé a mi madre a la casa de una familia adinerada, cuyo único hijo poseía más juguetes que los que yo había visto en toda mi vida. Antes de irme, decidí echarme al bolsillo un diminuto soldadito de plomo que me gustó, pensando que entre tanto juguete nadie notaría el hurto. Mi madre, sin embargo, no pensaba como yo, y de inmediato me obligó a devolverlo. Tener que confesar mi falta era peor que el delito, por eso en aquel momento mi madre se convirtió en mi verdugo. La lección aprendida, sin embargo, fomentó en mí las bases para tomar decisiones sabias y adquirir un carácter íntegro.

Dios nos trata igual. Nos dice: "Reconoce asimismo en tu corazón, que como castiga el hombre a su hijo, así Jehová tu Dios te castiga" (Deut. 8:5).

En el pasaje bíblico de hoy, Elifaz propone que si el creyente acepta la disciplina de Dios, será feliz. Aunque su discurso estaba inspirado por la idea equivocada de que Job estaba sufriendo el castigo de Dios, es indudable que una de las claves de la tranquilidad y la paz mental es aceptar nuestra culpabilidad ante Dios (ver Prov. 28:13).

Cuando percibimos a Dios como un Padre amado, entendemos que él siempre desea lo mejor para nosotros. Incluso lo que nos parece un castigo podría contener la semilla de su bendición. Puede ser un cambio de actitud, ser el reconocimiento de una falta o un defecto de carácter que no habíamos notado. Puede que una experiencia dolorosa signifique el comienzo de una relación más íntima con Dios.

Señor, ayúdame a captar tu mensaje a través de las pruebas. Que en lo bueno y en lo malo, yo pueda escuchar tu voz indicándome el camino en que debo andar. OLV

BUENOS DÍAS

La vida te será más clara que el mediodía; aunque oscureciere, será como la mañana. Job 11:17.

El saludo más común en la mayoría de los idiomas es: "¡Buenos días!", o una frase similar. Lo recibimos de parte de conocidos y desconocidos, en la casa, el mercado y en nuestro lugar de trabajo. ¿Se ha preguntado alguna vez cómo precisamente se tiene un buen día?

He aquí algunas sugerencias:

1. Haga algo que no desea hacer.

Esta categoría es muy amplia y un tanto desafiante. Pero todos los que hemos llegado a la madurez sabemos que no podemos evitar permanentemente hacer lo que no nos agrada. Hacer lo que debemos hacer a pesar de que no nos guste, es uno de los medios más eficaces para la edificación de nuestro carácter. Hay muchas cosas que no deseamos hacer: mostrar amabilidad hacia alguien que no piensa como nosotros, arreglar algo que hemos pospuesto por algún tiempo, arreglar el armario que hemos descuidado, escribir la carta o correo electrónico que ayude a restablecer una relación rota, quizá hacer ejercicios físicos, etc.

2. Haga algo que sí desea hacer.

Sálgase de la rutina y haga algo que hace tiempo deseaba hacer. Cocine su plato favorito. Dé un paseo por el parque. Converse un poco más con la persona amada. Tome tiempo para descansar.

3. Mantenga silencio por algunos instantes para orar, leer la Biblia o meditar.

Si por sus circunstancias no puede dedicar mucho tiempo al comienzo del día al estudio devocional, al menos dedique unos momentos a proyectarse hacia Dios por medio de la oración.

4. De la manera que fuese, comparta su fe con otro ser humano cada día.

Acérquese, dé una palabra de aliento. Sonría.

Aunque la declaración de Job se encuentra dentro del discurso de uno de sus amigos, el consejo es válido. Si disponemos nuestro corazón y extendemos nuestras manos hacia Dios (vers. 13), nuestra vida será más clara y luminosa. Entonces nuestro día será en efecto "bueno", porque nos habremos acercado a Dios y a las criaturas que recorren con nosotros el camino de la vida.

Querido Padre, dame cada mañana una nueva oportunidad de servirte. MAV

NUESTRO REDENTOR VIVE

"Yo sé que mi Redentor vive, y al fin se levantará sobre el polvo; y después de deshecha esta mi piel, en mi carne he de ver a Dios; al cual veré por mí mismo, y mis ojos lo verán, y no otro, aunque mi corazón desfallece dentro de mí". Job 19:25-27.

Cuánta esperanza, y cuánto gozo han infundido estas palabras proféticas de Job en el corazón de los hijos de Dios! A través de todas las edades, este canto de fe ha conmovido y maravillado a quienes la enfermedad, el dolor y la muerte han postrado en el desaliento.

Esta maravillosa promesa propone un poder restaurador y renovador como ninguno. Desde la desesperación, nos levanta a la esperanza. Desde las profundidades del desaliento, nos remonta a las alturas del consuelo, y en su certera realidad vivimos seguros y confiados, esperando el día en que el poder regenerador y de vida eterna de nuestro Señor Jesucristo nos levante del polvo y nos restaure.

Jorge Federico Händel, uno de los grandes genios de la historia de la música, sintió una profunda emoción el día que descubrió esta promesa. Las palabras de consuelo que la aflicción de Job lo inspiró a escribir, llenaron su corazón de admiración y ratificaron las promesas de Jesucristo con relación a la finitud del hombre. Maravillosos sonidos comenzaron entonces a formarse en las neuronas de su cerebro, y en sus tímpanos pulsaron sublimes notas que la majestad de Dios inspiraba en él. Conmovido, Händel tomó entonces la pluma, y comenzó a escribir.

Mientras Händel componía, a ratos se levantaba, caminaba de un lado al otro de la habitación, como si una música divina le dictara las notas que escribía en el papel, y luego se echaba en el sofá y cantaba: ¡Aleluya! ¡Aleluya!

Veinticuatro días le tomó a Händel para entregarle al mundo el oratorio musical más excepcional jamás escuchado, sólo basado en fragmentos bíblicos. La tercera parte de *El Mesías* es la parte más hermosa de toda la obra de Händel: "Yo sé que mi Redentor vive". Es la melodía que expresa el más grande y reverente temor de Dios, y el triunfo del Salvador sobre la muerte.

Job, Händel, y cada hijo de Dios, un día se levantarán del polvo, y todos nos reuniremos con Aquél a quien el universo entero le debe la vida. Es porque nuestro Redentor vive, que nosotros viviremos.

Señor Jesús, Creador del cielo y la tierra, toda la admiración que pueda guardar mi corazón es para ti. Tus promesas son mi aliento, mi luz y mi consuelo. OLV

LA BENDICIÓN DE UN AMIGO

Vuelve ahora en amistad con él, y tendrás paz; y por ello te vendrá bien. Job 22:21.

Cuando somos jóvenes y las cosas van bien, a veces sentimos que no necesitamos de nadie. Cuando pasan los años advertimos que los saludos superficiales y las conversaciones casuales con desconocidos no son suficientes. Tampoco lo son las relaciones circunstanciales, ni los encuentros físicos con el sexo opuesto.

Todos necesitamos de otros, a un nivel profundo. Hablamos de intimidad y muchas veces la asociamos con cercanía física, pero nuestra alma requiere mucho más que eso. Quizá se debe a que somos todos criaturas de un mismo Creador que tenemos que conectarnos como las células vivas de un coral o las abejas de un mismo panal. El hecho es que una de las peores condiciones del ser humano es la soledad.

Se puede estar solo en medio de una multitud, en una oficina, o dentro de una relación matrimonial. La soledad puede ser momentánea o persistente, pero requiere ser satisfecha o se nos hará casi imposible ser felices. Ni las posesiones, ni la fama, ni la educación ni el estatus social son un sustituto para la conexión entre seres inteligentes. A veces somos capaces de practicar conductas dañinas con tal de sentirnos acompañados. Quizás por eso, Jesucristo escogió la amistad como la relación ideal entre él y sus seguidores. El concepto fue expresado claramente en su conversación con los discípulos: "Ya no os llamaré siervos, porque el siervo no sabe lo que hace su señor; pero os he llamado amigos, porque todas las cosas que oí de mi Padre, os las he dado a conocer" (Juan 15:15).

A primera instancia no parece tan extraño que Jesús expresara tales sentimientos, pero a la luz de las religiones antiguas, con sus dioses lejanos y antojadizos, el ofrecimiento de Jesús es extraordinario. Las palabras que siguen son aun más sorprendentes: "No me elegisteis vosotros a mí, sino que yo os elegí a vosotros" (Juan 16:16). Esto explica por qué un amigo puede ser "más unido que un hermano". Los amigos se eligen, no nos son impuestos por la biología.

Dios quiere que escojamos ser sus amigos. Él siempre será Dios y nosotros criaturas, pero él desea algo más. Y no hay Amigo como él. Siempre está disponible para acompañarnos. Por medio de su Espíritu está más cerca de nosotros que ninguna otra persona.

Señor, ayúdame hoy a mostrarme amigo contigo y con mis compañeros en el viaje de la vida. MAV

TUS OJOS ME VEN

Porque sus ojos están sobre los caminos del hombre, y ve todos sus pasos. Job 34:21.

En 1979, Michel Gauquelin puso un anuncio en un periódico de París ofreciendo un horóscopo gratuito a quienes indicaran si les había parecido exacto. De las primeras 150 personas, 94 por ciento dijo que el horóscopo concordaba con ellas. El detalle que desconocían era que todas habían recibido el mismo horóscopo, correspondiente a un notorio asesino, el Dr. Petiot.

Se han hecho estudios de los rasgos de personalidad de miles de personas para averiguar si pueden agruparse según su fecha de nacimiento, pero se ha comprobado casi sin excepción que los signos natales no predicen atributos personales. Ningún estudio de grupos escogidos al azar ha indicado tal cosa.

Aunque la mayoría de estos intentos, más o menos complejos, de conectarnos con lo sobrenatural para obtener ayuda en nuestra vida diaria corresponden a intereses válidos del ser humano, sus contradicciones, sus inconsistencias y sus idiosincrasias debieran relegarlos al plano de lo improbable. Su efecto en nuestra vida podría variar desde lo inofensivo hasta lo altamente peligroso.

Lo cierto es que hay una guía mucho más segura para la vida que la astrología o la *Wicca*. Hay una sola fuente de contacto con lo sobrenatural que supera la prueba del tiempo y de la ciencia. La base de esta comunicación se encuentra delineada en la Biblia. Sólo Dios conoce los pasos del hombre.

La imagen proyectada por el versículo de hoy no es la de un Vigilante celestial que mira con ojos críticos nuestra conducta, sino la de un Padre amante que observa benigno los pasos vacilantes de sus hijos. Incluso Job, seleccionado para ser un campo visible de batalla en el gran conflicto, finalmente es rescatado de los ataques de Satanás y restaurado a una vida de bendiciones.

Señor, no siempre me gusta que otros vean todo lo que hago, o sepan todo lo que pienso, pero tú eres distinto. Tu presencia no me incomoda, sino que me llena de aliento y valor. Gracias por estar siempre ahí. MAV

UN DIOS DE ORDEN

¿Supiste tú las ordenanzas de los cielos? ¿Dispondrás tú de su potestad en la tierra? Job 38:33.

La respuesta divina a los grandes interrogantes de Job consistió en preguntas que destacan el poder insondable de Dios. De la misma manera en que Job no tenía respuestas a estas preguntas de orden científico, tampoco tenía derecho a dudar de los planes divinos para su vida.

En este versículo se alude a las leyes de los cielos, al orden impuesto por Dios al universo. Innumerables observaciones científicas a lo largo de los siglos sugieren un sistema en el mundo material que busca la estabilidad o el equilibrio. Pero en el mundo físico y en el mundo de las vivencias humanas, notamos también tendencias poderosas a la degeneración, al desorden y al caos. Usted y yo nos movemos entre ambos esquemas. Necesitamos estabilidad, al menos en nuestro mundo personal, para funcionar, pero lograr ese equilibrio requiere que nos enfrentemos a nuestra propia tendencia al desorden.

¿Cómo funcionan las leyes de Dios? Ni en el mundo físico ni en el espiritual se dedica Dios a desafiar sus leyes con constantes excepciones. Él generalmente no distorsiona las consecuencias de nuestro desdén por ellas. Si descuidamos los principios de la buena salud y nos involucramos en hábitos dañinos, lo más probable es que cosechemos los resultados. Pablo lo expresó de esta manera: "Todo lo que el hombre sembrare, eso también segará" (Gál. 6:7). Al igual que la salud física es un estado de armonía y equilibrio en el organismo, la salud espiritual responde a la armonía con Dios y su voluntad. Y el rechazo a las leyes morales de Dios también produce consecuencias nefastas.

Aunque las consecuencias de la desobediencia a las leyes naturales y morales de Dios son muchas veces automáticas, Dios no nos obliga a observarlas. En nuestro paso por la vida, es necesario que decidamos si andaremos el camino del desorden y el caos o por la senda de la armonía y el equilibrio. Si traeremos a nuestra esfera de acción la guerra o la paz, la carnalidad o la espiritualidad, el egoísmo o el amor.

Gracias por el orden que impones al universo. Por favor, controla también mis pensamientos y mi vida. MAV

EL CRISTO DE LA SALVACIÓN

La salvación es de Jehová. Salmo 3:8.

En muchas sociedades, especialmente en los países más desarrollados, parece imperar una cultura pseudo-cristiana. Se cree en Dios y en su Hijo Jesucristo, pero los conceptos respecto a la persona de Dios y a su plan de salvación, a menudo están mezclados con el error y responden muy poco a las enseñanzas de la Biblia.

San Pablo, hablando del contraste entre los que insisten en el pecado y los que viven una nueva vida en Cristo, señala que el creyente debe ser enseñado según "la verdad que está en Jesús" (Efe. 4:20, 21). En el mundo del saber hay muchas verdades importantes. Hay verdades matemáticas (suma, resta, multiplicación), verdades físicas (ley de la gravedad, la entropía, la relatividad), verdades biológicas, psicológicas e incluso eclesiásticas, pero la única que salva es la verdad que está en Jesús.

Las verdades concernientes a Dios y su salvación son oscurecidas por las tradiciones o pensamientos de los hombres, y se pierde el poder renovador del Evangelio. Entre los conceptos bíblicos que se han diluido se encuentran:

1. La doctrina del pecado: la enseñanza de que estamos destituidos de la gloria de Dios y que necesitamos el perdón y la santificación que sólo él puede dar (Rom. 3:23; 6:23; 1 Juan 3:4; Isa. 1:17, 18). Desde el nacimiento del psicoanálisis a fines del siglo XIX, psicólogos y sociólogos pugnan por librarnos de la culpabilidad. Nos dicen que está bien odiar, engañar y vivir una vida inmoral. Pero Jesús vino a salvarnos del pecado, no en él (Juan 1:29).

2. La salvación por gracia: la creencia fundamental de que somos salvos por la agencia de un Dios externo a nosotros. El hombre no se salva a sí mismo, ni la salvación se halla dentro de él. No somos dioses y no existe un camino de superación que nos pueda convertir en tales. No hay otro medio de salvación fuera de Cristo (ver Hech. 4:12). Jesús es "el camino, y la verdad, y la vida", y nadie viene al Padre o a su reino sino por él (Juan 14:6).

3. La ley moral de Dios, los Diez Mandamientos: los mandamientos de Dios están vigentes hoy para el ser humano. Expresan principios universales y eternos para la vida. No han sido abolidos ni neutralizados. Siguen brindándonos una pauta que nos muestra si vivimos o no en armonía con su Dador.

Gracias, Señor, por enseñarnos que sólo el Jesús de la verdad puede sanarnos, limpiarnos de nuestra maldad y poner en nuestro corazón la esperanza de la vida eterna. MAV

EL CAMINO ES DE DIOS

Sustenta mis pasos en tus caminos, para que mis pies no resbalen. Salmo 17:5.

Sojourner Truth fue una mujer extraordinaria que dejó una huella en la conciencia norteamericana de fines del siglo XIX. De raza negra, había nacido en la esclavitud y nunca pudo leer ni escribir. Era una cristiana devota que memorizó grandes porciones de la Biblia y dedicó su vida a recorrer su país y predicar el mensaje cristiano ante cientos de púlpitos. Cuando Sojourner estaba por cumplir los ochenta años, unos amigos de Battle Creek, Michigan, pensaron que era muy anciana para caminar de un lugar a otro —que era su medio principal de transporte— e insistieron en que utilizara su coche tirado por un caballo. Lo que no habían calculado en esos momentos era que Sojourner no podía leer los carteles del camino. Le preguntaron: "¿Cómo encuentras los lugares?".

Sojourner contestó: "Cuando llego a una encrucijada, suelto las riendas, cierro los ojos y digo, 'Señor, maneja tú'. Y él siempre me lleva a algún lugar donde tendré buenas reuniones".

¿No le parece que las palabras de esta mujer de fe podrían aplicarse a nosotros? ¿No cree que el método de Sojourner podría ser el mejor en muchas ocasiones? Ante un problema, la mayoría de nosotros analiza todas las opciones posibles. A menudo discutimos la situación con nuestro cónyuge o un amigo de confianza. Quizá nos haría bien visualizarnos en el coche de Sojourner, dejar caer las riendas, cerrar los ojos y decir: "Señor, maneja tú".

Veremos que dentro de pocas horas o pocos días, cuando menos lo esperamos, la solución vendrá a nuestra mente. Y al igual que Sojourner, nos llevará a un lugar donde "tendremos buenas reuniones". Bien dijo el salmista: "Porque este Dios es Dios nuestro eternamente y para siempre; él nos guiará aun más allá de la muerte" (Sal. 48:14).

Señor, señala el camino en que debo andar, y que cuando no sepa, me aferre confiadamente de tu mano. OLV

UN DIOS PERSONAL

Los cielos cuentan la gloria de Dios, y el firmamento anuncia la obra de sus manos. Salmo 19:1.

Nuestro concepto de Dios determina en mayor o en menor grado cómo visualizamos el universo. Los pueblos paganos de antaño y los indígenas de antes y de ahora, han reflejado en sus costumbres y actividades su concepto de Dios. El dios nórdico de los vikingos, Thor, los guió a la guerra y la conquista. El Moloc de los baales y algunos dioses de pueblos americanos requerían sacrificios humanos. Los dioses con características humanas de los griegos y los romanos les permitían buscar la sensualidad y aun la corrupción.

¿Qué creemos acerca de Dios? ¿Qué o quién es? ¿Qué espera él de los seres humanos? Si yo creo que Dios es una fuerza impersonal que se confunde con el universo que lo alberga, mi espiritualidad estará limitada a la admiración de la naturaleza y el cosmos. Si mi concepto de Dios se basa únicamente en elementos culturales (la celebración en Occidente de la Navidad y la Semana Santa), el efecto sobre mis actitudes será mínimo. Si mi conocimiento de Dios proviene de mis emociones y sentimientos, en realidad me estaré adorando a mí mismo.

El primer libro de Dios es la naturaleza. "Las cosas invisibles de él, su eterno poder y deidad, se hacen claramente visibles desde la creación del mundo, siendo entendidas por medio de las cosas hechas" (Rom. 1:20). "Los cielos cuentan la gloria de Dios, y el firmamento anuncia la obra de sus manos" (Sal. 19:1). Pero la revelación de Dios al hombre no se ha limitado al mensaje de la naturaleza. Aunque ésta nos habla de Dios, su mensaje es incompleto.

Dios tiene que ser conocido en base a la revelación que él ha decidido hacer de sí mismo, y la mayor revelación de Dios que hemos recibido se encuentra en la vida, el ministerio y la muerte de Jesucristo. "El que me ha visto a mí, ha visto al Padre", dijo Jesús (S. Juan 14:9). Debido a que él se hizo uno de nosotros, tuvimos una revelación de Dios en términos que nosotros los humanos podemos comprender. "Sabemos que el Hijo de Dios ha venido —declara Juan—, y nos ha dado entendimiento para conocer al que es verdadero" (1 Juan 5:20).

Gracias por el libro de la naturaleza y por tu Palabra revelada en la Biblia y en tu Hijo Jesucristo. MAV

JEHOVÁ ES MI PASTOR

Jehová es mi pastor; nada me faltará.
En lugares de delicados pastos me hará descansar;
junto a aguas de reposo me pastoreará.
Confortará mi alma;
me guiará por sendas de justicia por amor de su nombre.
Aunque ande en valle de sombra de muerte,
no temeré mal alguno, porque tú estarás conmigo;
tu vara y tu cayado me infundirán aliento.
Aderezas mesa delante de mí en presencia de mis angustiadores;
unges mi cabeza con aceite; mi copa está rebosando.
Ciertamente el bien y la misericordia me seguirán todos los días de mi vida,
y en la casa de Jehová moraré por largos días. Salmo 23.

El Salmo 23, comúnmente llamado el "Salmo del Buen Pastor" es en su totalidad una promesa. Describe a Dios como un tierno pastor de ovejas que conduce a su rebaño al descanso y lo alimenta "en lugares de delicados pastos... junto a aguas de reposo". También lo presenta como el Anfitrión celestial que prepara mesa para sus invitados, los unge con aceite (según la costumbre oriental antigua), y les provee un lugar para vivir indefinidamente.

Esta es una promesa universal, no conoce diferencias de culturas, nacionalidades, época o circunstancias. Puede palparse el cariño del pastor por las ovejas que cuida y con quienes convive. Estas horas de refrigerio con el Pastor son las que nos proveen fuerzas para enfrentar las duras pruebas de la vida.

El salmista expresa su plena confianza en Dios con la frase "nada me faltará". Esta confianza fija el tono del resto del salmo. Dios nos conforta, nos guía, está con nosotros, nos infunde aliento, nos prepara mesa, nos unge, y hace que nos sigan el bien y la misericordia.

Y cuando transitemos el "valle de sombra de muerte", su presencia bastará para darnos seguridad. Nos protege del peligro con su vara, nos ofrece el apoyo de su cayado. Así nos imparte seguridad, consuelo, victoria, compañerismo.

Pero Jehová es mucho más que un pastor. Es un Rey que agasaja a sus invitados. Aquí hay un elemento futuro y profético. Se remonta al momento de las bodas del Cordero y el encuentro definitivo con Dios en su mansión. Esta relación con un Dios de amor y ternura produce en el creyente gozo, esperanza y felicidad imperecedera.

Gracias, mi Dios, porque tú eres mi Pastor. Cuando te tengo a ti, lo tengo todo. MAV

LA TRAMPA DE LA DEPRESIÓN

Porque un momento será su ira, pero su favor dura toda la vida. Por la noche durará el lloro, y a la mañana vendrá la alegría. Salmo 30:5.

Casi todos hemos caído alguna vez en las garras de la depresión y la soledad. Aunque no siempre vienen unidas, las dos generalmente se alimentan una a la otra. El problema particular representado por estos males es que pueden atentar contra la espiritualidad como casi ninguna otra cosa.

Cuando la persona es afectada por la depresión, los principios espirituales que ha conocido quizá durante años, pueden quedar abrumados por sentimientos y actitudes negativas. Y aunque la depresión se debe muchas veces a factores psicológicos y físicos, el enemigo de las almas puede sacar ventaja de la situación para que la persona, en su desesperación, se aleje de Dios.

Hay varias recomendaciones para la persona deprimida. En casos de depresión severa, conviene buscar ayuda médica especialmente por las complicaciones físicas e incluso por el peligro de actos suicidas. A muchos les ayuda el ejercicio físico y el contacto con otras personas. Algunos han encontrado que el mejor método de superar la depresión es aceptar su existencia y rendirse a la misericordia de Dios. Describen que la depresión los sumerge hasta el fondo del desánimo, pero que en ese momento comienzan el ascenso hacia la normalidad y el contacto con los demás.

A veces, los sucesos más sencillos pueden iniciar la recuperación. Pueden llegar llamadas de algún ser querido, noticias de un amigo o amiga, o el pedido de ayuda de alguien. Este último es especialmente efectivo. Cuando participamos en el círculo de amor y preocupación por los demás, nosotros mismos somos beneficiados.

Las Escrituras a veces asocian la depresión o la tristeza con las tinieblas de la noche. En los momentos de recogimiento al final del día, podemos ser especialmente susceptibles a un análisis negativo de nuestra situación. Durante la noche nos sentimos aislados y muchas veces tenemos que esperar el día para buscar solución a nuestros problemas. En cierto sentido, toda la humanidad está viviendo una larga noche de sufrimiento que será superada únicamente por la mañana de la redención.

Señor, muéstrame hoy cómo ayudar a algún alma deprimida. MAV

LIBERTAD DE LA ANGUSTIA

Claman los justos, y Jehová oye, y los libra de todas sus angustias. Salmo 34:17.

Corrie Ten Boom fue una famosa escritora, sobreviviente de los campos de concentración nazi. En varios de sus relatos cuenta acerca de sus vivencias en el contrabando de biblias en la Europa comunista. En una ocasión llevaba consigo una maleta cargada de biblias y el guardia de aduanas estaba revisando cuidadosamente cada pieza de equipaje de las personas que la precedían en la fila. Alarmada, oró: "Señor, tú has dicho que guardarás tu Palabra. Ahora, por favor, cuida tu Palabra que llevo conmigo".

De pronto, cuando miró su maleta, parecía que ésta brillaba. Nadie más lo vio; pero para ella era un hecho innegable. Podía verse un halo de luz que rodeaba la maleta.

Cuando llegó su turno, el guardia, que había abierto e inspeccionado cada pieza de equipaje, miró sus maletas, se encogió de hombros y la hizo pasar con un gesto de la mano. Corrie Ten Boom asegura que fue un ángel quien la ayudó a introducir la Palabra de Dios detrás de la Cortina de Hierro.

La promesa del Salmo 34 aparece en el contexto de la huida de David de delante de Saúl y de su búsqueda de refugio en el templo y con el sacerdote Ahimelec. Este salmo nos ofrece varias enseñanzas:

La verdadera adoración incluye una actitud de alabanza y gratitud continuas (vers. 1-3). El ser humano recibe una bendición cuando siente su dependencia de Dios; cuando se acerca a él en medio de sus temores, en humildad y en la necesidad de ser defendido. Los que temen a Jehová son los que comprueban su bondad (vers. 8), y se apartan del mal para seguir el bien y la paz.

La promesa asegura dos cosas: que Dios oye el clamor de los justos y que él los libra de sus angustias. Que Dios escucha la oración de sus hijos es un concepto central en la Biblia. Su disposición a escuchar a sus hijos es lo que lo distingue de los dioses falsos (ver las palabras de Elías en 1 Rey. 18:24, 27-29).

Por otra parte, la vida y la historia nos enseñan que el Señor no siempre libra a sus hijos de todos sus problemas (Juan 16:33). La promesa es otra: librarnos de todas nuestras angustias. Dios es capaz de transformar nuestras actitudes y pensamientos de manera que vivamos llenos de valor, ánimo y confianza en su providencia.

Señor, yo sé que me escuchas. Ahora enséñame a confiar en que también actuarás en mi favor, ya sea cambiando las circunstancias o mis actitudes. OLV

RESPUESTA A NUESTRAS ORACIONES

Deléitate asimismo en Jehová, y él te concederá las peticiones de tu corazón. Salmo 37:4.

Ha pensado alguna vez en lo que desearía más en la vida? La respuesta no es fácil. Queremos tantas cosas, y necesitamos tantas otras más, que ningún don humano sería suficiente para acallar los gritos del alma. Sin embargo, conocer a Dios y tener una relación profunda y significativa con el Creador del universo debería ser nuestro mayor anhelo.

Las grandes respuestas de nuestras peticiones comienzan con la confianza genuina en Dios. ¿Ya sabe cuál es su mayor deseo en la vida? Ni el dinero ni las comodidades ni el poder ni la fama ni la vida misma significan algo si no tenemos a Cristo. Lo que necesitamos es una amistad profunda con él. En él se cumplen nuestros deseos y se llenan los vacíos del corazón.

Sea cual fuere su necesidad, de tipo espiritual, emocional o material, llévela a Jesús. Aférrese a su poder divino por medio de la fe, porque la fe genuina es vida. No hay nada en nosotros, ningún valor humano, ninguna intención que nos ayude a ser más felices o a ganar la salvación. Sólo en Cristo estamos completos.

Seamos como la hija aquella que cuando su padre adinerado le preguntó qué regalo quería para su boda, le respondió: "He estado pensándolo. Hay muchas cosas que quiero, pero prefiero que tú escojas lo que quieras darme". Querido hermano, ¿habrá algo que nuestro Padre celestial no esté dispuesto a darnos si oramos así?

"La oración del humilde suplicante es presentada por él [Jesús] como su propio deseo en favor de aquella alma. Cada oración sincera es oída en el cielo. Tal vez no sea expresada con fluidez; pero si procede del corazón ascenderá al santuario donde Jesús ministra, y él la presentará al Padre sin balbuceos, hermosa y fragante con el incienso de su propia perfección" (*El Deseado de todas las gentes,* p. 620).

Padre, tú conoces los anhelos de mi corazón, pero concédeme lo que necesito. Gracias por tu interés en mi felicidad. OLV

EL MONTE DE LA JUSTICIA

Conforme a tu nombre, oh Dios, así es tu loor hasta los fines de la tierra; de justicia está llena tu diestra. Salmo 48:10.

Los estudiosos han identificado dos montañas como el monte Sinaí, también conocido como el monte Horeb. La tradición cristiana localiza este monte en el interior de la península del Sinaí, pero hay dos lugares que compiten por el honor. Uno es la montaña Jebel Serbal, una formación rocosa de 2.070 metros de altura. Pero cerca de Jebel Serbal no hay ningún lugar llano como para permitir el asentamiento de dos millones de israelitas en ocasión del éxodo.

Otra tradición señala el pico Ras-es-Sassafeh, de 1.993 metros de altura, como el Sinaí de la Biblia. Al frente de el Ras-es-Sassafeh hay una amplia llanura desde la cual se ve la montaña claramente y en la cual pudo haber acampado todo el pueblo de Israel.

Si esta montaña es el verdadero monte Sinaí, entonces fue el escenario de uno de los actos más impresionantes descritos en la Biblia. Allí Dios entregó su ley a Moisés, en forma hablada y luego escrita. Primero los Diez Mandamientos en la forma de dos tablas de piedra y luego otras leyes civiles o concernientes al sistema de adoración (ver Éxo. 20-34).

La justicia es uno de los grandes fundamentos del gobierno de Dios. "Justicia y juicio son el cimiento de su trono" (Sal. 97:2). E Isaías añade: "Ciertamente en Jehová está la justicia y la fuerza" (Isa. 45:24). El salmo 11:7 también nos dice: "Porque Jehová es justo, y ama la justicia; el hombre recto mirará su rostro".

Dios no sólo es justo y ama la justicia, sino que insta a sus hijos a buscarla. "Mas buscad primeramente el reino de Dios y su justicia, y todas estas cosas os serán añadidas" (Mat. 6:33). El profeta Miqueas, hablando de los requisitos fundamentales de los creyentes, dijo: "Oh hombre, él te ha declarado lo que es bueno, y qué pide Jehová de ti: solamente hacer justicia, y amar misericordia, y humillarte ante tu Dios" (Miq. 6:8). La ley dada por Dios en el Sinaí es la revelación del mismo carácter de Dios y presenta sus requisitos de justicia.

Gracias, Señor, por la revelación de tu justicia en el Sinaí. Transforma mi corazón de manera que ame tu ley. MAV

EL VALOR DE UN ALMA

Porque la redención de su vida es de gran precio. Salmo 49:8.

A menudo nos asombramos al escuchar las magníficas historias de los grandes predicadores modernos y sus extraordinarias campañas evangelizadoras, en las que miles de almas son ganadas para Cristo. Alabamos el ingenio humano y nos admiramos del talento de estos grandes hombres de Dios. Con este cuadro en mente, es muy probable que algunos de nosotros nos preguntemos, desanimados, si acaso nuestra humilde labor de evangelistas tendrá algún valor delante de Dios.

¿Tendrá Dios nuestro débil esfuerzo, y el escaso y a veces malogrado resultado de nuestro método evangelizador, en menor estima que la obra que realizan los grandes predicadores? De ninguna manera. Aunque a veces nuestra labor por las almas parezca infructuosa, no deberíamos pensar que perdemos el tiempo en nuestra obra de evangelización. No se hace nada en balde cuando se trata de la salvación de un alma. Puede ser que nuestra humilde obra sea de menor alcance y carezca de métodos efectivos, comparada con la de otros, pero para Cristo cada alma cuenta.

Una historia cuenta que cierto anciano tenía la curiosa costumbre de caminar por la playa en busca de estrellas de mar que la resaca depositaba sobre la arena. Las recogía, las limpiaba, las sostenía entre sus manos por un momento, y luego las arrojaba de nuevo a las aguas.

Una mañana, un joven que caminaba a cierta distancia vio su proceder y quiso saber con qué propósito el anciano hacía aquello. Al preguntarle, el anciano le respondió: "Las estrellas de mar mueren si permanecen fuera del agua cuando el sol calienta la playa".

La respuesta del anciano sorprendió al muchacho. "Pero señor, hay muchos kilómetros de playa, y hay millares de estrellas de mar. ¿Qué diferencia hará el que usted les salve la vida a unas pocas de ellas?", objetó el joven. El anciano volvió a mirar la estrella de mar que sostenía entre sus manos, la lanzó de vuelta al agua, y replicó: "Para ésta sí habrá diferencia".

Cada uno de nosotros es una estrella de mar con nombre propio, a quien nuestro Señor Jesucristo quiere redimir. Cada alma tiene un valor infinito para Jesús, y sus seguidores debiéramos aprender a valorarlas de la misma manera.

Gracias, Señor, por tu amor incondicional. Gracias por la promesa de la salvación, y gracias porque para ti cada alma es un tesoro inestimable. OLV

DEMASIADO OCUPADOS PARA LA ORACIÓN

Tarde y mañana y a mediodía oraré y clamaré, y él oirá mi voz. Salmo 55:17.

Se cuenta que en cierta ocasión un joven llegó a un campo de leñadores buscando trabajo. Durante su primer día de labores, trabajó arduamente y fue uno de los que más árboles talaron. El segundo día trabajó tanto como el primero, pero su producción fue escasamente la mitad del primer día. Durante el tercer día se propuso mejorar su producción. Arremetió contra los árboles con toda su energía. Pero al final del día, sus resultados fueron igualmente vanos.

El capataz, al ver la frustración del joven leñador, le preguntó: "¿Cuando fue la última vez que afiló su hacha?" El joven respondió: "Realmente no he tenido tiempo de hacerlo. He estado demasiado ocupado cortando árboles".

¿Cuándo fue la última vez que logró una victoria espiritual? ¿Y cuándo fue la última vez que corrió a los pies de Jesús por medio de la oración, en busca de su ayuda? El hombre moderno está demasiado ocupado en la búsqueda de su propia felicidad como para ocuparse de la oración. Ora si tiene tiempo, y generalmente busca por sí mismo la solución de sus problemas. Pero como el joven leñador de la historia, terminamos siempre dándonos cuenta que mientras más nos esforzamos en lograr nuestras metas sin la ayuda de Cristo, más difícil se nos hace la tarea de alcanzar nuestro ideal.

Esto no es lo que Dios desea para sus hijos. El salmista sabía muy bien lo que tenía que hacer: "Tarde y mañana y a mediodía oraré y clamaré, y él oirá mi voz" (Sal. 55:17). Y el Señor promete escuchar.

Cristo es nuestro amigo por excelencia, y a él debemos acudir si queremos ser triunfadores. Es ilógico buscar la ayuda que necesitamos en nosotros mismos. Debemos allegarnos a Dios con un corazón humilde, y esperar su bendición en vez de optar por trabajar solos.

Se nos ha prometido que si clamamos a Dios, él oirá nuestra voz. Entreguémosle nuestro esfuerzo a Cristo, y pidámosle que nos ayude a talar los árboles que se interponen en el progreso de nuestra vida espiritual.

Padre eterno, gracias por tu presencia. Gracias porque vas conmigo, y porque hoy prometes acompañarme en cada labor que me toque realizar. OLV

JEHOVÁ NUESTRO PROTECTOR

Diré yo a Jehová: Esperanza mía, y castillo mío; mi Dios, en quien confiaré, él te librará del lazo del cazador, de la peste destructora. Salmo 91:2, 3.

Con el rifle acunado bajo el brazo, cierto cazador se movía despacio entre los matorrales del bosque siguiendo pistas. Tras las montañas declinaba ya la tarde, y, cansado, decidió concluir la faena. A punto estaba ya de marcharse, cuando de repente escuchó un ruido entre los arbustos cercanos, y vio que algo se movía vertiginosamente hacia él.

Un conejo asustado y tembloroso llegó hasta él, y curiosamente decidió acurrucarse junto a sus botas. Sorprendido con el comportamiento del animalito, el hombre se contuvo en su lugar esperando ver lo que ocurría, hasta que pronto comprendió que había irrumpido en un drama de vida y muerte.

Cerca de él, tras una leve trepidación de los arbustos, súbitamente apareció una comadreja, que al verlo, automáticamente se detuvo en su intención depredadora. Tal parecía haberse congelado en el tiempo frente a su presencia. El cazador alzó entonces su rifle, apuntó al aire, y disparó un tiro que asustó a la comadreja, obligándola a desaparecer a toda prisa.

Para el conejo asustado, aquel cazador había sido su última esperanza. Temeroso y exhausto por la persecución de su enemigo, había asumido aquel riesgo. Y no fracasó. Paradójicamente, los hijos de Dios vivimos en medio de un drama de vida o muerte. A través de todas las edades, la ira de Satanás se ha manifestado contra la iglesia de Cristo. El enemigo de Dios emplea contra los creyentes todos los recursos de la habilidad y sutileza satánicas, y toda la crueldad reflejada en las luchas del mundo animal. Pero podemos descansar seguros en las promesas de Dios.

Jesús ha de ser nuestra esperanza, nuestro castillo, y el Dios en quien hemos de confiar eternamente. Se nos ha prometido que él nos librará del poder del enemigo, y derramará su gracia y su Espíritu sobre su pueblo para robustecerlo contra las asechanzas de Satanás.

¿Hacia quién correremos en momentos de necesidad? ¿En quién nos refugiaremos cuando nos veamos acorralados por el enemigo de Dios? Un hermoso himno religioso dice: "Roca de la eternidad, fuiste abierta para mí, sé mi escondedero fiel". Y eso ha de ser Jesucristo para nosotros.

Allleguémonos hoy a Jesús y busquemos su protección contra el enemigo. Podemos estar seguros de que no saldremos defraudados.

Gracias, Padre eterno, por la paz y la protección que disfrutamos en ti. OLV

POR QUÉ NO TEMERÉ

No temerás el terror nocturno, ni saeta que vuele de día, ni pestilencia que ande en oscuridad, ni mortandad que en medio del día destruya. Salmo 91:5, 6.

"No temerás el terror nocturno", nos dice el salmista, cuando habitamos "al abrigo del Altísimo". Y el que vive así confiado en Dios y en su amor, disfruta en cumplir sus mandamientos. Otra máxima relacionada es "el amor echa fuera el temor", que se refiere en primera instancia al amor de Dios.

¿Qué implica el temor? Desconfianza. Desconocimiento. Sentimientos de inferioridad. Una reacción instintiva ante el peligro. Falta de preparación.

Para todos estos posibles componentes del temor, Dios ofrece solución y ayuda.

No se nos dice que seremos librados de todas estas cosas que nos causan temor, sino que no les temeremos. ¿Por qué?

Porque cuando participamos de una relación con Dios, tenemos en quién confiar. Nuestro destino está ligado a las promesas de Uno que siempre cumple lo que promete. Nuestra identidad responde al concepto de hijo o hija de Dios.

Martín Lutero King contó en uno de sus sermones: "Recuerdo allá en Montgomery, Alabama... Cuando estábamos en medio del boicot de los autobuses, teníamos una ancianita maravillosa a quien cariñosamente llamábamos Hna. Pollard... [tenía] unos 72 años de edad y todavía trabajaba. Durante el boicot caminaba todos los días hasta su trabajo. Un día alguien se detuvo y le dijo: '¿No le gustaría que la llevara?' Y ella dijo, 'no'. El conductor siguió pero se detuvo y pensó, y retrocedió un poco y dijo: '¿No está usted cansada?' Ella respondió: 'Sí, mis pies me duelen, pero mi alma está descansada' ".

La misma Hna. Pollard, una noche en que King se sentía temeroso a causa de varias llamadas hostiles, se le acercó y le dijo:

"Déjame decirte algo otra vez, y quiero que esta vez lo escuches... Te he dicho que estamos contigo... Pero, oye, incluso si no estuviéramos contigo, el Señor es contigo". Y concluyó: "El Señor se ocupará de ti".

Las palabras de la anciana sostuvieron al Dr. Martín Lutero King a través de 18 encarcelamientos, tres bombas y varios intentos de asesinato. Su vida fue una demostración de fe en la protección divina. Incluso su muerte fue un argumento a favor de los derechos civiles.

Me aferro a ti, mi Señor. Dame hoy el valor para enfrentar los desafíos que la vida me traiga. MAV

ÁNGELES A NUESTRO ALREDEDOR

A sus ángeles mandará acerca de ti, que te guarden en todos tus caminos. Salmo 91:11.

En febrero de 2004 visité la casa donde murió Elena G. de White, en St. Helena, California. Quizás el momento más emocionante de la gira fue cuando la guía, una vivaracha octogenaria, nos contó uno de los muchos incidentes de presencia angelical en la vida de aquella extraordinaria mujer. He aquí el relato en las propias palabras de la Sra. White. Puede encontrarse en *Joyas de los testimonios,* tomo 3, páginas 315 y 316:

"Pasé la tarde del día 2 de marzo con los Hnos. S. N. Haskell, hablando con ellos de la obra que se está haciendo en Oakland y de su proyecto de ir a pasar algún tiempo en South Lancaster. Después de esta visita, me sentí cansada y me fui a acostar temprano. Padecía de reumatismo... experimentaba en el corazón una dolencia que no me auguraba nada bueno. Por fin pude dormir.

"Hacia las nueve y media de la noche, procuré darme vuelta y comprobé que todo dolor había desaparecido. Al darme vuelta de un lado a otro y al mover las manos, experimentaba una ligereza y libertad extraordinarias, indescriptibles. El cuarto estaba inundado de luz, una luz maravillosa, suave, azulada; me parecía estar en los brazos de seres celestiales.

"Había ya disfrutado de esta luz en momentos particularmente bendecidos, pero esta vez era más distinta, más impresionante, y sentía una paz tan perfecta y abundante que las palabras me faltan para expresarla. Me senté y me vi rodeada de una nube brillante, blanca como la nieve, cuyos bordes tenían un pronunciado color rosado. La música más arrobadora llenaba el aire y conocí en ella el canto de los ángeles. Luego una voz me dijo: 'Nada temas: yo soy tu Salvador. Los santos ángeles te rodean'.

" '¡Es pues, el cielo! —dije—, y ahora puedo descansar. Ya no tendré que dar ningún mensaje ni habré de soportar que éstos sean interpretados torcidamente. Todo va a ser fácil y voy a disfrutar la paz y el descanso. ¡Oh, qué paz inefable llena mi alma! ¿Es esto verdaderamente el cielo? ¿Soy de veras hija de Dios? ¿Disfrutaré para siempre de esta paz?'

"La voz replicó: 'Tu obra no ha terminado aún'.

"Volví a dormir, y cuando desperté oí música y tuve deseos de cantar. Entonces alguien pasó cerca de mi puerta y me pregunté si habría visto la luz. Después de un tiempo, la luz se disipó, mas la paz permaneció".

Gracias, oh Dios, por la presencia de tus ángeles a nuestro lado. MAV

EL TESORO DE LA VEJEZ

Aun en la vejez fructificarán; estarán vigorosos y verdes. Salmo 92:14.

El temor a la vejez es uno de los grandes móviles de la sociedad moderna. Muchos tiemblan ante el inevitable avance del desgaste físico con sus evidencias externas. Otros sufren ante la pérdida de sentido o pertenencia, ante la posibilidad de ser olvidados o relegados. Los remedios se han tornado en factores importantes en la economía. Hay productos y prácticas que prometen retrasar lo inevitable. Quizá hay un camino mejor. ¿Qué sucedería si aprendiéramos a valorar la vejez y a apreciar las bendiciones en cada etapa de la vida? La vejez puede ser un tesoro. He aquí algunas razones del porqué.

1. La vejez es un cofre lleno de memorias valiosas. Hace poco leí un anuncio que proclamaba la Semana de la Ancianidad. Decía más o menos así:

"¿Cómo era el mundo antes que tuviésemos dos autos en el garaje? ¿Cómo era el mundo durante la Segunda Guerra Mundial? ¿Antes de la Internet y las comidas rápidas? Los ancianos pueden contestar éstas y mil preguntas más. A ellos les encantaría compartir sus recuerdos con usted. Acérquese y converse".

¿Tiene usted familiares ancianos? ¿Una madre, un abuelo? Aprenda a disfrutar sus conexiones con la historia. Él o ella son un nexo con el pasado, con sus raíces. Recuerdan nombres, incidentes, alegrías, desafíos. Escúchelos, son nuestro eslabón con los que nos precedieron, y en última instancia, con el Dios que nos creó a todos.

2. No hay sustituto para la experiencia. Aunque no tengamos las mismas fuerzas, ni siquiera la misma agilidad mental, los que hemos vivido hemos acumulado las bases de un criterio más completo. Hemos cometido los errores que nos han permitido aprender. Somos menos impulsivos, más reflexivos, un poco más pacientes.

3. Dios puede usarnos a cualquier edad. Los adultos y los ancianos educamos a la siguiente generación. Dios declaró a su pueblo Israel: "No te olvides de las cosas que tus ojos han visto, ni se aparten de tu corazón todos los días de tu vida; antes bien, las enseñarás a tus hijos, y a los hijos de tus hijos" (Deut. 4:9; ver Gén. 18:19). Los adultos y los ancianos consagrados representan el amor de Dios ante sus hijos y nietos.

Señor, ayúdame a comprender que tú puedes cumplir tu propósito en nuestras vidas a cualquier edad. Y que nuestra existencia e incluso nuestra muerte, guarda significado para ti. MAV

LA VIDA EN ETAPAS

¿Con qué limpiará el joven su camino? Con guardar tu Palabra. Con todo mi corazón te he buscado. Salmo 119:9.

A través de los años, se han realizado infinidad de estudios para determinar la manera en que las personas van cambiando a lo largo de la vida. Estos estudios han tomado en cuenta el desarrollo de la inteligencia, la personalidad y la conducta, y en general se sitúan en una de dos perspectivas: Una destaca la influencia de la herencia y la otra percibe al ser humano como producto del ambiente y la historia.

Una de las teorías más destacadas es la de Erik Erikson, un psicoanalista norteamericano que creía que el desarrollo humano ocurría en una serie de etapas universales gobernadas por los genes. Los factores biológicos, según Erikson, interactúan con las fuerzas culturales y sociales. Esto produce conflictos por medio de los cuales se adquieren valores. Por ejemplo, el joven adulto enfrenta un conflicto entre la intimidad versus el aislamiento. Debido a una capacidad mejorada de tolerar las amenazas a la identidad propia, la persona ahora puede enfrascarse en relaciones maduras con los demás. En esos años, el joven aprende a amar. Según Erikson, en la edad escolar se aprende la estima propia y se adquieren destrezas, en la adolescencia se aprende fidelidad, y en los años adultos se aprende a cuidar de los otros.

Otros psicólogos postulan varias etapas de desarrollo, aunque no necesariamente atadas a la edad de la persona. Para delinear lo que consideran como la etapa más avanzada del desarrollo humano, cada persona necesita ir satisfaciendo necesidades, comenzando por las básicas: alimentación, aire, agua, seguridad, afecto y estima propia.

El problema con el estudio del desarrollo del ser humano es que no toma en cuenta el poder reformador y transformador de nuestro Señor Jesucristo en el corazón del hombre. La Palabra de Dios nos formula la pregunta: "¿Con qué limpiará el joven su camino? Con guardar tu Palabra. Con todo mi corazón te he buscado" (Sal. 119:9, 10).

No importa la etapa de la vida en que nos encontremos. El Creador del cielo y la tierra puede transformar y renovar al hombre y a la mujer que lo buscan con todo su corazón.

Gracias, Señor, porque has prometido cambiar mi corazón. MAV

MAPAS Y LUCES

Lámpara es a mis pies tu palabra, y lumbrera a mi camino. Salmo 119:105.

Los mapas son algo así como nuestros sentidos de orientación. Sirven de guía y de directriz, determinan la posición o dirección de una cosa respecto a un punto cardinal y, en resumidas cuentas, nos sacan de aprietos cuando estamos perdidos.

Con tan sólo colocar un dedo sobre el mapa, podemos fácilmente localizar el lugar que buscamos, y de antemano determinar si tras las montañas se abrirá un río o el valle al que queremos llegar.

A cada hijo de Dios se le ha entregado un mapa espiritual que le muestra el camino que debe tomar. La Palabra de Dios es ese mapa detallado que nos orienta de forma fiable. El salmista atribuye a la Palabra de Dios la capacidad de permitirnos ver con claridad nuestro presente y nuestro porvenir. Nos dice: "Lámpara es a mis pies tu palabra, y lumbrera a mi camino" (Sal. 119:105).

A través de todas las edades, las palabras del salmista han resaltado la Palabra de Dios como la lámpara por excelencia que nos ayuda a disipar la oscuridad y nos permite reaccionar correctamente en situaciones determinadas. ¡Cuántas veces una reacción equivocada nos hace lamentarnos durante largo tiempo! El salmista aprendió que su presente podía ser acertado si llenaba su vida con la Palabra de Dios.

La Biblia es la brújula y la lámpara del cristiano que se encuentra lejos de su hogar celestial. A través de ella contemplamos la Ciudad Santa, divisamos sus muros de perlas y sus puertas de cristal. No hemos llegado allí todavía, pero por fe percibimos su grandeza y gustamos de antemano su paz.

"Cada capítulo y cada versículo de la Biblia es una comunicación directa de Dios a los hombres. Debiéramos atar sus preceptos en nuestras manos como señales y como frontales entre nuestros ojos. Si se los estudia y obedece, conducirán al pueblo de Dios, como fueron conducidos los israelitas por la columna de nube durante el día y la columna de fuego durante la noche" (*Patriarcas y profetas*, p. 538).

Padre, cuando me sienta perdido, y sin saber qué hacer,enséñame tu camino, y guíame por la senda de la rectitud. OLV

NO SE DORMIRÁ EL QUE TE GUARDA

No dará tu pie al resbaladero, ni se dormirá el que te guarda. Salmo 121:3.

El insomnio es un problema bastante común. No poder dormir provoca angustia y serios problemas de salud en muchas personas. A veces responde a problemas fisiológicos, en ocasiones se debe a no poder procesar bien el estrés del día. Todos conocemos la sensación de irnos a la cama con una mente llena de preocupaciones que nos hace muy difícil conciliar el sueño. Para los que somos padres, esperar a un hijo que se tarda en llegar a casa es una causa común de desvelo.

La manera en que procesamos las preocupaciones se relaciona con nuestra personalidad y nuestro lugar en la carrera de la vida. Hay personalidades más propensas a preocuparse, y hay temporadas que traen consigo mayor cantidad de desafíos. Aunque los niños y los jóvenes también se preocupan, los adultos y ancianos ven multiplicados sus desafíos en la persona de sus hijos y nietos, a los que se sumarán los problemas de salud de la edad avanzada.

Un ministro cristiano cuenta una experiencia de sus primeros años como pastor de iglesia. En ocasiones se sentía tan abrumado por los problemas de sus feligreses, que caminaba de un extremo al otro de la casa pastoral hasta altas horas de la noche. Llegó a la conclusión de que si las preocupaciones eran una evidencia de falta de fe, entonces él era un gran pecador. No encontraba remedio para su ansiedad hasta que un día, a las dos de la madrugada, escuchó claramente una voz que le dijo: "Vete a dormir, yo me quedaré despierto". Ese día recobró su confianza y pudo descansar en paz.

Otro aspecto del tema de las preocupaciones excesivas, es que hay situaciones que merecen que nos aferremos con todas nuestras fuerzas a Dios, como Jacob junto al arroyo de Jaboc, y que luchemos con Dios hasta que raye el alba (Gén. 32). Hay momentos cuando debemos velar en oración como Jesús mismo en el Getsemaní, y hay momentos en que debemos dormir confiados en que Dios se quedará despierto y velará por nosotros y nuestros hijos. Que Dios nos ayude a distinguir la diferencia entre las dos situaciones.

Mi Dios, aumenta hoy mi confianza en ti. Que cuando me acueste, sepa que tu mano guía y guarda mis asuntos y mi vida. MAV

¿CUÁNTO VALEMOS PARA DIOS?

Oh Jehová, ¿qué es el hombre, para que en él pienses, o el hijo de hombre, para que lo estimes? Salmo 144:3.

Cuando contemplo la inmensidad y la gloria del cielo, y reflexiono en la transitoriedad de mi vida, me admira pensar que el Dios todopoderoso, el Creador del universo, tenga memoria de mí. ¿Qué somos, sino un suspiro, un puntito semi apagado de luz en lo infinito del universo?

¿Se ha puesto a contemplar algunas veces las huellas del sol en su recorrido sobre la tierra? Es admirable la rapidez con que las sombras cambian. En un instante, el cielo se muestra en sus múltiples colores y formas admirables, minutos más tarde la noche lo torna gris y mustio.

Nuestros días sobre la tierra son como la sombra que pasa. Somos un grano de arena en la inmensidad del cosmos. Pero el Dios que está rodeado de millares y millares de seres santos estuvo dispuesto a entregar a su Hijo unigénito por este planeta moribundo. Es en nosotros, sus hijos terrenales, donde se concentra todo el interés divino y se revela mejor su amor.

Este conocimiento debería llenar nuestro corazón de profunda admiración y gratitud hacia Dios. Pero todavía permitimos que Satanás nos infunda dudas, y nos induzca a formarnos ideas equivocadas del carácter divino. El enemigo nos tienta a pecar, y luego nos susurra al oído que somos demasiado pecadores para que Dios se pueda compadecer de nosotros. La verdad es que no hay nada que nos pueda apartar del amor de Dios. Porque el amor divino no radica en lo que nosotros hagamos o dejemos de hacer. Radica en el mismo corazón del Padre, de donde brotan para todos los hijos de los hombres los ríos de la compasión divina.

No lo dude. No hay dolor humano, cualquiera que sea, que el corazón de Cristo no lo sienta. No hay un vértigo del corazón, no hay tristeza tan honda, ni ansiedad tan severa que pase inadvertida para nuestro Padre celestial. Lo más asombroso de todo es que este amor no cambia ni se altera ante las circunstancias, o nuestro alejamiento de Dios. Es eterno. "Las muchas aguas no podrán apagar el amor, ni lo ahogarán los ríos" (Cant. 8:7).

Padre eterno, me admira tu amor incondicional hacia un mundo que no merece tal trato. Me entrego a ti porque lo has hecho todo por mí. OLV

EL DIOS CERCANO

Cercano está Jehová a todos los que le invocan, a todos los que le invocan de veras. Salmo 145:18.

No sé cómo usted haya experimentado a Dios o se haya enfrentado a la realidad de su existencia. Para algunos, Dios no pasa de ser una idea necesaria con la cual cada ser pensante tiene que lidiar. Otros cultivan el interés natural de la criatura por conocer al Creador y lo buscan en la naturaleza, en la lectura, en una iglesia o dentro de sí mismos.

Para unos es un ser lejano, ajeno, una especie de máquina creadora en el espacio, o un juez o gobernante extraño, o un entrometido celestial que nos señala con dedo acusador. Para otros —espero que usted y yo nos encontremos en este grupo—, Dios es un maravilloso Ser personal, amante, perdonador y muy cercano. Permítame sugerir que la diferencia en la percepción radica en el conocimiento de Jesucristo. Si conocemos a Jesucristo, no podemos permanecer alejados de él por mucho tiempo.

Jesús es el Dios cercano. Nada parecido a las deidades antropomórficas de los pueblos antiguos, con sus resabios y caprichos, con su neurótica relación con los seres humanos. Este es un Dios único, que se confunde con sus criaturas, que se deja tocar, abrazar, y también escupir y rechazar.

Las palabras del apóstol Juan nos señalan la base de esta cercanía. "Y aquel Verbo fue hecho carne, y habitó entre nosotros (y vimos su gloria, gloria como del unigénito del Padre), lleno de gracia y de verdad" (S. Juan 1:14).

Observe de cerca estas palabras. Hablan de un cambio de naturaleza, no de una visita temporal o superficial, sino de una inmersión total en nuestra experiencia. El Hijo de Dios habitó entre nosotros, "vino a buscar y a salvar lo que se había perdido" (Luc. 19:10). La palabra "habitó" en el idioma original significa literalmente "tabernaculizó", o sea, "puso su tienda" entre nosotros. No sé cuál sea el caso suyo, pero a mí me conmueve la idea de un Dios que se acerca a mí de tal manera, que no resistió la idea de verme perdido por la eternidad, que no escatimó nada por salvarme. En un mundo indiferente a los reclamos de la religión, de gente tantas veces solitaria y aislada por las circunstancias, Jesucristo se acerca a nosotros como el Amigo bueno que ni siquiera tiene que hablarnos mucho para expresarnos su amor.

Señor, gracias por ser un Dios personal y cercano, a quien puedo confiar mis pesares y mis más caros anhelos. MAV

LA INSTRUCCIÓN DE LOS PADRES

Oye, hijo mío, la instrucción de tu padre, y no desprecies la dirección de tu madre; porque adorno de gracia serán a tu cabeza, y collares a tu cuello. Proverbios 1:8, 9.

A los 45 años de edad, Jonathan Thigpen recibió la noticia de que padecía la enfermedad de Lou Gehrig: una aflicción cruel e incurable caracterizada por debilidad muscular que generalmente resulta en la parálisis y en la muerte en menos de dos años.

Jonathan estaba casado y tenía una hija adolescente. Estaba concluyendo sus estudios doctorales y ayudaba a preparar materiales para iglesias cristianas alrededor del mundo. Al salir del consultorio sentía un temor abrumador, a la vez que una especie de oscuridad parecía descender sobre él.

Justo antes de dejarse envolver totalmente por la angustia, Jonathan recordó las palabras de su padre. Durante varios años, Jonathan había notado que su padre —un ministro cristiano— se levantaba todas las noches de la cena y salía durante una o dos horas de la casa. Un día, el papá lo invitó a acompañarlo y Jonathan finalmente supo lo que su padre hacía durante esos momentos: visitar los hospitales cercanos. En cada habitación, el pastor Thigpen conversaba brevemente con el paciente, le sonreía y le leía del Salmo 46:1, 2. "Dios es nuestro amparo y fortaleza, nuestro pronto auxilio en las tribulaciones. Por tanto, no temeremos, aunque la tierra sea removida, y se traspasen los montes al corazón del mar".

Ahora, en el peor momento de la vida de Jonathan, las voces de su padre y de su Padre celestial parecieron confundirse en sus recuerdos. El efecto fue instantáneo. En sus palabras:

"Para cuando llegué a mi auto, aquella nube de oscuridad había comenzado a disiparse porque advertí que Dios todavía tenía el control de mi vida. No tenía más respuestas que las que había tenido en el despacho del médico unos cinco minutos antes. Pero puedo decir esto: El temor no puede permanecer delante de una fe y un Dios que no cambia. Mi temor había desaparecido".

Hasta el fin de sus días, Jonathan Thigpen se dedicó a consolar a otros enfermos con el Salmo 46.

Las palabras de los padres pueden ser puntales de fe en la vida de sus hijos cuando provienen de un corazón que conoce a Dios. Bien harían los hijos en escuchar y atesorar los consejos de padres tales.

Querido Señor, gracias por la ayuda de mis padres u otros adultos que en su lugar han sabido sostenerme y conducirme. MAV

EL CAMINO DE LA SABIDURÍA

Porque Jehová da la sabiduría, y de su boca viene el conocimiento y la inteligencia. Proverbios 2:6.

El capítulo 1 de Proverbios presenta una invitación peculiar: "La sabiduría clama en las calles, alza su voz en las plazas; clama en los principales lugares de reunión; en las entradas de las puertas de la ciudad dice sus razones" (Prov. 1:20, 21).

Algunos eruditos ven en Proverbios los temas de la sabiduría y la necedad representados por dos mujeres. Se representa a un joven rural que entra al centro de la ciudad y se lo desafía a hacer una elección. Es una decisión clásica de la selección de una compañera para la vida, una esposa. ¿Será la escogida la Mujer de la sabiduría, aquella que le conviene, cuya sociedad conduce a la vida abundante? ¿O escogerá a la mujer de la insensatez, la extraña que lo incita al pecado?

Proverbios 9:13-16 presenta a esta otra mujer: "La mujer insensata es alborotadora; es simple e ignorante. Se sienta en una silla a la puerta de su casa, en los lugares altos de la ciudad, para llamar a los que pasan por el camino. Dice a cualquier simple: Ven acá".

La elección inicial fue hecha en favor de la esposa sabia y amante de Dios, y la insensatez ha desaparecido. Nos tornamos a Proverbios 31 y leemos la descripción de la Mujer de la Sabiduría:

"Da comida a su familia... considera la heredad, y la compra, y planta viña del fruto de sus manos... busca lana y lino, y con voluntad trabaja con sus manos... Aplica su mano al huso, y sus manos a la rueca... Fuerza y honor son su vestidura... Se levantan sus hijos y la llaman bienaventurada; y su marido también la alaba... Alábenla en las puertas sus hechos" (versículos selectos).

El libro de Proverbios dice que el fundamento de esta elección se encuentra en el temor del Señor. Nosotros también somos invitados a participar de este viaje por el mercado. Nosotros también debemos entrar en la ciudad y escuchar las voces de la oportunidad. Es el deseo de Dios que escojamos el camino de la sabiduría.

Gracias, Señor, porque tus designios siempre producen los mejores resultados. Contigo siempre hay prosperidad y paz. MAV

VEREDAS DERECHAS

Fíate de Jehová de todo tu corazón, y no te apoyes en tu propia prudencia. Reconócelo en todos tus caminos, y él enderezará tus veredas. Proverbios 3:5, 6.

Cuando las opciones son claras, es fácil escoger el mejor camino. Mi esposa y yo viajamos varias veces por año desde Nampa, Idaho, a la ciudad de Portland, en el Estado de Oregón. Pocos kilómetros a las afueras de Portland se encuentran las cascadas de Multnomah, una de las caídas de agua de mayor altura en Norteamérica. Ascender al nacimiento de la catarata requiere una caminata de unos 45 minutos, recorrido que se ha tornado en una de nuestras tradiciones como pareja. Al llegar a la cima, el empinado camino se allana y se bifurca. Según el rótulo de madera, a la derecha se encuentran las cataratas, a la izquierda se halla "El camino a la perdición" (*Road to Perdition*). Nunca lo hemos tomado.

La vida es más difícil. A menudo oramos, lloramos ante Dios si estamos angustiados. Cuando terminamos nuestra audiencia, saltamos y comenzamos a actuar para hacer realidad nuestros deseos. Pensamos que Dios ayuda a los que se esfuerzan. El problema surge cuando la situación se enreda aún más. Entonces nos frustramos y le decimos a Dios: "Yo estoy haciendo mi parte. ¿No podrías tú hacer la tuya?"

La preciosa promesa de Proverbios 3 nos recomienda dejar de confiar en nuestras habilidades para rendirnos ante la sabiduría de Dios. Entonces él responderá a nuestro pedido de conducción a su manera. ¿Cómo lo hará? Por medio de gestos, conceptos que saltan de las páginas de la Biblia u otros libros, conversaciones que nos traen aliento y tranquilidad.

Las respuestas de Dios no son tan dramáticas como el rótulo en la cima de las cataratas de Multnomah, sino que aparecen entretejidas en el lienzo de las vivencias cotidianas. Son como un perfume que nos va guiando hacia la presencia del Señor. En realidad, siempre están a nuestra disposición, sólo tenemos que detenernos y prestarles atención.

Señor, ayúdame a prestar atención a tu voz en los momentos comunes de la vida.

MAV

UNA LUZ EN LA VIDA

Mas la senda de los justos es como la luz de la aurora, que va en aumento hasta que el día es perfecto. Proverbios 4:18.

Será la vida un viaje en un tranvía, en el que viajamos rodeados de otros pasajeros, o una aventura solitaria en un kayak? ¿Tendrán algo en común todas las mujeres de 42 años de edad o los hombres de 35?

Según los científicos, todos participamos de un proceso de desarrollo más o menos común. En términos de su desarrollo mental y emocional, casi todas las teorías científicas nos sugieren que la persona cada vez es más capaz de entenderse a sí misma y su relación con los demás y el universo que la rodea. También es más capaz de demostrar compasión, paciencia y aceptación de sí misma y de los demás. El principio universal detrás de todas estas teorías es que el cambio es inevitable, ya sea por motivo de adaptación, por disminución de habilidades físicas, o por el crecimiento.

La Biblia tampoco ignora el desarrollo humano. Al niño, le dice: "El principio de la sabiduría es el temor de Jehová" (Prov. 1:7). Y aconseja a los padres: "Instruye al niño en su camino, y aun cuando fuere viejo no se apartará de él" (22:6). Al adolescente y al joven, les señala: "Acuérdate de tu Creador en los días de tu juventud, antes que vengan los días malos, y lleguen los años de los cuales digas: No tengo en ellos contentamiento" (Ecle. 12:1).

Al joven y al adulto, les aconseja: "El que sigue la justicia y la misericordia hallará la vida, la justicia y la honra" (Prov. 21:21). A los ancianos, les asegura: "Corona de honra es la vejez que se halla en el camino de justicia" (16:31).

Lo que el versículo de hoy sugiere es que para los que viven en comunión con Dios, la vida sigue un proceso natural, hermoso y lleno de significado. Si Dios es nuestro acompañante a lo largo del camino, la vida actual puede ser una experiencia de desarrollo continuo cuyo fin será la vida eterna.

Señor, a veces parece que no hay un plan detrás de todo lo que me sucede. Muéstrame hoy que tú eres la Luz que ilumina mi trayectoria. MAV

TEJIENDO NUESTRO CARÁCTER

La memoria del justo será bendita. Proverbios 10:1.

Oh, cuán grande es este pensamiento! Qué reconfortante la promesa de que aun después de muertos nuestra memoria continuará siendo la dulce fragancia que eleve al pecador.

A veces pienso que la vejez es algo así como un proceso evolutivo en el cual nos vamos despojando de muchos disfraces hasta quedar finalmente con el espléndido ropaje que saca a la luz nuestro verdadero carácter.

Si usted conociera a Rosa Gallardo, estaría de acuerdo conmigo. Rosa tiene más de 85 años. Sobre su rostro arrugado y su cuerpo resquebrajado por los años descansa la faz de su gran amigo Jesús. Toda su vida Rosa amó a su divino Maestro. Vio y vivió guerras, hambres y desolaciones, pero nunca dejó de confiar en el poder sustentador de su Padre Celestial. Hoy, ya Rosa no reconoce a nadie ni se acuerda del pasado, pero aún vuelve a menudo su vista al cielo para comunicarse con el Dios en quien confió toda su vida.

Ahora, después que el correr de los años ha blandido su cuerpo como los vientos otoñales sacuden las hojas de los árboles hasta dejarlos desnudos, sólo queda en ella la verdadera esencia de su espíritu, que se basa en el amor y una confianza suprema en su Creador.

Contrariamente a Rosa, hay quienes pasan su vida ocupados en hacer el mal. Viven una vida de vicios, ocupados solamente en adquirir bienes materiales, mientras escogen la amargura, el odio y el rencor. ¡Qué triste su final! ¡Que patético cuadro de desesperanza presentan su faz decaída y sus caracteres malhumorados y fatuos!

En nuestro camino al cielo, ¿qué ropaje estamos tejiendo con el estambre que la vida nos regala? ¿Acaso será uno corto de amor y falto de sabiduría, o uno amplio en benevolencia y espléndido en la confianza en Dios y sus promesas divinas?

Está en nosotros construir puentes espirituales que transporten los pasos naturales del corazón al puerto divino, donde Jesucristo cambiará nuestra vida y transformará nuestro carácter. "Nadie, excepto Cristo, puede amoldar de nuevo el carácter que ha sido arruinado por el pecado. El vino para expulsar a los demonios que habían dominado la voluntad. Vino para levantarnos del polvo, para rehacer según el modelo divino el carácter que había sido mancillado, para hermosearlo con su propia gloria" (*El Deseado de todas las gentes,* p. 28).

Gracias, querido Padre, por prometerme que la memoria del justo será bendita. OLV

UN NOMBRE PODEROSO

Torre fuerte es el nombre de Jehová; a él correrá el justo, y será levantado.
Proverbios 18:10.

Martin Niemöller nació el 14 de enero de 1892 en Lippstadt, Alemania. Después de prestar sus servicios como comandante de submarinos durante la Primera Guerra Mundial, estudió Teología y fue ordenado al ministerio en 1924.

En 1934, Hitler trajo a Niemöller y a otros líderes religiosos de Alemania a su oficina de Berlín para insultarlos por no apoyar suficientemente sus programas. Martin le explicó que a él sólo le interesaba el bienestar de la iglesia y el pueblo alemán. Hitler lo conminó: "Usted limítese a la iglesia. Yo me ocuparé del pueblo alemán".

Hacia el fin de la reunión, el pastor Niemöller disparó su último comentario: "Usted dijo que usted se ocuparía del pueblo alemán, pero nosotros también, como cristianos y funcionarios de la iglesia, tenemos una responsabilidad hacia el pueblo. Esa responsabilidad nos fue confiada por Dios, y ni usted ni ninguna otra persona en este mundo tienen el poder de quitárnosla".

Hitler lo escuchó en silencio, pero esa noche la Gestapo invadió su oficina y pocos días después una bomba explotó en su iglesia. Durante los años subsiguientes, fue vigilado constantemente por la policía secreta, y en 1937 fue arrestado y puesto en una celda de aislamiento.

Casi un año después, Niemöller fue llevado a juicio. En la mañana del 7 de febrero de 1938, un guardia uniformado escoltó al ministro desde su celda y a través de una serie de pasadizos subterráneos hasta la sala de juicios. Mientras caminaba, el prisionero se preguntaba qué le sucedería a él y a su familia, y qué torturas les aguardaban a todos.

El rostro del guardia no mostraba expresión alguna, pero al ascender las últimas escaleras, a Niemöller le pareció escuchar un susurro. Al principio no supo de dónde provenía, pero luego advirtió que el soldado le estaba musitando al oído las palabras de Proverbios 18:10: "Torre fuerte es el nombre de Jehová; a él correrá el justo, y será levantado".

El temor de Niemöller se esfumó y el poder de aquel versículo lo sostuvo durante su juicio y sus años de estadía en los campos nazi de concentración.

No sé cuándo me tocará enfrentar la prueba, pero desde ahora coloco mi confianza en ti, mi Señor. MAV

LA BENDICIÓN DE LA AMISTAD

El hombre que tiene amigos ha de mostrarse amigo; y amigo hay más unido que un hermano. Proverbios 18:24.

En cierta ocasión, la reina Victoria compartió sus impresiones de sus dos ministros más famosos. Acerca de William Gladstone, dijo: "Cuando estoy con él, siento que estoy con uno de los líderes más importantes del mundo". Pero refiriéndose a Disraelí, señaló que éste "la hacía sentir como si ella fuera uno de los líderes más importantes del mundo".

Los amigos son los que pueden estar en desacuerdo con nosotros y de todos modos hacernos sentir aceptados y apreciados. Andy Rooney solía decir: "Vale la pena quedarse con los buenos amigos, ya sea que nos gusten o no".

Nunca debiéramos preguntarnos cómo encontrar buenos amigos, sino cómo ser uno. Hemos de imitar a Jesús, quien siempre toma la iniciativa para amarnos. Busquemos a los necesitados y solitarios y mostrémosles el cariño que tanto necesitan. Recordemos los cumpleaños. Hagamos llamadas. Enviemos notas. Estemos presentes en los momentos difíciles. Riamos con los que ríen y lloremos con los que lloran.

Quizá por estas características de la amistad es que Jesús nos declaró "amigos". "Ya no os llamaré siervos, porque el siervo no sabe lo que hace su señor; pero os he llamado amigos, porque todas las cosas que oí de mi Padre, os las he dado a conocer" (Juan 15:15). El elemento que define la amistad en estas palabras de Jesús, es la confianza. La facultad de escuchar y compartir, de crear juntos nuevas experiencias y ofrecerse apoyo mutuo.

Un buen amigo es una bendición de primer grado. No responde a conexiones familiares, sino al tiempo que se pasa juntos. No se debe a clases ni razas comunes, sino a los intereses y afectos compartidos y cultivados. La amistad crece sobre la base del interés en el bienestar de la otra persona. La verdadera amistad es una antítesis del egoísmo. Por eso el texto enseña que la amistad surge como respuesta a una iniciativa de amor.

Señor, permite que hoy sea yo el que tome la iniciativa de amar a los que me rodean. Dame un corazón como el de Jesús, para que mi amistad –aunque imperfecta— sea sincera y profunda como la suya. MAV

EL VALOR DE LA MUJER PRUDENTE

La casa y las riquezas son la herencia de los padres; más de Dios es la mujer prudente. Proverbios 19:14.

Esta promesa me conmueve y produce alegría en mi corazón. En una sociedad predominantemente masculina, donde la mujer es desvalorizada, muchas veces maltratada y reducida exclusivamente a un objeto sexual, las palabras del Señor son sorprendentes.

Vuelva y lea esta increíble declaración divina. Medite en ella y en su significado para usted como mujer creyente y amante de la Palabra de Dios, y verá por qué esta promesa en particular también la maravillará.

¿Puede ahora calcular su valor como mujer ante la vista de Dios? Inestimables son para el Salvador su juicio, su discreción, su cautela, su sensatez y reflexión de mujer prudente. Dios puede obrar, y obra en grande, por medio de la mujer que se somete a la dirección divina. Su obra es de un valor incalculable y único.

Tomemos por ejemplo la vida ejemplar de Agnes Gonxha Bojaxhiu, mejor conocida universalmente como la Madre de los Pobres, o simplemente la Madre Teresa, quien en 1952, cuando decidió comenzar su humilde labor benéfica, sólo contaba con la humilde casa de moribundos indigentes, Nirmal Hriday (*Corazón Puro*) en el corazón de Calcuta. Con los años, la Madre Teresa terminó ampliando su obra benéfica a los cinco continentes. Con su ejemplo de amor y sus sacrificios, esta simple mujer dio a conocer al mundo entero el misericordioso amor de su Señor Jesucristo, y miles de personas lo han dejado todo por servir a su Maestro.

Así como la Madre Teresa, con su propia obra silenciosa, cada hija de Dios es una prenda inestimable. Puede que todo lo que el mundo admira y le parece grande al hombre provenga de la mano y el ingenio del mismo hombre. Puede que como mujeres no seamos estimadas ni se nos aplique ningún valor admirable. Pero el Creador del universo nos recuerda que si las riquezas de este mundo son la herencia del hombre, la suya es la mujer prudente.

¿Qué más podremos pedir? La promesa de hoy se refiere a algo que supera cualquier gloria pasajera de este mundo. Dios sabía por qué inspiró a Salomón a dejar este legado indestructible en su Palabra. Sus palabras pueden y deben ser referencias y pistas que nos ayuden a apreciar más el amor de Dios por cada una de sus hijas fieles que le sirven.

Gracias, Padre eterno, porque el amor que nos muestras fortalece nuestra débil estima propia. OLV

JEHOVÁ DA LA VICTORIA

El caballo se alista para el día de la batalla; mas Jehová es el que da la victoria. Proverbios 21:31.

La victoria del creyente es muy diferente de los éxitos humanos. En primer lugar, es una victoria mayormente interna, no siempre es evidente. Tampoco la garantizan los actos externos.

Veamos. ¿Es victorioso usted cuando no comete el acto de pecado pero desea haberlo cometido?

Muchas veces no pecamos por temor de que otros se enteren. Por el deseo de cumplir un deber. Por temor a las consecuencias. Cuando dejamos de hacer algo por estos motivos, ¿será una victoria?

¿Hemos ganado una prueba cuando permitimos que nos ofenda alguien que ejerce autoridad sobre nosotros, ya sea el jefe o una persona mucho más fuerte o poderosa que nosotros?

Dejar de hacer el mal por los motivos errados es mejor que hacerlo, pero en la victoria genuina del creyente no hay batalla, sino una rendición de nuestra voluntad a Dios. Cuando se desea el pecado, ya pecamos. Nuestra lucha debe ocurrir antes. ¿Se acuerda del hijo pródigo? El hermano mayor estaba tan lejos del Padre como el menor. No conocía a su padre. Nuestro énfasis debe estar en conocer al Padre.

A veces intentamos hacer frente a las pruebas o a los desafíos de la vida con nuestras propias fuerzas, "nuestro caballo". La victoria genuina siempre proviene de Jehová. Jesús expresó el concepto en términos de permanencia:

"Permaneced en mí, y yo en vosotros. Como el pámpano no puede llevar fruto por sí mismo, si no permanece en la vid, así tampoco vosotros, si no permanecéis en mí. Yo soy la vid, vosotros los pámpanos; el que permanece en mí, y yo en él, éste lleva mucho fruto; porque separados de mí nada podéis hacer" (Juan 15:4, 5).

"En Cristo hay fortaleza para cumplir el deber; poder para resistir la tentación, fortaleza para soportar la aflicción, paciencia para sufrir sin quejarse. En él hay gracia para el crecimiento diario, valor para librar muchas batallas, energía para rendir un servicio consagrado" (*Comentario bíblico adventista,* t. 7, p. 184).

Gracias, Señor, por tu obra en nosotros y en nuestro favor. MAV

EL PODER DE LAS DECISIONES

Dame, hijo mío, tu corazón, y miren tus ojos por mis caminos. Proverbios 23:26.

Podría decirse que el acto humano más poderoso es la toma de una decisión. El estado de las cosas, de los países, de las familias, de la salud, en gran medida depende de decisiones: algunas públicas y enmarcadas para la historia, otras secretas y personales.

Desde que tenemos uso de razón, comenzamos a tomar decisiones. La vida y la educación nos preparan para decidir por nuestra cuenta. Al principio todas nuestras decisiones lucen minúsculas: por dónde caminar, de dónde aferrarnos, cuándo llorar o sonreír. Las tomamos en un ambiente protegido en el que las consecuencias de nuestras malas decisiones son aminoradas por nuestros padres u otros adultos. Luego, nuestro desarrollo y nuestra capacidad de pensar nos obligan a enfrentar elecciones más serias, y así nuestra vida se va encauzando de una manera particular.

Por supuesto que las decisiones que tomamos no lo determinan todo. Muchas áreas de nuestra vida responden a condiciones ajenas y muchas veces fuera de nuestro control.

El aspecto más crucial del poder de las decisiones es que en gran medida podemos decidir lo que somos. Aparte de lo que no podemos cambiar, podemos decidir qué tipo de persona seremos, cómo nos relacionamos con los demás, si herimos o consolamos, si actuamos egoístamente o con altruismo. No podemos decidir el lugar donde nacemos, pero sí las huellas que dejamos. No podemos escoger nuestra voz, pero sí lo que decimos. No podemos escoger de dónde partimos, pero sí hacia dónde vamos.

Las Escrituras ciertamente destacan la importancia de las decisiones. Con un respeto a veces inexplicable por nuestro derecho a decidir, Dios mismo nos invita vez tras vez a escoger el camino mejor: "Dame, hijo mío, tu corazón, y miren tus ojos por mis caminos"—nos dice el versículo de hoy. "Dame tu corazón", "escoge", "entra", "abre la puerta". Dios nos invita a experimentar un cambio. Hoy podemos decidir ser mejores que ayer. Hoy podemos decidir ser luces en vez de tinieblas. No importan las circunstancias ni el lastre del pasado. Las decisiones erradas del ayer no tienen que dictar las que tomamos hoy. "He aquí ahora el tiempo aceptable; he aquí ahora el día de salvación" (2 Cor. 6:20).

He aquí, Señor, mi corazón. Tómalo, y miren mis ojos tus caminos. MAV

ESPERAR POR DIOS

Todo lo hizo hermoso en su tiempo; y ha puesto eternidad en el corazón de ellos, sin que alcance el hombre a entender la obra que ha hecho Dios desde el principio hasta el fin. Eclesiastés 3:11.

Esta declaración de Salomón contiene varios elementos. Uno de ellos es la manera en que Dios se relaciona con el tiempo. Aunque para el hombre el tiempo siempre se mide de la misma manera, Dios tiene otra perspectiva.

El paso del tiempo es uno de los procesos más intrigantes de la existencia humana. En general, el tiempo es algo que escapa a las definiciones humanas. Por ser intangible, se mide sobre la base de procesos observables. Un año es el tiempo que le toma a la tierra describir su órbita completa alrededor del sol. Un mes es el período que le toma a la luna el rodeo de la tierra; un día es el tiempo que le toma a nuestro planeta efectuar un giro sobre su eje. Incluso los segundos hoy se miden sobre la base de las vibraciones del cuarzo.

Para nosotros, el tiempo es el tejido de la vida, enmarcado por nuestro nacimiento en un extremo y la muerte en el otro. Mientras vamos pasando las etapas de la vida, percibimos el tiempo de manera cambiante. Cuando pequeños o adolescentes, el tiempo puede parecernos largo; de adultos y ancianos, cada vez se hace más corto.

Dios nos dice que él hace cosas hermosas en su tiempo. El resultado final de todo lo que él hace es hermoso. No siempre captamos esa hermosura dentro de nuestra experiencia limitada, pero su promesa permanece. Para algunos, toda la vida resulta ser una espera por algo bueno, algo hermoso. Siempre aguardamos algo mejor, nos sentimos insatisfechos, porque dentro de nosotros entendemos que lo más valioso no son las posesiones ni la fama ni la apariencia, sino el tiempo mismo, la oportunidad de aprender, de desarrollarnos, de enriquecer nuestras relaciones.

¿De qué valen las mayores riquezas del mundo para el enfermo en el lecho de muerte? ¿De qué valen los logros pasados para aquel que encuentra que la vida se le escapa de las manos, llevándose sus sueños?

La sed de eternidad es el clamor más profundo y universal de la raza humana. Pero eternidad sin esperanza de algo mejor es poco más que un infierno. Dios provee tanto la vida eterna como el gozo y las bendiciones que nos permitirán disfrutarla. Él está preparando para nosotros algo hermoso, "en su tiempo".

Señor, ayúdame a comprender que tienes poder sobre el tiempo mismo. Que esta existencia no es el límite de tu gracia. Que aún falta lo mejor. MAV

ORAMOS CON NUESTRAS OBRAS

Los justos y los sabios, y sus obras, están en la mano de Dios. Eclesiastés 9:1.

El famoso músico norteamericano de jazz, Duke Ellington, solía decir: "Mi música es mi forma de orar". La música de Duke era la obra de su vida. Cada año daba un concierto de música sacra en una catedral de su ciudad natal, y los centenares de asistentes sentían que habían participado en un culto de oración.

Hay un refrán norteamericano que dice que "el trabajo es oración". Bien puede ser cierto si no olvidamos el origen de nuestros talentos, sean los que fueren. Lo importante es recordar que con la presencia de Dios, lo que hacemos para ganarnos la vida puede ser un testimonio y una bendición para nosotros y para los demás.

Con la participación de Dios, cada trabajo cobra significado y propósito. El músico, la maestra, el obrero, el médico, la arquitecta, pueden cumplir su trabajo "como para Dios", sabiendo que se puede ser su instrumento en cualquier área de la vida.

Cuando venimos al Señor, nuestra vida no se desgaja en áreas separadas. Todo lo que somos, lo que hacemos y lo que alcanzamos pertenece a Dios. No podemos limitarnos a ser cristianos durante las horas del culto sabático, tampoco somos cristianos únicamente cuando estamos dedicados a nuestros ejercicios devocionales. Somos cristianos en lo que hacemos todos los días, no porque resolvamos hacerlo guiados por nuestra naturaleza, sino porque nuestras obras están en las manos de Dios.

Señor, ayúdame a mantenerte en mi mente hoy, de manera que mis obras y mi vida sean utilizadas por ti. OLV

SEMBRANDO POR SEMBRAR

Echa tu pan sobre las aguas; porque después de muchos días lo hallarás. Eclesiastés 11:1.

Hay más de una manera de interpretar Eclesiastés 11:1. El contexto bíblico sugiere que se trata de un llamado a practicar la caridad. Que cuando repartimos nuestros bienes o ayudamos a los necesitados, tarde o temprano recibiremos una recompensa. El énfasis se encuentra en la liberalidad, en dar sin esperar nada a cambio, al menos en el momento. La frase "después de muchos días" sugiere incluso que la recompensa puede tardar mucho en concretarse.

Elena de White lo cita para animar a la generosidad, y lo conecta con el texto de Proverbios 11:24: "Hay quienes reparten, y les es añadido más; y hay quienes retienen más de lo que es justo, pero vienen a pobreza" (ver *La educación,* p. 135).

Algunos comentadores señalan la práctica que tenían los egipcios de echar arroz sobre los terrenos inundados por las aguas del Nilo cuando éstas se iban retirando. En Palestina se practicaba un rito pagano que incluía el lanzamiento a los ríos o al mar de cestos de cerámica sembrados con trigo, cebada, lechugas y otros frutos. Se consideraba que esta acción traía buena suerte y aseguraba una buena cosecha. Estas prácticas, en general, respondían a supersticiones o creencias esotéricas.

El caso es que sembrar sobre las aguas no es una acción lógica. Generalmente se siembra sobre la tierra. Si un sembrador echa semillas en el agua, éstas se pudren o se esparcen y difícilmente echan raíces, mucho más si las arroja sobre agua en movimiento, como en el caso de ríos o el mar.

Echar nuestro pan sobre el agua puede referirse a hacer lo que parece ilógico, cuyos resultados no siempre pueden preverse o garantizarse. Y si buscamos entender el valor simbólico del pan, también podría aplicarse a la siembra de la Palabra de Dios, el Pan de vida. Quizá podemos decir que Dios mismo echó su Pan sobre las "aguas" de una humanidad perdida como una ofrenda generosa y desinteresada.

Dios nos invita hoy a echar pan sobre las aguas. Hoy mismo podemos efectuar alguna acción generosa sin esperar nada a cambio. Compartamos una sonrisa, una palabra de ánimo, un testimonio de fe, una enseñanza, un pasaje de la Biblia.

Señor, hoy me invitas a hacer algo diferente; a salir del molde de una existencia común y vivir impulsado por tu amor. Ayúdame a aceptar tu invitación. MAV

SABIDURÍA PARA CRECER

El fin de todo el discurso oído es este: Teme a Dios, y guarda sus mandamientos; porque esto es el todo del hombre. Eclesiastés 12:13.

Los libros sobre el desarrollo del potencial humano y cómo obtener el éxito en la vida han sido muy cotizados en los últimos años. En un ambiente competitivo y en medio de una sociedad que funciona a ritmo acelerado, muchas personas buscan métodos que les confieran ventaja en la abrumadora carrera de la vida. Aunque el mayor mercado para estos libros es el mundo de los negocios, algunos de ellos —los mejores— se adentran en el campo del desarrollo del carácter. Un libro tal es el bestseller de Stephen R. Covey, *Los siete hábitos de las personas altamente efectivas.*

El propósito de su autor es postular que cualquier cambio que nos ayude a ser mejores líderes tiene que proceder de adentro. Sus primeros tres hábitos para el éxito tratan, por lo tanto, de cambios que conducen a una "victoria privada": (1) Ser pro-activo, (2) tener en cuenta el fin que se persigue, y (3) poner en orden las prioridades. Las conclusiones de Covey son excelentes y se basan en el principio básico de que los seres humanos no sólo pueden cambiar, sino que son responsables de su conducta y su destino. Que el factor clave en nuestro éxito no son nuestras condiciones, sino nuestras decisiones.

Definir nuestro destino es también crucial. Covey señala que conocer hacia dónde vamos nos permite entender mejor dónde estamos ahora, de manera que los pasos que demos vayan siempre en la dirección correcta. Sería muy triste luchar toda una vida por subir la escalera del éxito, para descubrir al final que estaba apoyada sobre la pared equivocada. Muchos han descubierto que la fama, los logros y las posesiones no son los mejores objetivos para una vida plena y satisfactoria. Covey cuenta de dos amigos que conversan durante el funeral de un tercero, y uno le pregunta al otro: "¿Cuánto dejó?". Su amigo respondió: "Lo dejó todo".

El saber hacia dónde nos dirigimos nos ayuda a fijar nuestras prioridades, no sólo a largo plazo, sino en cada decisión cotidiana. Quizá descubramos que es mucho más importante conversar con nuestros hijos que ver un fascinante programa de televisión. Que si sabemos que nuestra relación con Dios o con nuestro cónyuge es de alta prioridad para nosotros, el uso diario de nuestro tiempo debe reflejarlo.

Señor, ayúdame hoy a vivir según prioridades claras, sabiendo que tu Palabra es nuestra mejor guía. MAV

LA CIENCIA DE AMAR

Ponme como un sello sobre tu corazón, como una marca sobre tu brazo; porque fuerte es como la muerte el amor. Cantares 8:6.

Cuando los psicólogos estudian el amor, lo hacen desde el punto de vista de los lazos emocionales que unen a las personas. En su discusión incluyen elementos tales como la intimidad, el compromiso, la fidelidad y solicitud por el bienestar del otro. Pero si el amor es un misterio para el ser humano promedio, para los que lo estudian es aun más enigmático.

El amor se lo define y describe sobre la base de teorías. Una de las más intrigantes es la teoría del intercambio social, que explica todas las relaciones íntimas desde la idea de que las personas aman a los que les ofrecen más recompensas y menos castigos. Que el amor comienza con un análisis de activos y débitos en la otra persona, en el que se decide si las recompensas superan a los castigos.

Otra teoría relacionada sugiere que las personas buscan parejas o amigos que ofrecen la misma cantidad neta de recompensas (atractivo físico, inteligencia, dinero, etc.). Ambas teorías parecen recibir el apoyo de la investigación. Pero ninguna explica la existencia del amor desinteresado e incondicional, ni tampoco del amor romántico.

Para Erich Fromm, según su clásica obra sobre el amor, la necesidad mayor del ser humano es la de superar su soledad, por eso para él la clase más fundamental de amor es el amor fraternal, el amor a todos los seres humanos. Al contrario de la teoría del intercambio, el amor comienza a desarrollarse "cuando amamos a quienes no necesitamos para nuestros fines peculiares".

Otros tipos de amor tratados por Fromm son el amor materno, que afirma la vida física y emocional del niño, el amor erótico, o sea, el anhelo de fusión completa con otra persona, el amor a sí mismo, donde se deduce que incluso uno mismo debe ser objeto del amor que prodigamos a todo ser humano, y el amor a Dios, que intenta experimentar la unidad con Dios.

El amor es uno de los dones más especiales dados por Dios al hombre. El hecho de que seamos capaces de interesarnos por los demás y expresar y recibir ternura y cariño, es una de las mayores riquezas de la vida.

Señor, aunque no entiendo perfectamente cómo funciona, gracias por el amor modelado por Jesucristo, y gracias por los familiares y amigos que me conocen y aún me aman. MAV

VENID, Y ESTEMOS A CUENTA

Venid luego, dice Jehová, y estemos a cuenta: si vuestros pecados fueren como la grana, como la nieve serán emblanquecidos; si fueren rojos como el carmesí, vendrán a ser como blanca lana. Isaías 1:18.

El primer capítulo de Isaías es un llamado al verdadero arrepentimiento. Se describe el pecado de la nación en términos de una horrible enfermedad de la piel que va desde la cabeza hasta los pies (1:6). Dios señala que no se agrada del sacrificio de los israelitas, porque hay iniquidad en sus obras, injusticias, abusos y desinterés por los más necesitados. Las prácticas religiosas se habían tornado en ritos sin vida ni significado. Su religiosidad no impactaba su vida cotidiana.

El pecado es presentado como una contaminación que produce la decadencia espiritual. Hablando de su pecado, David rogó: "Lávame, y seré más blanco que la nieve" (Sal. 51:7). La imagen es alentadora. Hay un optimismo encerrado en el concepto de lavar algo y dejarlo limpio. Isaías y David presentan que la limpieza es posible. La grana se torna como la nieve, y los vestidos teñidos de rojo llegan a ser como blanca lana.

Ocurre un proceso de restauración. Un vestido que originalmente era blanco y puro, ha sido manchado al punto que apenas puede reconocerse su color original. Dios toma a una persona que ha sido objeto de un proceso de cambio, a una vida que se ha ido contaminando con el transcurso del tiempo, y la somete a una renovación. Esta renovación es simbolizada por un lavamiento.

Pero este lavamiento ocurre cuando entramos en diálogo con Dios. Se nos invita a un encuentro franco y libre. Este no es el mandato de un tirano arbitrario, sino la invitación de un amigo a llegar al entendimiento. El pecado es una condición de rebelión y enemistad hacia Dios. Pero aunque la impureza y la maldad del hombre ofenden a Dios, él es quien toma la iniciativa de la reconciliación. La frase "si fueren" contiene toda la potencialidad de una vida apartada de Dios. Todo lo que podamos hacer está contenido allí. El peor pecador puede encontrar esperanza en esta promesa.

La invitación de Dios en Isaías permanece por dos razones obvias: Todavía pecamos y todavía Dios nos ama. Todavía podemos ejercer nuestra voluntad, por débil que sea, para entrar en comunicación con el Dios misericordioso que la profirió hace tantos años.

Señor, hoy necesito la renovación que me prometes. Tómame y lávame. Quiero ser limpio y disfrutar del gozo de tu presencia. MAV

ENCUENTRO CON DIOS

Porque un niño nos es nacido, hijo nos es dado, y el principado sobre su hombro; y se llamará su nombre Admirable, Consejero, Dios Fuerte, Padre Eterno, Príncipe de Paz. Isaías 9:6.

Phillip Schaff escribió un hermoso tributo a la persona incomparable de Cristo: "Este Jesús de Nazaret, sin dinero y sin armas, conquistó más millones que Alejandro, César, Mahoma y Napoleón; sin ciencia y erudición, derramó más luz sobre las cosas humanas y divinas que todos los filósofos y eruditos combinados; sin la elocuencia de las escuelas, habló tales palabras de vida como nunca antes habían sido dichas y como no lo han sido después, y produjo efectos que yacen más allá del alcance del orador o del poeta; sin escribir una sola línea, puso más plumas en acción y proveyó más temas para sermones, oraciones, discusiones, volúmenes eruditos, obras de arte y cánticos de alabanza que todo el ejército de grandes hombres de los tiempos antiguos y modernos".

Ha sido la persona de Cristo lo que ha distinguido al cristianismo y lo ha hecho poderoso. La vida, muerte y resurrección de Jesús revelan a un Dios dispuesto a enfrascarse personalmente en el proceso de salvar a la humanidad perdida. Desde que vino a la tierra, pensadores a través de la historia se han tenido que enfrentar a los reclamos de su magna figura.

En ocasión de la muerte del famoso muralista David Alfaro Siqueiros, un columnista del *Excélsior* reveló lo siguiente en cuanto al fallecido pintor: "Supimos por boca del propio Siqueiros cómo..., aun cuando se confesaba públicamente ateo..., la figura del Cristo doliente y crucificado lo persiguió toda la vida". Fue así como "repetidamente plasmó en su arte la imagen que llevaba en su interior". La experiencia de Siqueiros es evidencia de la lucha milenaria que se libra en el corazón humano.

En términos sublimes, la profecía de Isaías 9:6 nos declara la irrupción en la historia humana del Redentor. Las primeras palabras podrían haberse aplicado a un gobernador humano: "niño... hijo...el principado sobre su hombro". Pero la lista cobra entonces un matiz sobrenatural, ya no se trata de un gobernante, ni siquiera de un mero ser humano: "Dios fuerte, Padre eterno, Príncipe de paz". Nadie, sino el Cristo, pudo haber llevado tales títulos. La encarnación de nuestro Señor, su ministerio y sus declaraciones exigen una decisión de nosotros. Allí en el Calvario, entre los dos ladrones, con el rostro pálido y manchado de sangre, se encontraba Uno que aseguró ser nuestro Salvador.

Ven hoy a mi corazón y cumple tu propósito en mi vida. MAV

DIOS EN EL CONTROL

Tú guardarás en completa paz a aquel cuyo pensamiento en ti persevera; porque en ti ha confiado. Isaías 26:3.

Todos conocemos a personas que pretenden ejercer un control desmesurado sobre su mundo y las cosas. Quizá son perfeccionistas; a menudo se sienten frustrados cuando los eventos (especialmente los personales) no siguen el derrotero fijado en sus mentes. Quieren orquestar cada mínimo detalle de sus vidas o de las ajenas. Persiguen un fiel cumplimiento de la ley de la siembra y la cosecha.

Entre las cosas que pretenden controlar se encuentran: los actos y las palabras de los demás; las consecuencias de sus acciones; el efecto de cada decisión, e incluso hasta el estado de su salud. Intentan afectar la manera en que visten otros; opinar sobre cómo pueden solucionarse los problemas maritales de terceros, y determinar el menú que disfrutan todos. Todo esto, en nombre de las buenas intenciones. Defienden a capa y espada un esquema absolutista de su universo que, en esencia, según ellos, resolvería los males del mundo y traería felicidad a toda la humanidad.

Estas actitudes, a veces tiránicas, a veces infantiles o enfermizas, a menudo responden a una visión utópica de la vida humana. Muchos creemos que ciertos resultados seguirán indubitablemente a ciertas acciones. Que si seguimos bien la receta de la vida victoriosa, obtendremos siempre la reluciente diadema del triunfo. Que todo responde a leyes incambiables que determinan todo desenlace.

Vivir no es una ciencia exacta. El sol sale sobre malos y buenos (S. Mat. 5:45). Otras personas interpretan mal nuestras palabras. A veces nuestros hijos nos llevan la contraria, nos desafían abiertamente. No podemos controlarlo todo y debemos aprender a aceptar cierto nivel de casualidad, de resultados fortuitos, de falta de puntería.

La Biblia nos explica que el caos inherente en este mundo responde al apartamiento del hombre de Dios; que el universo de perfecto orden que quizá anhelamos sólo se encuentra en un peregrinaje espiritual que nos lleve de vuelta a nuestras raíces de estrecha relación con nuestro Creador; que sólo en Dios encontramos el verdadero reposo para el trajinante ejercicio de la existencia (S. Mat. 11:28-30).

Señor, gracias por darnos el don de la paz. Ayúdanos hoy a reposar en ti. MAV

QUIETUD NECESARIA

Porque así dijo Jehová el Señor, el Santo de Israel: En descanso y en reposo seréis salvos; en quietud y en confianza será vuestra fortaleza. Isaías 30:15.

El escritor Jesse Stuart cuenta de una temporada de mucha actividad en su vida. En el transcurso de un año había escrito dos libros, numerosos artículos y relatos, dado casi cien conferencias en 39 Estados. Todo esto mientras atendía una finca en la que había plantado 11.000 árboles.

Cuando viajaba, todo le parecía demasiado lento, y mientras lo hacía, leía varios libros a la vez y revisaba sus propios manuscritos. Este ritmo continuó hasta que un día, en la Universidad Estatal de Kentucky, se desplomó con un ataque cardíaco provocado por un coágulo. Sobrevivió, y durante su larga convalecencia su granja quedó desatendida y sus entradas fueron menguando. Pero aprendió valiosas lecciones.

Durante este período obligado de quietud, redescubrió los árboles, los animales, las flores e incluso las diminutas hormigas. Un nuevo mundo cuyos protagonistas eran su hogar, su familia y Dios floreció a su alrededor. Luego escribió que habría deseado cerrar las puertas para preservar la felicidad, el amor y las cálidas palabras escuchadas de parte de familiares y amigos cuya presencia había aprendido a atesorar.

Cuando estamos tan ocupados que desatendemos lo que debería ser más importante, nos conviene buscar oportunidades de quietud y recogimiento. Marcos escribió que Jesús "levantándose muy de mañana, siendo aún muy oscuro, salió y se fue a un lugar desierto, y allí oraba" (Mar. 1:35). El salmista dijo: "Estad quietos, y conoced que yo soy Dios" (Sal. 46:10). Cuando estamos quietos comenzamos a aprender cuánto hemos malgastado en detalles, cuánto debemos descartar para encontrar tiempo para Dios, para otros y para nosotros mismos.

Hay una promesa en la quietud. La promesa de la confianza, de la certeza de la presencia de Dios, de la satisfacción, de una pausa en la carrera vertiginosa de la vida. De paso, por eso el sábado —el día de la quietud— es "delicia, santo, glorioso de Jehová" (Isa. 58:13). Al igual que el sábado es una pausa de paz en nuestra semana, cada día debiera tener un momento "sabático" de quietud y reflexión.

Cuando paso de largo tus señales y tus bendiciones, retraso un poco mi marcha para poder encontrarme contigo. OLV

EL SENDERO DE LA FELICIDAD

Y los redimidos de Jehová volverán, y vendrán a Sión con alegría; y gozo perpetuo será sobre sus cabezas; y tendrán gozo y alegría, y huirán la tristeza y el gemido. Isaías 35:10.

Enamórese, tómele la mano a su compañero/a y camine junto a él con alegría por la vereda de la vida. Ríase, ríase usted sola, ríase tan fuerte que la cara le duela. Reír, por el puro gusto de reír, absolutamente sin razón alguna, es el mejor remedio para el bienestar humano. Estamos tan enredados en nuestras preocupaciones diarias, que muchas veces somos incapaces de distinguir entre un cielo azul y un día tormentoso.

Cierta vez que atravesaba por un período de depresión, comencé a notar que todos los días amanecía nublado. Le comenté a mi madre lo que sucedía, y para mi sorpresa, escuché que me dijo: "Hija mía, si te cambiaras los lentes internos que llevas puestos, te darías cuenta que en realidad en estos días el sol brilla con más intensidad que nunca".

La manera como tomamos las cosas o percibimos la vida, tiene mucho que ver con nuestro ánimo. Nuestra percepción ante los problemas y las contrariedades que nos presenta la vida, determina en gran medida nuestra dicha o nuestra infelicidad.

Las mujeres tenemos un punto en común: el desánimo. Más que los hombres, tendemos a deprimirnos con facilidad. Pero no tenemos que permanecer a merced del agobio. El impío trata de satisfacer sus propias ansiedades humanas, pero los hijos de Dios sabemos que nuestro Señor Jesucristo es el gran antídoto contra el veneno de la depresión.

De la misma forma como la gran serpiente fascinó a Eva para que desobedeciera y perdiera su derecho al cielo, el enemigo de nuestras almas contiende por extirparnos la fe que nos ayudará a ver un cielo azul de posibilidades. Pero Dios no juega a los dados. Nuestra felicidad no se basa en la casualidad, sino en la voluntad del Padre, quien dijo: "Yo he venido para que tengan vida, y para que la tengan en abundancia" (S. Juan 10:10). Una vida abundante significa una vida llena de felicidad, por lo tanto, nuestra felicidad ya está determinada. Todo depende de nosotros mismos y del lente con que miramos la vida.

La cura para el desánimo y la ansiedad radica en la Biblia y en nuestra confianza en Dios. La próxima vez que se vea tentado a ceder ante la preocupación o el desánimo, decida por la felicidad, y se sorprenderá de los resultados.

Gracias Padre porque has prometido ser mi felicidad. OLV

UNA CARTA DE AMOR

Sécase la hierba, marchítase la flor; mas la palabra del Dios nuestro permanece para siempre. Isaías 40:8.

El arte de escribir cartas parece haberse perdido. El teléfono ha usurpado el lugar de la misiva. El fax y los mensajes por computadora son más rápidos, más inmediatos. Nuestro tiempo parece tan efímero, tan corto, que queremos comprimir todo aquella actividad que pueda comprimirse. ¿Qué perdemos? Creo que varias cosas:

(1) La oportunidad de reflexión que nos brinda una sesión de escritura. Escribir una carta nos obliga a organizar nuestros pensamientos, a desechar lo innecesario, a pensar con algún detenimiento en el destinatario. (2) La posibilidad de enmendar errores, destruir borradores y presentar un mensaje depurado y sólido. El proceso más lento de una carta nos permite pensar mejor lo que hemos de decir. Lo que decimos por teléfono no podemos retirarlo; para bien o para mal queda para siempre en el éter y en la memoria. (3) El que la recibe la puede analizar, releer y apreciar todo el tiempo que quiera. El mensaje tiene mayor permanencia y el poder de impactar, comunicar o consolar una y otra vez. Quizá por esto Dios escogió comunicarse con sus criaturas primariamente por medio de la escritura.

Aunque los cielos cuentan su gloria, la revelación especial de Dios tomó la forma de dos Testamentos, los que de forma específica nos hablan de su carácter y su amor. Estos podrían ser comparados a una extensa carta que identifica al Autor (Dios), su relación con el destinatario (Padre, Creador), y un contenido que nos invita a relacionarnos con él como tal.

La misma Biblia explica varias razones por las cuales Dios escoge este medio de comunicación. "Escribe la visión —le dijo a Habacuc—, y declárala en tablas, para que corra el que leyere en ella" (Hab. 2:2). Los incidentes históricos, comparables a esa parte de una carta en la que contamos algo de lo que hacemos, fueron provistos para darnos una visión fidedigna de los actos de Dios a lo largo de la historia.

Las Escrituras contienen la apelación que sólo puede hacer un Ser amado. En sus páginas se revela el profundo afecto del Creador por sus criaturas. Vez tras vez sus palabras nos declaran el amor de Dios. "Dame, hijo mío, tu corazón, y miren tus ojos por mis caminos" (Prov. 23:36).

Gracias, Señor, por tu carta de amor. Gracias porque no estamos solos. MAV

FUERZAS PARA VENCER

Él da esfuerzo al cansado, y multiplica las fuerzas al que no tiene ningunas. Isaías 40:29.

El misionero metodista Stanley Jones había llegado a la India lleno de pasión misionera, pero sus energías se habían agotado bajo el intenso calor, la hostilidad y la ansiedad. Se encontraba a punto de desmoronarse física y emocionalmente.

Su médico le prescribió un año de descanso en los Estados Unidos, pero camino a casa sufrió un desmayo mientras hablaba durante una reunión religiosa en el barco. De vuelta a su hogar, intentó descansar, pero sus nervios aún estaban muy afectados. Insistió en regresar a la India, pero al llegar a Bombay, nuevamente quedó postrado y fue enviado a las montañas para descansar durante varios meses. Cuando retomó sus actividades, pronto se hundió en la depresión y el desánimo.

Así se encontraba cuando viajó a la ciudad de Lucknow para dirigir una serie de reuniones evangelizadoras. Una noche, mientras oraba, pareció escuchar la voz de Dios que le hablaba. En su mente sintió estas palabras:

—¿Estás preparado para esta obra para la cual te he llamado?

—No, Señor, ya no puedo más —respondió Stanley—. He llegado al fin de mis recursos.

—Si me entregas a mí todo esto y dejas de preocuparte, yo me encargaré.

—Señor —dijo Stanley—, ahora mismo cerramos el trato.

E. Stanley Jones contó más tarde que en ese momento entró una extraña paz en su corazón que colmó todo su ser: "Quedé tan animado, que casi ni tocaba la calle cuando caminaba de regreso a casa esa noche".

Stanley Jones trabajó durante 40 años en la India y predicó incansablemente alrededor del mundo, a veces hasta tres veces al día. Escribió una docena de libros y llegó a ser uno de los misioneros cristianos más conocidos de su tiempo. La promesa de Isaías 40:29 se cumplió con creces en su vida.

Si hoy nos sentimos fatigados o abrumados por los desafíos de vivir como creyentes en un mundo sin fe, recordemos que una relación con Jesucristo es la mejor fuente de fuerza espiritual. ¿Cómo? El Espíritu Santo trae poder a nuestras vidas y hallamos en Dios el verdadero propósito de la existencia.

Señor, hay días en que me siento alegre, optimista y con fuerzas para enfrentar todas las pruebas, pero otras veces advierto que no tengo el ánimo para hacer lo que sé que debo hacer. Por favor, dame hoy fuerzas para honrarte. MAV

COMO EL ÁGUILA

Pero los que esperan a Jehová tendrán nuevas fuerzas; levantarán alas como las águilas; correrán, y no se cansarán; caminarán, y no se fatigarán. Isaías 40:31.

En la cumbre del peñasco y de la roca está su morada. Sus ojos escudriñan el horizonte que arropa la geografía; y desde la tierra, se ve lejana la cima donde reposa su nido majestuoso. Pero el ojo aguileño acerca lo distante. Tensa los músculos, despliega las alas y anticipa los senderos del viento. Entonces ya nada la detiene. Del silencio emerge en un portentoso aleteo que apunta hacia la claridad. Remontándose sobre el vacío, va bailando en círculos, oscilando el aire con gran vitalidad, en un vuelo magistral y soberano que alcanza los límites de la libertad.

La fuerza y la capacidad de vuelo del águila maravillan a todos. Los mismos elementos naturales que ofrecen resistencia al vuelo del águila, como el viento y las tormentas, son también las condiciones indispensables para llegar al nido. Así, las tempestades son un reto para el águila, como también una forma de subsistir.

¿Ha soñado usted alguna vez con poseer la soberanía del águila? Yo lo deseé cierta mañana, cuando debilitada por la enfermedad creí que no volvería nunca más a levantarme. En aquel momento, sin embargo, se me recordó que Dios es el que da fuerza al cansado. Bien hubiera podido morir. Pero hubiera cerrado los ojos con la esperanza bendita de que un día mis fuerzas serían renovadas, y que como el águila me remontaría en las alas del bienestar y de la felicidad eterna.

Como el águila en busca de la protección del nido, debemos levantar la vista al cielo en tiempos de prueba y dificultad, y buscar las alturas donde descansa la gloria eterna de nuestro Padre celestial. El Salvador nos insta a aferrarnos por fe a la esperanza de las benditas promesas divinas. Él quiere que recordemos que su gloria está entronizada por sobre las cimas más altas de la enfermedad y de la muerte. El Dios que llena el cielo con su gloria, gobierna el universo que creó.

No importa cuál sea hoy su necesidad, Dios es capaz de suplirla. Pronuncie sólo palabras positivas, habitúese al milagro, o bien a la voluntad suprema de Dios y a lo que él estime mejor para su vida. El deseo de Dios es que aprendamos a descansar en su amor y en sus benditas promesas. Como el águila, nuestro Salvador volará sobre nuestros nidos, extenderá sus alas y nos cobijará con sus plumas. (Deut. 32:9-11).

Querido Jesús, gracias por tus promesas de restauración y vida eterna. OLV

DIOS, EL CREADOR DE TODAS LAS COSAS

Así dice Jehová Rey de Israel, y su Redentor, Jehová de los ejércitos: Yo soy el primero, y yo soy el postrero, y fuera de mí no hay Dios. Isaías 44:6.

El 13 de diciembre de 1973 un ex periodista francés llamado Claude Vorilhon, conocido hoy entre sus seguidores como "Raël el Mensajero", dijo haber sido secuestrado por seres extraterrestres en la cúspide del volcán Puyde Lassolas, en Francia, y conducido en platillo volador a un planeta no identificado, donde se le reveló la "Gran Verdad" sobre la humanidad.

Según los raëlianos, los seres humanos fuimos creados en laboratorios cósmicos por extraterrestres, mediante la manipulación de su propio ácido desoxirribonucleico, o ADN. Estos fingidores de la divinidad aseguran ser la progenie directa de quienes las antiguas generaciones paganas llamaron una vez "dioses", y dicen, además, que son los creadores de una nueva raza que ya camina sobre la tierra.

Ser como Dios es un viejo anhelo del hombre. La humanidad continúa creyendo las mentiras de Satanás. "Seréis como Dios", le dijo Lucifer a Eva junto al árbol de la tentación (Gén. 3:5). Esta presuntuosa afirmación es la mentira más antigua del enemigo de Dios, y la puerta por la que se introdujo el tentador en la conciencia de nuestros primeros padres. Muchas religiones y filosofías modernas difunden esta mentira antigua. Pero la Palabra de Dios nos indica claramente que sólo hay un Dios. "Así dice Jehová Rey de Israel, y su Redentor, Jehová de los ejércitos: Yo soy el primero, y yo soy el postrero, y fuera de mí no hay Dios" (Isa. 44:6).

No son pocos los pasajes bíblicos que claramente enseñan esta verdad cardinal de la Biblia. Nuestro Salvador desea que aprendamos a reflexionar en nuestro corazón que Jehová es Dios arriba en el cielo y abajo en la tierra, y no hay otro fuera de él (Deut.4:35).

No existe otro creador que Dios. Los seres humanos no somos fruto de un experimento biológico realizado por extraterrestres, no procedemos del chimpancé ni somos el mero resultado de un accidente cósmico. Es nuestro privilegio vivir bajo la certeza de que somos criaturas formadas a la imagen del único Dios.

En este día, Padre Eterno, te doy gracias por haberme creado a tu imagen, y porque un día tú transformarás mi cuerpo miserable para que sea como tu cuerpo glorioso. OLV

LA BENDICIÓN DEL SÁBADO- 1

Bienaventurado el hombre que hace esto, y el hijo de hombre que lo abraza; que guarda el día de reposo para no profanarlo, y que guarda su mano de hacer todo mal. Isaías 56:2.

El reposo sabático es especialmente necesario en nuestros días. Usted y yo necesitamos esa pausa semanal. Su origen sagrado nos pone en contacto con los valores espirituales que tanto escasean, y su efecto renovador podría aliviar el desasosiego emocional que sufren tantas personas. He aquí algunas razones que nos persuaden a observar el día de reposo:

El reposo del sábado nos permite encarar nuestros problemas desde otra perspectiva. ¿Ha viajado en avión? Habrá notado que a medida que se eleva se van haciendo más y más pequeños los automóviles, los edificios, las casas, etc. Cuando más alto se vuela espiritualmente tanto más imperceptibles se hacen los símbolos de la grandeza humana.

La observancia del sábado nos proporciona una fracción de tiempo durante la cual nos "elevamos" ante las presiones que podrían agobiarnos durante la semana.

A menudo nos preocupamos tanto por asuntos triviales, que nos olvidamos de lo más importante: nuestra relación con Dios. El sábado es un recordativo constante de lo que somos. Nos señala nuestra procedencia e indica quién es nuestro Creador.

Dios sabía que también necesitamos tiempo específico para compartirlo con nuestros seres amados, sin ser interrumpidos por los ajetreos cotidianos. Para aquellos familiares que durante la semana se convierten en extraños bajo el mismo techo debido a sus múltiples ocupaciones, el sábado ofrece la oportunidad de renovar lazos de amor y comunicación.

El reposo sabático nos brinda descanso espiritual. Cuando comienza el sábado ponemos a un lado nuestros asuntos inconclusos para celebrar la obra completa de Cristo. En el ámbito espiritual todos nuestros esfuerzos para salvarnos son inútiles. Podemos buscar cada día en el equipaje de nuestra vida y no encontraremos nada que nos haga merecedores de la salvación. El sábado bíblico previene nuestro desánimo pues nos recuerda que Cristo ganó concluyentemente nuestra salvación en el Calvario. Debido a su sacrificio podemos entrar en su reposo (Heb. 4:1-11).

Señor, todo lo que haces es sabio y beneficioso. Gracias por la promesa que representa el reposo sabático. MAV

LA BENDICIÓN DEL SÁBADO- 2

Si te guardas de profanar el sábado, de tratar tus asuntos en mi día santo; si llamas al sábado delicia, venerable al día consagrado a Yavé; si le veneras evitando los viajes, no tratando negocios ni arreglando asuntos, entonces encontrarás en Yavé tus delicias, yo te subiré triunfante a las alturas del país y te alimentaré de la heredad de tu padre Jacob. Ha hablado la boca de Yavé. Isaías 58:13-14, Ediciones Paulinas.

La observancia del sábado provee la oportunidad para una mejor relación con Dios. El Señor Jesús declaró que la vida eterna está directa y entrañablemente relacionada con el conocimiento que tenemos de Dios y de su Hijo (Juan 17:3). Conocer a Dios y llegar a comprender su amante voluntad debiera ser nuestro primer afán. Pero, ¿cómo conocer mejor a Dios si no nos relacionamos con él? ¿Y cómo relacionarnos con él sin dedicarle parte de nuestro tiempo?

El desarrollo de una amistad —cualquier tipo de amistad— requiere que se compartan experiencias en común; que se hable y que se escuche; que se separen momentos para trabajar juntos en algún proyecto: exige tiempo. El sábado constituye una cita con Jesús, un día especial para relacionarnos con él. Los momentos furtivos de devoción que nuestra complicada vida actual nos permite, no son suficientes. Necesitamos el reposo del sábado. Nuestros cuerpos y nuestras almas lo necesitan.

Cuando Dios hizo el tiempo y separó una porción periódica para que el hombre disfrutase de comunión con él, efectivamente fabricó un templo en el terreno del tiempo. Estableció el extraordinario reloj de la semana cuyo séptimo tic nos llama a la adoración divina. El sábado se convirtió en una pausa dentro de la existencia materialista que se mide con logros humanos y perecederos. Y puesto que nos pone en contacto con un Dios eterno, se torna en un trozo de eternidad; en una experiencia espiritual de calidad eterna.

Este es un día especial para entrar en un plano superior de la existencia, y contestar los interrogantes que definen nuestra identidad: ¿Quién soy? ¿De dónde vengo? ¿Adónde voy?

Como parte de la familia humana, compartimos un trozo de tiempo común. Es lo más importante que tenemos: mucho más que las posesiones o la situación social o económica. Con este material tejemos el manto de nuestra vida; la forma en que empleamos nuestra porción determina en esencia lo que somos.

Querido Dios, gracias por invitarme a este encuentro semanal contigo. MAV

SEÑOR, QUE HOY TU LUZ BRILLE EN MÍ

Entonces nacerá tu luz como el alba, y tu salvación se dejará ver pronto; e irá tu justicia delante de ti, y la gloria de Jehová será tu retaguardia. Isaías 58:8.

El otro día, mientras mi esposo y yo caminábamos en el parquecito que está al lado de nuestra casa, admirando la belleza de la naturaleza, de repente advertí que algo brillaba al pie de uno de los sauces con todos los colores fragmentados del arco iris. Enseguida escarbé las hojas que el viento había acumulado allí, y descubrí lo que era: un vidrio multicolor.

Fascinada con su brillo, lo tomé y lo llevé a casa con la idea de colocarlo en uno de los tiestos de flores que crecían bajo el umbral de mi ventana, para que allí hermoseara la vista con sus colores. Pero qué decepción a la mañana siguiente, cuando al pasar junto a mi mejor maceta encontré allí lo que sólo era un tosco pedazo de vidrio, feo y sucio, en vez de aquel planeta de colores que esperaba ver. Instintivamente, saqué el vidrio del tiesto y lo tiré a la basura.

¡Qué bien tipifica este sencillo cuadro la condición espiritual de los hijos de Dios! ¡Cuánto nos recuerda la triste existencia del ser humano separado de la luz del Salvador.

Sin Jesucristo, quien es la luz del mundo, el hombre muere en las tinieblas morales. En el mundo natural y en el mundo espiritual la provisión de Dios es Luz. La oscuridad que separa al hombre de Dios lo hace un ser deslucido y feo. Es la luz de Cristo en nosotros lo que pone el magnífico brillo que nos hace seres especiales ante el mundo.

La luz que hay en nosotros no brota de nuestro interior, sino de Jesucristo. "Yo soy la luz del mundo, el que me sigue, no andará en tinieblas, sino que tendrá la luz de la vida" (Juan 8:12).

Nuestro Salvador quiere que aprendamos a colocarnos bajo su luz, y permanecer en ella hasta que nazca el alba eterna en nuestros corazones, y nuestra salvación se haga realidad. Porque "su justicia irá delante de ti, y la gloria de Jehová será tu retaguardia" (Isa. 58:8).

Gracias, Señor, por compartir con nosotros el brillo de tu amor. OLV

DIOS, NUESTRA FORTALEZA

Nunca más se oirá en tu tierra violencia, destrucción ni quebrantamiento en tu territorio, sino que a tus muros llamarás Salvación, y a tus puertas Alabanza.
Isaías 60:18.

Jerusalén está ubicada en las alturas de una colina, en las montañas de Judea, sobre los valles de Kidron y de Hinnom. Durante siglos la ciudad disfrutó de la protección que le brindaban sus poderosas y casi inexpugnables murallas. Pero en tiempos del profeta Nehemías, el muro había sido derribado y sus puertas devoradas por el fuego.

Bajo el mando de Nehemías, el pueblo reparó y edificó la muralla. Se enmaderaron y levantaron las puertas de la ciudad, se colocaron nuevas cerraduras y cerrojos, y se restauraron las torres. Pero cuando Sanbalat escuchó que los israelitas edificaban el muro, se enojó contra ellos, y dijo: "¿Qué hacen estos débiles judíos? ¿Se les permitirá volver a ofrecer sus sacrificios? ¿Acabarán en un día? ¿Resucitarán de los montones del polvo las piedras que fueron quemadas?" (Neh. 4:1, 2).

Cuando Sanbalat juntó a los enemigos del pueblo de Dios para conspirar contra ellos, Nehemías no vaciló, sino que animó a los israelitas a continuar con la reedificación de las murallas. Les dijo: "Nuestro Dios peleará por nosotros" (vers. 20). Y así mismo fue.

Dios juró proteger a Israel de sus enemigos aun si la ciudad estuviera desprovista de muros, con la condición de que lo honraran y guardaran sus mandamientos. Refiriéndose a Jerusalén, les dijo: "Yo seré para ella muro de fuego en derredor, y para gloria estaré en medio de ella (Zac. 2:5).

¡Qué Dios tan grande! Y qué gozo produce el hecho de sabernos protegidos por él. Nuestro amante Jesús es nuestra ciudad fortalecida. Él es la muralla que nos separa y nos protege del enemigo que nos ronda para hacernos daño. Nuestro Salvador nos ha prometido un mundo en el que nunca más habrá violencia ni destrucción ni quebrantamiento. Nuestros muros se llamarán Salvación, y nuestras puertas Alabanza.

Cuando se sienta tentado por el enemigo, y crea que la noche de este mundo se alarga, alce los ojos, y contemple la muralla salvadora, que es Cristo Jesús.

Gracias, Padre, por que tú eres mi muralla y mi salvación. OLV

JEHOVÁ, NUESTRO PERPETUO SOL

El sol nunca más te servirá de luz para el día, ni el resplandor de la luna te alumbrará, sino que Jehová te será por luz perpetua. Isaías 60:19.

Qué maravillosa promesa! El pensamiento de que un día nuestro Salvador será nuestra perpetua luz me llena de admiración y de un profundo gozo.

Nunca olvidaré aquella noche, cuando de repente me hallé inmersa en una profunda oscuridad. El apagón fue repentino. Sólo me acompañaba en aquella ocasión un coquí* que desde su escondite en la hierba húmeda envolvía el aire nocturno con su místico canto. En la oscuridad que me rodeaba, traté de buscar una vela, pero pronto recordé que como estaba recién casada todavía no poseíamos ni siquiera un fósforo.

Como la oscuridad era tan intensa, decidí entonces salir al portal, y esperar allí a que regresara la electricidad. La penumbra envolvía igualmente la calle, dándole a todo un aspecto tétrico y tenebroso. Pero entonces mis ojos se fijaron en una casa que mantenía la puerta abierta. Desde la oscuridad donde yo me encontraba podía ver una lámpara de aceite que iluminaba toda aquella pieza con una luz suave, como una cascada bienhechora que atraía y reconfortaba. Y en aquel lugar dejé posar mi vista, hasta que la electricidad regresó.

Sin luz se mueren los animales, se altera la ecología y los seres humanos se ven afectados con cambios fisiológicos que causan irritabilidad, depresión, fatiga, insomnio y hasta intenciones de suicidio. Asimismo, cuán necesaria es para nuestra vida espiritual la luz benefactora que nos ofrece el Salvador.

Cuando Jesús caminó entre los hombres, les dijo a sus discípulos: "He venido al mundo para que los que crean en mí no se queden en la oscuridad" (Juan 12:46). ¡Qué hermosa promesa! Y qué espléndido el conocimiento de que un día ya no necesitaremos al sol para que nos sirva de luz, ni la luna para que alumbre nuestras tinieblas, porque el mismo Jesús será nuestra luz perpetua (Isa. 60:19).

Gracias, Jesús, por esta maravillosa promesa. OLV

*Pequeña rana autóctona de Puerto Rico.

¿QUE HAY EN UN NOMBRE?

Y te será puesto un nombre nuevo, que la boca de Jehová nombrará. Isaías 62:2.

Para los judíos, escoger el nombre de un recién nacido es algo de suma responsabilidad e importancia. El Talmud les enseña a los judíos que el nombre de una persona es lo que designa la suerte del individuo, la clase de vida que tendrá y la influencia que ejercerá sobre los demás. Sin embargo, los cristianos sabemos que el sentido de un nombre tiene que ver justamente con lo contrario: Es la influencia del individuo, no su nombre en sí, lo que hace a un nombre. Por esta simple razón a nadie se le ocurrirá llamar a su hijo Caín o Barrabás.

Nuestra influencia es un poder para bien o para mal. Todos ejercemos una influencia personal, y nuestras palabras y acciones dejan una impresión indeleble. Es nuestro deber vivir una vida que ejemplifique el carácter de nuestro Señor Jesucristo, y que a todas luces declare que somos hijos de Dios.

Nuestro Señor Jesucristo sabía muy bien la bendición o el daño que nuestra influencia puede ejercer en los demás. Nos dijo: "Vosotros sois la sal de la tierra; pero si la sal se desvaneciere, ¿con qué será salada? No sirve más para nada, sino para ser echada fuera y hollada por los hombres. Vosotros sois la luz del mundo; una ciudad asentada sobre un monte no se puede esconder. Ni se enciende una luz y se pone debajo de un almud, sino sobre el candelero, y alumbra a todos los que están en casa. Así alumbre vuestra luz delante de los hombres, para que vean vuestras buenas obras, y glorifiquen a vuestro Padre que está en los cielos" (Mat. 5:13-16).

Es nuestro deber preguntarnos cada día qué nombre, o nombres, hemos dejado establecido con nuestro carácter y acciones. ¿Se nos podrá llamar Justo, Sabio, Fiel o Amigable, o tal vez nos conocerán por otros nombres menos codiciables?

Hay una palabra especial que nuestro amigo Jesús quiere decirnos. Es el nuevo nombre que nos quiere dar. No será dado de acuerdo al carácter que tenemos, ni a lo que hemos sido hasta ahora. Nuestro nuevo nombre tendrá el sonido y el mensaje de la cruz. Sobre sus letras están clavados los clavos del perdón y la misericordia divina, y la connotación que conlleva es de vida eterna. Alabemos a Dios y permitamos que Cristo nos regale un nombre nuevo.

Gracias, querido Padre, porque prometes darme un nombre nuevo que no tenga que ver con mi pasado. OLV

DIOS ORDENA NUESTROS PASOS

Conozco, oh Jehová, que el hombre no es señor de su camino, ni del hombre que camina es el ordenar sus pasos. Jeremías 10:23.

En abril de 1995, Christophe Auguin, de Francia, ganó la carrera de yates conocida como el Desafío BOC, para navegantes solos. Auguin terminó la carrera de 43.450 km alrededor del mundo en su chalupa de 20 metros (60 pies) de largo en 121 días, 17 horas, 11 minutos y 46 segundos.

En mayo del mismo año, Alison Hargreaves alcanzó la cima del Monte Everest, la montaña más alta del mundo, sin el uso de tanques de oxígeno, lo que la convirtió en la primera mujer en la historia en realizar tal hazaña.

Victorias y logros asombrosos como éstos nos entusiasman e inspiran. Hay también victorias que se ganan contra elementos impersonales tales como la ignorancia, una enfermedad, un proyecto desafiante. Pero quizá los deportes son tan apasionantes porque la victoria que ofrecen se basa en obtener el éxito sobre un rival. Casi siempre proveen un marco para la victoria de unos y el fracaso de otros.

A nadie le gusta fracasar. Cualquier tipo de fracaso insinúa que algo anda mal con nosotros. Que comparados a otros, carecemos de esos atributos que afirman nuestra normalidad o superioridad. Y los fracasos tienden a asociarse unos a otros de forma acumulativa y así abrumarnos con ideas pesimistas e irreales. Cuando obtenemos un fracaso tras otro llegamos a considerarnos fracasados.

La mayoría considera que los triunfos en ciertas áreas —aquellas victorias que podrían traernos fama o reconocimiento— son algo así como opcional o extra: En los deportes, en algún proyecto de trabajo, en las ciencias o el arte. Pero sentimos que es esencial obtener el éxito en nuestro matrimonio, en nuestro papel de padres, de hijos o de ciudadanos decentes. Queremos que en esos niveles íntimos o cruciales de la vida el balance de nuestras experiencias nos declare victoriosos o al menos aptos para la existencia como seres valiosos.

El versículo de memoria nos enseña que el éxito en estas áreas cruciales no depende enteramente de nosotros. Hay una dimensión que trasciende la nuestra, en la que Dios se mueve, dirige, invita, conduce, determina. Dios es el Señor.

Gracias, Señor, porque tú participas en nuestra existencia y nos abres otras avenidas de felicidad. MAV

TINAJAS VACÍAS

¿No podré yo hacer de vosotros como este alfarero, oh casa de Israel? dice Jehová. He aquí que como el barro en la mano del alfarero, así sois vosotros en mi mano, oh casa de Israel. Jeremías 18:6.

La alfarería era más que una profesión artesanal en los tiempos antiguos. La forma, tamaño y estilo de las piezas de arcilla distinguían no sólo al artesano, sino que eran una expresión de la cultura del pueblo y de la época en que la pieza había sido producida. Los arqueólogos han aprendido a "leer" las piezas de cerámica y a determinar con bastante exactitud su procedencia y la fecha de su confección. Dios nos dice que él desea dejar en nosotros las huellas de sus manos, de su intelecto y su carácter.

Un incidente del ministerio de Jesús ilustra las intenciones del Alfarero divino: Las bodas de Caná. Luego de presentar el cuadro de una fiesta de bodas en la que faltan bebidas, el texto de Juan 2:6 presenta lo que es quizá el meollo del relato: "Y estaban allí seis tinajas de piedra para agua, conforme al rito de la purificación de los judíos, en cada una de las cuales cabían dos o tres cántaros".

Estas tinajas no se usarían en la boda. Eran usadas continuamente. Estaban maltratadas, viejas y feas. La dueña de la casa probablemente hizo que las pusieran en la parte de atrás de la casa para que no las vieran. ¡Qué interesante que ahora estas tinajas ocupan el centro de la atención!

En este relato, no se dice casi nada de los novios. Lo que sí se menciona son las seis tinajas que habían sido puestas a un lado. El Señor dice: "Sacad ahora". Y ahora las tinajas se tornan en lo más importante de la boda. Esas tinajas viejas y rotas nos representan a nosotros. Representan la obra de Dios en nuestra vida. Dios quiere moldearnos, llenarnos del agua de la Palabra por medio de su Espíritu y emplearnos en su servicio.

Señor, ayúdame a reconocer hoy la función que quieres que cumpla en tu obra. MAV

RECONOCIENDO A DIOS

Y les daré corazón para que me conozcan que yo soy Jehová. Jeremías 24:7.

Cuando Charles Mills pisó tierra americana por primera vez, tenía tan sólo cuatro años de edad. Una densa neblina cubría las aguas del Atlántico, mientras el barco que lo transportaba a él y a su familia a los Estados Unidos arribaba lentamente a la ancha boca de la bahía.

Después de muchos años como misioneros en el extranjero, los padres de Charles Mills regresaban a su tierra natal. La emoción que los embargaba recogía sus corazones con una felicidad infinita. Sin embargo, lo que conmovía a Charles no era necesariamente la visión de la ansiada costa. Sus ávidos ojos buscaban algo mucho más grandioso y maravilloso que las costas estadounidenses. Por encima de la neblina, su vista se afanaba buscando la visión de su abuela materna. Había escuchado hablar tantas cosas buenas sobre ella, que en su corazón radicaba la certeza de que en algún lugar, más allá de la neblina, lo esperaba una mujer que lo amaba tanto a él como a su propia madre.

El barco surcaba ya dentro de las aguas de la bahía, cuando de repente la bella figura de una impresionante mujer comenzó lentamente a emerger del agua y de la neblina. En uno de sus brazos sostenía en alto una brillante antorcha. Era la estatua de la libertad, que anunciaba al viajero que había llegado a la tierra añorada. Al verla, las voces emocionadas de los tripulantes resonaron por todo el barco: "América". "América". Charles también corría emocionado por la cubierta, sin embargo, en vez de gritar "América", juntamente con los demás, su vocecita se empeñaba en ser escuchada por encima de las demás voces: "abuela", "abuela", "abuela". Para Charles, la imagen de grandeza que tenía de su abuela, encajaba perfectamente con el magnífico diseño de la estatua de la libertad.

Dios les ha dado a sus hijos terrenales una gran misión que cumplir aquí en la tierra: Dar a conocer un Salvador que está más allá de las nieblas de este mundo. Él quiere que nosotros les contemos a nuestros amigos y familiares acerca del eterno e inmensurable amor de Cristo. El Omnipotente Dios del cielo depende de nosotros para ser conocido por el mundo. Mediante nuestras vidas, podemos testificar de Cristo, de tal modo que cuando se disipe la niebla, la gente pueda percibir su gloria.

Querido Jesús, que tu grandeza en mi vida pueda ser percibida en mis amigos como lo mejor y más maravilloso que jamás hayan visto sus ojos. Amén. OLV

CONOCIENDO AL PADRE

Y me buscaréis y me hallaréis, porque me buscaréis de todo vuestro corazón.
Jeremías 29:13.

Se ha preguntado alguna vez si acaso es posible llegar a tener una estrecha relación con Dios, tal como la tuvieron los profetas de los tiempos bíblicos?

Esto es posible. La promesa que encontramos en el libro de Jeremías nos certifica que nuestro Padre celestial no desechará al pecador arrepentido que lo busca con corazón anhelante. Pero el cumplimiento de esta promesa depende de nosotros.

El Salvador requiere que sus hijos se acerquen a él y le busquen de todo corazón. Dios no puede hacer nada en favor de su pueblo a menos que éste lo busque con un propósito sincero. Cristo cambió la relación del pecador con Dios al extirpar el pecado de lo más íntimo del alma. Él quiere transformarnos a su semejanza divina, quiere hacernos sus hijos, pero a veces somos remisos en cumplir la condición que conlleva la promesa.

Muy a menudo, le permitimos a Dios que sólo obre en las áreas de nuestra vida que nos conviene. Hay lugares reservados donde no permitimos que brille la luz de Cristo. Nos sujetan firmemente los lazos del enemigo, y acariciamos pecados que no queremos abandonar.

Como el padre se compadece de los hijos, se compadece Jehová de nosotros (Sal. 103:13). Pero nuestro Padre celestial no podrá bendecirnos como él desea, mientras no estemos dispuestos a buscarlo con todo el anhelo de nuestro corazón desfalleciente. Conocer a Dios implica una transformación completa y la renovación de nuestra naturaleza pecaminosa y caída.

Debemos buscar a Dios de todo corazón, y permitir que él obre en cada detalle de nuestra vida, de manera que se pueda efectuar en nosotros el milagro del cambio. Hay quienes aseguramos ser hijos de Dios, pero aún nos encontramos dominados por hábitos pecaminosos; o quizá nuestros mejores deseos de allegarnos a Dios son ahogados por otros intereses. No permitamos que esto nos suceda. ¿Queremos conocer a Dios como lo conocieron los personajes bíblicos? ¿Cuál es el nivel de nuestro interés?

Sólo el interés más intenso hará posible una conexión estrecha con Dios.

Padre, te entrego mi corazón, con todo lo que contiene. Haz tú el cambio. OLV

TERMINEMOS SIEMPRE CON EL AMOR

Con amor eterno te he amado; por tanto, te prolongué mi misericordia. Jeremías 31:3

Cuando era pequeña, mi abuelo y yo solíamos salir al campo. Una mañana, cerca de una loma que colindaba con el potrero, noté que una hermosa flor silvestre crecía solitaria junto al camino de tierra. Enseguida la arranqué, y fijando mis ojos en los ojos azules de mi abuelo comencé a desgajar cada pétalo, mientras comenzaba el juego: "Abuelo me quiere, abuelo no me quiere, abuelo me quiere...". Sus ojos parecían danzar con la luz de la mañana mientras me observaba. En ese instante creí que no existía un momento más cabal y consumado que aquel. Pero súbitamente, la magia se evaporó con el último pétalo que me tocaba remover.

Una tristeza infinita me embargó, al darme cuenta que inevitablemente el juego que felizmente había comenzado, terminaría con el pétalo que correspondía a la frase "abuelo no me quiere". Con los ojos anegados en lágrimas, suponiendo que mi abuelo no se daba cuenta de lo que me ocurría, me hice la desentendida, y no terminé el juego. Enseguida nos subimos al Chevrolet color verde aguacate, y comenzamos nuestro viaje de regreso a casa, sin hablar del asunto. Pero justo antes de dejar atrás las últimas vallas del campo, mi abuelo detuvo súbitamente el auto en un recodo del camino, y me condujo a un lugar donde las flores silvestres crecían a profusión. Apuntando hacia ellas, me dijo: "Comienza de nuevo el juego, cariño; siempre hemos de terminar con el amor". Y esta vez, el último pétalo que me tocó arrancar fue el pétalo del amor.

San Juan nos dice: "Mirad cuál amor nos ha dado el Padre, para que seamos llamados hijos de Dios" (1 Juan 3:1). El amor de Dios es uno de los regalos más hermosos que hemos recibido. Es un obsequio envuelto en la gloria y el sacrificio de su Hijo. La Palabra de Dios nos enseña que el amor entre los seres humanos es la única evidencia válida de que somos discípulos de Jesús (Juan 13:35). Pero si permitimos que el resentimiento, el rencor o los celos se interpongan entre los esposos, los padres, los hijos y los amigos, y no hacemos nada por restaurar el amor, perdemos de vista el propósito de Dios para nuestras vidas. Está en nosotros construir puentes que nos acerquen los unos a los otros. Está en nuestras manos edificar la paz y erradicar la guerra. El secreto de la felicidad radica en no dejar jamás que el pétalo del "no me quiere" sea el último. Debemos seguir buscando, intentando, hasta que algún día, y de alguna manera, terminemos con el amor.

Enséñame, Padre, a aprender de ti los caminos del amor. OLV

VOLVAMOS A EDIFICAR

Aún te edificaré, y serás edificada. Jeremías 31: 4.

Es muy posible que en algunos momentos de nuestra vida lleguemos a dudar del amor de Dios. El sufrimiento es un componente extraño en la naturaleza del hombre. Fuimos creados para ser felices, y se nos hace difícil aceptar el dolor y la pérdida. Como seres humanos, nuestra tendencia en tiempo de dolor es levantar la voz entrecortada por el llanto y preguntarle a Dios dónde estaba cuando nuestro mundo se derrumbaba. Sin embargo, el cristiano necesita recordar a menudo que es precisamente en los momentos de mayor necesidad cuando Dios manifiesta su poder y su presencia.

Para mucha gente, Dios se distanció del mundo aquel martes negro, cuando dos aviones Boeing 737 de American Airlines se estrellaron contra las torres gemelas del Centro de Comercio Mundial, en la ciudad de Nueva York.

El sol continuó brillando sobre los escombros y las ventanas de los rascacielos mutilados, como prueba de la constancia del amor divino; pero para muchos, la imagen de un Dios amante que vela y cuida de sus criaturas se desintegró como las ventanas de las torres.

El mensaje que Dios nos quiere dar no es que él previene toda tragedia, sino que sufre con quienes las padecemos. Dios estaba en los pasillos y en las escaleras de las torres gemelas por dónde subía y bajaba la gente. Aunque él tiene en sus manos la solución definitiva para nuestros problemas y pesares, debe soportar con nosotros las consecuencias desatadas por el pecado. El Señor quiere que recordemos que ha estado con cada criatura suya que ha sufrido el pavor de la muerte desde el comienzo de la historia de este mundo.

Para nosotros, seres finitos, es imposible imaginar lo que siente el corazón de Dios ante el dolor humano. Dios quiere que nuestros corazones sangrantes se detengan ante la cruz del Calvario, y que a través de sus promesas reconstruyamos la fe que perdimos en la adversidad.

Gracias, Padre, porque tus promesas de amor son verdaderas y fieles. OLV

EL DON DE LA VERDAD

He aquí que yo les traeré sanidad y medicina; y los curaré, y les revelaré abundancia de paz y de verdad. Jeremías 33:6.

Entre los bienes prometidos en Jeremías 33:6 no hay un don tan abstracto ni tan precioso como la verdad. Los políticos dicen tenerla, los científicos dicen buscarla y las leyes la exigen de cada ciudadano a la hora de informar las planillas de impuestos. ¿Qué pasaría en un hogar donde los cónyuges no se dijeran la verdad? ¿Cómo le iría a un empleado que le mienta continuamente a su empleador? ¿Y si los médicos, los ministros y los abogados fuesen todos fraudulentos y mentirosos?

Hay muchos que compiten por presentar "la verdad" según ellos la entienden. A nadie le gusta admitir que vive una mentira. Religiosos, predicadores de la Nueva Era y políticos, todos aseveran poseer parte de la verdad o toda la verdad. Otros dicen que todo es relativo en el mundo, incluso la verdad. Continuamente se presentan mentiras como verdades: la inmortalidad del alma y la reencarnación; la libertad para ser homosexuales practicantes y cristianos a la vez; las apariciones de la virgen y los extraterrestres; el Evangelio del éxito materialista, etc.

En su conversación con Pilato, Jesús se refirió a la importancia suprema de la verdad. "Yo para esto he nacido, y para esto he venido al mundo, para dar testimonio a la verdad. Todo aquel que es de la verdad, oye mi voz" (véase Juan 18:33-38).

Usted y yo necesitamos conocer la verdad para ser felices. No podemos vivir en la mentira a sabiendas. Por eso el salmista dijo: "Encamíname en tu verdad, y enséñame" (25:5), "tu misericordia y tu verdad me guarden" (40:11); "envía tu luz y tu verdad; éstas me guiarán" (43:3), y "tú amas la verdad en lo íntimo" (51:6). Por eso también Salomón escribió: "compra la verdad, y no la vendas" (Prov. 23:23).

En el mundo del saber hay muchas verdades importantes. Hay verdades matemáticas (suma, resta, multiplicación), físicas (leyes de la gravedad, la entropía), biológicas, psicológicas, pero la única verdad que salva es la verdad que está en Jesús.

Señor, gracias por tu Palabra que nos libra de las tinieblas de la mentira y el engaño. Ayúdame a vivir hoy en la verdad. MAV

VALOR ENTRE LAS LLAMAS

Ha de oirse aún voz de gozo y de alegría, voz de desposado y voz de desposada, voz de los que digan: Alabad a Jehová de los ejércitos, porque Jehová es bueno, porque para siempre es su misericordia. Jeremías 33:11.

En diciembre de 1914, un terrible fuego consumió el laboratorio del científico Tomás Edison. El incendió consumió más de dos millones de dólares en equipo y la mitad del registro histórico de la vida de Edison. Aquella tarde, su hijo Carlos Edison buscaba frenéticamente a su padre entre el denso humo que se levantaba con furia. Cuando finalmente lo divisó, su corazón se conmovió ante la escena: Su padre contemplaba apaciblemente la catástrofe que había convertido en cenizas parte de su vida. Su rostro, iluminado por el resplandor del fuego, y su cabello canoso despeinado por el riguroso viento invernal que levantaba las cenizas, lo mostraban tal como era. Ya no era un hombre joven, y ante él toda su vida había quedado convertida en un cúmulo de cenizas.

Cuando Tomás Edison vio a su hijo parado frente a él, le dijo: "Busca a tu madre, tráela aquí. Nunca volverá a presenciar algo semejante a esto en toda su vida". Cuando su esposa llegó, volviéndose hacia ella, y hacia su hijo, Tomás les dijo: "Hay algo de gran valor en los desastres. Todos nuestros errores quedan para siempre consumidos. Gracias a Dios que nos da la oportunidad de volver a comenzar".

Cuando el profeta Jeremías escribió el versículo que leímos hoy, sus fuerzas se consumían bajo el peso del sufrimiento por la desolación de Israel. Dios había humillado al reino y a sus príncipes. Había cortado con el ardor de su ira todo el poderío de Israel, y retirado su protección frente al enemigo. Israel gemía de tristeza y moría de hambre por el saqueo de sus tierras y sus tesoros. "Desde lo alto envió fuego que consume mis huesos", dijo el profeta refiriéndose al dolor de su alma bajo el azote de Dios (vers. 13). Sin embargo, del fondo de su lamento, se escucha surgir un cántico de alabanza que nos recuerda la fidelidad de Dios en medio de las pruebas: "Por la misericordia de Jehová no hemos sido consumidos, porque nunca decayeron sus misericordias. Nuevas son cada mañana; grande es tu fidelidad. Mi porción es Jehová, dijo mi alma; por tanto, en él esperaré" (Lam. 3:22-24).

¿No hemos de esperar en Dios también nosotros?

Gracias, Padre eterno, porque nuevas y fieles son cada mañana tus misericordias para conmigo. OLV

LIBERTAD PARA ADORAR

He aquí que yo promulgo libertad, dice Jehová. Jeremías 34:17.

A pesar de los numerosos adelantos científicos y sociales, los seres humanos capaces de la Inquisición y el Holocausto todavía hoy abrigan oscuros sentimientos de intolerancia hacia grupos e individuos cuyas creencias religiosas desafían las posiciones de la mayoría. He aquí algunos ejemplos:

En julio de 1998, Arabia Saudita apresó, y luego liberó, a 20 extranjeros cristianos en la ciudad capital de Riyad. El delito por el cual sufrieron hasta un mes de cárcel, tortura y expatriación fue el de repartir materiales cristianos. En éste y en otros países islámicos, cualquier forma de religión no musulmana es ilegal.

En un informe reciente presentado en la Conferencia de Oslo sobre Libertad Religiosa, John Graz, dirigente de la Asociación General de los Adventistas del Séptimo Día, señaló decenas de incidentes de intolerancia religiosa en Francia con estudiantes adventistas y judíos, que fueron expulsados de la escuela por no asistir a clases durante las horas del sábado. En Francia, también, la Autoridad de Impuestos decidió que los Testigos de Jehová no son una religión, y por lo tanto deben pagar impuestos del 60 por ciento sobre sus entradas como organización.

Que todavía se limite el ejercicio de la religión en estos y otros países presenta un desafío a las libertades básicas de los seres humanos. La decisión de brindar nuestros afectos a un ser superior es un asunto de la órbita privada y personal. La sociedad de nuestros días impone reglas con la idea de que las leyes tienen poder sobre los pensamientos religiosos del individuo. Pero Cristo ha prometido y promulgado libertad en base al libre albedrío del hombre, para que éste escoja adorarlo y venerarlo como su Rey y su Dios personal. Las leyes pueden controlar hasta cierto punto la conducta externa de las personas, pero no pueden producir moralidad ni religiosidad.

Lo cierto es que usted y yo necesitamos la oportunidad de buscar a Dios y su influencia ennoblecedora en plena libertad. La persecución religiosa, no importa donde ocurra o contra quien se practique, nos empobrece a todos.

Gracias, Señor, por la bendición de poder adorarte. MAV

GRANDE ES TU FIDELIDAD

Por la misericordia de Jehová no hemos sido consumidos, porque nunca decayeron sus misericordias. Nuevas son cada mañana; grande es tu fidelidad. Lamentaciones 3:22, 23.

La experiencia de Jeremías representaba la condición general del pueblo de Judá después de la caída de su reino ante Babilonia. Pero sus oraciones reflejan con extraordinaria certeza la manera en que muchos de nosotros nos relacionamos con Dios. Los primeros versículos del capítulo relatan las calamidades sufridas por su autor y el pueblo. Los términos pintan un cuadro deprimente. Aflicción, amargura, trabajo, oscuridad ("como los ya muertos de mucho tiempo"), cadenas, osos y leones en acecho, saetas que penetran en las entrañas, etc.

Quizás el punto más bajo se lo expresa en las palabras del versículo 18: "Perecieron mis fuerzas, y mi esperanza en Jehová". Pero a partir de ese nivel de desánimo extremo, surge el comienzo de una oración. "Acuérdate de mi aflicción y de mi abatimiento, del ajenjo y de la hiel" (vers. 19).

¡Cuán parecido a nosotros! Cuántas veces hemos tenido que llegar hasta el fondo del barril para entender que es hora de buscar a Dios. Cuando los recursos que hemos cultivado ya no funcionan; cuando hemos agotado nuestras explicaciones, cuando ya no tenemos fuerzas para seguir luchando, entonces estamos en condiciones de asirnos de la mano que puede sacarnos del pozo de nuestras actitudes y circunstancias.

Lo que Jeremías, el pueblo de Judá y nosotros necesitamos comprender es que Dios está de nuestra parte. Cuando estamos en sus manos, las aflicciones no son todo el cuadro. En un mundo bajo el poder del pecado y el enemigo de las almas, el nivel de aflicción de los seres humanos podría alcanzar extremos espeluznantes, y sólo a veces captamos una vislumbre de lo que podría ser nuestra experiencia cotidiana si Dios no interviniese a menudo en nuestro favor.

Al igual que raras veces percibimos cuánto peor podríamos estar sin la gracia divina, tampoco advertimos la constancia y abundancia de las bendiciones que ya disfrutamos. Las recibimos de manera tan constante que las consideramos cosa normal y merecida. Olvidamos que dentro de un mundo en rebelión contra su Creador, todas estas cosas responden a una iniciativa consciente del Dios amante que está haciendo todo lo posible por llevarnos a una existencia libre de pecado, muerte y dolor.

Señor, ayúdame hoy a reconocer tus múltiples misericordias. No las merezco, pero las recibo gustoso y agradecido de ti, mi Padre celestial. MAV

LA VOZ DEL SILENCIO

Bueno es esperar en silencio la salvación de Jehová. Lamentaciones 3:26.

Puede ser que esta declaración del profeta Jeremías nos confunda. Esperar en silencio el día de nuestra anhelada liberación, es algo casi imposible para el cristiano. Nuestra redención ha de anticiparse. Debe proclamarse a voces y con trompetas. Esta es una promesa de alegría, y no de silencio. ¿Por qué entonces nos hace Dios un pedido aparentemente tan ilógico?

Aquí se hace referencia más bien al acto de abrir nuestros labios para verbalizar nuestra desconfianza en Dios, y nuestro disgusto por la forma en que realiza su obra. Cuando confesamos nuestros sentimientos de descontento hacia nuestro Creador, o hablamos a nuestros hermanos de una forma que apaga la vacilante llama de su fe, deshonramos a Cristo y despreciamos su salvación. El gozo de la presencia divina y el cuidado amante de nuestro Señor Jesús pierden significado y valor cuando exteriorizamos nuestra propia desconfianza.

Se nos anima a esperar la ayuda divina sin protestar, o levantar quejas, a no alterarnos por el que "prospera en su camino, o por el hombre que hace maldades" (Sal. 37:7). Y se nos da otra razón.

Dios se revela en la quietud del silencio. Éste es quizá su método favorito para comunicarse con los hombres. Cuando el profeta Elías se hallaba escondido en la cueva de Horeb, escuchó la voz de Dios que le decía: "Sal fuera, y ponte en el monte delante de Jehová" (1 Rey. 19:9-13). Elías no vio a Dios en el poderoso viento que rompía los montes y quebraba las peñas. Tampoco lo encontró en el terremoto que se produjo tras el huracán, ni en el fuego que le siguió.

Ninguno de estos admirables fenómenos naturales fue suficiente para representar la grandeza y el poder de Dios. Dios es más que todo eso. Es más poderoso que la tormenta y más glorioso que el fuego, pero fue en el silbo apacible y delicado que acarició la tierra adolorida por las potencias naturales, que Elías vio a Dios. "Y [Elías] cubrió su rostro con su manto, y se puso a la puerta de la cueva" (vers. 13), porque allí estaba Jehová, Dios de los ejércitos.

¡Qué admirable poder revelado en la quietud! ¡Qué Dios tan grande que, por grande, escoge lo cotidiano para revelarse a sus hijos!

Gracias, oh Dios, por la promesa contenida en el silencio. OLV

EL TOQUE DEL MAESTRO

Su sentarse y su levantarse mira; yo soy su canción. Lamentaciones 3:63.

Un frío viento del norte soplaba austero sobre las riberas del río Támesis en aquella mañana; y las calles de la ciudad, desiertas, dormitaban bajo un velo blanco de nieve. En la soledad de ese panorama de hielo, un ciego tocaba su deslucido violín con la esperanza de que, al escucharlo, la gente se apiadara de él y le arrojara algunas monedas desde las ventanas. Sus artríticos y viejos dedos, casi congelados por el frío, trataban de sacarle inútilmente música al instrumento, cuando dos hombres bien vestidos se acercaron a él.

—Es un mal día, amigo. Debería irse a su casa —comentó uno de ellos.

—Quizás tenga razón. La gente se niega a abrir sus puertas y ventanas —replicó el músico.

—¿Por que no los obliga entonces a abrirlas? Toque su violín, y tendrán que escucharlo —sugirió uno de ellos.

—Ojalá pudiese tocar bien —comentó el ciego desalentado—, pero mis dedos ya no me ayudan.

Entonces, dándole unas palmaditas de consuelo sobre el hombro, aquel hombre tomó el violín de sus manos y comenzó a tocarlo. Mientras movía suavemente el arco sobre las cuerdas, el crudo viento comenzó a esparcir el sonido de una música celestial. Al escucharla, la gente comenzó a abrir sus ventanas congeladas, y los niños abrieron las puertas para salir a ver quién tocaba. Aquel hombre producía música de ángeles, y enseguida una lluvia de monedas comenzó a caer desde las ventanas y balcones de los edificios donde se asomaba la gente para escuchar.

—¿Quién es el que toca?—preguntó el ciego conmovido—. Ha de ser un maestro.

—Un maestro en verdad. Es Paganini —respondió el otro hombre que los acompañaba, mientras recogía las monedas.

¡Ah, qué maravilloso el cambio ocurrido en manos de aquel gran maestro! Del mismo modo, la mayoría de nosotros somos hombres y mujeres ordinarios. Quizás usted se sienta sin valor personal alguno, quizá no se crea merecedor de las bendiciones de Dios, o se sienta desalentado y pusilánime ante sus intentos fracasados de ser un mejor cristiano. Somos simple barro. Pero Dios hace milagros con el barro.

Gracias, Señor, porque nada se asemeja a tu poder. OLV

¿ÁGUILA O GALLINA?

Y les daré un corazón, y un espíritu nuevo pondré dentro de ellos; y quitaré el corazón de piedra de en medio de su carne, y les daré un corazón de carne, para que anden en mis ordenanzas, y guarden mis decretos y los cumplan, y me sean por pueblo, y yo sea a ellos por Dios. Ezequiel 11:19-20.

Cuenta la historia que cierto hombre que caminaba por una zona montañosa encontró un aguilucho abandonado. Si lo dejaba allí, las probabilidades de supervivencia de la avecilla serían mínimas. Decidió entonces recogerlo y llevarlo a su casa para darle tratamiento en cautividad. El aguilucho pronto se recuperó, pero como su benefactor lo había colocado en el corral, junto con las gallinas, confundió su identidad y comenzó a mostrar comportamientos similares a las aves de corral.

Un día, un naturalista que pasaba por allí vio al águila comiendo maíz junto a las gallinas, y se sorprendió que el rey de todas las aves viviera en tan indigno estado. "Como le enseñé a ser pollo, ya no es águila", le informó el hombre que la crió. "Sin embargo —insistió el naturalista—, sigue siendo águila, y con toda seguridad se le puede enseñar a volar".

Al naturalista le tomó un tiempo enseñar al águila a volar, pero finalmente un día los rayos del sol tocaron las agudísimas pupilas del águila, y ésta se elevó sin vacilación buscando los caminos del aire. Su grito triunfante surcó los cielos, y se perdió en el horizonte rumbo a las alturas.

Este relato podría reflejar la condición espiritual de muchos de los hijos de Dios. "¿Quién soy?" Ese es el grito desesperado de la humanidad que busca una respuesta a la finalidad de su vida. El Espíritu Santo nos asegura que somos criaturas de Dios, destinadas a remontarnos en las alas de la fe hacia la cumbre más alta de la existencia humana. Pero a veces nuestra vida indica otra cosa.

Dios quiere que recordemos que no fuimos creados para vivir en el fracaso. Él quiere que nos repongamos, y que fijemos nuestra vista en las alturas. Para esto nos promete darnos un corazón y un espíritu nuevo. Nos promete quitar el corazón de piedra que nos ata a las bajezas de la tierra, y sustituirlo por uno que nos lleve a él (Eze. 11:19, 20)

Señor, dame el impulso para elevarme a tu presencia. OLV

DIOS QUIERE NUESTRO BIEN

Porque no quiero la muerte del que muere, dice Jehová el Señor; convertíos, pues, y viviréis. Ezequiel 18:32.

Satanás no puede ser Dios, porque es un ser creado. Pero su método es el engaño. Presenta su mentira como verdad e intenta tergiversar el carácter de Dios presentándolo como un ogro que desea controlarnos, que no nos permite expresarnos, que desaprueba y castiga a sus hijos. En el Edén comenzó una campaña despiadada por desmentir las mismas palabras de Dios y hacernos desconfiar de él.

Esta imagen torcida de Dios incluso se ha inmiscuido en el pensamiento de los creyentes. Cuando los padres amenazan a sus hijos con el castigo divino cuando se comportan mal, cuando les dicen que Dios se enfada con ellos cada vez que mienten, están perpetuando la imagen de un dios que es más hombre que Dios.

El Dios que nos creó para gozar nuestra compañía no se ufana de nuestro sufrimiento y mucho menos de nuestra muerte. Eli Wiesel, sobreviviente de un campo de concentración alemán, cuenta de un niño que fue colgado junto al camino que el resto de los confinados debían transitar. Al observar a la criatura en sus prolongados estertores de muerte, al contemplar la mezcla de horror e inocencia en sus grandes ojos, uno de los presos exclamó: "¿Dónde está Dios?" La respuesta del Evangelio es: "Allí. Allí estaba, en aquel niño sufriente. Allí estuvo, a los 33 años y medio, colgado entre cielo y tierra, fuera del muro, para que en el desfile de la historia, sepamos que Dios nos amó tanto como para proveer una salida a nuestro triste cautiverio del pecado.

El sacrificio de Jesús es la respuesta divina al interrogante del dolor humano. Su victoria es nuestra victoria y nuestra esperanza de resurrección y una existencia mejor. Por eso pudo decir: "Yo soy el primero y el último; y el que vivo, y estuve muerto; mas he aquí que vivo por los siglos de los siglos, amén. Y tengo las llaves de la muerte y del Hades" (Apoc. 1:17, 18).

Gracias, Señor, porque si no merecemos el sufrimiento, tampoco merecemos el destino glorioso que nos has deparado. MAV

EL REPOSO DIVINO

Y les di también mis días de reposo, para que fuesen por señal entre mí y ellos, para que supiesen que yo soy Jehová que los santifico. Ezequiel 20:12.

El tema del sábado tiene varias facetas. Una es su aspecto antropológico: "El día de reposo fue hecho por causa del hombre, y no el hombre por causa del día de reposo" (Mar. 2:28). El sábado proviene de la sabiduría de un Creador que conoce a sus criaturas y su necesidad básica de reposo y restauración periódica. Otra faceta es la función sabática de promover nuestra relación con Dios, su característica de cita con Dios en el tiempo.

Según la Biblia, es claro que el sábado ocupa un lugar central en nuestra adoración al Dios verdadero. Revela la razón por la cual Dios debe ser adorado: Él es el Creador y nosotros somos sus criaturas. Así nos guarda de dioses falsos y de la idolatría y se convierte en una señal de nuestro pacto con el Dios verdadero, porque la característica que distingue a Dios de otros dioses falsos es su facultad creadora (ver Jer. 10:10-12; Hech. 17:23, 24; Hech. 14:15). Por esto el Señor mismo declaró que el sábado sería una "señal entre mí y vosotros, para que sepáis que yo soy Jehová vuestro Dios" (Eze. 20:12, 20; Éxo. 31:17).

Muchos consideran que el sábado es algo así como el sello de la ley de Dios. En forma general, un sello contiene tres elementos: el nombre del dueño del sello, su título y su jurisdicción. Únicamente el mandamiento del sábado incluye estos tres elementos. El nombre del legislador, "Jehová tu Dios"; el título, Creador; y lo que compone su territorio, "los cielos y la tierra" (Éxo. 20:10, 11).

El sábado también tiene dimensiones proféticas. El apóstol escribió: "Por tanto, queda un reposo para el pueblo de Dios. Porque el que ha entrado en su reposo, también ha reposado de sus obras, como Dios de las suyas. Procuremos, pues, entrar en aquel reposo, para que ninguno caiga en semejante ejemplo de desobediencia" (Heb. 4:9-11). Constituye así un símbolo de la salvación definitiva, una salvación que ocurre por la fe, no por las obras, un cese de actividades que demuestra la dependencia de las criaturas respecto de su Creador.

Señor, gracias por el sábado. Que esta semana tenga un encuentro especial contigo en tu día. MAV

¿ESTÁ USTED LISTO PARA MORIR?

Y pondré dentro de vosotros mi Espíritu, y haré que andéis en mis estatutos, y guardéis mis preceptos, y los pongáis por obra. Ezequiel 36:27.

Ezequías fue uno de los mejores reyes de Israel. Durante su gobierno, el país experimentó un despertar religioso sin precedentes, las estrategias militares experimentaron un denodado fortalecimiento, y se vivió una relativa solidez económica. Pero el postrer enemigo, la muerte, amenazó a Ezequías con destruirlo.

El profeta Isaías le comunicó la terrible noticia: "Jehová dice así: Ordena tu casa, porque morirás, y no vivirás" (2 Rey. 20:1). Sin duda alguna, Ezequías temía la muerte, y quería seguir con vida para concluir su obra de reforma. Lloró, y suplicó a Dios que le prolongara la vida. Y Dios contestó su oración. A pesar de sus faltas y pecados sucesivos, Ezequías quedó en la historia judía como un gran rey. Fortificó la ciudad, mejoró su sistema de acueductos, limpió de ídolos la tierra y procuró guiar al pueblo a retornar a los caminos de Dios.

La historia de enfermedad, muerte y triunfo del rey Ezequías me conmueve. Pero a la vez me causa zozobra. ¿Cómo hubiésemos nosotros recibido la noticia que se le dio a Ezequías? ¿Cuál habría sido nuestra reacción? ¿Estamos acaso preparados para morir si hoy se nos anunciara el final de nuestra jornada?

No nos gusta pensar ni meditar en la muerte. Pero tarde o temprano tendremos que enfrentarla. Ezequías pudo orar al Señor: "Te ruego, oh Jehová, te ruego que hagas memoria de que he andado delante de ti en verdad y con íntegro corazón, y que he hecho las cosas que te agradan" (2 Rey. 20:3). ¿Pero podríamos nosotros orar del mismo modo?

Como dice el texto de hoy, Dios ha prometido poner su Espíritu Santo en nosotros, y hacer que andemos en sus estatutos y guardemos sus preceptos. La lucha por la santificación no es nuestra. Cristo es quien efectúa la obra renovadora en nuestros corazones. Para nosotros también hay otra oportunidad. Dejemos que el comienzo de una nueva vida tome lugar hoy. Sólo necesitamos pedirle a Jesús que entre en nuestro corazón y lo renueve con su poder.

Gracias, Padre amante, porque contigo siempre hay otra oportunidad. OLV

UN PUEBLO CON DIOS

Habitaréis en la tierra que di a vuestros padres, y vosotros me seréis por pueblo, y yo seré a vosotros por Dios. Ezequiel 36:29.

El tema del inmigrante se repite varias veces en las Escrituras. En cierto sentido, la Biblia es un libro de inmigrantes. Caín emigró por causa de su trasgresión e inició una segunda línea genealógica de seres humanos (Gén. 4:16). Abrahán fue llamado por Dios a dejar su "tierra y [su]... parentela" para dar inicio a la nación de Israel (Gén. 12:1-3). David huyó de Israel (1 Sam. 21:10), y José y Moisés vivieron como extranjeros en Egipto (Gén. 39:1; Éxo. 2:1-10). Daniel fue llevado cautivo a Babilonia (Dan. 1:3-7). José y María huyeron a otro país para proteger a Jesús (Mat. 2:13, 14). Jesús, el Inmigrante por excelencia, vino del cielo, de parte de su Padre, para darle a toda la humanidad la oportunidad de ser ciudadanos de una tierra mejor (Juan 1:1-14).

Para la persona que abandona la tierra que lo vio nacer, el traslado es mucho más que una nueva localidad. Se sufre la separación de los seres queridos, el impacto de un nuevo ambiente, y a veces también la fatiga por aprender una nueva lengua o adaptarse a una cultura muy diferente a la propia. Aunque la persona se adapte a la nueva vida, persisten los afectos por la vida que dejó: los paisajes, la música, la cocina y las costumbres.

La promesa de hoy alude a la necesidad humana de una patria que trascienda los reclamos del terruño. Es una patria que existe en el tiempo, se remonta al pasado y a nuestra historia como raza; también se proyecta al futuro, hacia el momento de la reconciliación total con el Creador. La tierra dada a nuestros "padres" en última instancia es el mundo perfecto creado por Dios y entregado a Adán y Eva. La restauración prometida incluye la reintegración a una relación entre Dios y su pueblo. Ahora somos parte de un pueblo que traspasa toda frontera. De una nación espiritual de fe y amor. Tenemos esperanza y tenemos un destino.

Señor, gracias porque no estoy solo ni desamparado. Pertenezco a tu pueblo y te pertenezco a ti. Tu amor es mejor que una patria terrenal. MAV

ÉL ESTÁ EN EL CONTROL

Él muda los tiempos y las edades; quita reyes, y pone reyes; da la sabiduría a los sabios, y la ciencia a los entendidos. Daniel 2:21.

La locución de Daniel es una expresión de alabanza a Dios por haberle revelado el sueño de Nabucodonosor. Puesto que el rey había dictado sentencia de muerte a todos los sabios de la corte, incluyendo a Daniel y sus tres compañeros, la revelación era en efecto un instrumento de salvación y vida.

Daniel incluye varios elementos en su declaración: En primer lugar, reconoce el derecho y el poder de Dios respecto a la conducción de la historia. Bien dijo Elena G. de White en su declaración clásica sobre el tema: "En los anales de la historia humana, el crecimiento de las naciones, el levantamiento y la caída de los imperios, parecen depender de la voluntad y las proezas del hombre. Los sucesos parecen ser determinados, en gran parte, por su poder, su ambición o su capricho. Pero en la Palabra de Dios se descorre el velo, y contemplamos detrás, encima y entre la trama y la urdimbre de los intereses, las pasiones y el poder de los hombres, los agentes del Ser misericordioso, que ejecutan silenciosa y pacientemente los consejos de la voluntad de Dios" (*La educación*, p. 169).

Dios conduce la historia, ya sea ordenando lo que ha de cumplirse o permitiéndolo. Llamó a Abrahán a salir de Ur de los caldeos; permitió que los israelitas fuesen víctimas del cautiverio egipcio durante más de cuatro siglos, y luego los libró. Pero no sólo es Dios responsable del destino de las naciones, sino que esta manera de actuar se aplica también a nuestros asuntos personales.

¿Cómo es que Dios dirige los destinos de personas que gozan de la libertad de elección? Dios tiene un plan "grande" que se cumple, ya sea que las personas o países acepten o no el papel que Dios les asigna. Cuando una persona o nación rechaza ese plan, Dios llama a otra persona o nación para que ocupe el lugar estipulado por su providencia. Este modo de dirigir la historia que también respeta el libre albedrío de individuos y gobiernos, ha demostrado ser extremadamente complejo, pero es la única manera permitida por el amor justo y misericordioso de Dios.

Señor, ayúdame a entender tu voluntad para mi vida. Que si de alguna manera me he apartado de tu plan, hoy inicie el camino de regreso a ti. MAV

LA GUERRA ANUNCIADA

Y en los días de estos reyes el Dios del cielo levantará un reino que no será jamás destruido, ni será el reino dejado a otro pueblo; desmenuzará y consumirá a todos estos reinos, pero él permanecerá para siempre. Daniel 2:44.

Muda de asombro y consternación, me uní en sentimiento a los millones de personas de todas partes del mundo que desde sus hogares contemplaban el saqueo de Bagdad, tras la Guerra de Irak, aquella mañana del 21 de abril de 2003. Impasibles, las pantallas de la televisión desplegaban ante nuestros incrédulos ojos la catástrofe que extinguía la herencia cultural iraquí, y rescindía la memoria de la humanidad entera. Sin que pudiésemos hacer nada por detener el horror, el saqueo terminó por reducir a cenizas la Biblioteca Nacional de Bagdad. El pillaje arrasó las 28 salas y los sótanos del Museo Nacional, donde por siglos se habían guardado los primeros ejemplares de la escritura humana y de los símbolos numéricos. En pocas horas la legendaria Babilonia fue convertida en un erial, en el cual la historia volvía a hacer hincapié en el quebranto y el legado de nuestra herencia humana.

Al dolor de los siglos, al pillaje de Constantinopla en 1204 por los cruzados católicos, a la destrucción de Tenochtitlán en 1521 por los conquistadores, y al expolio de Roma en 1527 por las tropas de Carlos V, se unió el latrocinio de Irak. Pero la depredación de las riquezas de este mundo es sólo un recuento pálido de lo que el gran corsario de las almas, Satanás, ha hecho con el patrimonio de Jesucristo.

Satanás ha despojado a la creación de su naturaleza íntegra, y ha alienado la voluntad de los hijos de Dios para obedecerle y servirle. Nos ha dejado destituidos de la gloria del Padre, y separados de todo lo que nos pertenece como herederos de las promesas de Dios. Con las palabras del verso de hoy, nuestro Señor Jesús promete rehabilitar nuestras facultades empobrecidas por el pecado, nos asegura la reposesión de bienes y la reivindicación de la felicidad y la vida eterna bajo un nuevo reino de justicia y amor.

La rica región mesopotámica, la cuna de la humanidad, podrá haber quedado olvidada bajo los despojos de las guerras. Destruidas y olvidadas podrán quedar sus civilizaciones, la escritura cuneiforme, el código de Hammurabi, la biblioteca de Nínive, y los jardines colgantes de Babilonia. Pero las promesas de Dios son eternas y verdaderas. Y más que todo, fueron hechas para nosotros.

Gracias, padre, por la promesa de que tú permaneces para siempre. OLV

SEÑALES DE LOS ÚLTIMOS DÍAS

En aquel tiempo se levantará Miguel, el gran príncipe que está de parte de los hijos de tu pueblo; y será tiempo de angustia, cual nunca fue desde que hubo gente hasta entonces; pero en aquel tiempo será libertado tu pueblo, todos los que se hallen escritos en el libro. Daniel 12:1.

Lluvias torrenciales azotaron Brasil provocando un total de 161 muertos y un saldo de 117.000 damnificados. Un terremoto de 6,1 grados en la escala de Richter rajó el noreste de Marruecos, causando 572 muertes y 405 heridos. Las inundaciones en el Estado mexicano de Coahuila ocasionaron 31 muertos, 50 desaparecidos y más de 2.000 damnificados. Un temporal en Birmania cobró la vida de 140 personas y dejó a 18.000 sin hogar. En la República Dominicana murieron 410 personas arrastradas por el desbordamiento del río Soleil. En Haití se informaron 1.330 muertos, 1.056 desaparecidos y 300.000 damnificados a causa de la tormenta tropical "Jeanne". Y en diciembre, mientras el mundo occidental todavía abría sus regalos de Navidad, uno de los maremotos más potentes de la historia de la humanidad devastó el sur de Asia, Sri Lanka, la India, y arrasó con islas turísticas en Tailandia y las Maldivas, dejando un saldo de casi 300.000 muertos y millones de damnificados.

Lo anterior es sólo un recuento de algunas de las catástrofes naturales que nos afectaron en 2004. Cada día se escucha el clamor desesperado de un mundo que espera un cambio. Se habla de un calentamiento global y un agujero en la capa de ozono. El Ártico se derrite a velocidad pasmosa y los osos polares se extinguirán. El planeta muere de miedo. El fin de todas las cosas se acerca.

Ya nuestro Padre celestial lo advirtió: "Entonces habrá señales en el sol, en la luna y en las estrellas, y en la tierra angustia de las gentes, confundidas a causa del bramido del mar y de las olas". "Porque habrá gran tribulación, cual no la ha habido desde el principio del mundo hasta ahora, ni la habrá" (Luc. 21:25, Mat. 24:21).

Estas catástrofes serán más numerosas y terribles justo antes de la venida de Cristo y del fin del mundo, como señales de la rápida destrucción que sobrevendrá sobre la tierra. Pero no debemos temer. Los hijos de Dios seremos resguardados en medio de estas terribles conmociones, tal como un día Noé y su familia fueron salvaguardados en el arca en el momento del diluvio.

Gracias, Señor, porque puedo confiar en tus promesas de protección. OLV

VALE LA PENA SER MAESTRO

Los entendidos resplandecerán como el resplandor del firmamento; y los que enseñan la justicia a la multitud, como las estrellas a perpetua eternidad. Daniel 12:3.

El libro de Daniel, junto con el otro gran libro profético del Apocalipsis, coinciden en el tema preponderante de la profecía bíblica: El triunfo de Dios. Aunque no hay una comprensión generalizada de las profecías de Daniel 11 (algunos creen que ya se cumplieron a fines del siglo XIX o a comienzos del XX), el capítulo 12 claramente se refiere a la intervención de Dios en la historia humana para libertar a sus hijos.

El nombre Miguel aparece en la Biblia sólo en el contexto del conflicto entre Dios y Satanás. Significa "¿quién es como Dios?", y cuando se estudian los pasajes que lo incluyen, es claro que se refiere a Cristo. Por ejemplo, en 1 Tesalonicenses 4:16 se dice que una "voz de arcángel" llamará a los muertos a vida en ocasión de la segunda venida. Cristo declaró que los muertos saldrán de sus tumbas cuando oigan la voz del Hijo del Hombre (Juan 5:28).

Aquí, al fin del tiempo, "se levantará Miguel... que está de parte de los hijos de tu pueblo", y "será libertado tu pueblo" (Dan. 12:1). Esta intervención divina incluirá la resurrección de los muertos y la separación consiguiente de los moradores de la tierra en dos grupos: "unos para vida eterna, y otros para vergüenza y confusión perpetua" (vers. 2). Entonces el profeta hace un pequeño paréntesis para referirse a los que han sido resucitados para vida eterna. Estos son los "entendidos".

Estos "entendidos" ("sabios" en Dan. 11:33) han sido perseguidos por su fidelidad a Dios, pero en medio de la persecución cumplen la comisión de enseñar el Evangelio de salvación "a muchos". Los creyentes fieles cumplen el mandato de Jesús (Mat. 28:18-20) y gozan de la seguridad de su presencia.

Todo aquel que "entiende" o discierne el mensaje de Dios, comprende también que este mensaje debe compartirse. Si usted y yo no estamos compartiendo la "justicia" con otros es porque quizá no hemos entendido verdaderamente su importancia e inminencia. Es un gran privilegio formar parte de los "entendidos", como también una seria responsabilidad, porque en el tiempo del fin, sólo "los entendidos comprenderán" el mensaje de Dios. ¿Seremos parte de aquellos que sean hallados compartiendo el mensaje de Dios?

Señor, ilumíname para que pueda hoy alumbrar a otros con la luz de tu amor. MAV

VIDA DESPUÉS DE DOS DÍAS

Nos dará vida después de dos días; en el tercer día nos resucitará, y viviremos delante de él. Oseas 6:2, 3.

El libro de Oseas trata del amor de Dios hacia su pueblo pecador. El libro describe los castigos que caerán sobre Jerusalén, pero también se muestra que los castigos de Dios son exhortaciones al arrepentimiento y al reinicio de la relación entre él y sus hijos. A través de la parábola viviente de la relación del profeta Oseas con su esposa Gomer, se revelan los tiernos sentimientos de Dios en favor de su pueblo.

El versículo de hoy pareciera ser una especie de profecía mesiánica, aunque muchos comentadores creen que la frase "después de dos días" se refiere a un tiempo indefinido. En la experiencia del pueblo israelita no se cumplió literalmente una sanidad corporativa luego de dos días de enfermedad, pero el tenor del pasaje contiene una hermosa promesa para nosotros hoy.

Se alude a una condición de muerte espiritual en la que Dios mismo permite que caigamos con el propósito de despertarnos a una nueva vida en él. La terrible apostasía de Israel lo había alejado a tal punto de Dios que su situación era comparable a una muerte. No sólo Dios promete sanar a su pueblo, sino que promete un progreso futuro basado en un proceso de conocimiento paulatino de Dios que culminará en el derramamiento del Espíritu Santo en las lluvias temprana y tardía (vers. 3).

El peligro implícito en una condición tal de alejamiento de Dios es que el enfermo no nota su gravedad. En Oseas el enfermo reconoce su condición. El problema es que ha ido a buscar sanidad en otras fuentes aparte de Dios. "Y verá Efraín su enfermedad, y Judá su llaga; irá entonces Efraín a Asiria, y enviará al rey Jareb; mas él no os podrá sanar, ni os curará la llaga" (Ose. 5:13).

No hay sanidad en "Jareb". El Señor es el único médico para nuestros males espirituales. No hay medicina humana para el pecado o para la angustia existencial de vivir apartado de Dios. Lo maravilloso es que el mismo que permite nuestro dolor para detener nuestra caída hacia la perdición, es quien "nos curará... y nos vendará" (vers. 1)

Señor, no quiero llegar hasta el punto de la "muerte", hallarme tan lejos de ti que ya ni distinga mi necesidad de acercarme. Pero si hoy me permites ver mi condición, te ruego que también me levantes a una nueva vida en ti. MAV

¿ES POSIBLE CONOCER A DIOS?

Y conoceremos, y proseguiremos en conocer a Jehová; como el alba está dispuesta su salida. Oseas 6:3.

Qué hermosa promesa la de hoy. Todas las fuerzas colectivas de la naturaleza siguen un fiel patrón que no se puede alterar. No hay nada que el ser humano pueda hacer, o dejar de hacer, para impedir que tras la noche siempre salga el sol. Y es ésta, precisamente, la imagen de fidelidad que el profeta Oseas nos trata de mostrar en relación a la promesa divina de llegar a conocer a Dios.

No existe nada sobre la tierra, ni fuera de ella, que pueda impedirnos intimar, entender y llegar a conocer al Todopoderoso. Esta realidad es tan cierta como tan seguro es que cada día sale el sol. Dios está interesado en que lo conozcamos. ¿Por qué? Porque el amor más puro no se da sin antes llegar a conocer al objeto amado. Y conocer a Dios es inevitablemente llegar a amarlo, es necesariamente honrarlo y hacer su voluntad.

No sin razón, el enemigo de las almas está muy interesado en que esto no llegue a ocurrir. Siempre ha sido el firme propósito de Satanás eclipsar la visión de Dios e inducir al ser humano a mirarse a sí mismo, a confiar en sí mismo y a esperar ayuda de sí mismo. Satanás quiere hacernos creer que es imposible llegar a conocer a Dios. Ésta es otra de sus grandes mentiras. Es realmente posible llegar a conocer a nuestro Padre celestial. Es más, Jesús mostró que es un requisito para obtener la vida eterna: "Y esta es la vida eterna; que te conozcan a ti, el único Dios verdadero, y a Jesucristo, a quien has enviado (S. Juan 17:3). Si Dios espera que lo conozcamos, obviamente debe ser posible conocerlo.

¿Pero cómo se puede llegar a conocer a Dios? La Biblia establece claramente que sólo podemos llegar al Padre a través de Jesucristo, en quien se cifran nuestras esperanzas de vida eterna. Jesús nos lleva al Padre. Él es el único mediador entre Dios y los hombres (1 Tim. 2:5) "Yo soy el camino, y la verdad, y la vida; nadie viene al Padre sino por mí" (Juan 14: 6). Para eso fue enviado Jesús al mundo, para reconciliarnos con Dios, para que ya no estemos separados de él, y para restablecer la íntima comunión que en un principio gozaban Adán y Eva con Dios.

¿Desea conocer a Dios de todo corazón? Busque a Jesús. Tome la Biblia, y dígale ahora mismo:

Jesús, quiero conocerte. Ayúdame a mirarte más, a buscarte más y a amarte más. OLV

LO QUE DIOS DESEA

De la mano del Seol los redimiré, los libraré de la muerte. Oh muerte, yo seré tu muerte; y seré tu destrucción, oh Seol. Oseas 13:14.

No sé si usted ha estado alguna vez en el funeral de un niño pequeño. Como ministro religioso me ha tocado oficiar en más de uno. Conozco a un pastor cuya hija fue atropellada en la calle al frente de la iglesia. Se llamaba Lirio del Valle y tenía doce años de edad. En estos casos no falta alguno que se atreve a decir, como para consolar a los dolientes, "era la voluntad de Dios". ¡No es así! Una cosa es lo que Dios permite y otra es lo que él desea.

Este terrible cúmulo de sufrimiento de todo padre que ha dejado en la húmeda tierra del camposanto una pequeña caja cubierta de flores, de cada hijo oprimido por el luto, de cada esposa incomprendida y maltratada, no es la voluntad de Dios. "No quiero la muerte del que muere", dice el Señor en Ezequiel 18:32. Dios no nos hizo para morir ni para sufrir; estos son elementos extraños que a él no le agradan, pero que nos llegan como consecuencia de vivir en un mundo caído. Ni Jesús mismo veía con agrado los sufrimientos de la cruz y oró en el Getsemaní para que "pasase de él esa copa" (Mat. 26:39).

Si Dios no quiere el sufrimiento para nosotros, entonces ¿por qué sufrimos?

Yo no conozco una respuesta totalmente satisfactoria a esta pregunta. Aparte del sufrimiento que nosotros mismos provocamos por nuestros actos y decisiones, el mal —en general— no tiene explicación. La vida no es justa ni fácil para nadie. Pero el aparente silencio de Dios frente al sufrimiento tiene su origen en la esencia misma del conflicto entre el bien y el mal. Dios decidió que sus criaturas serían libres, incluso para escoger el camino del mal y separarse de Dios mismo. Si Dios hubiese escogido el camino de la fuerza y la opresión, los seres humanos lo obedeceríamos por temor y no por amor. No escogeríamos servirle, sino que seríamos obligados a hacerlo.

El sufrimiento es por tanto el precio de la libertad. Jesús nunca nos engañó prometiéndonos una vida de total ausencia de penas. El texto de hoy hace dos cosas: Nos dice que Dios no quiere el sufrimiento ni la muerte, y que ha provisto un camino de salvación.

Señor, el sufrimiento y la muerte nunca serán fáciles de aceptar. Ayúdame a entender que no son tu voluntad, y que algún día seremos libres de ambos. MAV

EL ROCÍO DIVINO

Yo seré a Israel como rocío; él florecerá como lirio, y extenderá sus raíces como el Líbano. Oseas 14:5.

¡Qué promesa más vivificante nos ofrece Oseas! Connota vida y hace referencia a la fertilidad espiritual del pueblo de Dios. En un mundo abatido por el pecado, que como una triste margarita se deshoja bajo sus efectos, esta imagen es reconfortante para el hijo de Dios.

Cuando era pequeña, la visión del rocío matinal sobre la manigua soñolienta me fascinaba. La naturaleza parecía colmada de una magia especial bajo su efecto. La luna comenzaba a desaparecer con el primer resplandor dorado del amanecer, y en la lejanía se escuchaba relinchar a un caballo. Un toro cebú le contestaba, y las ranas y los tomeguines parecían alabar a su Creador bajo la naturaleza preñada de rocío.

Me imagino que Dios quizá tuvo en cuenta una escena similar al inspirar este versículo. En los países donde hay poca lluvia, el rocío tiene mucha importancia. En los climas áridos y semiáridos, la agricultura prácticamente depende del rocío. Sin él, esos territorios dejarían de ser cultivables en poco tiempo, y todo moriría. Igualmente, el hombre que no tiene a Dios en su corazón se asemeja al tallo mustio que perece por falta de humedad.

Cristo es el Rocío que sostiene nuestro crecimiento. Él es la fuente de la fertilidad espiritual de su pueblo; y así como el rocío desciende cada noche sobre la tierra, su gracia divina se manifiesta sobre el hombre que confía en él.

¡Oh, cuánto te amo Jesús! Mi alma te contempla extasiada. Tu gracia es el rocío divino que renueva mi alma cada mañana. Mi corazón te busca con ansias, como la flor de la mañana bebe del rocío que alimenta su sed.

Gracias, Padre, porque el rocío de tu gracia aún riega la sequedad de nuestra existencia. OLV

UN REMANENTE SALVO

Vosotros también, hijos de Sion, alegraos y gozaos en Jehová vuestro Dios; porque os ha dado la primera lluvia a su tiempo, y hará descender sobre vosotros lluvia temprana y tardía como al principio. Joel 2:23 .

Todos los que hemos intentado alguna vez cultivar algún fruto o legumbre, sabemos la importancia de una irrigación adecuada. Hay muchos elementos que afectan el desarrollo de una cosecha, pero quizá el más crucial es la cantidad de agua que recibe. Para los habitantes de Palestina, cuya economía dependía en gran medida del cultivo, el tema de las lluvias siempre era importante.

En el mundo antiguo la caída de las lluvias necesarias era en efecto un motivo de alegría y gozo. La lluvia temprana caía en el otoño y contribuía a la germinación de la semilla. La lluvia tardía caía en la primavera y hacía madurar la cosecha. La promesa implícita era que Dios se ocuparía de su pueblo por medio de la obra del Espíritu Santo. Elena G. de White señaló que la lluvia temprana se refería al derramamiento del Espíritu en el día del Pentecostés (*El conflicto de los siglos,* p. 669), y que la lluvia tardía representa el derramamiento final del Espíritu Santo durante el tiempo del fin.

¿Qué nos dice esta referencia a nosotros en forma personal? Nos enseña que el mismo que comenzó en nosotros la obra de la salvación, la llevará a su consumación (Fil. 1:6). También sugiere que hay un proceso de crecimiento espiritual. Nadie nace como un cristiano maduro. La semilla germina, surgen las primeras hojas, se fortalece el tallo, se inician cambios reproductivos y se producen frutos. Nada de esto puede ocurrir sin el agua del Espíritu. Es más, el crecimiento depende de la irrigación que proviene de fuera de la planta.

Dios es quien prepara a los santos para los desafíos de los tiempos finales, y Dios es quien nos ayudará hoy a crecer en nuestra experiencia personal como individuos. El versículo de hoy contiene otros dos detalles notables. La lluvia del Espíritu cae "a su tiempo" y cae abundantemente. La palabra hebrea que se utiliza en la segunda parte del texto es *géshem*, que significa literalmente "aguacero". La ayuda de Dios viene en el momento preciso y siempre es suficiente para responder a nuestra necesidad.

Señor, atiende a mi sequía espiritual y lléname del frescor de tu Espíritu. Dame hoy lo que necesito, a "tu tiempo". MAV

SUEÑOS Y VISIONES

Y después de esto derramaré mi Espíritu sobre toda carne, y profetizarán vuestros hijos y vuestras hijas; vuestros ancianos soñarán sueños, y vuestros jóvenes verán visiones. Joel 2:28.

Esta promesa es muy importante para los creyentes que vivimos en el ocaso de la historia. Fue hecha primero al Israel antiguo, pero debido a su rechazo de Dios, le ha sido conferida al Israel espiritual. Pedro señaló que esta promesa tuvo un cumplimiento parcial el día del Pentecostés (Hech. 2:16-21).

Esta es una manifestación especial del Espíritu Santo. Cuando nos convertimos, y a cada paso de nuestra vida, sentimos en mayor o menor grado la influencia del Espíritu de Dios. Nos habla, nos enseña, nos convence de pecado. Pero aquí no se trata de esa labor transformadora del Espíritu, sino de una manifestación de dones sobrenaturales, de una "explosión" del poder de Dios en la vida de sus hijos.

Un detalle importante de la promesa es que tendrá un alcance amplio. El Espíritu será derramado sobre "toda carne". No significa que el Espíritu habilitará a los que lo rechacen, sino que no dependerá de factores humanos tales como talentos naturales, educación, condición social, sexo o edad. Es curioso que los ancianos tendrán "sueños", quizá una forma de conexión menos intensa entre Dios y su instrumento humano. Las "visiones", una experiencia agotadora según Daniel y otros profetas bíblicos, serán para los jovenes.

Aunque el pasaje de Joel habla de restauración física, es obvio que la bendición principal para el pueblo de Dios será la manifestación especial de su presencia entre ellos. Más allá de la salud, de las riquezas y las oportunidades de triunfo personal, se encuentra la revelación de Dios a sus hijos, la comunicación del pensamiento de Dios a través de sus criaturas.

Elena G. de White comentó lo siguiente: "Muchos... serán vistos corriendo de aquí para allá impulsados por el Espíritu de Dios para llevar la luz a otros. La verdad, la Palabra de Dios, es como fuego en sus huesos, y los llena con un deseo ardiente de iluminar a los que están en tinieblas... Los niños son impulsados por el Espíritu para ir y declarar el mensaje del cielo. El Espíritu se derrama sobre todos los que cedan a sus indicaciones, y arrojando de lado toda maquinaria humana, sus reglas limitativas y métodos cautelosos, declararán la verdad con el poder del Espíritu" (*El evangelismo,* p. 508).

Señor, permíteme ser de esos que serán tomados y utilizados por tu Espíritu. MAV

EL VERDADERO ADORADOR

Y todo aquel que invocare el nombre de Jehová será salvo. Joel 2:32.

Me gusta deleitarme en la promesa de hoy. En este sombrío mundo donde todos pareciéramos estar corriendo hacia un inevitable abismo, el solo pensamiento de que podemos invocar a Dios y ser salvos nos trae consolación.

El apóstol Pedro invocó a Dios cuando creyó que se hundía en las borrascosas aguas del Mar de Galilea, y Jesús lo salvó. El ladrón que moría en la cruz junto a Jesucristo clamó a él por el perdón de sus pecados, y recibió la certeza de su salvación. Cuando el pueblo de Israel se quejó ante Dios, y se encendió un fuego que consumió uno de los extremos del campamento, Moisés imploró a Jehová, y el fuego se extinguió.

Abraham, Joel, David, Juan y Pablo sabían por experiencia propia que todo aquel que invocare el nombre de Jehová será salvo. Por otra parte, las Escrituras también nos dicen que "no todo el que dice Señor, Señor entrará en el reino de los cielos" (Mat. 7:21). ¿Cómo, pues, habremos de entender la promesa de hoy?

En 1995, el grupo religioso La Verdad Suprema instaló bombas de gas neurotóxico en el sistema de transporte subterráneo en Tokio, Japón, donde perecieron más de 5.000 personas intoxicadas. David Koresh y sus 80 "ángeles del Apocalipsis", que perdieron la vida el 19 de abril de 1993 en la granja de la secta Davidiana de Waco, Texas, también invocaban el nombre de Jehová. Koresh decía ser el Cordero elegido por Dios para abrir los Siete Sellos del Apocalipsis, recitaba de memoria trozos enteros de la Biblia, componía himnos y desafiaba a los expertos en las Escrituras y a los líderes religiosos de todo el mundo a debatir con él, para demostrarle al mundo que él era el escogido de Dios. Sin embargo, mientras Koresh invocaba el nombre de Dios, vivía una vida pecaminosa. Sus delitos iban desde la corrupción de menores hasta el abuso sexual de adultos.

Conocer las Escrituras de memoria, alzar la voz a Dios en himnos de alabanza o invocar el nombre de Jehová, no quiere decir que tengamos el espíritu correcto. La invocación debe estar acompañada de un espíritu sincero y dispuesto a obedecer.

Señor, ayúdame a invocarte con corazón sincero, de manera que tus promesas se cumplan en mí. OLV

DIOS NO NOS DEJA SOLOS

Porque no hará nada Jehová el Señor, sin que revele su secreto a sus siervos los profetas. Amós 3:7.

Una de las cosas que aprendemos en el libro que lleva su nombre, es que Amós era un hombre de origen humilde. Su profesión era pastor y recogedor de higos silvestres. No era un hombre educado en las escuelas de su tiempo, pero Dios lo llamó para que entrase en su servicio como su vocero en una época de prosperidad que se caracterizó por el libertinaje, la opresión de los pobres y la inmoralidad.

Dentro del discurso de Amós, con las amonestaciones de parte de Dios y sus amenazas de castigos por el pecado del pueblo, aparece una promesa de singular importancia. El hecho de que Dios nos asegure que no nos castigará sin primero amonestarnos, es una prueba de su misericordia. Cada vez que Dios va a actuar decididamente, ya sea para defendernos o castigarnos, lo manifiesta por medio de sus profetas. Hizo tal cosa antes de dejar caer sus plagas sobre Egipto cuando se comunicó con Faraón por medio de Moisés, y también con Nínive. En un caso sus castigos prosiguieron su curso; en el otro, el arrepentimiento del pueblo ocasionó el perdón de Dios y la detención de los juicios divinos.

¿Cómo se cumple esta profecía en nuestra vida actual? En primer lugar, existen profecías respecto de los tiempos finales que constituyen advertencias para nuestro mundo antes de que caigan los castigos definitivos sobre el pecado y los pecadores. Dios nos ha dejado en su Palabra los mensajes que habrán de sostenernos en el tiempo de la prueba. Las profecías en sí tienen el propósito de fortalecer nuestra fe cuando comprobamos su cumplimiento. Jesús mismo aseguró respecto de sus profecías: "Desde ahora os lo digo antes que suceda, para que cuando suceda, creáis que yo soy" (Juan 13:19).

En segundo lugar, Dios nos habla por medio de su Santo Espíritu y de una conciencia santificada para advertirnos de los peligros de actitudes o conductas que pueden traernos consecuencias deletéreas para nuestra salud espiritual. Esto no hace de cada uno de nosotros un profeta, sino que el mismo Espíritu que inspiró las profecías es el Espíritu que "convencerá al mundo de pecado, de justicia y de juicio" (Juan 16:8).

Señor, háblame hoy por medio de tus profetas, especialmente si me he apartado de ti hasta el punto de requerir tus correcciones. MAV

BUSCADME Y VIVIRÉIS

Pero así dice Jehová a la casa de Israel: Buscadme, y viviréis; y no busquéis a Bet-el, ni entréis en Gilgal, ni paséis a Beerseba; porque Gilgal será llevada en cautiverio, y Bet-el será deshecha. Amós 5:4, 5.

Un tema recurrente en las amonestaciones divinas es el llamado a regresar a Dios. Dentro de los anuncios de terribles anuncios, a menudo se intercalan palabras de invitación al arrepentimiento. Una palabra clave en Amós 5 es el verbo "buscar" (5:4, 6, 8, 14). La esencia del mensaje es: "No busquen cultos idolátricos, ¡busquen al Señor!".

El problema no está en buscar, sino en saber buscar lo que no nos trae vida. Las ciudades que se mencionan eran centros de cultos a ídolos (ver Ose. 4:15; Amós 4:4). En el caso de Bet-el, el significado del nombre "casa de Dios" contrasta con lo que había llegado a ser: Una "casa de vanidad" (ver Ose. 4:15).

Algunos en Israel mostraban una actitud un tanto ingenua. Aguardaban el "Día del Señor", con la esperanza de que en ese momento el Señor los libraría de todos sus males. Confiaban en las promesas del pacto, pero no pasaban de un formalismo religioso. Amós les dijo que el "día de Jehová" les traería todo lo contrario a la prosperidad y las bendiciones que anhelaban.

¿Será que nosotros hoy también buscamos salvación en formas religiosas que no pueden satisfacernos? ¿Nos habremos conformado con una participación superficial que no nos acerca efectivamente a Dios?

No hay substituto para Dios. Hay una diferencia entre buscar a Dios y buscar el paliativo de las formas religiosas. No es que la religión sea o no falsa. El caso es que la religión en sí no puede salvar.

Más adelante, Amós resume el significado de su amonestación: "Buscad lo bueno, y no lo malo, para que viváis; porque así Jehová Dios de los ejércitos estará con vosotros, como decís. Aborreced el mal, y amad el bien, y estableced la justicia en juicio; quizá Jehová Dios de los ejércitos tendrá piedad del remanente de José" (Amós 5:14, 15).

Por lejos que nos encontremos de Dios, su llamamiento a buscarlo es otra evidencia de su eterno deseo de salvarnos.

Ayúdame hoy a encontrarte en la práctica de mi religión. Sólo en un encuentro directo contigo hallaré la salvación que anhelo. MAV

UN REMANENTE SALVO

Mas en el monte de Sión habrá un remanente que se salve; y será santo, y la casa de Jacob recuperará sus posesiones. Abdías 1:17.

Esta promesa se encuentra dentro de una profecía del profeta Abdías en contra de Edom, el pueblo descendiente de Esaú y un notorio enemigo de Israel. Se anuncia un castigo, no sólo para Edom, sino para "todas las naciones" en el "día de Jehová" (vers. 15). Por lo tanto, el pasaje trasciende la situación histórica particular de su época para remontarse al tiempo del fin.

En el contexto de los castigos del día de Jehová, se destaca lo que ocurre con un grupo identificado como "el remanente". El concepto de "remanente", "lo que queda", implica un grupo mayor del cual queda un grupo menor, pero aquí no se destaca el tamaño del remanente, sino su condición, "será santo". Israel triunfará en la persona del remanente.

Esta promesa se aplicaba al Israel histórico, pero éste no cumplió con las condiciones, por lo tanto nunca se cumplió la restauración. El profeta Daniel comprendió que el cautiverio babilónico confirmaba la "maldición" que había caído sobre Israel por su desobediencia (ver Dan. 9:1-12). Más adelante, cuando los israelitas crucificaron a Cristo, perdieron su posición especial como pueblo escogido de Dios.

"Las promesas y las amenazas de Dios son igualmente condicionales (*El evangelismo,* p. 504). Dios tiene un remanente. Él no permitirá que su pueblo sea derrotado en su totalidad, pero de cada uno depende si formará parte o no del remanente santo.

En estos tiempos finales la humanidad entera se alineará en dos grandes bandos. Dios colocará ante nosotros "la bendición y la maldición" (Deut. 30:19), como siempre lo hace, y nos invitará a alinearnos con su pueblo fiel.

Gracias, Señor, por tu promesa de santidad. MAV

UNA IDENTIDAD DEFINIDA

Entonces le dijeron ellos: Decláranos ahora por qué nos ha venido este mal. ¿Qué oficio tienes, y de dónde vienes? ¿Cuál es tu tierra, y de qué pueblo eres? Y él les respondió: Soy hebreo, y temo a Jehová, Dios de los cielos, que hizo el mar y la tierra. Jonás 1:8, 9.

El robo de la identidad se ha tornado en un temible azote de la sociedad. Criminales armados de la última tecnología obtienen los datos personales de un individuo a través de Internet o revisando los documentos descartados en la basura. Estos datos, tales como los números de tarjeta de crédito, les permiten pedir mercancías y elaborar nuevos documentos de identificación, creando una verdadera pesadilla para el dueño genuino de la identidad. Los daños globales se calculan en cientos de millones de dólares.

Pero quizás hay un fenómeno más triste por ser más común. El que la persona misma pierda de vista los rasgos y características que la identifican, el que no sepamos a ciencia cierta quiénes somos. Jonás, el profeta renuente, ha sido acusado de muchas cosas, pero el versículo de hoy muestra que al menos estaba seguro de quién era y a quién servía.

Jonás huía a su deber, evadía la misión encomendada por Dios, dormía el sueño del desánimo y la depresión en el fondo del navío, pero cuando se le pidió razón de su identidad, su respuesta fue categórica: "Soy hebreo, y temo a Jehová, Dios de los cielos, que hizo el mar y la tierra". Notemos algunos detalles. En primer lugar, los marineros vinieron a pedirle una solución a su problema. Sabían que la presencia de Jonás guardaba alguna relación con la tormenta que los azotaba. Las preguntas que le hicieron para saber quién era son las mismas que se hacen hoy: "¿Qué oficio tienes, y de dónde vienes?" Las palabras de Jonás aludieron a las raíces básicas de su identidad. Primero se refiere a su calidad de ser humano, como un ser físico, étnico y geográfico. Y luego expone aquello que mejor explica lo que él es: el centro y la razón de su existencia. "Temo [sirvo] a Jehová", el Creador.

¿Sabe usted quién es? Si le hicieran las preguntas hechas a Jonás, ¿se limitaría su explicación a su profesión, su nacionalidad, a dónde vive, a sus gustos y pasatiempos? Dios promete que si sabemos quiénes somos, él mismo pondrá en nuestros labios la respuesta certera.

Señor, quizá hoy alguien se me acerque queriendo conocerte. Te ruego que me ayudes para que mi respuesta sea clara y definida porque tú eres lo más importante en mi vida. MAV

SENTENCIAS CONDICIONALES

La salvación es de Jehová. Jonás 2:9.

El corto libro de Jonás es uno de los libros más fascinantes de las Escrituras. En él, la compasión y la gracia de Dios hacia el pecador arrepentido se revelan como en ningún otro libro. Tres tipos de pecadores se destacan allí: Los creyentes que, conociendo la verdad, se olvidan de Dios y evaden sus instrucciones; los pecadores que desconocen a Dios, pero que al advertir su poder creen en él; y el pecador que después de ser consciente de sus pecados, se arrepiente y orienta su vida hacia una reforma.

Jonás, en representación de los primeros, era un profeta frustrado que había recurrido a la presunción de huir de la presencia de Dios, con tal de no asumir su responsabilidad como profeta. Su testarudez y su falta de fe provocaron una serie de hechos que puso en peligro la vida de toda una tripulación. Jonás tenía un espíritu violento, no quiso obedecer a Dios, y cuando vio que en su misericordia Dios se retractaba de su amenaza contra Nínive, se deprimió en extremo y se enojó tanto que prefirió morir antes que ser testigo de la gracia divina (4:3). Incluso así, el Señor mostró misericordia hacia él, aunque tuvo que recurrir a medidas drásticas para que Jonás reconociera su pecado y se arrepintiera.

La misericordia divina tampoco excluyó a los marineros. Cuando el cielo oceánico se ensombreció y la tempestad azotó la embarcación donde Jonás se escondía de Dios, los marineros clamaron a sus dioses. Luego, cuando entendieron que el Dios de los cielos que hizo el mar y la tierra estaba detrás de las fuerzas sobrenaturales que los azotaban, siguieron las instrucciones del siervo de Dios y temieron a Jehová (vers. 16). Con los impenitentes habitantes de Nínive sucedió lo mismo. Desde el rey en su trono, hasta el indigente en la calle, se humillaron delante de Dios, confesaron sus pecados y, tras una reforma oficial que condujo a una reconsagración, cambiaron sus conductas abominables y se ampararon bajo la gracia remisoria de Dios. Así evitaron el castigo.

La historia de Jonás debe servirnos de advertencia. De ella debemos aprender que la condenación o la bendición de Dios depende de nosotros.

Padre, soy pecador. Apiádate de mí. OLV

CIERTAMENTE JEHOVÁ ESTÁ EN ESTE LUGAR

¿Qué Dios como tú, que perdonas la maldad, y olvidas el pecado...? Miqueas 7:18.

Se ha sentido alguna vez tan lejos de Dios que ha pensado que el Salvador ya no puede escuchar su oración? Una vez me sentí así. Estaba segura que las diferentes dificultades que me asediaban en aquel momento eran producto de mi alejamiento de Dios. Apenas me atrevía a orar. Pero necesitaba desesperadamente saber que Dios aún estaba conmigo.

Esa noche, mientras oraba contemplando un cielo nocturno tachonado de estrellas, se me ocurrió pedirle a Dios una prueba clara de su presencia y la certeza de su perdón. Necesitaba una clara evidencia de su poder que me asegurara que no estaba completamente abandonada. Inmediatamente le pedí perdón a Dios, pensando que mi presunción lo ofendía. Pero Dios, quien examina nuestros pensamientos más íntimos, conocía mi gran necesidad y vio a bien cumplir mi deseo.

Cuál no fue mi sorpresa, cuando de repente una de las estrellas que todavía mis ojos contemplaban se desprendió repentinamente de su lugar en el firmamento, y dejando a su paso una fina estela de blanca luz fue a evaporarse en la tierra. Mi necesidad había sido suplida a través de un fenómeno que superó todas mis expectativas. Con ello, mi Padre celestial me aseguraba su perdón y me hacía partícipe de sus promesas.

Cuando Jacob emprendió su solitario viaje hacia Mesopotamia, lo hizo con un corazón profundamente acongojado. Temía haber perdido para siempre la bendición de Dios. Las tinieblas de la desesperación oprimían su espíritu, y apenas se atrevía a orar. Llorando y con profunda humildad, le confesó a Dios su pecado y le rogó que le diera una prueba de su misericordia y perdón. Y Dios lo hizo. A través de un sueño, el Dios del universo le reveló a Jacob precisamente lo que necesitaba: La certeza de la salvación y el perdón de sus pecados a través del Calvario.

Ese mismo perdón hoy puede ser suyo. En palabras que proclaman la misericordia y el eterno amor de Dios, el profeta Miqueas clama admirado: "¿Qué Dios como tú, que perdonas la maldad, y olvidas el pecado" (Miq. 7:18.) Hoy, aceptemos el perdón que nos ofrece nuestro Salvador Jesús, compartamos esta bendición con otros, y dediquémonos a vivir en la esperanza de sus promesas.

Señor, gracias por las muestras incontrovertibles de tu amor. OLV

ANUNCIO DE PAZ

He aquí sobre los montes los pies del que trae buenas nuevas, del que anuncia la paz. Celebra, oh Judá, tus fiestas, cumple tus votos; porque nunca más volverá a pasar por ti el malvado; pereció del todo. Nahúm 1:15.

La promesa de Nahum anunció la caída de Nínive, y como resultado paz para Israel. En época de guerra y conflicto para el pueblo de Dios, se predijo su liberación.

Hoy también anhelamos anuncios de paz. Justo cuando pensábamos que el fantasma del armamentismo nos había dejado, el ataque del 11 de septiembre a las Torres Gemelas de Nueva York inició una intensificación del conflicto entre facciones extremistas del Islam y Occidente, representado primariamente por los Estados Unidos. Tras dos invasiones y la sangrienta ocupación de Irak, el mundo sigue siendo un lugar peligroso y polarizado.

La posibilidad de una Tercera Guerra Mundial no acaba de desvanecerse. Tampoco hemos olvidado los conflictos latinoamericanos, el salvajismo de Ruanda, ni siquiera el terrible clamor de Auschwitz. El temor de lo que puede pasarnos se mezcla con los espantos de una historia desfigurada por la guerra, el hambre y los trastornos de la naturaleza. Este cuadro mental de dolor y tragedia nos persigue, nos sofoca y nos impide disfrutar de una felicidad total.

Cada año mueren misioneros cristianos en países hostiles. Queman escuelas e iglesias. En las calles de nuestras grandes ciudades, miles de jóvenes mueren cada año en el turbio mundo de las pandillas y las drogas.

Christopher Blake cuenta que en Guatemala, cuando el terremoto de 1976, los nativos se referían a las ondas creadas por el sismo con las palabras: "La gran serpiente se está moviendo". Y según las páginas de la Biblia, así es. Una "serpiente antigua, que se llama diablo y Satanás" se está moviendo. Destruye todo lo que encuentra a su paso. Produce tanto sufrimiento como puede.

Lo que la Biblia hace muy claro es que Dios obtendrá la victoria sobre la gran serpiente. Apocalipsis 20:10 dice: "Y el diablo que los engañaba fue lanzado en el lago de fuego y azufre, donde estaban la bestia y el falso profeta". También nos dice que habrá un cielo nuevo y una tierra nueva, "y ya no habrá muerte, ni habrá más llanto, ni clamor, ni dolor; porque las primeras cosas pasaron" (Apoc. 21:4).

Señor, hoy me aferro a la esperanza de una paz total y definitiva para nuestro mundo, y también para mi corazón. MAV

QUEJAS DE INJUSTICIA

Aunque la visión tardará aún por un tiempo, mas se apresura hacia el fin, y no mentirá; aunque tardare, espéralo, porque sin duda vendrá, no tardará.
Habacuc 2:3.

El espíritu sensible del profeta Habacuc agonizaba bajo el dolor que le producían la corrupción y la violencia de sus días. Desanimado, al ver que demoraba la actuación liberadora de Dios y la injusticia, y que el abuso y la inmoralidad llevaban a los hijos de Israel a una catástrofe física y espiritual, clamó compungido: "¿Hasta cuándo, oh Jehová, clamaré, y no oirás; y daré voces a ti a causa de la violencia, y no salvarás?" (Hab. 1:2).

Aparentemente, la excelsa calma con la que el Todopoderoso parecía arreglar los asuntos urgentes del pueblo y castigar al pecador, incomodaba a Habacuc. Y al mirar a nuestro alrededor y percibir la condición decadente que prevalece hoy en nuestro mundo, entendemos el clamor del profeta y le decimos a Dios angustiados: "¿Por qué no acabas con las injusticias que nos afligen? ¿Por qué no suprimes la maldad y terminas ahora con los sufrimientos que afectan a este mundo, a tu iglesia, a tu pueblo? La corrupción llega a límites desorbitados, el odio nos consume, hay dudas, rencillas, opresión, iniquidad, violencia... ¿hasta cuando, Señor, suplicaré sin que me escuches?" Y Dios nos contesta, tal como contestó a su siervo el profeta Habacuc, en su aflicción: "Aunque la visión tardará aún por un tiempo, mas se apresura hacia el fin, y no mentirá; aunque tardare, espéralo, porque sin duda vendrá, no tardará" (Hab. 2:3).

Esta promesa del libro de Habacuc fue de especial ánimo para los primeros creyentes adventistas que pasaron por la experiencia del gran chasco. Confiaron en las palabras del profeta y mantuvieron su mensaje de esperanza en el pronto regreso del Señor. Igualmente, las palabras del profeta Habacuc han de ser un rayo de esperanza para nosotros.

Habacuc aprendió a esperar en Dios. De lo que en un principio parecía ser un clamor de angustia, el libro de Habacuc pasa a uno de los cantos más sublimes de toda la Biblia, donde se expone y exalta la grandeza y el poder de Dios. Asimismo, cada hijo de Dios deberá aprender a esperar en Dios con plena confianza, sabiendo que él le contestará oportunamente. Del interrogante debemos pasar a la certeza, de la duda a la firmeza, y de la queja a una confianza plena en nuestro Salvador.

Ayúdame, Señor, a esperar confiadamente en ti, porque sin duda aunque tus promesas tardaren, se cumplirán con seguridad. OLV

EL JUSTO POR LA FE VIVIRÁ

He aquí que aquel cuya alma no es recta, se enorgullece; mas el justo por su fe vivirá. Habacuc 2:4.

Ante la complejidad de la vida moderna, la fe es un recurso al cual podemos echar mano cuando nos toca enfrentar alguna prueba difícil, pero eso no basta. A menudo vivimos de manera segmentada. Pasamos "momentos" religiosos durante los cultos de la semana, pero durante grandes porciones de nuestro tiempo no pensamos mucho en Dios ni vivimos de una manera que nos identifique como cristianos.

Para una joven que me tocó bautizar en una serie evangelizadora hace unos ocho años, la vida de fe es lo más importante. No conozco su nombre, pero su condición es inolvidable. Llegó al bautismo en silla de ruedas. Sus ojos inteligentes expresaban lo que su lengua atrofiada no podía. Había recibido los estudios bíblicos y había manifestado claramente su deseo de ser bautizada. Con la ayuda de un joven pastor, quien la tomó en brazos y se sumergió con ella en la pila bautismal, pude ayudarla a sellar su suerte con Jesús. Para alguien cuyo cuerpo le impide hacer casi todo lo que los demás damos por sentado, Dios llegó a ser lo más importante en su vida. En un sentido literal, no tenía otra forma de vivir que no fuese por la fe.

La promesa de hoy nos dice que seremos salvos por la fe. No la fe que vestimos el fin de semana, sino la fe que constituye el centro de lo que somos. La segunda parte de este versículo ha sido una especie de refrán de la Reforma, y fue empleada varias veces por el apóstol Pablo en sus discursos sobre la justificación por la fe (ver Rom. 1:16, 17; Gál. 3:11; Heb. 10:38, 39). Con los versículos anteriores (1-4), este texto fue de gran consuelo para los milleritas después del gran chasco de 1844. Para ellos, el versículo cuatro era la invitación a seguir confiando en la cercanía del regreso de Cristo.

La palabra hebrea traducida "fe", *emunah*, tiene el sentido de "constancia" o "fidelidad". En un sentido muy real, esta "fidelidad" del justo es correspondida por la fidelidad de Dios. Él es fiel para con la joven parapléjica y para con usted y para conmigo. Él cumple sus promesas a los que confían en él.

Señor, ayúdame a atesorar esta enseñanza tan básica de la vida cristiana. MAV

LA IMPORTANCIA DEL CONOCIMIENTO

Porque la tierra será llena del conocimiento de la gloria de Jehová, como las aguas cubren el mar. Habacuc 2:14.

Generalmente en abril, las revistas noticiosas más prominentes de los Estados Unidos le dedican una de sus portadas y el artículo principal a Jesús. En el número de 1996, informaron acerca de las labores de un grupo de 50 eruditos que se reunieron en un hotel de Santa Rosa, California, a fines de 1995, para emitir sus votos respecto de la fidelidad histórica de la vida de Jesús. Su conclusión: "Un análisis histórico cuidadoso de los Evangelios revela que son en su mayor parte inauténticos".

Esta discusión acerca de la historicidad de Jesús no es nueva. Desde hace más de 150 años se ha intentado aplicar los métodos científicos al análisis de la Biblia con resultados confusos. Lo que ningún erudito puede, y nadie ha podido negar jamás, es la enorme influencia de su corta vida de 33 años y medio.

Los cristianos no nos atrevemos a tratar a la Biblia como cualquier otro documento histórico, porque hemos decidido creer que el Espíritu de Dios estuvo involucrado en su inspiración; por lo tanto, lo que no podemos probar con el método científico, lo aceptamos en base a la fe.

¿Por qué es que el cristianismo ha resistido tantos embates? Porque la mayor evidencia de la autenticidad de la vida de Jesús se encuentra, no en la disección de sus palabras sino en la calidad de la vida de los que deciden creer en él. Y es precisamente así que la tierra se llena con el "conocimiento de la gloria de Jehová". "Así alumbre vuestra luz delante de los hombres, para que vean vuestras buenas obras, y glorifiquen a vuestro Padre que está en los cielos" (Mat. 5:16). El propósito de esta proclamación de la gloria de Jehová es más que dar a conocer a Dios. Jesús vino a salvarnos de nuestros pecados, no en ellos. Vino a librarnos de las cadenas de la inmoralidad, el vicio, el crimen, el odio, el egoísmo, el abuso y la miseria; del poder de un enemigo mucho más formidable que Roma. Vino a "buscar y a salvar lo que se había perdido" (Luc. 19:10).

Señor, permíteme ser un instrumento tuyo en la proclamación de la verdad que salva. MAV

JEHOVÁ ESTÁ EN TU MEDIO

Jehová está en medio de ti, poderoso, él salvará; se gozará sobre ti con alegría, callará de amor, se regocijará sobre ti con cánticos. Sofonías 3:17.

Jesús", (*Iesóus* en griego) era equivalente al nombre hebreo *Yehoshua* o "Josué", que significa "Jehová es salvación". El nombre dado a las criaturas en tiempos bíblicos expresaba la esperanza de los padres respecto de la misión de la vida del recién nacido. En el caso de Jesús, la misión sobrenatural del niño Dios fue recalcada por las palabras del mensajero celestial. "Él salvará a su pueblo de sus pecados" (Mat. 1:21).

Si la Biblia hubiese sido modificada —como arguyen los teólogos liberales— esta frase seguramente habría desaparecido. Los judíos anhelaban que el Cristo viniese para salvar a su pueblo del poder de Roma, para restaurar la autonomía política de Israel. Jesús no vino a eso. Según esta frase, él vino para salvarnos de nuestros pecados. Un concepto altamente comprometedor, uno que habla de cambios en nuestra conducta y en nuestra misma naturaleza.

Para los teólogos liberales y para el ser humano en general, es más fácil atribuir a Cristo nuestros propios intereses, convertirlo en un disidente palestino, en un revolucionario empeñado en contrariar la filosofía romana y el pensamiento judío del primer siglo, en un sabio que jamás contempló la salvación del ser humano como el objeto de su ministerio.

Aunque la promesa de Sofonías se refiere en primer lugar a la restauración de Israel, también habla de la salvación definitiva de los hijos de Dios. El versículo 13 conecta al remanente salvo de Israel con los 144.000 de los tiempos del fin (ver Apoc. 14:5). El tono de la profecía es uno de alegría y esperanza. "Canta, oh hija de Sion; da voces de júbilo, oh Israel; gózate y regocíjate de todo corazón, hija de Jerusalén. Jehová ha apartado tus juicios, ha echado fuera tus enemigos; Jehová es Rey de Israel en medio de ti; nunca más verás el mal" (Sof. 3:14, 15, ver 3:20).

Gracias, Señor, por tu mensaje constante de salvación para tu pueblo. Mantennos fieles hasta el fin. MAV

PAZ EN NUESTRO LUGAR

La gloria postrera de esta casa será mayor que la primera, ha dicho Jehová de los ejércitos; y daré paz en este lugar, dice Jehová de los ejércitos. Hageo 2:9.

Hace algunos años, la Enciclopedia *Funk & Wagnalls* publicó una lista de nuevas enfermedades bajo el título de la era de la ansiedad. Entre ellas se informó acerca del problema de muñecas de las manos lesionadas por participar excesivamente en juegos de vídeo. Se encontraban también algunas nuevas enfermedades de los nervios. Los metafílicos son aquellos que le buscan más sentido a la vida del que realmente tiene; los cataclónicos son felices sólo cuando pueden crear problemas; los paranoicos a la inversa se sienten mal cuando no son perseguidos, y los que sufren del síndrome de tensión pre-traumática son aquellos que se sienten ansiosos porque no les ha pasado nada malo.

Estamos indudablemente en la era de la ansiedad, un tiempo cuando los fármacos como el valium y el prozac son tan conocidos como la aspirina. Nos preocupamos por lo existente y por lo no existente. Entre las causas de la ansiedad se encuentran elementos relativamente nuevos, como la aceleración de la vida y los cambios, la dispersión de la familia y el exceso de información. Otros asuntos, como las fluctuaciones económicas y las guerras, han sido parte de la historia durante muchos siglos.

En Hageo, la promesa de paz viene conectada con la presencia de Dios. Según la gloria de Dios se manifieste en su casa, y por extensión en los hijos, habrá paz en nuestros lugares. Cuando Dios mora en nuestro corazón, trae con él paz genuina; la paz de la confianza, de la dependencia, de la esperanza. Su mensaje es tan válido hoy para el ser humano como cuando fue expresado por el profeta.

Esta paz no es como la paz ofrecida por los seres humanos, es la paz de Jesús. Esta es la paz que siente el que ha sido perdonado, el que ha sido justificado "por la fe" (ver Rom. 5:1). Es imposible encontrarla en otro lugar. Con todos los avances que ha logrado, la ciencia no puede medirla, ni mucho menos otorgarla.

Querido Señor, otórgame hoy la paz de tu presencia. MAV

LA CIUDAD DE LA VERDAD

Así dice Jehová: Yo he restaurado a Sion, y moraré en medio de Jerusalén; y Jerusalén se llamará Ciudad de la Verdad, y el monte de Jehová de los ejércitos, Monte de Santidad. Zacarías 8:2.

La verdad y la santidad son dos atributos importantes de Dios y su naturaleza. También debieran formar parte del carácter de los creyentes. De los dos, la verdad es quizá el más indispensable. Se puede tener verdad sin santidad, pero no se puede tener santidad que no esté basada en la verdad.

¿Cómo podemos asegurarnos de conocer la verdad? Hay ciertos principios bíblicos que se aplican:

1. Para conocer la verdad es necesario conocer la Verdad. Las Escrituras dan testimonio de Jesucristo (Juan 5:39). Él es la revelación más amplia de Dios. Jesús mismo advirtió: "Yo soy el camino, y la verdad, y la vida; nadie viene al Padre, sino por mí" (Juan 14:6). El ministerio, el sacrificio y la resurrección de nuestro Salvador nos han provisto no sólo el camino hacia la salvación, sino que también son el marco de interpretación de toda la Biblia. Jerusalén será llamada "Ciudad de la Verdad" porque Jesús estará en ella.

2. Debemos estar dispuestos a obedecer la verdad. "El que quiera hacer la voluntad de Dios, conocerá si la doctrina es de Dios, o si yo hablo por mi propia cuenta" (Juan 7:17). Cuando la Palabra de Dios encuentra un corazón fértil, echará raíces y dará abundante fruto.

3. Debemos tener una actitud de investigación sincera. El apóstol Pablo aconsejó: "Examinadlo todo, retened lo bueno" (1 Tes. 5:21). Debemos escudriñar las Escrituras para ver si las cosas son así (ver Hech. 17:11).

4. Se debe pedir la ayuda del Espíritu Santo por medio de la oración. La Biblia nos enseña que "nadie conoció las cosas de Dios, sino el Espíritu de Dios" (1 Cor. 2:11). El Espíritu Santo es nuestro guía en la búsqueda de la verdad. Y este esfuerzo no debe concluir hasta que estemos con Cristo en la santa ciudad.

Guíame a tu verdad según tu voluntad. Ayúdame a aceptarla aunque implique cambios en mi vida. MAV

CASTILLO FUERTE

Volveos a la fortaleza, oh prisioneros de esperanza; hoy también os anuncio que os restauraré el doble. Zacarías 9:12.

Siempre me han apasionado los castillos. No sólo por su belleza arquitectónica, sino también por lo que representaron a través de la historia para los pueblos en tiempos de guerra.

Antiguamente, las lanzas, las flechas, las espadas y las piedras constituían la artillería básica en las batallas. El mejor modo de resguardarse del enemigo lo constituían las fortificaciones de la ciudad. Una vez superada y perdida la protección de las murallas, el recurso final era el mismo castillo.

Generalmente, los castillos estaban situados en lugares estratégicos. Por su estructura compleja e independiente, presentaban una fusión perfecta entre elementos militares y civiles. Eran símbolos de poder y los centros de mando en las guerras contra los reinos vecinos. Servían de cárceles, y eran centros de tesorería y de defensa para las fronteras. Dependiendo del tamaño, un castillo podía llegar a albergar un gran huerto de árboles frutales, estanques, pozos de agua, huertos, ganado y varios establos. En esencia, un castillo era una ciudad amurallada, y era todo lo que un pueblo necesitaba para su refugio, defensa, y su garantía de bienestar, paz y vida.

No sin razón solemos comparar a nuestro Salvador con la impresionante imagen de un castillo. La primera vez que canté el himno "Castillo Fuerte es nuestro Dios", mi corazón se conmovió profundamente. La imagen de Dios como una poderosa estructura no erigida por mano de hombre me llenó de la certidumbre de que el castillo donde escondo mi fragilidad es imperecedero, seguro y el único lugar de salvación. El símil del castillo que Martín Lutero escogió para mostrar la grandeza de Dios y su infalible protección hacia sus hijos terrenales, no podía acercarse más a la verdad.

Cristo es nuestro recinto fortificado y el último reducto de resistencia que tienen los hijos de Dios contra Satanás. Nada nos podrá tocar si permanecemos dentro de la ciudad amurallada. En Jesucristo encontramos no sólo la protección que necesitamos contra el enemigo, sino también depósitos del agua pura de su Palabra que refrigera nuestra alma, el aceite de su Espíritu Santo, y todo lo pertinente para el sostén de su pueblo.

Gracias, Padre eterno, por tus promesas de protección. OLV

NUESTRA ESPERANZA DE SALVACIÓN

Y los salvará en aquel día Jehová su Dios como rebaño de su pueblo. Zacarías 9:16.

Una de las partes que más me emociona del libro *El progreso del peregrino,* escrito por Juan Bunyan, es cuando los peregrinos llegan a las puertas de la Ciudad Celestial. ¡Han llegado por fin! Han experimentado toda clase de dificultades y tentaciones a lo largo del camino, pero ya se encuentran en casa. Sin embargo, les es necesario aún pasar por una última prueba.

Al llegar a las puertas de la Ciudad Celestial, cada peregrino tiene que hacer entrega del certificado que recibió al comienzo del viaje. ¿Estaría acaso aquel registro limpio de manchas? ¿Se encontraría allí lo necesario para franquear la entrada al cielo, o se los hallaría faltos? Pero entonces, se escucha la voz del Rey, que dice: "Abran las puertas para que puedan entrar".

¿Qué había en esos certificados que franquearon las puertas del Reino? ¿Cartas de recomendación? ¿Algún certificado de educación superior, algún título nobiliario o alguna identificación de una raza particular? No. Aquellos certificados eran el comprobante de su salvación. Eran la clave que abría las puertas eternas del cielo, y la garantía de que la entrada no radicaba en lo que ellos hicieran, sino en lo que Cristo había hecho por ellos.

¡Qué júbilo! ¿Podemos imaginar la alegría de las voces de los salvados, cuando nos hallemos reunidos frente a las puertas de la Ciudad celestial? Yo ya veo el esplendor de los muros de jaspe. Escucho las voces de júbilo saturando los aires puros con el canto agradecido de las almas redimidas. Y veo a Jesucristo abriéndonos la magna puerta de perla, para darnos el gran abrazo que por fin reunirá eternamente a la raza caída con su Padre Celestial. No hay nada más inspirador que esta imagen, ni algo de más valor que la salvación otorgada por nuestro Señor Jesucristo en la cruz del Calvario.

¿Qué somos, Padre, sin la dádiva de los clavos?

¿Qué somos sin el izamiento de la cruz y la divina cabeza herida?

Polvo. Polvo que divaga triste en el camino.

Esa es la suerte del hombre que no se refugia en tu cruz, arrepentido.

Gracias, Señor, por el cambio que le diste a mi suerte en la cruz del Calvario. Y gracias porque para que yo pudiera saborear tu divinidad, tuviste tú primero que gustar mi barro. OLV

LA HERMOSURA DE DIOS

Porque ¡cuánta es su bondad, y cuánta su hermosura! Zacarías 9:17.

Durante la Guerra Civil, una madre compungida se acercó al presidente Lincoln y le rogó un indulto para su hijo que había sido sentenciado a muerte por haberse quedado dormido durante su turno de guardia. Luego de escuchar las circunstancias que mitigaban la conducta del joven, el presidente escribió el indulto. Cuando la madre salía de la Casa Blanca con el perdón en las manos, le dijo emocionada al congresista Thaddeus Stevens: "¡Yo sabía que era mentira!"

Cuando el congresista le preguntó a qué se refería, la madre respondió: "La gente me decía que el Sr. Lincoln es feo. Es mentira. Es el hombre más apuesto que jamás he visto".

Seguramente usted ha encontrado personas que a primera vista parecieran comunes y poco llamativas. En circunstancias corrientes, no nos interesaría mucho conocerlas. Pero cuando entramos en contacto con sus virtudes, su compasión, su desinterés, su generosidad, cobran una belleza que es imposible ignorar. En esa categoría podríamos colocar a aquellos que nos han atendido casualmente: cajeras, empleados de gobierno, personas con las que nos topamos momentáneamente. Encontramos belleza en enfermeras y médicos cuya atención por sus pacientes refleja un corazón amante, en compañeros y compañeras de trabajo que destilan bondad cada día y cada semana, en el interés de padres y madres ancianos, en la sonrisa angelical de un niño.

El pueblo de Dios es bondadoso y hermoso porque ha sido salvo. El tratamiento de belleza de Dios es la obra interna del Espíritu Santo que transforma el corazón y lo convierte en una fuente profunda de amor y satisfacción. "El que bebiere del agua que yo le daré, no tendrá sed jamás; sino que el agua que yo le daré será en él una fuente de agua que salte para vida eterna" (Juan 4:14).

Esta es la verdadera hermosura, la que perdura, la que trasciende los rasgos físicos, las arrugas, los prejuicios. La que provee un Dios de bondad y hermosura.

Señor, yo deseo este tipo especial de hermosura, ese que brota de un corazón de amor. MAV

NIÑOS ENLODADOS

Y dará a luz un hijo, y llamarás su nombre Jesús, porque él salvará a su pueblo de sus pecados. Mateo 1:21.

Es probable que usted también haya visto en la televisión al niño del charco de lodo. Se trata de un niñito que a la vista de su madre patea gozosamente el primer charco de agua enlodada que encuentra. La madre, después de un ligero suspiro, con una sonrisa comprensiva en el rostro recibe al juguetón, toma sus ropas sucias y las echa en la lavadora con cierto detergente que las deja relucientes. El niño se viste nuevamente con su antigua muda de ropas, se despide de su mamá y se dirige tan pronto como puede al mismo charco, donde se vuelve a enlodar.

Si usted tuviese una criatura tal en su familia, ¿cómo resolvería el problema? Habría probablemente tres posibles soluciones a la situación citada:

(1) Usted podría conseguir bastante detergente para continuar lavando la ropa de su hijo. (2) Podría intentar convencer a su hijito de que debe cuidar su ropa y evitar entrar en contacto con el lodo; hasta podría hacer que odie el lodo. (3) Podría eliminar los charcos rellenándolos con piedras.

Estas tres respuestas al dilema de un niñito que persiste en ensuciar sus ropas pueden ser aplicadas a la vida espiritual. Dentro del plan de salvación de Dios se encuentran estas tres dimensiones como parte de la solución divina al problema del pecado. Dios nos lava y nos limpia; nos ayuda por medio de su Espíritu a rechazar el mal, y algún día va a eliminar toda tendencia al mal y toda fuente de tentación.

Por medio de Jesucristo, Dios inició e hizo posible la salvación de todo ser humano. Reconocer que somos pecadores es más que aceptar que hemos cometido tal o cual pecado. Es reconocer que somos malos por naturaleza y por decisión. Vivir una vida victoriosa, por lo tanto, no se trata de ganar la victoria sobre acciones individuales. Se trata de acercarnos a Dios como un acto de la voluntad; abrir nuestro corazón a la influencia del Espíritu Santo y aceptar la obra que éste puede efectuar en nosotros.

Señor Jesús, gracias por aceptarme como soy y salvarme. MAV

BENDECIDOS POR DIOS - 1

Viendo la multitud, subió al monte; y sentándose, vinieron a él sus discípulos. Y abriendo su boca les enseñaba... Mateo 5:1, 2.

Quizás usted lo ha intentado y ha fracasado vez tras vez. Quizá piense: No hay manera de que pueda cambiar. No hay manera de llegar a ser el hombre o la mujer, el esposo o la esposa, el padre o la madre, o el soltero... que Dios quiere que sea.

Quizá tiembla por la hipocresía de los que lo rodean. Quizá le aterra su propia hipocresía.

Quiere el cielo, pero a veces siente que está en el infierno.

No era muy diferente cuando Jesús vivía sobre la tierra. Él veía a su alrededor a hombres y mujeres y jóvenes atrapados en esta situación. Su religión simplemente no funcionaba. La Biblia dice que Jesús tuvo compasión de ellos. "Eran como ovejas que no tenían pastor". Por eso subió a un hermoso monte a las orillas del Mar de Galilea para comunicarles la verdad proveniente de su Padre. Se sentó y les habló del reino de los cielos. Lo que significaba pertenecer a ese reino. Hoy los invito a subir ese monte. Desde allí las cosas se ven diferentes, porque allí se obtiene otra perspectiva.

En su sermón más conocido de todos, una especie de constitución del reino de los cielos, notamos que las palabras clave son "justicia" y "cielo". Justicia aparece seis veces; cielo, 21 veces. Jesús dice que "si vuestra justicia no fuere mayor que la de los escribas y fariseos, no entraréis en el reino de los cielos" (Mat. 5:20).

Él enseñó que el ciudadano de su reino debía exhibir una justicia mayor que la de los grandes líderes religiosos de sus días. La hipocresía era un problema entonces como ahora. La palabra hipócrita se empleaba para referirse a los actores griegos, quienes generalmente llevaban grandes máscaras para indicar un sentimiento o emoción particular. El Sermón del Monte nos enseña cómo comulgar con Cristo y cómo son los que tienen una relación con Dios. Se nos invita a un plano superior de la existencia, a una vida nueva.

Gracias, Señor, por el desafío de tus palabras y por la perspectiva que traen a nuestra vida. MAV

BENDECIDOS POR DIOS – 2

Bienaventurados los pobres en espíritu, porque de ellos es el reino de los cielos Mateo 5:3.

El Sermón del Monte nos habla de felicidad, pero pronto advertimos que no se trata de la definición humana de felicidad. ¿Cuál fue la última vez que usted se sintió feliz? ¿Cuál fue su último día perfecto, sin problema alguno, sin tormentas ni nubes? Estos momentos son raros porque dependen de las circunstancias.

¿Qué lo haría feliz a usted? ¿Librarse del resfrío? ¿Conseguir un empleo? ¿Casarse? ¿Librarse de las reglas y restricciones? ¿Una casa nueva?

Pero, ¿qué pasaría si... se libra del resfrío y ahora le duele una muela? Consigue el empleo pero no resiste a su jefe. Se casa, pero luego se lamenta de haberlo hecho. Esquiva las reglas y entonces se mete en líos. Construye la casa de sus sueños y una semana después su compañía lo transfiere a otra provincia.

El Sermón del Monte nos enseña que la clave de la felicidad no está en las circunstancias ni en las cosas, sino en la bendición de Dios. La palabra "bienaventurado" significa "bendecido", tener un sentido de la aprobación de Dios. El contentamiento que buscamos viene de estar bien con Dios. Esta es la verdadera felicidad. Está basada en una relación correcta con Dios. Esta "bienaventuranza" es lo que permite que ciertos individuos pasen por las circunstancias más adversas y mantengan paz, quietud y confianza en medio de todo.

La primera bienaventuranza es una promesa para "los pobres en espíritu". ¿Qué significa?

Pobre es aquel a quien le falta algo. La humanidad está falta del Espíritu de Dios. Adán y Eva murieron cuando comieron la fruta en el Edén. Perdieron la conexión con el Espíritu de Dios y ya no podían alabarle por sus propias fuerzas.

Ser pobre en espíritu significa reconocer nuestra condición ante Dios. Abandonar toda pretensión y reconocer que dependemos totalmente de Dios para nuestra salvación. ¿Cómo se llega a ser pobre en espíritu? Viendo a Dios. Viéndolo en su santidad, en su gloria, en su poder, en su pureza. Somos pobres cuando reconocemos su extraordinaria riqueza.

Gracias, Señor, por haber puesto en nuestro corazón la necesidad de ti. MAV

BENDECIDOS POR DIOS - 3

Bienaventurados los que lloran, porque ellos recibirán consolación. Mateo 5:4.

Bendecidos son los que se lamentan por lo mismo que Dios se lamenta.

Jesús nos demostró que Dios también llora.

Lloró por Jerusalén.

Lloró ante la tumba de Lázaro. A él le dolió la paga del pecado.

"Jesús entonces, al verla llorando, y a los judíos que la acompañaban, también llorando, se estremeció en espíritu y se conmovió, y dijo: ¿Dónde le pusisteis? Le dijeron: Señor, ven y ve. Jesús lloró. Dijeron entonces los judíos: Mirad cómo le amaba" (Juan 11:33-38). Cuando Juan el Bautista murió, Jesús buscó un lugar solitario para estar a solas con su Padre.

Jesús era "Varón de dolores, experimentado en quebranto".

Nosotros, sus hijos, debemos llorar por el pecado en nuestra vida.

Debemos llorar por el pecado en la iglesia.

Debemos llorar por el pecado en el mundo, porque el pecado es vivir independientes de Dios, lo opuesto a ser pobre de espíritu.

Pablo dijo: "Ahora me gozo, no porque hayáis sido contristados, sino porque fuisteis contristados para arrepentimiento; porque habéis sido contristados según Dios, para que ninguna pérdida padecieseis por nuestra parte" (2 Cor. 7:9).

David no lloró por su pecado hasta que Dios lo enfrentó por medio del profeta Natán. El salmo 51 expresa su arrepentimiento:

"Porque yo reconozco mis rebeliones, y mi pecado está siempre delante de mí. Contra ti, contra ti solo he pecado, y he hecho lo malo delante de tus ojos... Purifícame con hisopo, y seré limpio; lávame, y seré más blanco que la nieve. Hazme oír gozo y alegría, y se recrearán los huesos que has abatido".

No podemos seguir riéndonos en el pecado. El pecado no es un chiste. Dice Santiago: "Acercaos a Dios, y él se acercará a vosotros. Pecadores, limpiad las manos; y vosotros los de doble ánimo, purificad vuestros corazones. Afligíos, y lamentad, y llorad. Vuestra risa se convierta en lloro, y vuestro gozo en tristeza. Humillaos delante del Señor, y él os exaltará" (Sant. 4:8, 9).

Gracias, Señor, porque las lágrimas de hoy son las semillas de un futuro mejor. MAV

BENDECIDOS POR DIOS - 4

Bienaventurados los mansos, porque ellos recibirán la tierra por heredad.
Mateo 5:5.

Ser manso es aceptar la voluntad de Dios para nosotros sin disputar ni resistir. Ser manso es advertir que lo que nos ocurre ha sido permitido por Dios y él lo usará para su honra y su gloria.

Necesitamos conocer y aceptar la soberanía de Dios. ¿Se acuerda de lo que dijo Nabucodonosor después de su enfermedad?

"Mas al fin del tiempo yo Nabucodonosor alcé mis ojos al cielo, y mi razón me fue devuelta; y bendije al Altísimo, y alabé y glorifiqué al que vive para siempre, cuyo dominio es sempiterno, y su reino por todas las edades. Todos los habitantes de la tierra son considerados como nada; y él hace según su voluntad en el ejército del cielo, y en los habitantes de la tierra, y no hay quien detenga su mano, y le diga: ¿Qué haces?" (Dan. 4:34, 35).

Ser manso significa permitir que Dios esté en el control de cada detalle de nuestra vida: Nuestro matrimonio, nuestros hijos, nuestro trabajo, nuestra salud, nuestra vida espiritual. Ser manso es decir: "No se haga mi voluntad, sino la tuya". Ser manso es reconocer que el Dios sublime que nos contempla desde su trono es bueno. Él nos ama, y la razón por la que no ha venido es que está esperando que nosotros y otros vengamos al arrepentimiento.

El 7 de febrero de 2005 se celebró el funeral del pastor Manuel Vásquez, un destacado dirigente de la Iglesia Adventista del Séptimo Día, en la capilla de la Asociación General, en Silver Spring, Maryland. Quizás el momento más emotivo del programa fue cuando su esposa Nancy, su compañera durante cuatro décadas, contó la conversación entre el médico y el pastor Vásquez. El galeno, portador de las peores noticias, finalmente confrontó al pastor: "Pastor Vásquez —le dijo—, yo sé que usted y su familia están orando por un milagro, pero ¿qué pasaría si no sucede un milagro?" El pastor Vásquez respondió: "Mi fe seguirá igual". Él conocía a Dios y sabía que es un Dios bueno.

La mansedumbre bendecida por Dios no es debilidad, sino una actitud de aceptación de la voluntad divina que se torna en un poder asombroso bajo el control y la conducción de Dios mismo.

Ayúdame, oh Dios, a reconocer tu bondad a lo largo de mi vida, no importa lo que pase. MAV

BENDECIDOS POR DIOS - 5

Bienaventurados los que tienen hambre y sed de justicia, porque ellos serán saciados Mateo 5:6.

El hambre y la sed son necesidades corporales básicas que tienen que ser satisfechas o morimos. Estamos hablando de una condición de una tremenda intensidad.

David dijo: "Como el ciervo brama por las corrientes de las aguas, así clama por ti, oh Dios, el alma mía" (Sal. 42.1).

Aquí se está hablando de un deseo de la justicia de Dios. No se trata de la justicia del hombre. La justicia del hombre es como trapos de inmundicia. David expresó este deseo cuando escribió:

"Examíname, oh Dios, y conoce mi corazón; pruébame y conoce mis pensamientos; y ve si hay en mí camino de perversidad, y guíame en el camino eterno" (Sal. 139:23, 24).

Tener hambre y sed de justicia se refiere a tener un anhelo profundo e interno de agradar a Dios. Desear de todo corazón vivir como Dios quiere que vivamos.

Es difícil en una sociedad moderna y próspera entender lo que significa tener "hambre" y "sed". Hay fuentes de agua por todas partes, máquinas de refrescos, restaurantes en cada esquina. Aquí no se trata de abrir la puerta del refrigerador para decidir si vamos a comer algo. No se trata de dejar de comernos un segundo plato. Esta es un hambre que si no se satisface nos morimos.

En las bienaventuranzas hemos percibido una progresión en la intensidad de nuestra relación con Dios. Primero sentimos nuestra pobreza espiritual, luego advertimos nuestra condición de pecado, entonces reconocemos la soberanía de Dios. Pero ahora sentimos hambre y sed.

Cuando llegamos a esta condición, las bienaventuranzas que siguen vienen como resultado de ese clamor. Después de esto, somos cambiados. Nos hemos encontrado con Dios, nos hemos adentrado en una relación con él y ahora nos toca proyectarnos hacia los seres que nos rodean.

Señor, aquí hay un mensaje para mí. Llévame hoy por este camino de bendiciones que me acerca a ti y a mi prójimo. MAV

BENDECIDOS POR DIOS - 6

Bienaventurados los misericordiosos, porque ellos alcanzarán misericordia.
Mateo 5: 7.

Las bienaventuranzas que siguen pertenecen a la dimensión horizontal de la vida del hombre. Corresponden a la segunda tabla de la ley, nuestra relación con nuestro prójimo. Se refiere a ser activamente compasivo. No es sentir compasión, sino practicarla. Algunos sinónimos son bondad, benignidad, amor, lealtad.

La verdadera misericordia proviene de Dios. Nuestra humanidad nos limita porque en cierto sentido todos estamos necesitados y a veces se nos hace difícil sentir compasión por otros que en algunos aspectos pueden estar mejor que nosotros mismos.

La norma de la misericordia de Dios es más elevada. Y la mejor manera de conocerla es a través del estudio de la vida de Cristo. ¿Se acuerda de lo que le dijo a la mujer adúltera? ¿De sus palabras en la cruz, "Padre, perdónalos porque no saben lo que hacen"? Ser misericordioso es ser como Dios: estar dispuesto siempre a perdonar.

El mundo, nuestro entorno inmediato, está lleno de oportunidades para demostrar la misericordia de Dios: con nuestros hijos, nuestro cónyuge, nuestros compañeros de trabajo, los extraños. Vemos también ejemplos inspiradores de abnegación: el esposo que cuida de su esposa en silla de ruedas, el ingeniero alemán que ha seguido las huellas de la Madre Teresa, el misionero norteamericano que dedicó toda su vida a servir en América Latina.

Hemos sido bendecidos para bendecir.

Alguien cerca de ti necesita seguridad. Dale confianza.

Alguien es débil. Ofrécele apoyo.

Alguien es tímido. Anímalo.

Alguien llora. Consuélalo.

Señor, reconozco mi responsabilidad de hijo bendecido. Úsame hoy como un canal de tus bendiciones hacia los demás. MAV

BENDECIDOS POR DIOS - 7

Bienaventurados los de limpio corazón, porque ellos verán a Dios.
Mateos 5:8.

Quiere ver a Dios? Quizá la esperanza más cara de su corazón y el mío es ver el rostro de Jesús. "Cara a cara espero verle, cuando venga en gloria y luz", dice el Himno 165 del Himnario adventista. De sólo pensarlo, la emoción me embarga. La bendición de un corazón limpio hará posible esto.

Los de limpio corazón son los que han sido limpiados por la sangre de Cristo. De otra manera, nadie podría ver el rostro de Dios. Todos recordamos el ruego de David cuando dijo:

"Crea en mí, oh Dios, un corazón limpio, y renueva un espíritu recto dentro de mí" (Sal. 51:10). Un corazón limpio no es una opción para el creyente, sino una condición provista por Dios al que la pide sinceramente. Isaías escribió: "Venid luego, dice Jehová, y estemos a cuenta: Si vuestros pecados fueren como la grana, como la nieve serán emblanquecidos; si fueren rojos como el carmesí, vendrán a ser como blanca lana" (Isa. 1:18).

Pablo señaló: "De modo que si alguno está en Cristo, nueva criatura es; las cosas viejas pasaron; he aquí todas son hechas nuevas" (2 Cor. 5:17).

No hay limpieza del corazón sin Cristo. Jesús es el camino, y nadie llega al Padre si no a través de él (Juan 14:6).

No sólo de pan vive el hombre. Necesitamos de Jesús. Él es nuestra Luz, nuestra Puerta, nuestro Pastor, nuestro camino, nuestro Salvador.

Comprendemos todo esto, quizá ya vivimos en una relación intensa con Jesús. Pero hemos pecado. Implícita en esta bienaventuranza se encuentra el hecho de que podemos ser puros nuevamente, porque Cristo puede limpiarnos otra vez. "Si confesamos nuestros pecados, él es fiel y justo para perdonar nuestros pecados, y limpiarnos de toda maldad" (1 Juan 1:9).

Yo quiero ver tu rostro, Jesús, este es mi mayor deseo y esperanza. Sólo tú puedes limpiar mi corazón de manera que pueda estar en tu presencia. MAV

BENDECIDOS POR DIOS - 8

Bienaventurados los pacificadores, porque ellos serán llamados hijos de Dios. Bienaventurados los que padecen persecución por causa de la justicia, porque de ellos es el reino de los cielos. Mateo 5:9, 10.

Las últimas bienaventuranzas prometen dos bendiciones relacionadas con la misión del creyente en el mundo. El Evangelio es un instrumento de paz: la paz entre los hombres y la paz con Dios. Isaías expresó poéticamente: "¡Cuán hermosos son sobre los montes los pies del que trae alegres nuevas, del que anuncia la paz, del que trae nuevas del bien, del que publica salvación, del que dice a Sion: ¡Tu Dios reina!" (Isa. 52:7). Pero este Evangelio de paz a menudo produce reacciones contrarias e intensas.

Tener paz es vivir en armonía. No es la guerra fría de odios reprimidos o saludos hipócritas. No podemos tener paz con los demás si no tenemos paz con Dios. Jesús nos dijo: "La paz os dejo, mi paz os doy; yo no os la doy como el mundo la da. No se turbe vuestro corazón, ni tenga miedo" (Juan 14:27). Esta no es la paz del hombre. Jesús quiere darnos de esa paz ahora mismo, no importan las circunstancias.

Ser un pacificador significa practicar el ministerio de la reconciliación con Dios. Llevarles a los demás la bendición de la paz que hemos recibido. Compartir el Príncipe de la paz con los que nos rodean.

¡Y cuánto necesita el mundo esta paz! El pastor Felipe Andino relata haberse topado con una joven sentada en el muro de un puente, en Puerto Rico. Él y un grupo de jóvenes la saludaron y compartieron con ella un breve testimonio. Aunque atendió aparentemente a sus palabras, instantes más tardes saltó al vacío y a su muerte, abrumada por la drogadicción y la pérdida de sus hijos.

Dios desea consolar a los que viven en tal grado de desesperación. Desea para todos una existencia bendecida. Ahora y por la eternidad. Las bienaventuranzas nos hablan de una relación creciente con Dios que nos lleva a la testificación y a ser perseguidos por la cultura imperante. ¿Puede llegar usted a ese nivel? ¿Quiere ser verdaderamente bendecido?

Recordemos que el premio de esta relación progresiva con Jesús es el reino de los cielos.

Gracias, Señor, por todas las bendiciones expresadas en tus palabras en el Monte. Gracias porque lo provees todo, y porque cuando no entendemos lo que nos sucede, podemos aferrarnos a la esperanza de vivir contigo en tu reino. MAV

EL LIRIO DEL PANTANO

Así alumbre vuestra luz delante de los hombres, para que vean vuestras buenas obras, y glorifiquen a vuestro Padre que está en los cielos. Mateo 5:16.

Cierto día de camino a California, tuvimos que franquear la ciudad de Las Vegas, en el Estado de Nevada. Esta ciudad es mundialmente reconocida como "La Ciudad del Pecado". Y no sin razón. Hasta el íntegro Peregrino de la historia de Juan Bunyan bien podría haberse extraviado en un lugar como éste.

Los avisos de casinos y clubes nocturnos saturaban las calles. También abundaban las capillas de casamiento instantáneo y divorcio rápido. Por todos lados intenté divisar la reconfortante presencia de un templo, pero no hallé ninguno. Instintivamente me volví a Dios aquella mañana, y le dije: "Señor, ¿dónde se encuentra tu pueblo en este desierto de iniquidad?"

Entonces lo vi. Como un faro que se distingue en la oscuridad de una noche sin luna, su presencia alumbraba el trozo de ciudad donde se encontraba. Aquel hombre no pronunciaba ningún sermón ni llamaba a la gente —como Juan el Bautista— al arrepentimiento. En silencio, se dedicaba a repartir revistas y folletos religiosos al gentío que iba y venía sumido en sus banalidades.

Aquel hombre nunca sabrá la influencia que su ejemplo ejerció en mí, y muy posiblemente en otras personas. Pero su fidelidad algún día será premiada. Las bienaventuranzas nos dicen que los limpios de corazón verán a Dios (Mat. 5:8).

Como una bandera que ondea libre al sol, la esperanza en Cristo debe flamear franca en nuestras manos y en nuestros labios. El cristiano debe estar cimentado en las profundidades de la pureza de Cristo. Como el lirio del pantano, que no mancha sus pétalos con el lodo del terreno, ni vacila ante la dureza de la tierra, debemos alimentarnos del puro manantial que jamás se agota. Nuestras raíces han de beber del agua pura que se conserva intacta debajo del lodo endurecido por las sequías del pecado.

Hoy, cuando ya casi se escucha el toque final del reloj divino, cuando más que nunca la raza humana se hunde en el lodazal de su propia lujuria, queda un pueblo que como el lirio del desierto levanta su cabeza sin mancha para mirar al cielo.

Señor, ven a poner tu paz sobre la tierra. Pero mientras tanto, ayúdame a compartir tu luz y tu pureza con los que me rodean. OLV

MONEDAS EN LOS OJOS

No os hagáis tesoros en la tierra, donde la polilla y el orín corrompen, y donde ladrones minan y hurtan; sino haceos tesoros en el cielo, donde ni la polilla ni el orín corrompen, y donde ladrones no minan ni hurtan. Mateo 6:19, 20.

Cuenta la historia que en cierta ocasión el fundador y dueño de la fábrica de automóviles más grande del mundo, Henry Ford, le preguntó a un joven ingeniero automotor cuál era su mayor ambición en la vida. El joven le contestó que quería ser muy rico. "Todo lo demás, dijo con fervor, es secundario".

Unos días después de aquella conversación, el Sr. Ford le obsequió al joven un hermoso paquete. Cuando éste lo abrió, adentro encontró un par de espejuelos con armadura de metal. Pero donde se suponía que estuviesen los lentes, había un par de monedas de plata.

—Póngase estos lentes —le ordenó el Sr. Ford.

El joven ingeniero obedeció.

—Ahora dígame qué ve —añadió Henry Ford.

—Nada —respondió el joven—, las monedas bloquean totalmente mi visión.

—Lo cual muestra que tal vez usted debe considerar nuevamente cuál debería ser su mayor ambición —le dijo el gran empresario.

Si alguien llenara nuestros lentes con aquellas cosas que consideramos prioritarias, o que más nos interesan, ¿qué serían? Quizá nos conviene hoy analizar nuestras prioridades. La promesa implícita de Mateo 6:19 y 20 es que existen intereses pasajeros y corruptibles, e intereses que son eternos. ¿En qué categoría se encuentran nuestros más caros anhelos? ¿En qué pensamos? ¿Qué es lo que deseamos más que cualquier otra cosa?

No estamos confrontando el materialismo con la espiritualidad. Puede ser que lo que nos consume no sea de índole material. Podría tratarse de deseos de reconocimiento, de la ambición de controlar la vida de aquellos que nos rodean, de una preocupación desmesurada por obtener los afectos de otra persona. Si nuestra vida sufre el desequilibrio de una obsesión enfermiza, de cualquier obsesión, fácilmente podemos perder de vista la importancia de lo eterno y perdurable.

Dios promete algo mejor. Esta vida no lo es todo. Hay tesoros mejores más allá.

Señor, quita de mis ojos lo que me impida ver los tesoros de vivir en tu presencia. OLV

COMO LAS AVES

Mirad las aves del cielo, que no siembran, ni siegan, ni allegan en alfolíes; y vuestro Padre celestial las alimenta. ¿No sois vosotros mucho mejores que ellas? Mateo 6:26.

La mañana había despertado bajo un cielo casi transparente. Ni una sola nube empañaba la bóveda azul. La presencia de Dios se hacía visible en cada elemento de la naturaleza, pero apesadumbrada con mis pruebas no podía percibir la cercanía de la presencia de Dios. Sólo un despliegue divino de lo sobrenatural podría abrir mis ojos empañados por el desánimo a la sublime realidad de que justamente en esos momentos de mi vida Dios estaba cerca de mí.

Tomé la escoba y comencé a barrer mientras rogaba por un asomo de la presencia divina. Como el profeta Elías, quería ver a Dios hablándome desde un huracán. Pero sólo escuché el susurro apacible de un viento que jugaba entre las frondas de los arces. Esperé unos minutos más, confiada en que Dios se comunicaría conmigo de una forma majestuosa, hasta que por fin el milagro ocurrió, y escuché las notas de un maravilloso canto que parecía envolver la tierra con un misterioso velo de paz.

Dios me habló, pero no mediante el canto angelical que esperaba escuchar. En la inmensidad del cielo otoñal, una bandada de patos canadienses avanzaba en perfecto orden. Parecían seguir un mapa invisible, o una mano a la que obedecían sin vacilación. Sus trompeteos llenaban de alegría los aires que surcaban, y su apacible vuelo hablaba de una confianza absoluta en aquel Guía invisible que les mostraba la senda de sus vidas.

Si las aves sabían confiar en su Padre Celestial para el sustento y el control de su existencia, cuánto más esta hija desconfiada aprendería a confiar en las promesas de Dios y a esconderse bajo sus grandes y protectoras alas de amor.

Las aves nada deben al cuidado humano. Es Dios quien les da la existencia y las sostiene. El Autor de la vida proporciona lo que es necesario a cada una de sus criaturas. Él conoce también nuestras necesidades y angustias. Conoce las frustraciones que tenemos que afrontar cada día, y está al tanto de lo que nos sucede. No tenemos por qué afligirnos indebidamente.

Hoy, en vez de luchar solos con nuestros problemas, dependamos del poder de Dios y de su sabiduría eterna para guiar nuestros pasos hacia la patria celestial.

Gracias, Señor, por el ejemplo de la naturaleza confiada en tus bondades. OLV

EL REPOSO QUE NUESTRA ALMA NECESITA

Venid a mí todos los que estáis trabajados y cargados, y yo os haré descansar. Llevad mi yugo sobre vosotros, y aprended de mí, que soy manso y humilde de corazón; y hallaréis descanso para vuestras almas; porque mi yugo es fácil, y ligera mi carga. Mateo 11:28-30.

La verdad es que lo hemos intentado todo para sentirnos realizados. Hemos conseguido numerosas comodidades. Hemos logrado extraordinarias hazañas tecnológicas. Hemos construido hermosas ciudades y puentes. Tenemos al alcance instantáneo la enorme fuente de información de Internet.

Diversiones. Música. Artistas. Bailes. Bebidas. Deportes. Modas. Boxeo. Autos. Sexo. Viajes. Vacaciones. Clubes. Reuniones cívicas. Política. Inversiones. Juegos de azar. Pasatiempos. Religión. Televisión.

Todo lo hemos probado y no estamos satisfechos. Todavía estamos inquietos. Somos seres incompletos que siempre estamos buscando la plenitud que no tenemos. Ese contentamiento, esa paz está a nuestro alcance. Al igual que un bebé inquieto y lloroso se calma en los cálidos brazos de su madre, usted y yo podemos reposar seguros en el conocimiento de que somos amados y aceptados por Alguien en quien podemos confiar.

Jesucristo vino a satisfacer los anhelos más profundos del corazón humano. A restañar las lágrimas de la incomprensión; a sanar las heridas del odio. Vino a proveer solución para el problema que todos tenemos y que muchos intentamos ignorar, el problema del pecado. Él ofrece a todos libertad del temor, de la ansiedad y el cansancio. Él viene a traernos paz en medio de las pruebas, la enfermedad y el desastre.

Hace mucho tiempo nos dijo: "Venid a mí todos los que estáis trabajados y cargados, y yo os haré descansar". Este reposo de Jesús no es la ausencia de problemas, ni el descanso de la total inactividad. No se trata de gozar de una eterna calma ni de disfrutar de largos momentos de silenciosa meditación. Proviene de él y sólo se lo obtiene en su compañía. Es un regalo de Dios para todos los que creen en él y vienen a él.

Señor, mi alma necesita reposo, y no cualquier reposo. Necesito seguridad, protección, descanso y paz. Creo firmemente que sólo tú puedes dármelo. Dámelo hoy, por favor. MAV

LA FE DE LA MUJER CANANEA

Él respondiendo, dijo: No soy enviado sino a las ovejas perdidas de la casa de Israel. Mateo 15:24.

La historia de la mujer cananea es uno de los incidentes bíblicos que más me impactan. Su contenido de fe y perseverancia en Dios son un ejemplo de fidelidad y una guía de importancia, cuando se trata de traerle a Jesús nuestros problemas.

"¡Ten piedad de mí!", le rogó la mujer a Jesús, humillándose a la usanza de los pordioseros de su tiempo. Jesús pareció desatender su desesperado clamor a favor de una hija endemoniada, pero la mujer no se dio por vencida ante la aparente negativa. Postrándose ante el Médico divino, nuevamente le volvió a rogar: "¡Señor, socórreme!".

La fe y la confianza en la misericordia de Dios indujeron a la mujer cananea a perseverar. Lo más sorprendente de todo es que ella conocía bien sus limitaciones. Aparte de ser mujer, era extranjera. De cultura griega, de raza siria, y además pagana. En los conceptos de género, raza, etnia, nación, sociedad, cultura, y sobretodo en el campo religioso, estaba fuera del alcance de Jesús. Estaba excluida de las bendiciones y aislada por todos los factores étnicos y religiosos de su tiempo. El mismo Jesús se lo hizo entender: "No está bien tomar el pan de los hijos, y echarlo a los perrillos". Pero movida por la necesidad y una confianza plena en la gracia y la misericordia divina, la mujer le contestó: "Sí, Señor; pero aun los perrillos, debajo de la mesa, comen de las migajas de los hijos" (vers. 26, 27).

La respuesta de Jesús es la misma respuesta que le ofrece a todo creyente fiel y piadoso de hoy: "Oh mujer, grande es tu fe; hágase contigo como quieres. Y su hija fue sanada desde aquella hora" (vers. 28).

Todo lo que Jesús promete tiene su cumplimiento. ¡Y qué maravillosa promesa la de hoy! Jesucristo fue enviado a esta tierra por su Padre como el representante de la divinidad, y también como el abogado y el gran libertador de sus hijos extraviados en el pecado. Las bendiciones que en un principio fueron otorgadas al pueblo de Israel, hoy se las apropian los hijos de Dios por medio de la fe. El pan del Reino, sin importar raza o religión, le pertenece a todo aquel que como la mujer cananea se atreve a insistir en la bondad y en la compasión divina.

Padre, que sepa yo esperar en ti, como esperó en tu bondad la mujer cananea. OLV

ATRIBUTOS DIVINOS

Y mirándolos Jesús, les dijo: Para los hombres esto es imposible; mas para Dios todo es posible. Mateo 19:26.

El poder de Dios es infinitamente mayor que el del hombre. Por eso, cuando el hombre se aproxima a Dios, lo primero que hace es reconocer los atributos que lo distinguen de los seres humanos. He aquí algunos:

* Existencia propia: "El Padre tiene vida en sí mismo" (Juan 5:26).

* Omnisciencia: "...Él sabe todas las cosas" (1 Juan 3:20; ver también Job 37:16; Sal. 115:3).

* Omnipresencia: "Y no hay cosa creada que no sea manifiesta en su presencia" (Heb. 4:13; ver también Sal. 139:7-12).

* Eternidad: "Antes que naciesen los montes y formases la tierra y el mundo, desde el siglo y hasta el siglo, tú eres Dios" (Sal. 90:2).

* Omnipotencia: "Para Dios todo es posible" (Mat. 19:26).

* Inmutabilidad: "Yo Jehová no cambio" (Mal. 3:6; ver también Sant. 1:17).

Hay otros atributos de Dios que pueden ser obtenidos y ejercidos por los seres humanos. Estos son el amor (Rom. 5:8), la gracia (Rom. 3:24), la misericordia (Sal. 145:9), la paciencia (2 Ped. 3:15), la santidad (Sal. 99:9), la justicia (Esd. 9:15; Juan 17:25) y la verdad (1 Juan 5:20). Dios siempre manifiesta estos atributos porque son rasgos de su carácter.

La Encarnación fue el acto magistral de Dios para mostrarnos cómo piensa, cómo actúa y cómo espera relacionarse con nosotros. Y lo que Jesús nos reveló acerca de la Deidad es tan sorprendente y revolucionario hoy como hace veinte siglos. Su irrupción en el escenario humano fue un acontecimiento histórico y comprobado. Tan es así que la historia se ha dividido en dos grandes partes: antes y después de Cristo. Ninguna otra religión puede aludir a un Dios-hombre documentado de una manera tal por la historia.

Sin Jesucristo, es muy difícil —si no imposible— comprender lo que significan los atributos divinos. ¿Cómo entender la eternidad si es algo ajeno a la experiencia humana? ¿Cómo entender siquiera el verdadero sentido del amor, la paciencia, la justicia y la verdad, en un mundo donde todos estos conceptos se encuentran manchados por el egoísmo y la conveniencia? Jesús es la mejor explicación del carácter de Dios.

Señor, reconozco mis limitaciones en muchos aspectos de la vida. Acepto tu ayuda y tu amor inmerecido. MAV

ALABE A DIOS TODA LENGUA

¿Nunca leísteis: De la boca de los niños y de los que maman perfeccionaste la alabanza? Mateo 21:16

El acto de alabar a Dios en la santidad de su templo, en el constante bullicio de la ciudad o en la soledad de nuestra recámara, tiene el poder de cambiar nuestras vidas. La alabanza, en cualquiera de sus múltiples formas, transforma nuestras penas en alegrías, y nos eleva de lo común y lo sórdido a una atmósfera de dicha donde las voces de los ángeles se unen con las de los hombres en adoración al Dios del universo.

El cristiano ha de alabar a Dios con su vida y sus talentos. Ha de alabarlo siempre, bajo toda circunstancia y en todo lugar. El canto no es la única forma de adoración. Es posible alabar a Dios de muchas maneras. A Dios se lo alaba con nuestro ejemplo y nuestras oraciones. Se lo alaba con los ojos, con la lengua y con el silencio del alma que arrobada reconoce su poder.

Nuestro Salvador quiere que lo adoremos por medio de lo que tengamos a la mano. Alabemos a Dios compartiendo nuestro pan con el hambriento, enseñándole al pecador que todavía existe esperanza para su alma en Jesucristo. El escultor engrandezca a Dios con las obras de sus manos, el escritor cante con su pluma, el compositor exáltelo con su música, y el maestro muéstrelo con sus enseñanzas.

Dios quiere que lo adoremos contándole nuestras alegrías y tristezas, perdonando a aquellos que nos ofenden, y relatándoles a los caídos las cosas que Cristo ha hecho por nosotros. La adoración es reverencia y comunión. Pero al mismo tiempo, es la ofrenda de uno mismo en servicio a Dios. Es identificación con Dios por medio del Espíritu para nuestro crecimiento espiritual, y para el ministerio de amor a la humanidad.

El Espíritu Santo no desaprueba este saludable acto de desnudar el corazón ante Dios. Creemos en un Dios que quiere una relación sincera, cara a cara, y de corazón a corazón con sus adoradores. Por lo tanto, no vacilemos ni seamos cortos en nuestra adoración a Dios. Permitamos que la adoración circunde todo los aspectos de nuestras vidas.

Dios de los débiles y de los caídos,/establece tu morada en mí,/mis anhelos se refugian en tu omnipotencia./¡Qué privilegio es haber nacido del Espíritu!/¡Qué maravilla haber renacido en ti!

Señor, permite que la alabanza que te ofrezco abra mis ojos para vislumbrar el amor de Dios en mi vida. OLV

¿CAMBIO O NO CAMBIO?

El cielo y la tierra pasarán, pero mis palabras no pasarán. Mateo 24:35.

Todo cambia y todo sigue igual. En ciertos aspectos de la vida sobre la tierra todos advertimos cambios vertiginosos. Quizá los más asombrosos son los cambios tecnológicos que se han ido introduciendo en nuestra rutina: el microondas, el teléfono celular, el disco compacto, los localizadores, etc. Cambia la sociedad, el cuidado de la salud, los estilos de vestir, los programas de televisión, los líderes políticos. Las células del cuerpo humano mismo cambian en un ciclo de unos diez años.

"Lo único constante —dicen algunos—, es el cambio". Resistirse a los cambios sociales o de actitud a menudo se considera algo retrógrado, una señal de inflexibilidad o intolerancia.

Por cierto, hay cosas que no debieran cambiar: Los valores, el amor a la familia, los principios que nos elevan sobre el instinto y el egoísmo; nuestro aprecio de la Palabra de Dios. Otras necesitan ser cambiadas, y cuanto antes mejor. Todavía luchamos contra defectos de carácter, cultivamos malos hábitos, tenemos problemas para observar la paz cuando ésta no responde a nuestros intereses.

En estos aspectos personales el cambio es más elusivo. ¡Cuántos anhelan año tras año cambios que los transformen en una nueva persona y sin embargo notan que las mismas actitudes y temores persisten año tras año! Conozco a un individuo que hizo algo que sigue siendo para mí fuera de lo común. Se cambió el nombre. Pero no sólo se cambió el nombre, también adoptó un nuevo régimen alimenticio y un programa de ejercicios. Incluso cambió su vestimenta y finalmente de trabajo. Afortunadamente, hasta el momento ha mantenido la misma familia.

¿Será todo esto suficiente para un cambio de identidad? Pensándolo bien, no es precisamente el nombre, ni la apariencia, ni nuestro empleo lo que nos hace todo lo que somos. Hay algo más. René Descartes intimó que somos lo que pensamos. "Pienso, por lo tanto existo". Si así es, el cambio debe comenzar con los pensamientos, con lo que la Biblia llama el corazón. "El que no naciere de nuevo —dijo Jesús—, no puede ver el reino de Dios" (Juan 3:3).

Mi Señor, hay elementos en mi vida que deben cambiar, y el cambio será posible únicamente por la influencia de algo que no cambia: tu Palabra. Límpiame de nuevo por tu Palabra. MAV

ACOMPAÑADOS HASTA EL FIN

He aquí yo estoy con vosotros todos los días, hasta el fin del mundo. Mateo 28:20.

El gran misionero y explorador David Livingstone tuvo momentos muy difíciles en su búsqueda de un paso hacia el África central desde la costa este. Entre los peligros que le tocó enfrentar se encontraban las serpientes, las enfermedades y los nativos belicosos.

En una ocasión llegaron informes de que un gran grupo de guerreros y cazadores de cabezas se estaba formando para asesinar a su grupo expedicionario. Los guías se llenaron de pavor y estaban a punto de amotinarse. David Livingstone, temiendo por su vida, sacó su Biblia de su equipaje y leyó su pasaje favorito:

"Toda potestad me es dada en el cielo y en la tierra. Por tanto, id, y haced discípulos a todas las naciones, bautizándolos en el nombre del Padre, y del Hijo, y del Espíritu Santo; enseñándoles que guarden todas las cosas que os he mandado; y he aquí yo estoy con vosotros todos los días, hasta el fin del mundo. Amén" (Mat. 28:18-20).

Con su ánimo restaurado, Livingstone escribió esa noche en su diario: "Sentí mucho afán de espíritu sobre el prospecto de que todos mis planes para el bien de esta gran región y esta numerosa población fuesen vueltos al revés. Pero leí lo que Jesús dijo: 'He aquí yo estoy con vosotros hasta el fin del mundo'. Esta es la palabra de un caballero del honor más estricto y sagrado, así que aquí termina todo. Ahora me siento totalmente calmado, ¡gracias a Dios!"

Más tarde, habiendo regresado a Escocia e Inglaterra en un viaje de descanso, declaró: "¿Quieren saber qué me sostuvo a través de todos los años de exilio entre personas cuyo idioma no podía entender, y cuya actitud hacia mí era muchas veces hostil? Fue esto: 'He aquí yo estoy con vosotros todos los días, hasta el fin del mundo'. En esas palabras hice depender todo, y ellas nunca fallaron".

Esta es una promesa con condición, conectada con nuestra participación en la suprema misión de compartir el plan de salvación de Dios para los seres humanos. Señala la autoridad de su originador. Define la tarea a cumplirse y asegura la presencia de Dios con los que acepten su mandato. Se trata de una iniciativa divina de principio a fin. Él tiene y otorga el poder para que se cumpla la tarea. Él capacita. Él provee el contenido del mensaje. Y él acompaña. Dios incluso termina la tarea de la salvación en la vida del mensajero (Fil. 1:6).

Gracias, Señor, por el privilegio de tu presencia y conducción en mi vida. OLV

LÍMPIAME, SEÑOR

Quiero, sé limpio. Marcos 1:41.

Hace mucho tiempo aprendí a relacionar todo lo que ocurre en mi vida con alguna de las tantas y sublimes promesas de Dios. Anoche, por ejemplo, cuando llegué del trabajo, una montaña de platos sucios me recibió oronda en la pileta de la cocina. Mi hijo adolescente, decidido a poner en práctica sus dotes culinarios, había dejado harina pegada en las paredes, salsa de tomate en el piso, y estalactitas de espaguetis colgadas del techo. Decidida a no dejarme vencer por el desánimo, mientras dejaba que las propiedades purificadoras del agua depuraran mis ollas, visualicé uno de los encuentros más hermosos de toda la Biblia: El del leproso con el Médico divino.

En mi mente, escuché la voz de aquel hombre que postrándose ante Jesús le suplicaba: "Señor, si quieres, puedes limpiarme". Lo vi acercándose al Maestro. Su cuerpo decadente ofrecía un horrible espectáculo. Pero el leproso no veía a la multitud que huía de su presencia ni escuchaba sus exclamaciones de repugnancia y rechazo. Sus ojos se habían detenido en un solo punto de luz, en una sola presencia, ineludible y purificadora, que movido a la compasión le decía: "Quiero, sé limpio".

Jesucristo fue la efusión de agua que limpió el cuerpo y el alma de aquel leproso. Fue su restaurador y su benefactor divino. Hizo algo increíble con aquel leproso: Extendió la mano y lo tocó (vers. 41). Pero lo más maravilloso es que con aquel "quiero, sé limpio", también le estaba diciendo: "Ha llegado el momento de tu recuperación espiritual".

Del mismo modo, cada ser humano está enfermo de lepra espiritual. Presentamos un patético cuadro ante el universo que nos contempla. Sin embargo, Jesús nos tocó, entró hasta lo más hondo de nuestras miserias y asumió las consecuencias de nuestras impurezas humanas.

Nuestro Salvador no puede ignorar nuestra petición de ayuda. Un ruego como el de aquel leproso siempre ha de provocar en él una respuesta positiva. Podemos descansar seguros en la promesa de que si vamos a él en busca de la sanidad espiritual, nunca seremos defraudados. "Quien quiera caer a sus pies, diciendo con fe: 'Señor, si quieres, puedes limpiarme', oirá la respuesta: 'Quiero, sé limpio'" (El Deseado de todas las gentes, p. 231).

Pronto, sin darme cuenta, mi cocina volvía a resplandecer, y mi corazón se regocijó con la promesa que Jesús me hacía personalmente: "Quiero, sé limpia".

Señor, purifícame con tu toque divino, como hiciste con aquel leproso. OLV

CRISTO Y EL SÁBADO

El sábado por causa del hombre es hecho. Marcos 2:27, Antigua Reina-Valera.

La relación de Cristo con la institución del sábado fue sumamente dinámica. La mayoría de las referencias al sábado en el Nuevo Testamento ocurren en relación con los milagros de sanidad de Jesús. Cinco veces en los Evangelios Jesús hizo milagros de sanidad en el sábado, sin contar la expulsión de demonios en sábado (Mar. 1:21-28), ni la curación de la suegra de Pedro (Mar. 1:29-31), que posiblemente ocurrió en sábado.

Estos milagros fueron: La curación del hombre de la mano seca (Mat. 12:9-14), el enderezamiento de una mujer encorvada (Luc. 13:10-17), la curación del hombre hidrópico (Luc. 14:1-6), el sanamiento del paralítico de Betesda (Juan 5), y el milagro que hizo ver a un hombre ciego de nacimiento (Juan 9).

John Brunt señala que los milagros sabáticos de Jesús no fueron fruto de la coincidencia; que más bien muestran que él deseaba desafiar la manera en que los judíos habían transformado la observancia del sábado en un día de reglas y ritos. Los israelitas, en vez de recordar al Creador durante el sábado, se dedicaban a recordar todas las reglas que gobernaban su observancia.

Las reglas también contribuían a que se descuidaran las verdaderas responsabilidades impuestas por el amor hacia otros seres humanos. Los religiosos de aquel tiempo valoraban más las reglas que a otras personas. Pero el sábado habría de tener un significado muy diferente. Debía recordar a cada ser humano su excelso origen, debía quebrantar las barreras sociales igualando a amos y esclavos, ricos y pobres, ante la presencia del Dios soberano.

Para Jesús, las personas eran más importantes que la observancia legalista del sábado. Al decir que el sábado fue hecho "por causa del hombre", Jesús no redujo la importancia del sábado, sino que la aumentó. En esencia estaba diciendo que el sábado había sido instituido para la felicidad y el bienestar del hombre.

Es durante el sábado que podemos disfrutar de la presencia de Dios en nuestra vida. Sin el sábado, la vida sería trabajo y lucha incesantes. Cada día sería igual que el otro. Pero cuando llega el sábado, tenemos 24 horas de oportunidad para relacionarnos íntimamente con Jesús, disfrutar de la comunión con otros seres humanos y del gozo anticipado de la salvación definitiva del creyente.

Señor, permíteme disfrutar del próximo sábado como el día de bendición que debe ser en mi vida. MAV

CREE SOLAMENTE

Pero Jesús, luego que oyó lo que se decía, dijo al principal de la sinagoga: No temas, cree solamente. Marcos 5:36.

El ministerio de Cristo produjo varios encuentros explosivos entre la Vida y la muerte. Jesús apenas había dejado la casa de Mateo, un colector de impuestos y su más reciente discípulo, cuando un príncipe de los judíos vino a él con un pedido desesperado: "Mi hija está agonizando; ven y pon las manos sobre ella para que sea salva, y vivirá" (Mar. 5:23).

Cuando Jesús y la multitud llegaron a la casa de Jairo, después de detenerse para sanar a una mujer enferma de flujo, ya se había recibido la noticia de la muerte de la niña. Jesús se volvió a aquel hombre a quien le parecía que el mundo se le venía encima y le dijo: "No temas, cree solamente".

Al entrar en la casa, se dirigió a los que lloraban y les dijo: "¿Por qué alborotáis y lloráis? La niña no está muerta, sino duerme". Luego echó fuera a todos los presentes, excepto al padre y a la madre de la niña y a tres discípulos, y entró a la habitación. Allí, ante aquel grupo pequeño ocurrió el precioso milagro que hoy podemos recordar con asombro.

En medio de un silencio únicamente interrumpido por los sollozos ahogados de los padres, Jesús se acercó al cuerpo inerte de una niña de doce años, el orgullo y felicidad de su padre, quien habría dado todo lo que tenía por devolverle la vida. Pero ahora yacía inmóvil. La alegre voz de la niña amada ya no se escuchaba ni sonreían sus ojos brillantes.

"Tomando la mano de la niña, [Jesús] le dijo: Talita cumi; que traducido es: Niña, a ti te digo, levántate" (Mar. 5:41). No sabemos si el poder divino se transmitió a través de las rudas manos de carpintero, si una tremenda descarga de energía vital recorrió la mano, luego el brazo y el tórax de la niña despertando órganos dormidos. O si fueron sus palabras las que ejercieron su función creadora... "Sea la vida". Ciertamente sabemos que la hija de Jairo se levantó de su lecho y que todos quedaron sorprendidos y admirados.

Allí estaba la Vida, y la muerte huyó ante ella.

Señor, en nuestra vida hay elementos de muerte, como la falta de fe, el odio, el rencor, el temor. Ven y sustitúyelos con el poder de tu presencia. MAV

SUPERVIVIENTE

Todo el que quiera salvar su vida, la perderá; y todo el que pierda su vida por causa de mí y del evangelio, la salvará. Porque ¿qué aprovechará al hombre si ganare todo el mundo, y perdiere su alma? Marcos 8:35, 36.

Durante el verano de 2000, una cadena de televisión norteamericana transmitió una serie llamada "Sobreviviente", una de varias expresiones de la nueva "televisión realista". Un grupo de personas fue colocado en una isla desierta con una serie de reglas que les permitió irse eliminando paulatinamente hasta quedar un superviviente, quien recibió como premio un millón de dólares.

Para los televidentes fue muy interesante la experiencia de ver cómo se relacionaban entre sí estas personas y cómo se valían para vivir sin las comodidades modernas. Pero lo que le dio al programa su identidad fue el tema de competencia casi despiadada que hizo que los individuos formasen alianzas secretas y se traicionasen unos a otros.

En realidad, el ser humano raramente sobrevive o cultiva el éxito como una función de pisotear o eliminar a los demás. La civilización humana se ha construido en base a la cooperación de los individuos. Siempre ha sido esencial la división de labores, la asistencia mutua y la formación de núcleos tales como la familia, la comunidad y los gobiernos.

¿Quién es el que sobrevive en el drama de la vida? El versículo de hoy presenta una paradoja. El que gana pierde y el que pierde gana. Gana aquel que aprende a convivir con los demás en un espíritu de cooperación y servicio. Aquel que aprende a amar a Dios y al prójimo. Aquel que acepta su función como un eslabón útil en la cadena de la vida. Sobrevivir no es vivir para ganar a toda costa, sino para servir. No se trata de un afán por pisotear o superar a los demás, sino por sostenernos unos a otros en las pruebas propias e inescapables de la existencia.

El que lo entrega todo es el que lo gana todo. Se trata de otra manera de pensar. La manera de Jesús.

Señor, enséñame lo que significa perder para ganar. A vivir según el sonido de tu trompeta y no según la algarabía del mundo. MAV

CREER O NO CREER

Jesús le dijo: Si puedes creer, al que cree todo le es posible.
Marcos 9:23.

La falta de fe es uno de los grandes males de nuestros tiempos. El culto a la ciencia y al placer ha desplazado el interés por las religiones tradicionales e instalado una amalgama de creencias que van desde el paganismo antiguo hasta el espiritismo y la Nueva Era.

¿Cuáles han sido los resultados?

Miremos a manera de ejemplo lo que ha sucedido con los jóvenes en los Estados Unidos:

Hábitos aberrantes en el comer. La mitad de las jovencitas y una quinta parte de los jóvenes hacen ayuno para bajar de peso, de acuerdo con una encuesta de 11.000 adolescentes de los grados 9 al 12. Una de cada cuatro usa píldoras para reducir el apetito, y una de cada cinco vomita para perder peso.

Depresión. Cuatro de cada cinco jóvenes se siente deprimido, y más de la mitad dice que tiene muchas tensiones en su vida.

Vicios. El número de adolescentes que beben alcohol ha aumentado más de 30 por ciento desde la década de los 50. Para el noveno grado, dos de tres han comenzado a beber.

Suicidio. La proporción de suicidios entre los jóvenes de 15 a 24 años de edad se ha triplicado en los últimos 30 años. El suicidio es la tercera causa de muerte para los que pertenecen a este grupo.

Las palabras de Jesús al padre del hijo endemoniado proveen el antídoto para una vida desprovista de fe y de bendiciones. El pedido inicial del hombre fue: "Si puedes hacer algo, ten misericordia de nosotros, y ayúdanos" (Mar. 9:22). Luego que Jesús lo desafía a ejercer fe, su petición expresa una nueva convicción: "Creo; ayuda mi incredulidad" (vers. 24).

El mundo secular que nos rodea nos invita a confiar en otras cosas: nuestros esfuerzos, las circunstancias, la tecnología, el saber humano. El Espíritu de Dios y su mundo espiritual nos invitan a confiar en sus promesas y anticipar la llegada de una existencia mejor y definitiva.

Señor, yo también creo. Abre mis ojos para ver tu mundo y dame la percepción para compartir tus pensamientos. MAV

PODER EN EL ESPÍRITU

Pero cuando os trajeren para entregaros, no os preocupéis por lo que habéis de decir, ni lo penséis, sino lo que os fuere dado en aquella hora, eso hablad; porque no sois vosotros los que habláis, sino el Espíritu Santo. Marcos 13:11.

Los enemigos de Jesús pensaron que su muerte a las afueras de Jerusalén pondría fin a su influencia y al movimiento que había iniciado en la Palestina del primer siglo. ¡Cuán equivocados estaban! Aunque los discípulos en su mayoría huyeron y la muchedumbre en vez de protestar su muerte la pidió, poco después, desde el domingo de la resurrección y con mayor fuerza después del Pentecostés, aquellos hombres y mujeres comenzaron a presentar con denuedo el mensaje de un Salvador resucitado que era Cristo y Señor.

El libro de Hechos recuenta el explosivo proceso de esparcimiento de las buenas nuevas de salvación. Después de la ascensión de Jesús frente a una muchedumbre de más de quinientas personas, los once discípulos subieron al aposento alto, acompañados de varias mujeres; María, la madre de Jesús y sus hermanos. Allí, en su primer acto conjunto como Iglesia Cristiana nombraron al sucesor de Judas el traidor, y se dedicaron a la oración y el ayuno en espera de la unción de poder que Jesús les había prometido.

La fuente de ese poder era el Espíritu Santo, que hizo posible la dispersión de su mensaje desde Jerusalén hasta los confines de la tierra. Había en Jerusalén habitantes de Partia, Media, Mesopotamia, Judea, el Ponto, Asia, Frigia, Panfilia, Egipto, África y Roma. Después del primer discurso de Pedro se bautizaron 3.000 personas.

El segundo capítulo de Hechos describe así a los cristianos: "Y sobrevino temor a toda persona; y muchas maravillas y señales eran hechas por los apóstoles. Todos los que habían creído estaban juntos, y tenían en común todas las cosas; y vendían sus propiedades y sus bienes, y los repartían a todos según la necesidad de cada uno. Y perseverando unánimes cada día en templo, y partiendo el pan en las casas, comían juntos con alegría y sencillez de corazón, alabando a Dios, y teniendo favor con todo el pueblo. Y el Señor añadía cada día a la iglesia los que habían de ser salvos"' (Hech. 2:43-47).

¿Podríamos imaginarnos por un instante la emoción de pertenecer a aquel movimiento de pioneros que sacudió la sociedad de los primeros siglos? El Espíritu de Dios está dispuesto a impartirnos el mismo poder a nosotros hoy.

Señor, sé que pronto has de cubrir nuevamente el mundo con la proclamación del Evangelio. Si es tu voluntad, úsame también a mí. MAV

LA VERDAD ESCRITA

El cielo y la tierra pasarán, pero mis palabras no pasarán. Marcos 13:31.

La permanencia de la Palabra de Dios es un elemento importante en la relación divino-humana. El medio básico de la transmisión de esta información ha sido la escritura. La misma Biblia explica varias razones por las cuales Dios escoge este medio de comunicación. "Escribe la visión —le dijo a Habacuc—, y declárala en tablas, para que corra el que leyere en ella" (Hab. 2:2).

Los incidentes históricos relatados en la Biblia, comparables a esa parte de una carta en la que contamos algo de lo que hacemos, fueron provistos para darnos una visión fidedigna de los actos de Dios a lo largo de la historia. "Estas cosas —dice Pablo— les acontecieron como ejemplo, y están escritas para amonestarnos a nosotros, a quienes han alcanzado los fines de los siglos" (1 Cor. 10:11). Y añade: "Porque las cosas que se escribieron antes, para nuestra enseñanza se escribieron, a fin de que por la paciencia y la consolación de las Escrituras, tengamos esperanza" (Rom. 15:4). El estudio de la permanente Palabra de Dios es indispensable (ver Juan 5:39).

Y conocer la Palabra nos llama a un compromiso sagrado porque conlleva la oportunidad de la salvación eterna. Pablo dice que nosotros, usted y yo, somos cartas leídas por el mundo. "Sois carta de Cristo expedida por nosotros —dijo Pablo—, escrita no con tinta, sino con el Espíritu del Dios vivo; no en tablas de piedra, sino en tablas de carne del corazón" (2 Cor. 3:3). Nuestra vida es la única Biblia que muchos van a leer.

Conocer la verdad bíblica implica una responsabilidad. Nos compromete a vivir la vida de un creyente; a ser transformados por su poder que nos santifica. Nos compromete a compartirla. Nos compromete a defenderla. Por eso el Señor nos invita a proseguir firmes en la fe genuina de las Escrituras, en "la iglesia del Dios viviente, columna y baluarte de la verdad (1 Tim. 3:15). Somos así parte de una herencia de salvación que se extenderá por la eternidad.

En medio de un océano de dudas y relativismo, la Palabra es como una roca firme que resiste todos los embates. En ella estamos seguros siempre.

Señor, gracias por permitirme comenzar el día contigo y con tu Palabra. Gracia por permitirme crecer y desarrollarme en una comunidad de fe y de verdad. MAV

EL PODER DE LA ESPERANZA

Y Jesús le dijo: Yo soy; y veréis al Hijo del Hombre sentado a la diestra del poder de Dios, y viniendo en las nubes del cielo. Marcos 14:62.

Los creyentes vivimos en la certidumbre de la Segunda Venida. "Ahora somos hijos de Dios —dice el apóstol—; y aún no se ha manifestado lo que hemos de ser; pero sabemos que cuando él se manifieste [Jesús], seremos semejantes a él, porque le veremos tal como él es. Y todo aquel que tiene esta esperanza en él, se purifica a sí mismo, así como él es puro" (1 Juan 3:2, 3).

¿Qué significa esto de tener una esperanza? El cristianismo no tiene poder para aquel que percibe la vida como un ciclo interminable, o una sucesión de ciclos. El cristiano confía en que hay un momento específico de la historia, en el que Dios irrumpirá con fuerza en la experiencia humana y la transformará para siempre. Y creemos que es así, porque esto ya comenzó a suceder en ocasión de la primera venida de Cristo.

"La esperanza es más fuerte que el deseo", aclara Paul Minear en una cita de Sakae Kubo. "Deseamos muchas cosas que no nos atrevemos a esperar, pero cuando esperamos lo que deseamos, entonces tenemos esperanza" (*God Meets Man,* p. 79).

"La esperanza significa la presencia del futuro... Es el modo positivo, al igual que la ansiedad es el negativo, de esperar el futuro" (Emile Brunner, *Eternal Hope,* p. 7). Según la Biblia, el futuro ha entrado en el presente y lo transforma.

Permítame explicar el efecto del futuro sobre el presente con una ilustración personal. Cuando mi esposa y yo nos conocimos, ella de quince y yo de diecisiete, habrían de pasar cinco años antes de que nuestro amor fuese realizado totalmente por medio del matrimonio. Durante más de tres de esos años, nos tocó estar separados por temporadas de varios meses mientras yo estudiaba en otro país.

Nadie que nos conoció durante ese tiempo podría negar que nuestro afecto mutuo no ejerció una influencia continua y profunda sobre nuestra vida. Nuestro amor nos hacía escribirnos casi todos los días. También previno que estableciésemos relaciones amorosas con otras personas. De igual manera, la esperanza del creyente se cifra en las "Bodas del Cordero", cuando nuestro amor por Cristo llegue a su consumación en ese dichoso día de la Segunda Venida.

Querido Jesús, mantennos firmes en la esperanza de nuestro pronto encuentro contigo. MAV

ATEOS QUE SE CONVIERTEN

Para dar luz a los que habitan en tinieblas y en sombra de muerte; para encaminar nuestros pies por camino de paz. Lucas 1:79.

Hace muchos años dos ingleses se dispusieron a demostrar que el cristianismo estaba basado en falsedades. Uno era un erudito literario y abogado llamado Lord Littleton. El otro se llamaba Gilbert West. Llegaron a la conclusión de que para desacreditar el cristianismo necesitaban dos cosas: anular la resurrección y explicar la conversión de Saulo de Tarso de una manera que satisficiera a los escépticos. Los dos hombres se dividieron la tarea, Lord Littleton tomó el problema de Saulo de Tarso, y Gilbert West se dispuso a investigar la resurrección. Dedicaron un año a sus estudios y luego se reunieron para comparar notas. Los dos quedaron atónitos al descubrir que ambos se habían convertido al cristianismo.

Durantes sus años de estudio universitario, Josh McDowell era un escéptico. Cuando encontró a un grupo de estudiantes que estudiaban la Biblia, éstos lo invitaron a analizar la evidencia en favor del cristianismo. Aceptó el desafío y, luego de mucho estudio e investigación, admitió que no podía refutar las pruebas que había descubierto. Recibió a Cristo como su Salvador, y su investigación se convirtió en la base del famoso libro *Evidencia que exige un veredicto.*

La historia está repleta de evidencias de la acción de Dios en favor de seres humanos que viven en las tinieblas de la ignorancia y el error. El ser humano, en su condición natural, vive bajo la sombra de la muerte, condenado por sus pecados a una separación total y definitiva de Dios. Pero Jesucristo tomó la iniciativa de buscar y salvar al perdido.

La imagen es la de una persona que se acerca con un farol encendido a otra que se encuentra en la oscuridad y ha perdido su rumbo. La persona que se encuentra en la oscuridad puede pensar que se halla en el camino correcto y estar equivocada. Así sucede con nosotros cuando persistimos en vivir según valores ajenos a la conducción divina. Y no es difícil para un creyente dejarse envolver en los errores de la autoconfianza, el secularismo y la independencia.

Jesús desea hoy acercarse a las tinieblas de nuestra vida e indicarnos nuestra necesidad de un cambio de rumbo.

Señor, sé que a menudo insisto en mis propios caminos. Gracias por buscarme y no abandonarme en las tinieblas del error. MAV

UNA PROMESA DE NAVIDAD

¡Gloria a Dios en las alturas, y en la tierra paz, buena voluntad para con los hombres! Lucas 2:14.

Durante la temporada de Navidad, mucha gente depende de cosas materiales para sentirse feliz. Buenos alimentos, amigos, diversiones, fiestas y regalos. Por contraste, la primera Navidad fue caracterizada por el frío, la pobreza y el rechazo. Fue en esas circunstancias que el ángel anunció "nuevas de gran gozo" (ver Luc. 2:1-14).

Jesucristo nació en un mundo de opresión y crueldad. Palestina estaba bajo las garras de Roma y había sido sometida a golpes. Era un mundo de gobierno militar, vicios, lujuria y maldad. El primer capítulo de la Epístola a los Romanos describe un mundo permisivo e idólatra.

Ahora la Navidad se caracteriza por las luces y los colores brillantes, las circunstancias eran muy diferentes en la Palestina del primer siglo.

No había guerras, porque Roma era la dueña del mundo antiguo y las únicas guerras habían sido guerras de conquista. Pero un pueblo sometido y aterrorizado es un pueblo triste. Jesús nació en una sociedad que llevaba la tristeza a flor de piel. Una de las estrategias de Roma para mantenerlos en sumisión consistía en imponer enormes impuestos a sus súbditos.

La Biblia nos dice que esa primera Navidad trajo precisamente lo que necesitaba el pueblo sometido de ese entonces y lo que todavía la humanidad necesita:

La primera parte del relato es algo que habría sido sumamente común. Una pareja palestina tiene que obedecer a una ley romana más y se les requiere que vayan a su lugar de origen para ser contados en el censo. Como ciudadanos de un pueblo sometido, no tienen otra opción. Se da sus nombres y se señala que María tuvo su parto en un establo porque el mesón estaba ocupado. Hasta el momento no hay nada especial, nada que presagie un cambio de la situación.

Los versículos que siguen presentan otro cuadro. El relato introduce elementos sobrenaturales: un resplandor inexplicable que rodea a los pastores, un ángel que anuncia el nacimiento de un Niño único, un coro de ángeles que alaba a Dios. Recordemos hoy el encanto maravilloso de aquel relato, el giro de esperanza que imprimió a la historia, la fuerza de su mensaje.

Si hay tinieblas en mi mundo hoy, disípalas, oh Dios, con la llegada de tu Hijo a mi corazón. MAV

LEÑA PARA EL FUEGO

Respondió Juan, diciendo a todos: Yo a la verdad os bautizo en agua; pero viene uno más poderoso que yo, de quien no soy digno de desatar la correa de su calzado; él os bautizará en Espíritu Santo y fuego. Lucas 3:16.

En un clima frío como en el que vivo, muchas familias dependen del uso de la leña para mantener cálido el hogar. En las semanas previas a la temporada fría, leñadores de temporada salen a los bosques a cortar árboles para su propio consumo o para ofrecer a la venta. Es muy común ver enormes pilas de trozos de madera cubiertas con una tela de lona o plástico al costado o atrás de las casas.

Hay árboles que producen mejor madera que otros, pero quizá el detalle más importante es el contenido de agua de la madera. Cuando se escoge madera para quemar en la estufa o chimenea, es preferible la madera totalmente seca. La madera fresca y recién cortada es muy difícil de quemar y produce mucho humo. La madera seca prende con mayor facilidad y rápidamente produce cálidas llamas de hermoso brillo.

¿Ha pasado alguna vez por un período de "sequía" en su vida espiritual? ¿Ha sentido alguna vez que sus oraciones son repetitivas y sin entusiasmo? ¿Ha dejado de sentir la presencia de Dios cuando ora? ¿Alguna vez los servicios de la iglesia le han parecido aburridos y demasiado largos?

Es probable que incluso ahora mismo se esté preguntando adónde se fue la vitalidad espiritual de sus primeros días y meses en la fe. Quizá anhela recobrar aquel sentido maravilloso de la presencia del fuego del Espíritu en su vida. La verdad es que cuando extrañamos o deseamos el vigor espiritual que la presencia de Dios provee, estamos albergando un anhelo genuino. Jesús desea bautizarnos en "Espíritu Santo y fuego".

¿Será que ese período seco en su vida espiritual lo está preparando para "arder" como nunca antes en una nueva etapa de crecimiento? Quizás en vez de lamentarse por su falta de entusiasmo, deba darle gracias a Dios por el fuego que luego vendrá.

Señor, deseo arder para ti, pero si este no es el momento, ayúdame a esperar con paciencia el poder de tu Espíritu. MAV

UN FUNDAMENTO FIRME

Semejante es al hombre que al edificar una casa, cavó y ahondó y puso el fundamento sobre la roca; y cuando vino una inundación, el río dio con ímpetu contra aquella casa, pero no la pudo mover, porque estaba fundada sobre la roca. Lucas 6:48.

Cuando concluyó su famoso Sermón del Monte, Jesús expuso una advertencia en forma de parábola: "Cualquiera, pues, que me oye estas palabras, y las hace, le compararé a un hombre prudente, que edificó su casa sobre la roca.

"Descendió lluvia, y vinieron ríos, y soplaron vientos, y golpearon contra aquella casa; y no cayó, porque estaba fundada sobre la roca. Pero cualquiera que me oye estas palabras y no las hace, le compararé a un hombre insensato, que edificó su casa sobre la arena; y descendió lluvia, y vinieron ríos, y soplaron vientos, y dieron con ímpetu contra aquella casa; y cayó, y fue grande su ruina" (Mat. 7:24-28).

¿Sobre qué cimiento desea edificar usted la casa de su vida? No se trata de una decisión de importancia relativa. Es un asunto de vida o muerte. Por eso es que Jesús indicó la importancia de creer correctamente cuando se dirigió a los judíos en Jerusalén. "Si vosotros permaneciereis en mi palabra, seréis verdaderamente mis discípulos; y conoceréis la verdad, y la verdad os hará libres" (Juan 8:31, 32).

Para los indiferentes, no importa vivir en el error o en el engaño. Todo es aceptable. Pero los seres humanos que no se contentan con una vida guiada por el azar o los intereses puramente materiales, buscan conocer la verdad, practicarla y atesorarla como la mayor riqueza de todas.

El apóstol Pablo nos dice que Dios nos ha "escogido desde el principio para salvación, mediante la santificación por el Espíritu y la fe en la verdad" (2 Tes. 2:13). Se nos ofrece la salvación, pero esta es realizada por el Espíritu sobre el fundamento de la verdad.

Lo que creemos influye sobre lo que somos. Nuestros valores se reflejan en nuestros actos. Por cierto que importa a qué Dios adoramos. El cristo místico de la Nueva Era le dice a Shirley McLaine que es aceptable cometer adulterio con cierto hombre, porque en una vida pasada fueron esposos. El cristo de un neonazi le dice que hay razas superiores a otras. El cristo de monjes y ascetas les pide un apartamiento total del mundo y de otros seres humanos. En contraste, necesitamos conocer de verdad al Cristo de la Biblia, a nuestro Amigo celestial.

Confieso que creo en ti y en tu Palabra. En ella encuentro un fundamento firme para mi vida y mis esperanzas de un destino mejor. MAV

PODER CONTRA EL ENEMIGO

He aquí os doy potestad de hollar serpientes y escorpiones, y sobre toda fuerza del enemigo, y nada os dañará. Pero no os regocijéis de que los espíritus se os sujetan, sino regocijaos de que vuestros nombres están escritos en los cielos.
Lucas 10:19, 20.

El conocido predicador del optimismo, Norman Vincent Peale, escribió acerca del poder de una afirmación personal del poder de Dios en nuestra vida. La Biblia nos dice que Jesús les dio a sus discípulos autoridad sobre los espíritus malignos. ¿No nos dará el mismo poder para dominar los demonios de la duda, el temor, la ansiedad, la tensión y la ira? ¿Por qué no podremos decirles: "En el nombre de Jesús, te ordeno que te alejes de mi mente y mi corazón"?

¿No cree usted que con la ayuda de Dios, es posible establecer autoridad sobre estos elementos destructivos? Yo creo que sí.

Norman Vincent Peale desarrolló el hábito de escribir una declaración de fe en el poder de Dios que mantenía en su billetera y repetía varias veces al día, algunas frases sencillas tales como:

"Afirmo que el poder de Dios está obrando en mí. Está renovando y restaurando mi cuerpo, trayendo poder a mi mente, dándome éxito en el trabajo.

"Afirmo que tengo salud, energía, entusiasmo y el gozo de la vida.Todo esto lo debo a Jesucristo, mi Señor y mi Salvador. Él me ha dado esta perspectiva de victoria y por esto le agradezco cada día".

¿Por qué no escribimos nuestra propia afirmación de fe en el poder del Señor? Hay muchos elementos deprimentes y negativos a nuestro alrededor, pero Dios ha prometido otorgarnos su poder para que podamos combatirlos en su nombre. Usted y yo podemos vencer y vivir una vida dinámica y productiva.

Que hoy pueda crecer en la confianza de que tú me proveerás el poder para vencer cualquier prueba que me toque enfrentar. Gracias. MAV

LA AYUDA DEL ESPÍRITU

Pues si vosotros, siendo malos, sabéis dar buenas dádivas a vuestros hijos, ¿cuánto más vuestro Padre celestial dará el Espíritu Santo a los que se lo pidan?
Lucas 11:13.

Una de las promesas más valiosas que nos hiciera Jesús fue la de otorgarnos la ayuda del Espíritu Santo. Sus palabras fueron: "Mas el Consolador, el Espíritu Santo, a quien el Padre enviará en mi nombre, él os enseñará todas las cosas, y os recordará todo lo que yo os he dicho" (Juan 14:26).

Por eso es menester aproximarse al estudio de la Biblia con un espíritu de oración. El apóstol Pablo oraba "para que el Dios de nuestro Señor Jesucristo, el Padre de gloria, os dé espíritu de sabiduría y de revelación en el conocimiento de él'" (Efe. 1:17). El salmista David rogaba a Dios: "Abre mis ojos, y miraré las maravillas de tu ley" (Sal. 119:18).

El mismo Espíritu que inspiró la Biblia puede guiar nuestros pasos en la comprensión de la voluntad divina. El hombre natural no entiende las cosas de Dios, por eso necesitamos la conducción del Espíritu Santo. Jesús indicó la importancia y el alcance de este ministerio divino: "Os conviene que yo me vaya; porque si no me fuera, el Consolador no vendría a vosotros; mas si me fuere, os lo enviaré. Y cuando él venga, convencerá al mundo de pecado, de justicia y de juicio. De pecado, por cuanto no creen en mí; de justicia, por cuanto voy al Padre, y no me veréis más; y de juicio, por cuanto el príncipe de este mundo ha sido ya juzgado" (Juan 16:7-11).

La interacción del Espíritu de Dios con nuestro espíritu es una conexión natural a la vez que misteriosa. El Espíritu nos otorga dones (Efe. 4; 1 Cor. 12), intercede por nosotros, gime por nosotros, nos sella, nos inspira, y habita en nosotros (ver Rom. 8:26; Efe. 1:13; 1 Cor. 6:19; 2 Ped. 1:21).

El Espíritu también es la fuente de poder para el creyente: "Por esta causa doblo mis rodillas ante el Padre de nuestro Señor Jesucristo... para que os dé, conforme a las riquezas de su gloria, el ser fortalecidos con poder en el hombre interior por su Espíritu" (Efe. 3:14-16).

Señor, gracias por la acción de tu Espíritu en lo profundo de mi corazón. Ayúdame a percibir hoy su suave soplo. MAV

ALIVIO PARA EL ESTRÉS

No os preocupéis por lo que habéis de comer, ni por lo que habéis de beber, ni estéis en ansiosa inquietud. Porque todas estas cosas buscan las gentes del mundo; pero vuestro Padre sabe que tenéis necesidad de estas cosas. Mas buscad el reino de Dios, y todas estas cosas os serán añadidas. Lucas 12:29-31.

En diciembre de 1984, Bernhard Goetz causó un impacto en la conciencia nacional norteamericana al dispararles a cuatro jóvenes que aparentemente intentaban asaltarlo mientras viajaba en un tren subterráneo de Nueva York. Un año más tarde, la Corte Suprema del Estado de Nueva York depuso los cargos más serios en su contra debido a la inconsistencia de los testimonios que lo acusaban. Pese al fallo, Bernhard Goetz reveló rasgos de conducta muy indeseables. Su emotiva e incoherente confesión demostró que el tímido profesional era una especie de bomba de tiempo lista para explotar.

¿Qué fue lo que produjo la tensión emocional que impulsó a un ciudadano común de Nueva York a agredir mortalmente a sus semejantes? ¿Acaso se trataba de otra víctima del estrés moderno? ¿Será que otros, quizá nosotros mismos, tengamos las características de un explosivo próximo a detonar?

El nivel de estrés o tensión que sufrimos está relacionado con la percepción individual de los problemas, pero el medio ambiente nos provee innumerables elementos que pueden producirlo; entre éstos se encuentran: la incertidumbre causada por la violencia, los problemas económicos, los problemas familiares, y rasgos personales como obsesiones o actitudes enfermizas.

Para vencer el estrés debemos fijar un orden lógico de prioridades. Asignar a cada asunto la importancia debida y ordenar nuestra vida de acuerdo a esas prioridades. Entre los renglones se encontrarían, por supuesto, la familia, el trabajo, la recreación, el descanso, el desarrollo personal y Dios.

Según el texto de Lucas, el remedio de Dios para la ansiedad se encuentra en establecer prioridades. "Buscad el reino de Dios, y todas estas cosas os serán añadidas", es una invitación a confiar en Dios como nuestro primer punto de apoyo. Cuando decidimos confiar en Dios, se genera un cambio en nuestra naturaleza interior. Somos fortalecidos desde adentro hacia afuera y desarrollamos una nueva perspectiva de las cosas.

Dios nos libra de las cargas de la culpa, el odio y el rencor, y nos ayuda a establecer mejores relaciones con nuestro prójimo. Todo esto nos produce una condición de paz, no "como el mundo la da" (Juan 14:27).

Señor, pongo todas mis angustias a tus pies. Fortaléceme con la paz prometida. MAV

HIJOS DE DIOS

Pero el padre dijo a sus siervos: Sacad el mejor vestido, y vestidle; y poned un anillo en su mano, y calzado en sus pies. Lucas 15:22.

Esta declaración se encuentra al final de la parábola del hijo pródigo. La parábola trata del plan de salvación, ilustrado por la relación entre un padre y sus dos hijos. El mensaje central es el amor del Padre, tanto por el hijo que abandona el hogar como por el que queda en casa. En el contexto en que fue relatada, el hijo pródigo simbolizaba a los pecadores y rechazados por la sociedad, y el hijo mayor a los religiosos (los escribas y fariseos). El Padre desea que tanto el hijo menor como el mayor sean salvos y disfruten de los privilegios de su condición de hijos.

Todos somos hijos de Dios por creación, porque él es el Creador de todo lo que existe, pero con Jesús llegamos a ser hijos por adopción y por elección. ¿Cómo se logra esta transformación? La Biblia sugiere varias cosas:

1. Hacer de la voluntad de Dios lo primero. "Buscad primeramente el reino de Dios y su justicia, y todas estas cosas os serán añadidas" (Mat. 6:33). Dios es el Dueño del universo. Él dicta las reglas.

2. Conocer a Jesús mejor cada día. "Y esta es la vida eterna: que te conozcan a ti, el único Dios verdadero, y a Jesucristo, a quien has enviado" (Juan 17:3). Si cuando caminamos miramos únicamente al suelo tropezaremos.

3. Orar y leer la Biblia. Estas son dos actividades inseparables y esenciales. "Orad sin cesar" (1 Tes. 5:17). "Escudriñad las Escrituras; porque a vosotros os parece que en ellas tenéis la vida eterna; y ellas son las que dan testimonio de mí" (Juan 5:39.).

4. Amar la iglesia como Cristo la ama. Orar y leer la Palabra es como prepararse para un examen, compartir con los demás día tras día es el examen (ver Juan 13:35).

5. Obedecer a Cristo en evangelizar al mundo (ver Mat. 28:18-20.) Los hijos de Dios desean compartir su herencia con quienes los rodean.

En esta parábola, el problema que ocasionó el desvarío de ambos hijos fue su desconocimiento del carácter verdadero del Padre. El hijo menor pensaba que sería tratado como un siervo, el hijo mayor no advertía el amor constante de su Padre. Pero no tenemos que alejarnos del hogar para disfrutar del gozo de la aceptación de Dios.

Señor, gracias por adoptarme en tu familia celestial. Te ruego que me permitas reflejar hoy tu carácter de amor. MAV

SALVACIÓN PARA EL PERDIDO

Porque el Hijo del Hombre vino a buscar y a salvar lo que se había perdido.
Lucas 19:10.

El ex campeón mundial de boxeo Muhammad Alí dijo en cierta ocasión: "Cuando eres tan bueno como yo, es difícil ser humilde". No todos estamos tan seguros de nosotros mismos; muchos nos lamentamos por problemas con nuestra conducta, nuestra apariencia, nuestra voz, nuestra capacidad intelectual, etc. Pero los últimos años han visto el desarrollo de un influyente movimiento dedicado a tratar con el tema de la estima propia. Se nos inculca que no hay personas malas, sólo personas que piensan mal de sí mismas.

Se cree que el problema de una baja estima propia es la causa de problemas tales como embarazos de adolescentes, drogadicción y problemas escolares. Por esto varios estados de los Estados Unidos han implementado planes para "extirpar los conceptos personales negativos de la sociedad".

Sin embargo, las investigaciones no parecen concluir que los problemas de estima propia sean la raíz de estos males sociales. Hay pocos estudios que relacionen la falta de estima propia con el uso de alcohol. No hay suficiente evidencia para asegurar que existe una relación directa entre la baja estima propia y el abuso infantil. Las personas agresivas pueden tener igualmente una estima propia baja o alta.

El problema con este movimiento es que se le da demasiada importancia al hecho de sentirse bien con uno mismo, dejando a un lado un análisis honesto y revelador de nuestras carencias o defectos. La Biblia nos enseña que sin Cristo estamos perdidos (ver Núm. 17:12; Jer. 50:6; Eze. 34:16; Mat. 15:24). Romanos expresa nuestra perdición en forma sumaria: "Por cuanto todos pecaron, y están destituidos de la gloria de Dios (Rom. 3:23).

Las Escrituras destacan que la naturaleza humana se inclina a hacer el mal (ver Gén. 6:5; Rom. 3:23; 7:15-24). El propósito cumbre de la redención obrada por Cristo fue salvar a los perdidos, salvar a su pueblo de sus pecados (Luc. 19:10; S. Mateo 1:23). Esto requiere una transformación, la cual, si bien es obra de Dios a través del Espíritu Santo, implica una aceptación activa de parte nuestra.

Gracias, Señor, por proveer una solución eficaz para el problema de mi pecado. MAV

YA VIENE EL VERANO

Mirad la higuera y todos los árboles. Cuando ya brotan, viéndolo, sabéis por vosotros mismos que el verano está ya cerca. Lucas 21:29, 30.

El paso de las estaciones es uno de los procesos naturales de mayor impacto sobre la vida humana. En los países o localidades donde hay diferencias marcadas, cada estación trae consigo diferencias en actividades, actitudes y maneras de hacer las mismas cosas. La naturaleza ejerce transformaciones que por repetirse cada año no dejan de ser extraordinarias.

Quizá la estación más esperada de todas es la primavera. La efusividad de los jardines primaverales produce un glorioso espectáculo imposible de ignorar. Los tulipanes, jacintos y lirios brotan en una explosión de colores y perfumes. Paisajes oscuros y sombríos, de repente se engalanan para la fiesta de la vida. Árboles secos y desnudos comienzan a echar brotes verdes que en pocas semanas se tornan en hojas y flores.

A veces el invierno regresa súbitamente y sorprende a las flores en su algarabía. Éstas usualmente inclinan sus cabezas bajo el peso de la nieve, pero cuando días más cálidos regresan, nuevamente se enderezan y continúan su pugna por la vida. Árboles devastados por las tormentas invernales, con ramas rotas y echadas por tierra, parecen estropeados irreparablemente. Con la primavera, viene el toque restaurador de Dios: una multitud de hojas oculta la herida y un par de primaveras después, es casi imposible encontrar el daño.

Hay una lección en el paso de las estaciones. Nos enseñan que es posible nacer de nuevo, que cuando hemos sufrido golpes y tormentas, todavía Dios puede reparar los daños y hacernos nuevos. Los árboles y nosotros tenemos el mismo médico.

Jesús nos enseña que al igual que aprendemos a esperar el paso de las estaciones por sus efectos naturales, la historia nos va dando señales del cumplimiento del plan de Dios. No siempre podemos identificar cada evento con las profecías del fin; lo que sabemos con toda certeza es que vendrá el verano: la culminación de la historia, cuando la naturaleza y la historia se unirán en un abrazo definitivo. Cuando la humanidad tenga la oportunidad de alcanzar la madurez y el desarrollo para los cuales fueron creados, en la presencia misma del Hacedor.

Señor, permite que al igual que las estaciones traen renovación y desarrollo, tú puedas dirigir mi vida hasta que llegue tu glorioso verano de la salvación. MAV

COMBATIENDO LA ANSIEDAD

Mas buscad el reino de Dios, y todas estas cosas os serán añadidas.
Lucas 12:31

La preocupación se asocia con la ansiedad. La ansiedad es un sentimiento perfectamente normal, y muchas veces útil. Pero cuando permitimos que la preocupación tome el centro de nuestra existencia y vivimos hablando de aquello que nos intranquiliza, ansiosos por nuestra seguridad y la de nuestra familia, por la estabilidad financiera, la salud o lo que nos pueda deparar el mañana, terminaremos siendo víctimas de una ansiedad negativa, lo que se conoce como ansiedad clínica.

La ansiedad clínica produce disturbios en la vida cotidiana, imposibilita al individuo para afrontar situaciones normales, y finalmente lo incapacita. No es sabio detenernos en los capítulos negativos de nuestra vida, o hablar constantemente de las cosas que nos atemorizan o nos preocupan. No sin razón, el sabio Salomón nos dice: "La congoja en el corazón del hombre lo abate; mas la buena palabra lo alegra" (Prov. 12:25).

Jesús, durante su ministerio en esta tierra, dedicó mucho tiempo a hacernos ver lo inútil que es preocuparnos y vivir ansiosos. Dijo a sus discípulos: "Por tanto os digo: No os afanéis por vuestra vida, qué comeréis; ni por el cuerpo, qué vestiréis. Considerad los cuervos, que ni siembran, ni siegan; que ni tienen despensa, ni granero, y Dios los alimenta. ¿No valéis vosotros mucho más que las aves? Considerad los lirios, cómo crecen; no trabajan, ni hilan; mas os digo, que ni aun Salomón con toda su gloria se vistió como uno de ellos. Y si así viste Dios la hierba que hoy está en el campo, y mañana es echada al horno, ¿cuánto más a vosotros, hombres de poca fe? Mas buscad el reino de Dios, y todas estas cosas os serán añadidas" (Luc. 12:22, 24-28, 31).

¡Qué promesa tan maravillosa! Nuestro corazón debería regocijarse con las palabras de seguridad y protección que nos ofrece nuestro querido amigo Jesús. ¿Qué le puede faltar? ¿Qué preocupación podría hoy consumir sus huesos que no se la pueda entregar a su Salvador?

Busquemos a Jesús con todo nuestro corazón y encomendemos nuestras almas a su cuidado amante. Confiemos en el Creador. Hablemos de él a menudo durante el día, y meditemos en sus promesas de paz y seguridad.

Querido Jesús, encomiendo mi alma a tu cuidado. OLV

EN LOS PASOS DE PEDRO

Mas yo he rogado por ti que tu fe no falte. Lucas 22:32.

Aún recuerdo aquella tarde cuando de niña escuché por primera vez la historia de la traición de Pedro. No pude entender inmediatamente el repentino cambio de un Pedro que tan sólo unas horas atrás le juraba amor eterno y fidelidad perpetua a su Maestro. Pero Pedro no cambió repentinamente de parecer. En realidad, el apóstol tuvo que descender una serie de escalones antes de caer en las profundidades de la traición predicha por el Señor Jesucristo.

El primer escalón que condujo a Pedro a negar a Jesús fue la seguridad propia. La autosuficiencia hace que olvidemos nuestra desesperada necesidad de la dependencia divina. Pedro se sentía seguro en su propia fortaleza espiritual, y esto lo condujo a descender el siguiente escalón: el descuido de la oración. Quien se siente fuerte, no necesita a Dios. Y quien no necesita a Dios, no necesita buscarlo en oración.

Como eslabones que no se pueden separar uno del otro, el descuido de la oración indujo a Pedro a olvidarse de que las victorias personales se obtienen únicamente cuando permitimos que Cristo las gane por nosotros. Al pelear sus propias batallas, Pedro se enfrentó solo a un ejército entero, para lograr el triste trofeo de una simple oreja. Cuando el cristiano se separa de su fuente de poder, se olvida que no puede enfrentar al enemigo por sí mismo. El resultado siempre será el fracaso y la derrota.

Cuando Pedro comprobó que Jesús optaba por la sumisión en vez de responder a la enfadada turba con un acto milagroso, decidió entonces salvarse a sí mismo y correr. Con ello, olvidó que la salvación pertenece a Dios y no al hombre. El quinto escalón que por fin lo llevó a la derrota, fue el de distanciarse de la fuente de poder. Pedro contemplaba a Jesús de lejos, mientras se calentaba junto al fuego. Para Pedro, esto significaba estar al tanto de lo que le estaba pasando al Nazareno, pero no tan cerca como para comprometerse en salvar la vida de aquel a quien decía amar hasta la muerte. Y así actuamos los cristianos muchas veces. Contemplamos a Jesús de lejos, mientras nos calentamos en el fuego de las pasiones mundanas. El Salvador ha prometido orar por nosotros para que no nos falte la fe. Si como Pedro nos encontramos contemplando a Jesús de lejos, incapaces de olvidarlo del todo, no tenemos por qué seguir calentándonos junto a fuegos extraños.

Gracias, Padre, por las lecciones aprendidas a través de la experiencia de Pedro. OLV

UNA PROMESA DE NAVIDAD-2

En él estaba la vida, y la vida era la luz de los hombres. La luz en las tinieblas resplandece, y las tinieblas no prevalecieron contra ella. Juan 1:4, 5.

Jesús nos trajo luz. Luz y gloria acompañaron al ángel que habla con los pastores, pero la Luz mayor se encontraba en el pesebre. Juan dejó fuera el relato histórico y habla directamente de su significado: "En él estaba la vida, y la vida era la luz de los hombres. La luz en las tinieblas resplandece, y las tinieblas no prevalecieron contra ella... Aquella luz verdadera, que alumbra a todo hombre, venía a este mundo" (Juan 1:4-9).

Cuando se ha estado mucho tiempo en la oscuridad, la luz hiere los ojos. Por eso no lo recibieron. Isaías dice que hay muchos que están ciegos: "Por esto se alejó de nosotros la justicia, y no nos alcanzó la rectitud; esperamos luz, y he aquí tinieblas; resplandores, y andamos en oscuridad. Palpamos la pared como ciegos, y andamos a tientas como sin ojos; tropezamos a mediodía como de noche; estamos en lugares oscuros como muertos. Gruñimos como osos todos nosotros, y gemimos lastimeramente como palomas; esperamos justicia, y no la hay; salvación, y se alejó de nosotros" (Isa. 59:9-11).

Esas tinieblas persisten hoy, pero "las tinieblas no prevalecen contra ella".

Jesús nos trajo gozo. A aquel mundo triste de Judea, Jesús le trajo gozo. Había nacido Aquel que esperaban: Jesucristo, el Salvador y el Libertador. Aquel que no sólo podía vencer la tristeza y la desesperación, sino que también podría salvarlos de sus pecados. La solución de los males del pueblo no estaba en una liberación política o militar. Nuestro problema tampoco se puede solucionar con el liderazgo humano de un rey o un presidente.

Isaías 9:6 nos dice: "Porque un niño nos es nacido, hijo nos es dado, y el principado sobre su hombro; y se llamará su nombre Admirable, Consejero, Dios fuerte, Padre eterno, Príncipe de paz". Esta descripción no puede aplicarse a ningún rey de Israel ni de ningún otro país o momento de la historia.

Hay mucho gozo en la primera Navidad. Hay mucho gozo en la Biblia. Un gozo sobrenatural, un roce con el Eterno. Quizá sea bueno que no sepamos con exactitud la fecha de la primera Navidad, deberíamos experimentar sus beneficios todos los días.

Señor, dame hoy la luz y el gozo de tu primer advenimiento, y prepárame para la gloria del segundo. MAV

UNA NUEVA IDENTIDAD

Mas a todos los que le recibieron, a los que creen en su nombre, les dio potestad de ser hechos hijos de Dios. Juan 1:12.

La supuesta crisis de la mediana edad no es tan inevitable como a veces se la presenta, pero es indudable que después de los cuarenta, se vive un período de transición y reanálisis. ¿Quiénes somos? ¿Qué papel jugamos en el drama de la vida? ¿Cómo nos relacionamos con el universo y con nuestro prójimo? ¿Cuán exitoso he sido? ¿Qué es el éxito?

Todas estas preguntas tienen un fondo común. Cuando hemos pasado los angustiosos procesos de escoger nuestro cónyuge y desplazar nuestras preocupaciones de nosotros a nuestros hijos y nuestro estatus social llega a estar más o menos definido, muchas veces regresamos a un diálogo con nosotros mismos en busca de significado. A veces estamos un tanto confusos respecto a nuestra identidad, y nos definimos según nuestra profesión, nuestra función de padre o madre, nuestra comunidad o nuestra nacionalidad.

Buscamos significado en nuestras carreras, en nuestra apariencia, en nuestras posesiones, en nuestras relaciones con los demás. Al escoger qué es lo que nos define, también estamos decidiendo cuál es el propósito supremo de nuestra vida. Algunos —a veces sin saberlo— optan por los placeres, otros deciden que dedicarán sus mejores energías a sus hijos, a su profesión, a su matrimonio. Otros se esmeran por lograr tener la casa ideal, con los muebles o aparatos domésticos mejores. Las posesiones llegan a convertirse en una extensión nuestra, nuestra misma felicidad parece depender de ellas.

Pero en el fondo buscamos nuestra humanidad. ¿Qué clase de persona he sido? ¿Qué significado tiene mi vida? Si en nuestro análisis vamos retirando las capas superfluas, llegaremos al núcleo de lo que somos. Y allí, en esa soledad de criatura pensante, encontramos la idea de Dios el Creador.

La promesa de hoy nos invita a contemplar un destino glorioso conectado con dos actos de pensamiento y voluntad: Recibir y creer. Es un ofrecimiento universal, "a todos los que le recibieron". Y se trata de recibir a Jesús, no como hombre o maestro moral, sino como al Hijo de Dios. Este es un concepto revolucionario, que sacude nuestras percepciones naturales. Cuando creemos, entramos en un plano espiritual. Ya no somos los mismos, porque con él recibimos una nueva identidad. Finalmente sabemos quienes somos.

Gracias, Señor, por el incalculable privilegio de ser tus hijos. Permite que hoy mi mente se expanda ante este extraordinario concepto. MAV

PASCUA SANTA

He aquí el Cordero de Dios, que quita el pecado del mundo.
Juan 1:29.

La palabra pascua tiene un rico significado para creyentes judíos y cristianos. La primera pascua se celebró en la fecha de las fiestas judías de las primicias, cuando los israelitas ofrecían ofrendas de los primeros frutos de sus rebaños y cosechas. Con los acontecimientos del tiempo de Moisés, la pascua —cuyas raíces griega y hebrea tienen el significado de "paso"— pasa a ser una conmemoración de la salida del pueblo hebreo de Egipto y la esclavitud. En la noche anterior a la salida de Egipto, Moisés instruyó al pueblo para que inmolara un cordero y tiñera con su sangre el dintel de la puerta de la casa, de esa manera sus hijos serían eximidos de la décima plaga que mató a los primogénitos de los egipcios (Éxo.12:3-12, 23).

La pascua cristiana fue establecida para conmemorar los eventos de la muerte y resurrección de Jesús. Y es que estos eventos se conjugaron estrechamente con la fiesta judía. En el día en que se celebraba la pascua en el año 34, Jesús fue sacrificado como el verdadero Cordero pascual, reposó en la tumba durante el día de reposo estipulado por las fiestas (que en el año en que murió Jesús coincidió con el sábado semanal) y resucitó el día en que los judíos celebraban la fiesta de las primicias.

El que la fiesta judía de la pascua haya sido investida de un nuevo significado cristiano, no anula su simbolismo de liberación y esperanza. Al contrario, el sacrificio de Cristo sentó las bases de la verdadera libertad del ser humano: la libertad del pecado y su opresión. Su sangre igualmente nos exime de la paga del pecado, la muerte (Efe. 1:7; Rom. 6:23). Con él salimos del Egipto espiritual, con él vencemos al faraón de este mundo y marchamos confiados hacia la final liberación de su segunda venida y la entrada a la tierra prometida definitiva.

El mensaje de la pascua es que Jesús aún puede perdonarnos, limpiarnos y sellarnos para la salvación. Su sangre aún puede abrirnos "pascua", paso, hasta el cielo. En Jesús todavía hay redención, amor y esperanza.

Gracias por el Cordero, que murió en nuestro lugar y nos guía a la salvación. MAV

DE TAL MANERA NOS AMÓ DIOS

Porque de tal manera amó Dios al mundo, que ha dado a su Hijo unigénito, para que todo aquel que en él cree, no se pierda, mas tenga vida eterna. Juan 3:16.

El principio operante del cielo es el amor que todo lo da. Dios dio vida a los seres humanos. Les dio un planeta, una creación que les habla de su afecto. Y cuando se apartaron de él y eligieron vivir en egoísmo, Dios les dio un Hijo, "para que todo aquel que en él cree, no se pierda, mas tenga vida eterna". En su bondad infinita, Dios siempre está dispuesto a prodigar dones a sus hijos. Hemos de realizar un intercambio de sentimientos: entregarle a él los nuestros, manchados por el egoísmo, el odio y los celos, y recibir a cambio una nueva actitud, una nueva manera de percibir a los demás y al mundo que nos rodea.

Bob Benson habló de esta transacción en términos de un día de campo al que una persona lleva un pobre emparedado y le toca sentarse al lado de una familia que ha traído abundancia de ricos alimentos. Cuando llega la hora de comer, la señora de al lado llena la mesa de ensaladas y pan y postres deliciosos, y ofrece compartirlo todo con el individuo del emparedado... sólo le pide que comparta con ellos de lo suyo. Aunque se resiste al principio, el agraciado termina disfrutando de un banquete digno de un rey.

Así sucede cuando los seres humanos nos animamos a compartir con Dios lo poco que poseemos de valor espiritual. No tenemos suficiente amor, ni gracia ni fe, pero Dios tiene de todo esto en abundancia y está dispuesto a compartirlo con nosotros.

La conversación secreta entre Nicodemo y Jesús produjo la promesa más conocida de la Biblia; una promesa que describe el plan de Dios para devolver la vida eterna a los seres humanos. Juan 3:16 es especialmente poderoso por todo lo que dice en tan pocas palabras. Declara la motivación de Dios, el amor; su método, la dádiva de su Hijo; su propósito, salvar de la perdición eterna. También señala la condición: creer en Jesús.

Es una promesa universal. "Todo aquel que cree" puede disfrutar de los beneficios obrados por el amor de Dios. Nos inserta en el mundo de Dios, con perspectivas de eternidad y con un corazón que siente un nuevo aprecio por los que nos rodean. Cuando entramos en este mundo, compartimos con Dios mismo el gozo de dar.

Gracias, Señor, por este Evangelio en forma concentrada. Por estas pocas palabras que tanta luz traen a nuestra vida. MAV

CASA DE MISERICORDIA

Jesús le dijo: Levántate, toma tu lecho, y anda. Juan 5:8.

El sanamiento del paralítico de Betesda fue uno de los milagros más visibles del ministerio de Jesús y ocasionó una acusación contra Jesús ante el Sanedrín que provocó la terminación de su ministerio en Judea. Jesús vino a Jerusalén y se acercó a un estanque donde se congregaban los enfermos y los desahuciados en espera de un milagro. Su esperanza se aferraba a la tradición de que un ángel venía cada cierto tiempo y "agitaba el agua". El "primero que descendía al estanque quedaba sano" (Juan 5:4).

Hay en este relato una interesante contradicción que ilustra la condición humana y la naturaleza del amor de Dios. El significado de la palabra "Betesda" es "casa de misericordia", pero aquel escenario de miseria y competencia no era un lugar de misericordia. Junto a este estanque de Betesda los más fuertes atropellaban a los más débiles en su ansiedad por llegar al agua cuando se agitaba, y más de uno moría en vez de encontrar la salud (*El Deseado de todas las gentes,* pp. 171, 172, 176). Mientras más egoísta, más determinado y más fuerte fuera un hombre, era más probable que llegara primero al estanque para ser curado. El primero en llegar al estanque cada vez que se agitaba el agua aparentemente se sanaba; pero la curación ocurría sólo periódicamente. En realidad, Dios no favorece a unos para desmerecer a otros. Jesús no sanaba según estos principios.

Betesda era un lugar de falsas esperanzas. La agitación del agua era real (*Ibíd.*, p. 172), pero puede explicarse fácilmente como fenómeno natural. Varias de las fuentes de Jerusalén son intermitentes; es decir, el agua sale en gran caudal por unos momentos y luego cesa. Si el estanque de Betesda era surtido por una de estas fuentes, la presión del agua podía fácilmente agitar la calma del estanque. No era verdad que un ángel moviera el agua.

Sólo Jesús hizo que Betesda fuese una "casa de misericordia". Escogió al peor caso de todos, a un hombre paralítico por más de 38 años, solo y sin esperanzas, y le ofreció sanidad y salvación. Elena de White escribió:

"Jesús no pide a este enfermo que ejerza fe en él. Dice simplemente: 'Levántate, toma tu lecho, y anda'. Pero la fe del hombre se aferra a esa palabra... Sin la menor duda, dedica su voluntad a obedecer a la orden de Cristo, y todos sus músculos le responden. De un salto se pone de pie, y encuentra que es un hombre activo" (*Ibíd.*)

Señor, gracias por traer misericordia a nuestra vida. MAV

LA CLONACIÓN Y LA NOVEDAD DE VIDA

De cierto, de cierto os digo: El que cree en mí, tiene vida eterna.
Juan 6:47.

En febrero de 1997, el científico escocés Ian Wilmut anunció el nacimiento de la oveja *Dolly*, el primer animal clonado, producido, no por la unidad de las células de dos individuos de sexo opuesto, sino con el material genético de un sólo individuo. ¿Cómo se logró tal cosa? En los términos más sencillos, el Dr. Wilmut tomó óvulos inmaduros (ovocitos) de ovejas y les quitó manualmente los núcleos. Luego combinó estos ovocitos con células tomadas de la ubre de una oveja adulta. El núcleo de la célula completa reemplazó los genes normalmente suministrados por la unión del esperma y el óvulo durante una fertilización normal; se desarrolló un embrión en una solución nutritiva y luego se implantó en el útero de una oveja.

El nacimiento de *Dolly* creó una verdadera conmoción en el mundo científico. No sólo por la novedad de una reproducción contra natura, sino por sus implicaciones éticas. ¿Deberá utilizarse la ciencia para producir réplicas humanas? ¿Será posible crear otros seres idénticos a nosotros? ¿Será ésta la manera de proyectarnos hacia la eternidad?

La idea de reproducir una copia al carbón de nosotros mismos, por atractiva que parezca, no puede resolver nuestro problema de vejez, ni nuestro aporte a las generaciones que nos siguen. Incluso si se clonara un ser idéntico a mí, éste no sería yo, ni tendría mi identidad. Somos individuos únicos, y según la Biblia sólo tenemos una manera de extendernos hacia la inmortalidad y la juventud eterna. "¿Cómo puede un hombre nacer siendo viejo? —preguntó Nicodemo a Jesús— ¿Puede acaso entrar por segunda vez en el vientre de su madre, y nacer?" (Juan 3: 4).

La única manera de nacer de nuevo es a través del Espíritu de Dios (vers. 5), cuando entra libremente en un corazón dispuesto y nos transforma de adentro para fuera. Al creer en Dios y entrar en una relación de fe con él, nuestra vida se conecta con la única fuente genuina de la vida perdurable. "El que tiene al Hijo, tiene la vida" (1 Juan 5:11).

Mi Señor, no sé cómo lo harás, pero creo que la renovación que has comenzado desde ahora en mi alma se extenderá hacia un futuro sin fin. MAV

DAME DE TU AGUA, SEÑOR

En el último y gran día de la fiesta, Jesús se puso en pie y alzó la voz, diciendo: Si alguno tiene sed, venga a mí y beba. El que cree en mí, como dice la Escritura, de su interior correrán ríos de agua viva. Juan 7:37, 38.

Hay cierto parque en el centro de la ciudad de Boise adonde suelo escaparme todos los días durante el receso del almuerzo. El sosiego y el aire de paz que se respira a la sombra de los árboles en los parques siempre han cautivado mi espíritu. Éste, en particular, tiene cierta calidad de reposo que me maravilla. A veces he llegado a pensar que escondido entre las ramas de los árboles hay un gran imán cósmico que atrae a los transeúntes y los impele al sueño. De otra manera, este parque no sería el lugar de reunión por excelencia de todos los desamparados de la ciudad, que allí se congregan buscando albergue todos los días.

Esto me sorprende, puesto que el parque no es grande ni tiene muchos árboles. Buena parte del piso es de concreto. Cerca de allí, a sólo unos cinco minutos, está el verdadero parque de la ciudad. El de césped verde y de hermosos árboles que embellecen el ambiente y relajan el espíritu. Pero este parque en particular es el preferido de quienes buscan el descanso.

El secreto yo lo intuía. Sin embargo, esa mañana quise corroborar mi teoría y le pregunté a un hombre que se disponía a preparar su cama qué era lo que lo atraía al lugar. Sin pronunciar una sola palabra, el hombre volvió la vista hacia el arroyito, donde un molino de agua de rueda circular pone un toque mágico, y apuntó hacia allí.

"El agua", me dije, y recordé la alabanza del pueblo de Israel junto al pozo de Beer: "¡Sube, oh pozo; a él cantad!" (Núm. 21:17).

¡Qué cuadro tan maravilloso para describir a Dios! Jesús es nuestro pozo de agua de vida eterna, es nuestro refugio, nuestro alimento y nuestro lugar de descanso. En él encuentran su casa los pobres, los tristes y los desamparados del mundo. Su presencia proporciona paz, alegría, salud mental, renovación, compañerismo, guía, liberación de la ansiedad y el temor, consuelo, seguridad y victoria sobre la muerte.

El pueblo de Israel nunca tuvo sed durante sus peregrinaciones. Cristo era la fuente de todas sus bendiciones, tanto temporales como también espirituales. Y eso es lo que hoy quiere ser para nosotros. Nos dice: "Si alguno tiene sed, venga a mí y beba" (Juan 7:37).

Gracias, Padre, por ser mi fuente de vida eterna. OLV

DE REGRESO A LA ARENA

Ni yo te condeno; vete, y no peques más. Juan 8:11.

Hace un tiempo, alrededor de 56 ballenas piloto amanecieron encalladas en las húmedas costas de Massachussets, Estados Unidos. Un equipo de biólogos marinos y otros voluntarios trabajaron incansablemente hasta el amanecer, tratando de devolverlas al mar. Aunque exhaustos, los biólogos y voluntarios regresaron esa noche a sus hogares satisfechos con el esfuerzo de haber salvado la vida a los cetáceos. Pero su sorpresa y su disgusto fue muy grande, cuando a la mañana siguiente, por razones inexplicables, encontraron que las ballenas estaban de vuelta en la misma playa, por segunda vez. Sólo que esta vez no corrieron la misma suerte, y todas perecieron.

"¡Ballenas tontas!", usted dirá. Sí. Deberían haber aprendido la lección. Sin embargo, cuántas veces nosotros los seres humanos parecemos estar haciendo lo mismo cuando se trata de persistir en nuestras equivocaciones. Vivimos cometiendo errores. Nos cuesta reconocerlos, y nos cuesta aún mucho más enmendarlos.

Jesús no quiere que sus hijos comprados a tan alto precio sean juguetes de las tentaciones. Él quiere que seamos triunfadores. Pero, ¿existe acaso alguna fórmula que nos ayude a evitar o a corregir errores?

Definitivamente sí. Con la promesa de hoy, Jesús nos anima a que nos repongamos de nuestros fracasos. "Ni yo te condeno", nos dice. El cristiano no está condenado a naufragar en sus equivocaciones. Cristo es la luz que guía nuestro sendero, y su Palabra la vía posible hacia una vida de triunfo ante el pecado. Nuestro amante Padre celestial nos contempla como hijos suyos expuestos a los sofismas y a las tentaciones de Satanás, y nos ruega: "Hijo mío, está atento a mis palabras; inclina tu oído a mis razones... porque son vida a los que las hallan, y medicina a todo su cuerpo" (Prov. 4:20-22). Es posible corregir nuestras equivocaciones con acciones más edificantes. El error fatal consiste en persistir en los callejones sin salida y en los desatinos que nos inducen a apartarnos de Dios y de sus caminos.

Cristo nos anima hoy a buscar las vías posibles, y los aciertos que nos llenarán de felicidad. Una vez aprendidas las lecciones, nuestros pies reanudarán el paso hacia caminos más encumbrados. Así como cometemos errores, tenemos también la capacidad de corregirlos. Y esta capacidad es nuestra distinción esencial.

Señor, ayúdame a recordar que tu Hijo no vino al mundo para condenarlo, sino para que el mundo sea salvo por él. OLV

LUZ EN LA OSCURIDAD

Otra vez Jesús les habló, diciendo: Yo soy la luz del mundo; el que me sigue, no andará en tinieblas, sino que tendrá la luz de la vida. Juan. 8:12.

Se cuenta que los invalorables bordados renacentistas, en su mayoría irrepetibles, que elaboraba el famoso taller de sedas de Bruselas, eran confeccionados en una total oscuridad. Excepto por un tenue rayo de luz que provenía de una pequeña abertura en la parte central del techo, las habitaciones reservadas para la hilandería más exquisita se hallaban siempre en la más solemne oscuridad.

La calidad del encaje, el color, la filigrana, y en general la magnificencia de los modelos que se confeccionaban en esas habitaciones, eran siempre los más cotizados. El secreto radicaba en la posición del hilandero y el modelo u objeto a copiar. Mientras el hilandero trabajaba en plena oscuridad, el modelo se colocaba directamente bajo la luz que procedía de la abertura. De esa forma, la concentración y la visualización del hilandero se desviaban de la oscuridad de su contorno y recaían únicamente sobre el referente, prestándole así dedicación absoluta.

¡Qué tremenda lección es ésta para el cristiano! El ser humano tiene una obra singular que realizar, su propia vida. Está en sus manos crear una obra digna de ser admirada por todo el universo, o un trabajo incalificable y falto de belleza. Todo depende del modelo que coloquemos bajo la luz de nuestros intereses. Pero también todo depende que nuestros intereses sean iluminados por la luz del Espíritu Santo. Cristo es el verdadero modelo. Y sólo si él es nuestro referente, podremos hacer de nuestras vidas una obra de arte.

Para que nuestra vida sea llena de las gracias del Espíritu Santo es necesario dejar de mirarnos a nosotros mismos, en la oscuridad, y mirar al modelo, bajo la luz. No hay otra ciencia ni procedimiento que nos lleve al triunfo. Habría sido imposible para aquellos hilanderos de siglos pasados, producir semejantes obras de arte si hubieran procedido a la inversa. No se puede hilar el tejido de la vida en la oscuridad del pecado o de nuestra insuficiencia. Nuestro Creador quiere que coloquemos nuestra mirada allí donde los rayos del Espíritu Santo iluminan al modelo eterno.

Gracias, Señor Jesús, porque eres el modelo eterno. Haz que hilemos el tejido de nuestras vidas tomándote siempre como referencia. OLV

LA VERDAD QUE SALVA

Y conoceréis la verdad, y la verdad os hará libres. Juan 8:32.

En la primavera de 1993, decenas de seguidores de David Koresh murieron consumidos por el fuego en Waco, Texas. Entre ellos se encontraban tres jóvenes sudamericanas.

Koresh mostraba un ferviente interés por interpretar porciones proféticas de las Sagradas Escrituras, especialmente la profecía de los siete sellos de Apocalipsis 5 al 8. Muchos de sus seguidores creían en sus enseñanzas. Pero la teología de Koresh se distorsionaba profundamente al incluir ideas como la de su identidad mesiánica, su derecho sexual sobre las mujeres que lo seguían, y el supuesto derecho de portar armas para aniquilar a los enemigos de Dios con plomo y explosivos.

Doctrinas equivocadas como éstas también llevaron a la muerte a 900 seguidores de Jim Jones, en Guyana. Es indudable que errores doctrinales serios que nos hacen fanáticos e insensatos pueden llegar a ser muy peligrosos. ¿Qué podemos aprender de Waco o de Guyana? ¿Qué salvaguarda puede protegernos de situaciones similares? La Biblia nos da pruebas exactas para juzgar a los líderes espirituales y sus movimientos religiosos. Son básicamente cuatro.

1. "¡A la ley y al testimonio! Si no dijeren conforme a esto, es porque no les ha amanecido" (Isa. 8:20).
2. "Por sus frutos los conoceréis" (Mat. 7:16).
3. "El profeta que profetiza de paz, cuando se cumpla la palabra del profeta, será conocido como el profeta que Jehová en verdad envió" (Jer. 28:9).
4. "Amados, no creáis a todo espíritu, sino probad los espíritus si son de Dios... En esto conoced el Espíritu de Dios: Todo espíritu que confiesa que Jesucristo ha venido en carne, es de Dios" (1 Juan 4:1-3).

En esencia, toda enseñanza debe atenerse a la verdad revelada; la verdad produce frutos; la Palabra de Dios siempre se cumple; el centro de la verdad es Jesucristo. La verdad que salva es "la verdad que está en Jesús" (Efe. 4:21).

Señor, líbrame de la mentira en todas sus formas, especialmente respecto del conocimiento de tu Palabra y tu Persona. OLV

SOMOS LO QUE ADORAMOS

Jesús les respondió: De cierto, de cierto os digo, que todo aquel que hace pecado, esclavo es del pecado. Y el esclavo no queda en la casa para siempre; el hijo sí queda para siempre. Así que, si el Hijo os libertare, seréis verdaderamente libres. Juan 8:34-36.

La primera vez que escuché el caso de Sarah Johnson, inmediatamente vino a mi memoria el relato evangélico de los endemoniados gadarenos. Sarah Johnson no vive entre los sepulcros, no viste andrajos, no le crujen los dientes ni echa espuma por la boca, tal como los evangelios definen a los endemoniados habitantes de la región de Gadara, al oriente del mar de Galilea. Sin embargo, con su macabro proceder, Sarah Johnson ha demostrado al mundo que obedece al maligno.

El 2 de septiembre de 2003, con sólo 16 años de edad, Sarah Johnson asesinó a su madre, dándole un certero tiro en la cabeza cuando ésta aún dormía. Segundos después asesinó también a su padre de un balazo en el pecho, mientras éste se preparaba para el baño. Y todo, por la simple razón de que la noche anterior ambos padres le habían prohibido a Sarah volver a verse con su novio.

Por supuesto, no es necesario ir a extremos como éstos para demostrar que servimos al dios de las tinieblas. Sin embargo, Jesús nos dijo que todo aquel que hace pecado, esclavo es del pecado (Juan 8:34). Somos transformados a la imagen y semejanza de aquello que amamos y adoramos. Es imposible conducirnos de una manera que honre a Satanás y todavía pretender que amamos a Dios.

La sierva de Dios expone que "todos los que se apartan voluntariamente de los mandamientos de Dios se colocan bajo la dirección de Satanás" (*El ministerio de curación,* p. 61).

"Los que persistentemente rehúsan obedecer las insinuaciones del Espíritu Santo, o las descuidan entregándose, en cambio, al dominio de Satanás, desarrollan un carácter que cada vez se parece más al del maligno" (*Comentario bíblico adventista,* t. 5, p. 563).

Es obra del enemigo de las almas inducir a los hijos de Dios a ignorar su Palabra e impedir que nuestras inclinaciones sigan la voluntad de Dios. La clave para triunfar sobre el mal la ofrece la segunda parte del texto de hoy: "Así que, si el Hijo os libertare, seréis verdaderamente libres" (vers. 36).

Padre, haz que tu rostro brille en mí. OLV

LA PRIMERA PUERTA DEL DÍA

Yo soy la puerta; el que por mí entrare, será salvo. Juan 10:9.

Durante al menos las últimas tres décadas, ha existido un debate sobre cómo determinar lo que es bueno y lo que es malo, y por consiguiente cuál es la conducta apropiada. Una posición que tiene raíces muy antiguas, pero que ha sido clarificada y expresada contemporáneamente es la ética situacional. La ética situacional pretende que las respuestas a nuestros dilemas morales pueden encontrarse dentro del contexto de la situación en particular. Cuando se le pregunta a un "situacionista", "¿qué debo hacer?", su respuesta será: "Todo depende de la situación".

Lo contrario a la ética situacional es la ética "legal", la que busca las respuestas a cada asunto moral en algún tipo de prescripción o regla. Esta persona, al enfrentarse a una decisión moral se pregunta: "¿Qué dicen las leyes, los padres o el gobierno acerca de esto?" Esta persona depende casi totalmente de pronunciaciones de líderes institucionales o en preceptos escritos.

¿Cuál de estas posturas es mejor? Ninguna es totalmente adecuada para proveer respuestas a cada dilema. La Biblia ofrece otra manera de juzgar qué es bueno o malo. En el centro de toda decisión debe encontrarse Cristo. Aparte de él, nuestras decisiones pueden parecer buenas, pero su fin podría ser "camino de muerte" (Juan 15:5). El versículo de hoy señala un modo de vida simbolizado por la entrada a través de una puerta. Esa puerta es Cristo. ¿Qué significa en términos prácticos? Que en las enseñanzas de Jesucristo encontramos un marco completo y suficiente para cada aspecto de la vida.

El concepto "puerta" tiene muchas aplicaciones. Una puerta alude a un paso de un lugar a otro, ya sea para entrar o para salir. Pero el versículo presenta a Jesús como el "marco" de nuestra vida. "Entramos" y "salimos", pero siempre a través de él, quien provee la base de nuestras acciones, pensamientos y decisiones. Cuando Jesús es el medio en el cual nos movemos y vivimos (ver Heb. 17:28), su Espíritu nos guía a las decisiones morales correctas. Hoy vamos a trasponer muchas puertas: las puertas que nos permiten entrar en la presencia de nuestros hijos y desearles bendición, las puertas que nos brindan la oportunidad de una vida productiva, las puertas de hogares o colegas que anhelan desesperadamente una vida mejor, las puertas de un consultorio médico, o las de una iglesia.

Señor, que al salir hoy al mundo externo, la primera puerta que trasponga sea aquella que me conduzca a tu presencia. MAV

LA VIDA ABUNDANTE

Yo he venido para que tengan vida y para que la tengan en abundancia.
Juan 10:10.

Para muchos, el *sumun bonum* (máximo bien) es relativamente fácil de definir: "Salud, dinero y amor". "Libertad" y "seguridad" son algunos de los otros candidatos. El éxito se mide a menudo según índices visibles de prosperidad; propiedades y objetos que llegan a ser símbolos de la buena vida. El hombre llega a ser, según el sabio presocrático Protágoras, "la medida de todas las cosas".

Sin embargo, todos conocemos a personas que tienen todo esto y se sienten vacías y sin un propósito en la vida. Artistas que usan drogas y cometen crímenes, deportistas que agreden y asesinan a otros, jóvenes que niegan los principios religiosos y cambian una noche de efímero placer por la carga de una maternidad indeseada o la tragedia de un aborto.

¿Qué es la buena vida? La vida abundante tiene que ser más que todo esto. El Señor Jesucristo dijo: "Yo he venido para que tengan vida, y para que la tengan en abundancia" (Juan 10:10). ¿Qué quiso decir?

Se considera que tenemos una vida física abundante cuando gozamos de un cuerpo lleno de vigor y en perfecta salud. Esto es indudablemente importante y deseable, pero la restauración física no es el cumplimiento completo del deseo de Dios de darnos una vida abundante. "No sólo de pan vivirá el hombre, mas de todo lo que sale de la boca de Jehová" (Deut. 8:3). El ser humano también tiene vida intelectual. Es el único ser vivo trascendente: el único capaz de contemplar el significado de su propia existencia. Para cultivar el intelecto abrazamos programas de estudio, leemos y meditamos. Esto nos permite aprovechar el cúmulo de información recogida y sintetizada por las generaciones anteriores.

Dios desea nuestra salud total. Salud del cuerpo, de la mente y del espíritu. Su don para el creyente es la vida eterna que se contrasta con la muerte eterna del perdido. Esa es la vida (*zoé* en griego) que él vino a restaurar en el ser humano por virtud de la fe. La vida del creyente, en todos sus aspectos, está "escondida con Cristo en Dios" (Col. 3:3).

Gracias, Jesús, por desear nuestro bienestar total. Hoy quiero consagrar a ti todo lo que soy: mi espíritu, alma y cuerpo. MAV

PROMESAS DE LA PROTECCIÓN DIVINA

Mis ovejas oyen mi voz, y yo las conozco, y me siguen, y yo les doy vida eterna; y no perecerán jamás, ni nadie las arrebatará de mi mano. Mi Padre que me las dio, es mayor que todos, y nadie las puede arrebatar de la mano de mi Padre. Juan 10:27-29.

Cierta vez escuché la historia de una mujer que fue a ver a su padre buscando en él el apoyo que necesitaba para los problemas que la afligían. El padre, un hombre creyente y acostumbrado a confiar en la protección de Dios, extrajo del bolsillo una lapicera y la colocó de punta sobre la palma de su mano. Naturalmente, la lapicera rodó hasta el suelo siguiendo el curso que dicta la ley de la gravedad. Sin darle tiempo a su ansiosa hija a que hiciera preguntas, el hombre tomó de nuevo la lapicera y la volvió a colocar sobre la palma de su mano abierta. Esta vez, sin embargo, la sostuvo entre sus dedos sin soltarla, hasta que su afligida hija asimiló lo que trataba de enseñarle con relación al amante cuidado de nuestro Señor Jesús y sus promesas de sostenernos siempre entre sus manos.

En el texto de hoy, Jesús nos compara a ovejas que escuchan la voz del pastor, y lo siguen. Nos dice: "Yo les doy vida eterna; y no perecerán jamás, ni nadie las arrebatará de mi mano" (vers. 28). Con esta promesa, nuestro Salvador nos recuerda que debemos dejar nuestros problemas y preocupaciones en sus manos. Nuestra falta de fe es la razón por la cual no vemos más del poder de Dios. Uno de mis himnos favoritos dice así: "Si la fe me abandonare, él me sostendrá; si el mal me amenazare, él me sostendrá. Nunca yo podré afirmarme con tan débil fe; mas él puede dirigirme, y me sostendrá...Porque me ama el Salvador, él me sostendrá".

¡Qué realidad tan maravillosa! ¡Qué gracia la de nuestro Señor Jesucristo! ¡Qué amor sublime el del Salvador! Si fuésemos capaces de comprender, aunque sea vagamente, que somos el gozo y la complacencia del Creador del mundo, cuán diferentes serían entonces nuestras vidas quejumbrosas.

Cualquiera sea hoy su situación, lo animo a que deposite su vida en las manos de su amante Salvador. Nada puede tocarnos sin su consentimiento y aprobación. Aquel que nos toca, nos hiere, o nos hace algún daño, toca la niña del ojo de nuestro Dios (Zac. 2:8). La promesa de Jesús para usted es que nadie lo puede arrebatar de su mano. Confíe en él.

Gracias, querido Jesús, por la maravillosa promesa de que en las palmas de tus manos siempre me sostendrás. OLV

QUITAD LA PIEDRA

Yo soy la resurrección y la vida; el que cree en mí, aunque esté muerto, vivirá. Y todo aquel que vive y cree en mí, no morirá eternamente. ¿Crees esto?
Juan 11:25, 26.

Jesús exigía fe de parte de sus seguidores. Siempre es posible dudar, y siempre es posible creer. Creer es un requisito de la vida espiritual porque involucra todas las facultades de la persona. Es asunto del intelecto como también del corazón. Y en el centro del desafío cristiano a creer se encuentra Jesús, quien hace lo que no esperamos, quien responde a nuestras preguntas más crudas con el silencio de la cruz.

Uno de los relatos que mejor presentan la tensión entre la fe y la incredulidad es el relato de la resurrección de Lázaro. Un verdadero mosaico de sufrimiento, dudas y el destello palpitante de la fe. Allí estaban, dos hermanas y un enfermo de gravedad. Envían a buscar a Jesús, amigo y benefactor de la familia, pero Jesús no viene. Marta y María expresan su resentimiento. Ambas aman a Jesús; saben que su poder y su discernimiento es claramente sobrenatural. Han sido transformadas por él. Sin embargo, ante el terrible impacto de la muerte de su hermano, la fe se mezcla con la crítica, el dolor y una chispa de esperanza.

"Todo lo que pidas a Dios, Dios te lo dará" adelanta Marta. "Tu hermano resucitará", dijo el Maestro. Y ella limita su fe aludiendo a la resurrección en el día postrero. Pero Jesucristo le responde con una de sus aseveraciones más atrevidas y desafiantes: "Yo soy la resurrección y la vida; el que cree en mí, aunque esté muerto, vivirá. Y todo aquel que vive y cree en mí, no morirá eternamente. ¿Crees esto?", le preguntó el Maestro a Marta. Y lo mismo nos pregunta a nosotros hoy.

Las palabras que dijo a los presentes antes de llamar a Lázaro a la vida, retumban hoy en nuestros oídos: "Quitad la piedra", nos dice. ¿Qué piedra es esa? La piedra de la sospecha, de nuestros temores instintivos, de nuestro amor propio, de nuestras represalias y resentimientos, la piedra que se apega a la tumba de nuestra humanidad y nos priva de la luz de la fe.

Padre eterno, yo he creído que tú eres el Cristo, el Hijo de Dios, que has venido al mundo. Te ruego que el instinto humano de confiar en lo material, en lo palpable, y de dudar de aquello que no se puede explicar, no se enfrente al desafío sobrenatural del Salvador. Amén. MAV

AMOR HASTA EL FIN

Antes de la fiesta de la pascua, sabiendo Jesús que su hora había llegado para que pasase de este mundo al Padre, como había amado a los suyos que estaban en el mundo, los amó hasta el fin. Juan 13:1.

El capítulo 13 del Evangelio según San Juan inicia un diálogo entre Jesús y sus discípulos que dura hasta el capítulo 17. Comienza así: "Antes de la fiesta de la pascua, sabiendo Jesús que su hora había llegado para que pasase de este mundo al Padre, como había amado a los suyos que estaban en el mundo, los amó hasta el fin" (vers. 1).

Ese amor desbordante de Jesús se manifestó en consejos y advertencias vitales. Los discípulos habrían de pasar por la terrible prueba de perder a su Maestro en las próximas horas, y éste, quien sabía mejor que nadie lo que habría de suceder, en vez de preocuparse por su propia suerte, "los amó hasta el fin".

Les dio una lección gráfica de humildad al lavarles los pies, y los instó a amarse unos a otros como la señal más importante del discipulado (13:35). Les aclaró varios temas que aún no comprendían bien: la promesa del Espíritu Santo; la dependencia que tendrían de él (la vid y sus ramas, Juan 15:1-17); la persecución de parte del mundo incrédulo; y la certeza de la victoria a pesar de sus aflicciones (16:33).

Luego de esto, Jesús oró por sus discípulos. Su corazón se desgarró en solicitud por aquellos que habían recibido su palabra (vers. 8). Esa palabra habría de ser el agente de santificación de sus seguidores. Su petición fue:

"Santifícalos en tu verdad; tu palabra es verdad. Como tú me enviaste al mundo, así yo los he enviado al mundo. Y por ellos yo me santifico a mí mismo, para que también ellos sean santificados en la verdad. Mas no ruego solamente por éstos, sino también por los que han de creer en mí por la palabra de ellos" (Juan 17:17-20).

En esta oración estamos incluidos usted y yo. Quizás el pensamiento que más me llama la atención es el expresado por la frase "Los amó hasta el fin". Señala un principio básico del amor de Dios. Dios ama siempre, sin cambios, sin reevaluaciones, sin engaños, sin buscar ventaja. El suyo es un amor constante, que no traiciona, no se rinde, no se cansa. Tampoco habrá un momento en el que Dios deje de amarnos.

Querido Jesús, gracias porque la oración que hiciste por mí hace tanto tiempo, sigue iluminando mi vida. Gracias por amarme como sólo tú puedes hacerlo. MAV

VENDRÉ OTRA VEZ

No se turbe vuestro corazón; creéis en Dios, creed también en mí. En la casa de mi Padre muchas moradas hay; si así no fuera, yo os lo hubiera dicho; voy, pues, a preparar lugar para vosotros. Y si me fuere y os preparare lugar, vendré otra vez, y os tomaré a mí mismo, para que donde yo estoy, vosotros también estéis. Juan 14:1-3.

Esta es una promesa fundamental. Está basada en la realidad de la vida humana en un mundo de pecado, con todos sus motivos de turbación. Jesús nos dijo: "En el mundo tendréis aflicción" (Juan 16:33). Este es un mundo en guerra. Somos el escenario de un gran conflicto entre el bien y el mal. Por un lado, nuestro Creador quiere restaurarnos al estado de felicidad con que nos creó; por su parte, Satanás, que está obsesionado por usurpar el lugar de Dios, se desquita con las criaturas. Si no fuera por Dios y sus ángeles, todos los días tendríamos tragedias como el ataque terrorista al Centro Mundial de Comercio en 2001.

Cuando Jesús dijo "creéis en Dios, creed también en mí", estaba diciendo varias cosas. Ningún hombre común podía decir "creed también en mí". Únicamente Jesús podía decirlo. Cuando el conflicto entre Dios y sus enemigos llegó a la tierra, Dios prometió un Salvador, el Mesías, Emanuel (Dios con nosotros). Hay un solo Salvador. "Yo soy el camino, y la verdad, y la vida, nadie viene al Padre sino por mí" (Juan 14:6).

La pregunta universal fue hecha a Pablo y Silas:

"¿Qué debo hacer para ser salvo?" (Hechos 16:30). ¿Qué haré para tener un futuro más allá de los sufrimientos? La respuesta fue: "Cree en el Señor Jesucristo, y serás salvo, tú y tu casa".

"Muchas moradas hay". A veces sentimos que no pertenecemos, que somos distintos, que no nos comprenden ni aceptan; pero en el cielo hay lugar para usted y para mí. No hay acepción de personas, no hay divisiones, no hay exclusivismo ni discriminación.

"Voy a preparar lugar". Esta frase nos dice que somos los invitados de Jesús. Podemos imaginarnos que Jesús es algo así como el divino Anfitrión que nos ha invitado a su casa y nos ha dicho: "Voy a adelantarme para asegurarme que todo esté listo".

La Segunda Venida de Cristo es una creencia vital porque el drama de la historia humana requiere un desenlace. Dios hizo un mundo perfecto y la historia concluirá con un mundo perfecto. Dios tendrá la última palabra.

Gracias, Señor, porque sé que gracias a ti, tanto la historia como mi propia vida tendrán un final feliz. MAV

JESUCRISTO, EL PUENTE DIVINO

Jesús le dijo: Yo soy el camino, y la verdad, y la vida; nadie viene al Padre, sino por mí. Si me conocieseis, también a mi Padre conoceríais; y desde ahora le conocéis, y le habéis visto. Juan 14:6, 7.

El otro día, un anuncio de bienes raíces cautivó de inmediato mi atención. Decía: "Deje sus problemas del otro lado del puente". El llamativo anuncio hacía referencia a los suntuosos condominios de lujo situados al otro lado del puente, sobre la hermosa bahía de Miami Beach. De una forma ambiciosa y deslumbrante, aquel comunicado animaba al comprador a que cruzara el puente si quería experimentar de inmediato una reducción en el nivel de estrés y la presión sanguínea. Con el lujo, además, se aseguraba la cura de la gastritis, las úlceras estomacales, los problemas relacionados con los disturbios del sueño, la falta de apetito y hasta la recuperación total del agotamiento.

Sin duda, el mensaje atraía la atención del comprador con posibilidades económicas. Pero la imagen que a mí me ofrecía dirigió mi pensamiento no hacia unos condominios de lujo, sino hacia un puente. Un puente superior. Uno por excelencia: Jesucristo, el Puente entre Dios y el hombre.

La Real Academia Española define la palabra "puente" como una "conexión con la que se establece la continuidad interrumpida". Y en términos espirituales, eso es precisamente lo que significa Jesucristo entre el cielo y la tierra, entre Dios y el hombre. Nuestra comunicación con Dios fue interrumpida por la brecha que abrió el pecado. Pero gracias al Calvario, nuestro Salvador llegó a ser nuestro Sumo Puente, nuestro Sumo Sacerdote, nuestro Sumo Defensor, y como tal, nuestro único medio para reestablecer la comunicación que se había perdido entre el cielo y la tierra.

Jesús es el camino para llegar al Padre. El versículo de hoy nos asegura que al conocer a Jesús también conoceremos al Padre celestial (vers. 7). Las líneas de comunicación entre Dios y los hombres permanecerán abiertas para siempre, mientras mantengamos una relación de amistad y un diálogo abierto con nuestro Señor Jesucristo.

Las barreras infranqueables que nos separaban de Dios se han convertido en un puente. Al otro lado de ese puente espiritual hay una vida de gozo y de paz que no se puede comparar con ninguno de los lujos de este mundo. Jesucristo tomó la Cruz como arma de triunfo, y con ella nos dice: "Yo soy el Puente, transita conmigo tomado de la mano hacia la Tierra Prometida".

Gracias, Jesús, porque tú eres el Puente eterno que me conduce al cielo. OLV

PAZ QUE SOPREPUJA TODO ENTENDIMIENTO

La paz os dejo, mi paz os doy; yo no os la doy como el mundo la da. No se turbe vuestro corazón, ni tenga miedo. Juan 14:27.

Paz. Paz en nuestros corazones. Paz en las mentes desequilibradas por el temor y la ansiedad. Paz entre los padres y los hijos. Paz entre el esposo y la esposa. Paz entre los vecinos, entre los pueblos, entre las naciones, entre los hombres. Y paz en la tierra.

Paz: ¡Qué palabra tan prometedora! ¡Y qué promesa tan maravillosa la de hoy! ¿Se ha puesto a pensar alguna vez en el significado más profundo de la palabra paz? Generalmente, estamos tan acostumbrados a vivir una vida más o menos tranquila, y a desenvolvernos en un ambiente de seguridad y bienestar, que se nos hace difícil entender la definición de la paz en todo su significado rotundo y cabal.

Entienden limitadamente lo que es la paz quienes no la tienen. La entiende y la desea el morador del pueblo que tiene que vivir bajo una constante amenaza de muerte. La valoran y la ansían los que viven bajo la discordia, los enfermos mentales, y los que aunque todo lo prueban, no saben cómo llenar el vacío de su corazón. En general, el ser humano no está acostumbrado a la verdadera paz.

Jesucristo sabía por experiencia propia de las vicisitudes y ansiedades del corazón. Como ser humano, tuvo que afrontar penurias, tentaciones y persecuciones. Pero aprendió el gozo que conlleva la verdadera paz. Conociendo de antemano que nos dejaría solos por un tiempo en esta tierra sin paz, nos dijo: "No se turbe vuestro corazón, ni tenga miedo" (vers. 27). El Salvador podría habernos dicho: "Os dejo la paz del mundo", pero bien sabía que la paz del hombre es relativa y condicional.

La paz del hombre depende de las circunstancias de su vida y de otros factores azarosos. No así la paz que Dios nos quiere dar. La paz que ofrece Dios es aquella paz, cabal y única, que hace al hombre uno consigo mismo, con sus semejantes y con Dios.

Dios quiere que su pueblo lo imite. Y si Jesús, mientras estuvo en esta tierra, tuvo que aprender a caminar, a leer y a escribir, como ser humano le fue igualmente necesario aprender a confiar en su Padre celestial y a depender de él. De ahí provenía la paz que llenaba el corazón atribulado del Salvador. Del mismo modo, Jesús insta a su pueblo a aprender a confiar en él. Al hacerlo, seremos igualmente conocedores de la paz que sobrepuja todo entendimiento.

Señor, ayúdame hoy a conocer tu paz. Amén. OLV

NÁUFRAGOS ESPIRITUALES

Permaneced en mí, y yo en vosotros. Juan 15:4.

Las olas de casi dos metros batían furiosas contra la pequeña embarcación, y el picante sol de mar adentro achicharraba el cuerpo del náufrago, quien llevaba ocho días a la deriva, y a punto ya de fallecer. Sobre las ondulaciones del mar, el que yacía tendido sobre la barcaza se moría aterrado. De repente, escuchó un zumbido. Con la mirada fija en lontananza, vio algo que fulguraba entre las olas. "Será una gaviota blanca, un pez, un ave", pensó. Pero dentro de él se encendió una nueva esperanza, y con ilusión volvió a fijar su vista sobre la bamboleante masa líquida. Entonces fue cuando lo vio.

Moviéndose rápido sobre las olas, rumbo a él, algo se aproximaba. ¡Era un barco! Con las pocas fuerzas que le restaban, se incorporó como pudo y comenzó a hacer señales de auxilio. Pero ya no era necesario gritar ni suplicar, porque alguien lo había divisado sobre las aguas y su salvación estaba asegurada. Momentos más tarde, el naufrago era alzado hacia el barco que lo rescató. "Se terminó, amigo", escuchó a alguien decirle por encima de su cabeza.

Había huido de la muerte. Se había escapado de ella y ahora se le abría una gloriosa oportunidad de vida. ¿Pero se imagina qué hubiera ocurrido si ya salvo en el barco aquel náufrago hubiese pensado que la embarcación no era de su gusto, que los reglamentos de navegación eran difíciles de cumplir, y hubiera decidido saltar de nuevo a su antigua muerte? Impensable, claro está. Sin embargo, cuán a menudo en nuestra vida espiritual actuamos así. Cuando decidimos alejarnos de nuestro Señor Jesús después de haber gustado su gloria, escogemos seguir este drástico curso de acción. Nuestro alejamiento es un desprecio a su persona. Se ha hecho un gran sacrificio para rescatarnos del mar del pecado. Sin embargo, Dios nunca violará nuestro libre albedrío. Todo lo que nos dice es: "Permaneced en mí, y yo en vosotros" (vers. 4).

¿Buscamos seguridad en medio del mar de este mundo? Los brazos del Señor están prestos para rescatarnos y sostenernos en el vendaval de la vida. Él mismo dice: "Permaneced en mí, y yo en vosotros" (Juan 15:4).

Padre, ayúdame a permanecer a salvo en tus brazos. OLV

CÓMO SUPERAR LA EGOLATRÍA

Como el Padre me ha amado, así también yo os he amado; permaneced en mi amor. Juan 15:9.

Hay quienes se enojan con Dios frecuentemente. Si no les alcanza el dinero, si la artritis los acongoja o no consiguen aquellas cosas que desean, enseguida se lamentan de su condición desesperada y del poco interés de Dios en su bienestar.

En el tiempo de Malaquías, las cosas no eran diferentes. Había algunos que se inclinaban a desconfiar de Dios. "Yo os he amado", les aseguró el Omnipotente (Mal. 1:2). Suficiente evidencia histórica tenía aquel pueblo para recordar las muchas bendiciones de Dios y agradecerle por su protección contra los edomitas. Sin embargo, a pesar de esta admirable revelación divina, todavía contendían con el Todopoderoso: "¿En que nos amaste?"

El pueblo de Israel estaba tan centrado en sí mismo, que le era imposible percibir la mano de Dios actuando en su favor. El ensimismamiento distorsiona la visión de Dios. Rara vez puede el egocéntrico ver la mano de Dios obrando en la cotidianidad de su existencia. Pero el amor de nuestro Padre celestial no fluctúa ni envejece con el tiempo.

No estamos acostumbrados a tomar tiempo para notar las maneras específicas en que Dios se nos manifiesta. Pero no tenemos que persistir en esto. Al hacer nuestras resoluciones, sería bueno sentarnos a los pies inmaculados del Salvador, y en vez de seguir dudando de su constante amor, meditar en las muchas maneras en que fuimos bendecidos con su presencia y su cuidado durante toda la vida.

Tome lápiz y papel, y haga una lista de hechos e incidentes personales durante los últimos tres meses. En cada caso hágase la pregunta, ¿cómo me ha dirigido el Señor en esa ocasión? Se sorprenderá cuando vea aparecer el rostro sonriente de su amigo Jesús entre las líneas de lo que escribe. Damos por sentado su cuidado, y no tomamos tiempo suficiente para alabar y agradecer al Señor, quien nos ha prometido que si permanecemos en su amor, como el Padre lo ha amado, así también él nos amará (Juan 15:9).

¡Qué promesa tan maravillosa! Y tan fácil de aceptar.

Padre, ayúdame a reconocer tu presencia en cada hecho, y en cada camino que me toque transitar. OLV

EL ANTÍDOTO CONTRA EL EGOÍSMO

Nadie tiene mayor amor que éste, que uno ponga su vida por sus amigos. Nosotros sois mis amigos, si hacéis lo que yo os mando. Juan 15:13.

Es usted egoísta?

Lo invito a pensar en las siguientes preguntas que podrían darle una idea de su cociente de egoísmo. No es un examen científico, apenas una guía de autodiagnosis.

¿Requiere usted de los demás lo que no está dispuesto a dar?

¿Es usted generalmente cortés con los que lo rodean?

¿Se preocupa mucho más por sus propios derechos que por los derechos ajenos?

¿Es usted considerado en la manera que trata a los miembros de su familia?

¿Contribuye de buen gusto para causas meritorias?

Cuando habla con otras personas, ¿escucha con atención a su interlocutor o está pensando en cómo le ha de contestar cuando le toque su turno?

Si visitara a un enfermo de SIDA, ¿se preocuparía más por su salud, o por el bienestar del paciente?

¿Dedica todo su tiempo a sus propios asuntos, o aparta momentos con regularidad para atender a otras personas?

¿Qué le agrada más, dar o recibir?

No sé cómo usted contestó a las preguntas anteriores, pero es muy probable que le hayan revelado la presencia de sentimientos básicamente egoístas. Pero usted no es el único. Lo cierto es que el egoísmo reina en todos nosotros como una condición natural del corazón humano. Aunque no nos domine totalmente, a menudo nos toca luchar con sus manifestaciones.

En esencia, el egoísmo es la actitud de aquel que concede una importancia preponderante a sí mismo o a sus propios juicios, sentimientos y deseos y se interesa poco o nada en los demás. Por supuesto, ese interés supremo en uno mismo conflige con las actitudes igualmente egocéntricas de los demás.

La naturaleza divina es totalmente opuesta al egoísmo. El amor genuino es lo opuesto al egoísmo, y el sacrificio de nuestros intereses es la muestra más clara de que amamos. La promesa implícita de hoy es la afirmación de dos cosas: que somos amigos de Jesús, y que él nos ama tanto que dio su vida por nosotros. El pasaje nos dice que somos sus amigos cuando amamos.

Señor, a veces se me hace difícil, pero ayúdame a amar como tú. MAV

RENOVANDO ESPERANZAS EN LA ESPERA

También vosotros ahora tenéis tristeza; pero os volveré a ver, y se gozará vuestro corazón, y nadie os quitará vuestro gozo. Juan 16:22.

Volveré por ti", me prometió hace muchos años quien hoy es mi esposo. Entonces nos separamos por causa de los estudios. La demora no fue cuestión de un día ni de dos. Pasaron cinco largos años antes de que nos volviésemos a reunir. Pero la promesa se cumplió. Yo esperé confiada en su amor, y él regresó a mí anhelante de mi compañía.

Las promesas de amor entre un hombre y una mujer se cumplen sobre la base del amor que se profesan. Si esa relación no tiene el vínculo del amor verdadero, es raro que se cumpla lo que se promete. Del mismo modo, nuestra relación con Dios debe ser tan cabal y entregada como lo es el matrimonio. Jesucristo, el novio celestial, regresará presto a esta tierra por su novia, la Iglesia. Lo ha prometido. Y lo cumplirá, no en relación a su divina fidelidad, sino en base al amor, el amor indescriptible, profundo e inmensurable que siente el corazón de Dios por sus hijos terrenales.

Para nosotros, esperar el retorno de nuestro amado Jesús no sería cosa difícil si lo anhelásemos con todo nuestro corazón y lo esperásemos con la ilusión con que una novia espera a su novio.

El amor entre Cristo y su pueblo es así como la historia de un idilio. Se asemeja a aquellos amores indestructibles que realizan hazañas irrepetibles y sucesos maravillosos. Desde el Génesis hasta el Apocalipsis, todo el drama bíblico se desarrolla y termina con el deseo ardiente de Jesucristo de volver a reunirse con el pueblo que lo espera. Esta es la finalidad y el interés de todo el cielo. ¡Y qué alegría! ¡Qué gozo habrá cuando se junte de nuevo el cielo con la tierra!

¡Qué promesas fascinantes nos hace Jesús! ¡Qué esperanza bendita! Nuestra espera concluirá el día del encuentro, y nuestra felicidad será restaurada. La reunión será maravillosa. Eso lo puede asegurar una novia que conoce por experiencia propia el gozo de un encuentro anhelado.

Gracias Padre por la promesa de regresar a esta tierra a buscarnos. Gracias por prometernos que nadie podrá quitarnos el gozo de volver a reunirnos. OLV

CONOCIENDO A DIOS

Esta es la vida eterna: que te conozcan a ti, el único Dios verdadero, y a Jesucristo a quien has enviado. Juan 17:3.

Vivimos en la era de la informática. Cuando el conocimiento y la capacidad de obtenerlo parecen ser el logro cumbre de la sociedad. El procesamiento efectivo de información ha creado las megaempresas del presente y facilita la creación de nuevas tecnologías y servicios, pero la informática tiene un requisito central. Los programadores han acuñado la frase: "Entra basura, sale basura"; en otras palabras, las computadoras no pueden corregir datos falsos, incorrectos o prejuiciados.

Esta necesidad de datos genuinos se aplica también a nuestra búsqueda espiritual. En países como los Estados Unidos, donde casi el ciento por ciento de la población asegura ser religioso en algún grado, ¿cómo asegurarnos de que nuestro concepto de Dios es el acertado?¿Cómo sabemos que lo que creemos es verdadero o correcto?

Si aceptamos que la Biblia es la comunicación confiable de Dios, de sus páginas inmediatamente surgen varias aclaraciones:

1. La verdad proviene de Dios y está personalizada y ampliada en Jesús. "Yo soy el camino, y la verdad, y la vida; nadie viene al Padre, sino por mí" (S. Juan 14:6).

2. Dios ama a sus criaturas con amor eterno y paciente. "Con amor eterno te he amado; por tanto, te prolongué mi misericordia" (Jer. 31:3).

3. Jesús murió porque el gobierno universal de Dios es inalterable y su muerte era la única paga suficiente por el pecado de la raza humana. "Porque la paga del pecado es muerte, mas la dádiva de Dios es vida eterna en Cristo Jesús Señor nuestro (Rom. 6:23).

4. La salvación es para todo aquel que cree en Jesús y lo acepta como Salvador. "Porque de tal manera amó Dios al mundo, que ha dado a su Hijo unigénito, para que todo aquel que en él cree, no se pierda, mas tenga vida eterna (Juan 3:16; ver 1 Juan 5:11, 12).

5. Conocemos a Jesús por medio del estudio y la aceptación de su Palabra. "Escudriñad las Escrituras; porque a vosotros os parece que en ellas tenéis la vida eterna; y ellas son las que dan testimonio de mí (Juan 5:39).

Obtener la información correcta respecto a Jesús es tan importante, que nuestro destino depende de ello.

Señor, lo que más anhelo hoy es conocer un poco más de ti. MAV

LA VICTORIA

Consumado es. Juan 19:30.

Le parece que este versículo no es una promesa divina? Si piensa así, vuelva entonces a leerlo, y mírelo con otros ojos, porque ésta es la promesa más relevante e importante de toda la Biblia.

Cuando nuestro Señor Jesucristo en la cruz del Calvario exclamó, "Consumado es", logró más por nosotros que todo lo que podemos pensar o pedir. Con aquellas palabras se promulgó un decreto todopoderoso que destruía el poder de Satanás y abría los sepulcros de una raza condenada a la muerte.

"Consumado es" tiene dos dimensiones. La dimensión cósmica y la personal. Ante el universo que contemplaba asombrado la escena de la cruz, la frase de Cristo declaraba su victoria sobre Satanás en la batalla decisiva del gran conflicto. La rebelión que comenzó en el cielo recibía la respuesta contundente del amor de Dios sobre un instrumento de tortura.

En la cruz se solucionó el gran problema del pecado. La Simiente de la mujer había aplastado la cabeza de la serpiente (Gén. 3:15). El bien y el amor triunfaron sobre el mal y el rencor; se abrió una puerta de salvación que nadie puede cerrar (Apoc. 3:8). "Consumado es" contiene un mensaje precioso para usted y para mí como individuos. La victoria de Cristo es nuestra victoria; su resurrección posterior nuestra garantía de una vida eterna. Nos dice que no falta nada para nuestra salvación, que Dios hizo todo lo que podía hacer por salvarnos. Al igual que la semana de la creación culminó con la declaración de una misión cumplida (Gén. 1:31), la semana de la pasión concluyó con el anuncio de una obra completa.

Nuestras obras humanas nunca son completas. Cuando nos parece que hemos terminado, una buena lupa espiritual nos muestra que lo que parece liso y llano tiene hondonadas y asperezas, que nuestra belleza de carácter es poco más que un maquillaje de buenas obras y sonrisas practicadas. Incluso nuestra vida es apenas un comienzo, interrumpido bruscamente por la muerte.

Sólo Dios puede consumar. Sólo él puede perdonar y restaurar y bendecir. Sólo él puede brindarnos los méritos de su obra perfecta y colmarnos de la esperanza de una vida infinitamente mejor.

Señor Jesús, ayúdame a aceptar la perfección de tu obra de salvación. No necesito más nada ni más nadie para ser salvo. MAV

UNA FE CIERTA

Pedro les dijo: Arrepentíos, y bautícese cada uno de vosotros en el nombre de Jesucristo para perdón de los pecados; y recibiréis el don del Espíritu Santo. Porque para vosotros es la promesa, y para vuestros hijos, y para todos los que están lejos; para cuantos el Señor nuestro Dios llamare. Hechos 2:38, 39.

Charles Colson, ex asesor del presidente Nixon y fundador de una organización de ministerio a las prisiones, cuenta de su experiencia cuando fue invitado a dirigirse a los estudiantes de la Universidad Harvard sobre el tema del cristianismo. Se preparó cuidadosamente. Abogado de profesión y lector y escritor profundo, estaba listo para presentar evidencias de su fe y rebatir cualquier argumento.

Comenzó su discurso preparado para enfrentar el desacuerdo de cientos de los estudiantes más destacados de Estados Unidos. Lo que sucedió lo dejó sorprendido y consternado. Su audiencia se mostró seria, de porte profesional, por completo fríos e indiferentes ante ideales que no fuesen convertirse en hábiles profesionales y ganar mucho dinero.

Este es uno de los mayores problemas de nuestros tiempos. La indiferencia ante lo espiritual. Cada uno puede creer lo que quiera. No hay absolutos. Hay que obtener el mejor provecho de la vida. No se habla de códigos morales, sino de satisfacer nuestras necesidades.

El libro de Hechos revela la fe sincera y sencilla de los primeros cristianos. La apelación de Pedro en su primer discurso después del Pentecostés fue al arrepentimiento y al bautismo. El reconocimiento de Cristo como el Redentor era suficiente. No había tiempo para largos argumentos. En otra ocasión Pedro resumió: "De éste [de Jesús] dan testimonio todos los profetas, que todos los que en él creyeren, recibirán perdón de pecados por su nombre" (Hech. 10:43).

Pedro y Juan y los primeros cristianos arriesgaron sus vidas por presentar la verdad que creían y que los poseía enteramente. Cuando los apresaron y les interrogaron con qué potestad sanaban a enfermos y predicaban, Pedro respondió: "Este Jesús es la piedra reprobada por vosotros los edificadores, la cual ha venido a ser cabeza del ángulo. Y en ningún otro hay salvación..." (Hech. 4:11, 12).

Ciertamente importa en quién creemos y el efecto que esto tiene en nuestras vidas. Éste era el cimiento de su fe. ¿Cuál es el nuestro?

Querido Jesús, permite que nunca te pierda de vista como el núcleo principal de mi fe. MAV

EL NOMBRE POR EXCELENCIA

Y en ningún otro hay salvación; porque no hay otro nombre bajo el cielo, dado a los hombres, en que podamos ser salvos. Hechos 4:12.

El polvo del camino se hacía cada vez más insoportable. La ráfaga cegaba los ojos del transeúnte, que se oscurecían y dolían con cada bocanada de viento.

¡Polvo, polvo! El hombre quería gritarle al polvo del camino su congoja. Quería regresar y ponerse a salvo del inhóspito sendero. Pero una mirada introspectiva le hizo recordar que debía continuar buscándolo. Buscaba a alguien más fascinante que el milagro, es decir, buscaba al que tenía poder sobre los elementos. Al Nazareno, a ese hombre llamado Jesús. Había escuchado que tan sólo a la mención del nombre de Jesús el Nazareno sanaban los enfermos y los muertos se levantaban del sepulcro. Como él, cientos y miles de sus congéneres apostaron sus esperanzas en el nombre de Jesús.

Hechos 4 confirma la centralidad y el poder de ese nombre. Los apóstoles han digerido la extraordinaria noticia de la divinidad de Jesús y la lanzan al mundo con la emoción de aquel que ha hecho un gran descubrimiento. "Este Jesús es la piedra reprobada por vosotros los edificadores, la cual ha venido a ser cabeza del ángulo" (4:11). Este mismo Jesús que habitó entre nosotros, que sanó enfermos, quien fue crucificado y resucitó de los muertos, es el único medio de salvación.

El nombre de Jesús es importante por lo que representa. Por eso debemos invocar su nombre: Jesús, "Salvador", Emmanuel, "Dios con nosotros". Por eso somos aborrecidos "por causa de su nombre" (Mat. 10:22). Por eso hemos de recibir a los niños en su nombre (Mar. 9:37); congregarnos en su nombre (Mat. 18:20); dejarlo todo en su nombre (Mat. 19:29); salir a predicar en su nombre (Mar. 11:9); y ser bautizados y bautizar en su nombre (Mat. 28:19, 20). En su nombre salen los demonios, recibimos perdón de nuestros pecados y sanidad para nuestras almas y cuerpos.

Por haberse entregado hasta la muerte por nosotros, "Dios también le exaltó hasta lo sumo, y le dio un nombre que es sobre todo nombre, para que en el nombre de Jesús se doble toda rodilla de los que están en los cielos, y en la tierra, y debajo de la tierra; y toda lengua confiese que Jesucristo es el Señor, para gloria de Dios Padre" (Fil. 2:9, 10).

Gracias, Padre, por el glorioso significado del nombre de Jesús. OLV

¿CREER O NO CREER?

Ellos dijeron: Cree en el Señor Jesucristo, y serás salvo, tú y tu casa.
Hechos 16:31.

En marzo de 1984 Jerry Levin, el director de noticias de la cadena CNN en la ciudad de Beirut, fue secuestrado por musulmanes chiítas. Durante los siguientes once meses, Jerry permaneció incomunicado y encadenado por sus captores, fue cambiado de dirección varias veces y pasó de ser un agnóstico declarado a un cristiano ferviente.

¿Qué provocó este cambio? Poco después de su secuestro, Jerry comenzó a ponderar varios interrogantes eternos. Finalmente llegó a una encrucijada forzosa: "Debía creer en Dios, o no... O rechazaba a Jesús o lo aceptaba". En la quietud de su celda y sus cadenas, Jerry decidió creer y oró por primera vez.

En febrero de 1985, el cautivo notó que el guardia había asegurado sus cadenas descuidadamente. Esa noche, Jerry ató varias sábanas y se deslizó hacia el exterior a través de una ventana. Corrió descalzo hasta que encontró a un soldado sirio y éste lo condujo a las autoridades que le dieron libertad.

Hay muchos cautivos —presos tras rejas físicas o las invisibles del dolor, la culpa, el odio y los prejuicios— que necesitan llegar a ese momento decisivo de la existencia en el que se hacen las preguntas de carácter eterno. El carcelero de Filipos hizo la pregunta clave: "¿Qué debo hacer para ser salvo?" No hay algo más importante que la salvación. Y la respuesta inspirada de Pablo recogía en una cápsula el secreto. "Cree". Nada más ni nada menos.

Recuerdo una ocasión en que me tocó visitar a un enfermo, familiar de un miembro de iglesia. El paciente aquel, cuyo nombre no recuerdo, a todas luces parecía próximo a morir. Su rostro lucía pálido y demacrado, sus ojos empañados y febriles. Me acerqué. Saludé a los familiares y luego me dirigí al enfermo. No esperaba respuesta. Para sorpresa mía, el enfermo con gran esfuerzo señaló con un índice huesudo hacia el techo de la habitación del hospital y con voz entrecortada, casi inaudible, me dijo:

"Hay que mirar hacia arriba". Eso fue todo. La esencia de la fe. Mirar y creer. Su mensaje perdura en mi mente hasta hoy.

Señor, te ruego que me ayudes a creer, sin complicaciones ni impedimentos, sino con toda sencillez y confianza. MAV

VIDA NUEVA

El Dios que hizo el mundo y todas las cosas que en él hay, siendo Señor del cielo y de la tierra, no habita en templos hechos por manos humanas, ni es honrado por manos de hombres, como si necesitase de algo; pues él es quien da a todos vida y aliento y todas las cosas. Hechos 17:24, 25.

Cuando los discípulos se enfrentaron por primera vez al reclamo de la divinidad de Cristo, según el capítulo 6 del Evangelio de San Juan, y muchos flaquearon ante las implicaciones de sus palabras, el Señor los confortó diciendo: "Esta es la voluntad del que me ha enviado: Que todo aquel que ve al Hijo, y cree en él, tenga vida eterna; y yo le resucitaré en el día postrero" (Juan 6:40). Poco después repitió: "El que cree en mí, tiene vida eterna" (vers. 47).

La respuesta divina al fenómeno de la muerte tiene dos partes: el creyente recibe vida espiritual de calidad eterna ahora, al creer; y luego recibirá vida inmortal en ocasión de la Segunda Venida de Cristo. El apóstol Pablo se refirió a la vida espiritual presente cuando dijo:

"Pero Dios, que es rico en misericordia, por su gran amor con que nos amó, aun estando nosotros muertos en pecados, nos dio vida juntamente con Cristo" (Efesios 2:4, 5). Un poco antes había declarado "El [Cristo] os dio vida a vosotros, cuando estabais muertos en vuestros delitos y pecados" (vers. 1).

En el ministerio de Jesús se confundían las dimensiones presentes y futuras de la vida que él nos ofrece; pero el resultado de su victoria sobre la muerte siempre produjo gozo y esperanza extraordinarios.

En cierta ocasión Jesús detuvo un cortejo fúnebre que avanzaba entre lamentos y la angustia de una madre que había perdido a su único hijo. "Y cuando el Señor la vio —dice la Palabra—, se compadeció de ella, y le dijo: No llores. Y acercándose, tocó el féretro; y los que lo llevaban se detuvieron. Y dijo: Joven, a ti te digo, levántate. Entonces se incorporó el que había muerto, y comenzó a hablar. Y lo dio a su madre" (Luc. 7:12-15).

Aquel cortejo fúnebre se tornó en un desfile de alegría y de victoria. Frente a Jesús no sólo huyó la muerte, también se disiparon las tinieblas de la tristeza y el dolor de la separación. Gracias a él renacieron las esperanzas y comenzó una nueva aurora de dicha. Quizás hoy el Salvador pueda hacer renacer los más caros anhelos de nuestro corazón.

Señor, te ruego que avives en mí, no sólo la esperanza de la vida eterna cuando vengas, sino de una vida mejor en el presente. MAV

TIEMPO DE DIOS

Y de una sangre ha hecho todo el linaje de los hombres, para que habiten sobre toda la faz de la tierra; y les ha prefijado el orden de los tiempos, y los límites de su habitación. Hechos 17:26.

Dios creó las condiciones esenciales para la vida del hombre. Lo habilitó y lo envió a multiplicarse. Además, creó los parámetros del tiempo y los límites del espacio. Quizá la dimensión más importante de todas sea el tiempo. Cómo lo utilizamos determinará en gran medida nuestra felicidad aquí y nuestro destino eterno.

El Dr. William Mikulas, profesor de psicología de la Universidad del Oeste de Florida asegura que pasamos mucho tiempo preparándonos para vivir y muy poco tiempo viviendo. La mayoría de las personas declara que le gustaría pasar tiempo con sus hijos, hacer obras espirituales, dedicarse a proyectos creativos. Pero en la vida real muy pocos lo hacen.

Vivimos en una cultura obsesionada con fijar y cumplir objetivos. Nos preparamos para ir al trabajo, trabajamos, nos preparamos para irnos a la casa, nos vamos a la casa, nos preparamos para acostarnos y nos acostamos.

Incluso las actividades que planificamos como recreación se convierten en parte de nuestros deberes. Nos esforzamos por apartar tiempo para jugar y luego no disfrutamos del juego. Cuando hacemos un viaje, sólo pensamos en el objetivo —el lugar adonde vamos— y no disfrutamos del viaje en sí. Hacemos ejercicio con la intención de bajar de peso o tener una mejor salud, pero no disfrutamos de las actividades que producen tales resultados.

El profesor Mikulas piensa que es muy importante que cada persona tome un receso en el proceso de vivir. Que deje de hacer lo que está haciendo y no haga nada. Que descanse su cuerpo y su mente. Añade que este descanso de los procesos psicológicos no se logra a través de una vacación. Una vacación es simplemente una ocupación con otras actividades.

Nuestro Creador sabía que necesitábamos un día a la semana para salirnos totalmente de la rutina y cultivar los valores espirituales que son los únicos que pueden hacernos personas nobles y satisfechas. Esta interrupción del ciclo semanal habría de ser un ingrediente de la vida humana desde la creación. La observancia del sábado también nos ayuda a enfrentar el estrés al ayudarnos a establecer prioridades con nuestro tiempo; nos brinda un ciclo de trabajo y restauración que producen enormes bendiciones.

Gracias, Señor, por ayudarnos a manejar mejor el precioso tesoro del tiempo. MAV

RESTAUREMOS NUESTRA FE

Porque en el evangelio la justicia de Dios se revela por fe y para fe, como está escrito: Mas el justo por la fe vivirá. Romanos 1:17.

La historia del fraile que conmovió al mundo, el reformador Martín Lutero, siempre me ha impresionado. Las proposiciones y los escritos de Lutero continúan hoy encendiendo en cada creyente un deseo vehemente de adorar al Hijo de Dios.

Cuando Lutero fue llamado a Roma para responder a la acusación de herejía que se le había imputado, la orden que recibió del Nuncio en Augsburgo fue: "Retráctate o no saldrás de aquí". Pero las convicciones reformadoras de Lutero ya eran firmes. En el tratado *De servo arbitrio* manifestó su fe en Jesucristo como su Salvador personal, en estos términos: "En esta lucha intento una cosa que para mí es seria, necesaria y eterna, que es de tal calibre que es necesario que sea afirmada y defendida incluso por medio de la muerte".

Martín Lutero llegó a aceptar a Jesucristo como su único mediador ante Dios y los hombres, y confió plenamente en la protección divina. En la noche de su muerte dijo esta oración: "¡Oh Padre mío celestial, Dios y Padre de nuestro Señor Jesucristo, Dios de toda consolación! Yo te agradezco haberme revelado a tu amado Hijo Jesucristo, en quien creo, a quien he predicado y confesado, a quien he amado y alabado, a quien deshonran, persiguen y blasfeman el miserable Papa y todos los impíos. Te ruego, señor mío Jesucristo, que mi alma te sea encomendada. ¡Ah Padre celestial! Tengo que dejar ya este cuerpo y partir de esta vida, pero estoy seguro que contigo permaneceré eternamente y nadie me arrebatará de tus manos".

Un rato después, expiró. Pero su amor a la Palabra de Dios, ya había provocado la separación de la iglesia de las falsas doctrinas de la Iglesia de Roma. El valor y la fe de Lutero deben servirnos de ejemplo. Como en los días de la reforma luterana, los hijos de Dios enfrentamos desafíos que pueden sacudir nuestra fe. Pero Dios ha prometido que el justo por la fe vivirá.

Así como Lutero alaba a Dios con su himno "Castillo fuerte", digámosle hoy al mundo: "¿Sabéis quien es? Jesús,/el que venció en la cruz;/Señor de Sabaot;/omnipotente Dios,/él triunfa en la batalla./Aun cuando estén demonios mil/prontos a devorarnos,/no temeremos, porque Dios/vendrá a defendernos/... De Dios el reino queda". Amén.

Gracias, querido Jesús, por los ejemplos de fe como el de Martín Lutero. OLV

EL MONTE CALVARIO

Siendo justificados gratuitamente por su gracia, mediante la redención que es en Cristo Jesús, a quien Dios puso como propiciación por medio de la fe en su sangre, para manifestar su justicia, a causa de haber pasado por alto, en su paciencia, los pecados pasados. Romanos 3:24, 25.

El pueblo israelita presente jamás olvidó la nube, el estruendo y el "fuego abrasador" que coronó la cumbre del monte Sinaí cuando Moisés recibió la ley. Pero hay otro monte de importancia capital para el creyente.

En el Evangelio según San Lucas se nombra al lugar de la crucifixión de Jesús como "de la Calavera" (23:33). San Mateo menciona que la comitiva llegó a "un lugar llamado Gólgota, que significa: Lugar de la Calavera" (27:33). Ha sido difícil determinar exactamente dónde estuvo situado: unos creen que se trata del lugar ahora ocupado por la Iglesia del Santo Sepulcro, y otros señalan una colina a unos 250 metros de la Puerta de Damasco como el posible lugar de la crucifixión. Esta última tiene en su favor la apariencia de cráneo o calavera y el hecho de contener una tumba romana en sus alrededores.

A ciencia cierta sabemos que hace unos 2.000 años, a las afueras de los muros de la antigua ciudad de Jerusalén, en un lugar llamado Gólgota (en griego) o Calvario (en latín), ocurrió la crucifixión de tres hombres, uno de los cuales aseveró ser el Salvador del mundo.

Lo que sucedió en estos lugares tiene una importancia crucial para cada ser humano. En uno se presentó una descripción del carácter de Dios; en el otro se lo reveló. Uno dice que Dios es justicia eterna; el otro proclama que Dios es amor eterno.

Pero uno no puede existir sin el otro. No se puede cumplir la justicia divina sin amor, y no se puede amar si no se sabe cómo expresar el amor en términos concretos. Lo ocurrido en estos dos montes enseña dos amplios principios del plan de Dios para la salvación del ser humano.

El camino de la salvación pasa por el Sinaí; allí el pecador aprende cuál es su situación espiritual. Pero no puede permanecer allí. El monte de los requisitos divinos no es fin del camino. Somos salvados y perdonados sobre la base de los méritos de Cristo; de lo que logró por nosotros en la cumbre del otro monte, el Calvario.

Gracias por tu cruz, mi Señor y Salvador. Permíteme vivir a la altura de tu amor por mí. MAV

AYÚDAME A CREER

Justificados, pues, por la fe, tenemos paz para con Dios por medio de nuestro Señor Jesucristo; por quien también tenemos entrada por la fe a esta gracia en la cual estamos firmes, y nos gloriamos en la esperanza de la gloria de Dios. Romanos 5:1, 2.

Durante la Segunda Guerra Mundial, una de las tácticas que asumieron los aliados fue realizar una campaña sistemática de destrucción de la industria alemana y japonesa. Los principales blancos fueron las grandes ciudades donde los bombardeos masivos causaron millones de muertes civiles. Pero los alemanes no se quedaron atrás. El 14 de mayo de 1940, la fuerza aérea alemana atacó Rotterdam con el único objetivo de aterrorizar a la población civil, aniquilando en el ataque a más de 30.000 personas.

Se cuenta que durante aquellas incursiones, cierto padre y su hijita huían de un edificio recién bombardeado, en plena oscuridad de la noche. Zigzagueando entre las llamas y los escombros, finalmente el hombre pudo llegar hasta el centro del patio, donde pocos días antes un torpedo había abierto un enorme cráter. Buscando refugio inmediato, el hombre se lanzó al agujero e instó a su hijita a que se arrojara en sus brazos.

Asustada, y sin poder divisar la figura de su padre en la oscuridad del agujero, la niña le gritó: "¡Papá, no puedo verte!" El padre, quien desde la fosa podía ver perfectamente la pequeña silueta de su hija recortada contra el cielo encendido de los rojos y anaranjados que pintaban las llamas, le respondió: "Pero hija mía, yo sí te puedo ver; salta".

La historia de hoy resalta hermosamente nuestro conflicto. Estamos en una guerra espiritual. El enemigo de las almas realiza una campaña sistemática de aniquilación. Corremos el peligro de perecer si no buscamos la protección de nuestro amante Salvador Jesús. Pero el pecado nos separa de Dios y nos oculta su rostro. Remisos y faltos de fe no nos atrevemos a arrojarnos en los brazos de nuestro Padre celestial, quien ve nuestro peligro y nos insta a confiar en él.

El versículo de hoy nos dice que somos justificados por la fe y que por ella tenemos acceso a la gracia. La verdadera religión se demuestra en la práctica de la fe. La fe no es creer sin pruebas contundentes, sino confiar sin reservas en las promesas de nuestro Salvador. Y su promesa es que si nos refugiamos en él, él cuidará de nosotros.

Padre, puesto que la fe es un acto de confianza absoluta de que estás de mi parte, ayúdame a creer con la fe simple de un hijo que confía en su padre. OLV

NOVEDAD DE VIDA

Porque somos sepultados juntamente con él para muerte por el bautismo, a fin de que como Cristo resucitó de los muertos por la gloria del Padre, así también nosotros andemos en vida nueva. Romanos 6:4.

La belleza de la primavera se acentúa por su efímero pasaje. Los tulipanes, jacintos y lirios que adornan la tierra recién avivada por los tibios rayos del sol primaveral no duran mucho. Durante varias semanas estas flores aparecen sobre la tierra como un transitorio cuadro multicolor que alaba a su Creador. Pero poco a poco su frescura comienza a marchitarse, y sus tallos se doblan en una genuflexión final antes de salir del escenario de otro año más.

Las plantas y el mundo vegetal en general deben brotar, abrirse y florecer para luego regresar nuevamente a la tierra de donde salieron. Pero podemos estar seguros que el ciclo de vida volverá a repetirse. Igualmente, los seres humanos también participamos de este ciclo de vida y muerte. Existe, sin embargo, una diferencia notable entre el hombre y el mundo natural con relación a la vida y la muerte.

La promesa del bautismo en Romanos 6 incluye el paso inicial de la muerte y la sepultura de nuestro ser natural. Primero tenemos que morir, pero la muerte ahora es la antesala de una nueva vida cuando Cristo vuelva. El bautismo es el símbolo de una discrepancia con el ciclo físico de la naturaleza. Cuando nos unimos a Cristo, se establece un nuevo ciclo: vida, muerte y vida. La resurrección de Jesús es la garantía de la renovación prometida. Su sepultura fue en un jardín (ver Juan 20:11-18), y su resurrección garantizó que cada ser humano pudiese algún día habitar en un glorioso jardín donde las flores jamás se marchitarán.

Como los lirios, a los hijos de Dios les es necesaria la transición de la muerte a fin de que como Cristo resucitó de los muertos por la gloria del Padre, así también nosotros resucitemos a una vida nueva (vers. 4). La promesa de la resurrección nos pertenece como pueblo escogido de Dios. Y bajo este compromiso divino debemos vivir.

En aquella mañana de la resurrección de nuestro Señor Jesucristo, cuando María Magdalena confundió a Jesús con un jardinero, Jesús la llamó por su nombre. Le dijo: "María". Y con aquellas palabras cambió para siempre el mundo de María, y también el nuestro.

Gracias, Señor, por la esperanza de la vida eterna. OLV

LA DÁDIVA DE DIOS

La paga del pecado es muerte, mas la dádiva de Dios es vida eterna en Cristo Jesús Señor nuestro. Romanos 6:23.

A menudo me encuentro hablando acerca de la rapidez con la que pasan los años. Con personas de mi edad comentamos cuán rápido pasó el esperado año 2000, cuán cercano aún nos parece el día de nuestra boda, de nuestra graduación de la universidad o de la escuela superior... Como si hubiera sido ayer.

Nuestros hijos crecen aceleradamente y de pronto se convierten en nuestros amigos. Un día notamos que los protagonistas de las últimas noticias en su mayoría tienen menos edad que nosotros. Que la palabra "joven" ya no nos describe tan acertadamente, ni tampoco el vocablo "esbelto".

No somos los únicos que se han preocupado por el paso de los años y sus efectos. En 1513, Juan Ponce de León, gobernador de Puerto Rico, explorador y colonizador del nuevo mundo, salió en busca de la fuente de la juventud. Su persistencia condujo a la muerte a sus soldados presa de la enfermedad, y él mismo murió en lo que luego llegó a ser el Estado de Florida bajo los flechazos de los nativos.

El anhelo de encontrar la fuente de la juventud no se ha extinguido. Nos interesa prolongar nuestra vida porque Dios nos hizo con eternidad en el corazón. Pero Dios es la única fuente de inmortalidad. La Biblia también señala que Dios es "el único que tiene inmortalidad, que habita en luz inaccesible; a quien ninguno de los hombres ha visto ni puede ver, al cual sea la honra y el imperio sempiterno" (1 Tim. 6:16).

Dios tiene un plan para otorgarnos una eterna juventud. Este plan se cumplió en su Hijo "Jesucristo, el cual quitó la muerte y sacó a luz la vida y la inmortalidad por el evangelio" (2 Tim. 1:10). "Porque así como en Adán todos mueren, también en Cristo todos serán vivificados" (1 Cor. 15:22). El versículo más conocido de toda la Biblia nos dice: "Porque de tal manera amó Dios al mundo, que ha dado a su Hijo unigénito, para que todo aquel que en él cree, no se pierda, mas tenga vida eterna" (Juan 3:16). Este es el mejor regalo que un Creador puede otorgar a sus criaturas.

Gracias, Señor, porque en tu Hijo Jesucristo tengo vida eterna. MAV

UN DIOS DE ORDEN

Ahora, pues, ninguna condenación hay para los que están en Cristo Jesús, los que no andan conforme a la carne, sino conforme al Espíritu. Romanos 8:1.

Dos leyes del mundo físico parecen pugnar entre sí para ayudarnos a explicar la realidad: la entropía y la gravedad. La entropía es "la relación entre la cantidad de calor que un cuerpo gana o pierde y su temperatura absoluta". La entropía caracteriza el grado de desorden de un sistema, y se usa el término en la sociología para referirse a una tendencia inevitable a la degeneración. La gravedad, por otra parte, es la medida de atracción entre los cuerpos físicos que determina en gran parte la posición ordenada de las cosas sobre la superficie del planeta y de los planetas en sus órbitas en torno al sol.

¿Orden o desorden? El universo obedece a cierto orden. Innumerables observaciones científicas sugieren un sistema en el mundo material que busca la estabilidad o el equilibrio. Pero en el mundo físico y en el mundo de las vivencias humanas, notamos también tendencias poderosas al desorden y a la degeneración. Usted y yo nos movemos entre ambos esquemas. Necesitamos estabilidad, al menos en nuestro mundo personal, para funcionar. Para lograr ese equilibrio requiere que nos enfrentemos a nuestra propia entropía.

En el ámbito espiritual, podríamos comparar la ley de la entropía al pecado, lo que Pablo llamó los "designios de la carne", y la gravedad, al amor de Dios, expresado en el ministerio de Jesús, en sus leyes y en la ayuda del Espíritu Santo. El pecado nos conduce a la degeneración y al desorden; el amor de Dios nos brinda armonía, apoyo y razón de ser.

¿Cómo funcionan las leyes de Dios? Ni en el mundo físico ni en el espiritual se dedica Dios a desafiar sus leyes con constantes excepciones. Él generalmente no distorsiona las consecuencias de la transgresión. Si descuidamos los principios de la salud, lo más probable es que romperemos ese estado de armonía y equilibrio de nuestro organismo, y lo lamentaremos. "Todo lo que el hombre sembrare, eso también segará" (Gál. 6, 7). La salud espiritual, a su vez, responde a la armonía con Dios y sus leyes. Y el rechazo a esas leyes también nos perjudica. Las consecuencias de la desobediencia a las leyes naturales y morales son muchas veces automáticas, y Dios no nos obliga a observarlas. La decisión es nuestra. Y cosecharemos lo que hayamos sembrado: bien o mal.

Padre, ayúdame a recordar que no hay mejor lugar para encontrar la felicidad, en toda su complejidad, que en una relación sincera y honesta con mi Creador. MAV

DIOS PUEDE JUNTAR LAS LETRAS

Y de igual manera el Espíritu nos ayuda en nuestra debilidad; pues qué hemos de pedir como conviene, no lo sabemos, pero el Espíritu mismo intercede por nosotros con gemidos indecibles. Romanos 8:26.

Un niño pastor de ovejas cuidaba su rebaño cuando escuchó las campanas que llamaban a los fieles a la iglesia. Al ver a la gente que pasaba por el camino contiguo al terreno de pastoreo rumbo a la iglesia, al niño se le ocurrió que también le gustaría comunicarse con Dios. "¿Qué puedo decir?" pensó. Nunca había aprendido a orar. Así que se arrodilló y comenzó a recitar el alfabeto: "a, b, c, d...". Hasta llegar a la z. Repitió varias veces esta oración.

Un hombre que pasaba, escuchó la voz del niño y se detuvo. Lo interrumpió con una pregunta: "¿Qué haces, amiguito?" El niño respondió: "Orando, señor". Sorprendido el hombre dijo: "¿Pero por qué recitas el alfabeto?"

El niño explicó: "Yo no conozco ninguna oración; pero deseo que Dios me ayude a cuidar las ovejas. Así que pensé que si le decía todo lo que sé, él podría juntar las letras para que digan lo que yo quiero y debo decirle". El hombre sonrió y dijo: "¡Dios te bendiga! ¡Estás en lo correcto!" Luego prosiguió hacia la iglesia, reconociendo que ya había escuchado un sermón excelente.

Se requiere que tengamos la fe de un niño para recibir de Dios sus mayores bendiciones. Este versículo nos recuerda que somos débiles; que todos tenemos áreas de debilidad espiritual o de carácter. Y nos indica que ni siquiera sabemos pedir lo que nos conviene. Los adultos, más que los niños, formamos intrincados laberintos de impresiones, opiniones y conceptos que muchas veces nos ocultan nuestra verdadera situación. Dios puede examinar lo oculto de nuestro corazón y encontrar en él nuestra necesidad genuina.

Hablemos hoy con Dios con una mente amplia. Compartamos con él nuestros sentimientos, nuestros anhelos y temores. Luego permitamos que él junte las letras y nos ilumine con su voluntad para nuestra vida.

Mi Señor, gracias por la labor de interpretación de tu Espíritu. Permite que hoy pueda percibir un poco más cuál es mi verdadera situación y pueda recibir de ti la respuesta que necesito. MAV

HERIDAS QUE SANAN

Y sabemos que a los que aman a Dios, todas las cosas les ayudan a bien, esto es, a los que conforme a su propósito son llamados. Romanos 8:28.

Thomas Webb fue un predicador protestante de amplia trayectoria durante la última parte del siglo XVIII. Pero posiblemente nunca hubiese sido lo que fue para Dios si no hubiese sido herido gravemente en la batalla de Louisburg (1759) mientras servía en el ejército británico. Una bala le entró por el ojo derecho, le pasó por la garganta y finalmente le llegó al estómago. Cuando sus compañeros lo declararon muerto, Thomas replicó: "No, no estoy muerto".

La herida lo hizo regresar a Inglaterra con una pensión del ejército. En 1764 conoció el Evangelio por la predicación de John Wesley y llegó a ser un influyente evangelista en Inglaterra, Irlanda y Estados Unidos. La promesa de Romanos 8:28 se cumplió en su vida.

¡Cuántas veces nos vemos abrumados por eventos y circunstancias que parecen opuestas a nuestro entendimiento de la voluntad de Dios! No es difícil seguir confiando en la Providencia cuando se trata de reveses comunes. Quizá no podemos obtener la posesión que ambicionamos. Alguien nos trata mal o murmura de nosotros. Un hijo se porta mal. Pero, ¿qué pasa cuando de verdad hemos quedado aplastados ante el dolor? ¿Cómo puede surgir algo bueno de la muerte de un ser querido? ¿Podrá Dios utilizar situaciones que no arrojan esperanza alguna desde el punto de vista humano?

La condición de la promesa de hoy es el amor a Dios. Pero el cumplimiento es enteramente divino. El pasaje indica que Dios ofrece sus favores a aquellos que aceptan sus planes para la humanidad. Predestina, llama, justifica y glorifica (Rom. 8:29-31). No a unos pocos. Su predestinación es para los que creen; "todo aquel que en él cree" (Juan 3:16), será salvo.

La promesa puede cumplirse porque es Dios quien actúa. Nadie ni nada puede separarnos del amor de Cristo. Así que los que amamos a Dios somos bendecidos porque su amor por nosotros es aun mayor. Esta bendición supera y modifica lo malo de dos maneras. Cambia nuestra percepción del evento o condición, nos ayuda a interpretar las cosas con una actitud de confianza en Dios. Nos hace conscientes del amor de Dios por detrás, por debajo y por encima de todo lo que pueda sucedernos.

Querido Señor, ayúdame hoy a sentir tu amor infalible en cada circunstancia negativa del día. Que no sólo acepte lo que me afecte, sino que pueda convertirme en una influencia positiva en la vida de otros. MAV

ÉL SÍ ME AMA

Ni la muerte, ni la vida, ni ángeles, ni principados, ni potestades, ni lo presente, ni lo por venir, ni lo alto, ni lo profundo, ni ninguna otra cosa creada nos podrá separar del amor de Dios, que es en Cristo Jesús Señor nuestro.
Romanos 8:38, 39.

Se cuenta de un creyente en Dundee, Escocia, quien estuvo confinado a una cama durante 40 años, habiéndose quebrado la nuca en una caída a los quince años de edad. A pesar de su situación, generalmente gozaba de buen ánimo y era una inspiración para las muchas personas que lo visitaban. Un día un visitante le preguntó: "¿Y Satanás no lo ha tentado nunca a dudar de Dios?"

—Oh, sí —respondió el hombre—. Intenta hacerlo. Estoy aquí postrado y veo a mis antiguos compañeros pasar por la calle en sus carruajes y Satanás me susurra: "Si Dios es tan bueno, ¿por qué te mantiene así todos estos años? ¿Por qué permitió que se te rompiera el cuello?"

—¿Qué hace usted cuando Satanás le susurra tales cosas? —preguntó el visitante.

—Pues —replicó el inválido—, lo llevo al Calvario, le muestro a Cristo y señalo sus profundas heridas, y le digo: "¿Ya ve? Él sí me ama". Y Satanás se queda sin respuesta y se aleja inmediatamente.

Quizá el mayor peligro para los creyentes se encuentre en su capacidad de percibir o dejar de percibir el amor de Dios. Cuando conocemos el amor de Dios, obtenemos una nueva manera de percibir el universo y las circunstancias que nos rodean. Cada uno de nosotros tiene una manera peculiar de interpretar su mundo. Esta visión de las cosas responde a nuestra experiencia, nuestras creencias y la cultura en que nos hemos desarrollado.

El amor de Dios desplegado en el Calvario es el elemento que coloca todo lo demás en perspectiva. Las grandes y pequeñas tragedias, las terribles masacres, las más crueles injusticias de la historia y de nuestra vida personal no tienen explicación. Son la obra de un "enemigo" de Dios y de los seres humanos (ver Mat. 13:28). La cruz no explica estas cosas, pero sí las contrapesa. En la cruz, Jesús participó de nuestro dolor, total e íntegramente (Heb. 2:14, 15), erigiendo para siempre un muro eficaz y permanente contra el sufrimiento a veces abrumador que matiza nuestra experiencia.

Señor, te ruego que me ayudes para que cuando me llegue el desánimo, mis ojos no se concentren en mí, sino en Aquel que "se entregó a sí mismo por mí". MAV

EL BIEN VENCE AL MAL

No seas vencido de lo malo, sino vence con el bien el mal.
Romanos 12:21.

El Dr. Leonard Zunin, en su libro *Contact: The First Four Minutes* (Contacto: Los primeros cuatro minutos), relata un incidente muy interesante. Pareciera que las tribus Babema de África del Sur tienen una manera inusual de tratar con las personas que han cometido una falla social, tal como el robo o peleas con otros miembros de la tribu.

En vez de castigar al ofensor, la aldea completa se reúne en un círculo alrededor de la persona y cada miembro de la tribu, con todo detalle y tomando todo el tiempo necesario, recita cada cosa buena que la persona ha hecho alguna vez. No se omite ningún acto de bondad o ninguna buena acción pasada, y todo miembro de la tribu testifica, no importa la edad. El proceso a veces dura varios días y concluye con una gran celebración en la que la persona es recibida nuevamente como parte de la tribu.

Las Escrituras presentan un cuadro similar en la parte final de la parábola del hijo pródigo. El hijo ofensor es recibido con gozo y se tiene una gran celebración. En el plano del gran conflicto entre el bien y el mal, escoger el bien no significa meramente tomar una postura moral o intelectual, sino colocarnos de parte del bien en todos los aspectos. Quizá este es un aspecto inesperado de la santificación, pero no menos importante. La mayor fuerza del bien es el amor, y amarnos los unos a los otros es la única evidencia real del discipulado (ver Juan 13:35). Juan lo dijo bien: "El que no ama, no ha conocido a Dios; porque Dios es amor" (1 Juan 4:8).

¿Cómo aplicar este principio a nuestras relaciones humanas? Podríamos practicar una versión individual del proceso "judicial" de las tribus Babema. Podríamos escoger a alguien que sufre el rechazo del grupo y concentrarnos en sus buenas cualidades. Podemos defender a alguien contra las malas lenguas. Podemos devolver bien por mal. Podemos decidir enfrentar el mundo con una sonrisa en el rostro, con palabras bondadosas, con el deseo de interpretarnos bien. Podemos amar porque Dios nos amó primero. Podemos tratar a los demás como quizá no lo merecen, porque nosotros hemos sido tratados como no lo merecíamos.

Querido Dios, ayúdame hoy a pensar, juzgar, y tratar bien a los que me rodean.

MAV

EL PELIGRO DEL LETARGO

Y esto, conociendo el tiempo, que es ya hora de levantarnos del sueño; porque ahora está más cerca de nosotros nuestra salvación que cuando creímos. Romanos 13:11.

China fue cuna de una de las civilizaciones más adelantadas de la tierra. Durante siglos fue la potencia más avanzada del planeta. Pero los británicos lograron subyugarla al dominar las vías del mercado. Víctima de la agresión extranjera y de su propio fraccionamiento interno, el gran gigante asiático cayó en un largo y penoso letargo que lo apartó del progreso y quebrantó su economía. Refiriéndose a ese letargo, Napoleón Bonaparte dijo: "China es un gigante dormido, déjenlo dormido pues cuando se levante hará temblar al mundo".

Estas palabras me recuerdan la condición actual de la iglesia de Dios. Uno de los más grandes retos que enfrenta el pueblo de Dios hoy en día es el letargo espiritual. El cristiano moderno no parece darse cuenta de la hora en que vive. Fácilmente olvidamos la importancia de la oración, la importancia de dedicarle tiempo a Dios, y que sin la continua dependencia de nuestro Señor Jesucristo nada somos.

En este sentido, Laodicea comparte algo con las vírgenes fatuas de los evangelios: la ignorancia de su verdadero estado. No nos damos cuenta de nuestra enfermedad espiritual. Pensamos que el enemigo de Dios no puede obligarnos a pecar. Pensamos que Satanás no puede instigar en nuestros corazones la ingratitud ni el olvido de Dios. Pero la estrategia de Satanás es más infernal de lo que suponemos. El enemigo de Dios toma ventaja de nuestro letargo espiritual, de nuestra comodidad, del sopor, de la modorra, de la inactividad espiritual, para hacernos olvidar a Dios casi de manera imperceptible.

Es hora de que el gigante dormido se levante y haga temblar al mundo. Es hora de que el pueblo de Dios despierte de su pasividad y apresure la proclamación del Evangelio.

El Señor nos dice: "Y esto, conociendo el tiempo, que es ya hora de levantarnos del sueño; porque ahora está más cerca de nosotros nuestra salvación que cuando creímos (Rom. 13:11). Sabiendo que no nos queda mucho tiempo, debemos repudiar la indiferencia. Debemos erradicar la indolencia, buscar insistentemente el poder del Espíritu Santo y anhelar con todo nuestro corazón y con toda nuestra mente el retorno de nuestro Señor Jesucristo a la tierra.

Padre, te ruego que me despiertes de la indiferencia, y que me ayudes a vencer el letargo que hoy me impide trabajar por ti. OLV

GOZO Y PAZ EN EL CREER

Y el Dios de esperanza os llene de todo gozo y paz en el creer, para que abundéis en esperanza por el poder del Espíritu Santo. Romanos 15:13.

Tarde o temprano, nos toca enfrentar noticias que nos sacuden hasta lo más íntimo. La enfermedad de un ser querido, el accidente de un hijo, la muerte de un familiar, la pérdida del empleo. En esos momentos las voces del desánimo y el dolor nos ofuscan y deprimen, pero Dios no nos abandona, sino que nos provee un antídoto para la desesperación: la esperanza.

La esperanza forma parte del trío de las grandes virtudes en 1 Corintios 13. Aunque el amor es la mayor de todas, la esperanza se encuentra en el mismo nivel que la fe. En cierto sentido las tres están muy relacionadas. El amor "todo lo cree [tiene fe], todo lo espera [tiene esperanza]" (13:7). La esperanza es la fe proyectada hacia el futuro. También puede concebírsela como un grado más avanzado de la fe, porque esperar algo va un poco más allá de creer que existe.

Refiriéndose a la relación entre la fe y la esperanza, el apóstol Pablo declara: "Justificados, pues, por la fe, tenemos paz para con Dios por medio de nuestro Señor Jesucristo; por quien también tenemos entrada por la fe a esta gracia en la cual estamos firmes, y nos gloriamos en la esperanza de la gloria de Dios" (Rom. 5:1, 2). Esta esperanza del encuentro con Dios también nos conduce a la acción. Las vírgenes prudentes de la parábola consiguieron aceite para sus lámparas porque querían estar preparadas para la llegada del esposo (ver Mateo 25).

Romanos 15 va más allá. Nos dice que Dios es un Dios de esperanza y que la esperanza, el gozo y la paz son el resultado de la fe y de la presencia del Espíritu Santo en la vida. Gálatas 5 nos enseña que es el Espíritu quien produce estos frutos en la vida del creyente. En el contexto de Romanos 15, tanto los gentiles como los judíos han de esperar en Cristo. Esta esperanza nos une y nos da fuerzas para enfrentar las pruebas del presente.

Gracias, Señor, por las bendiciones que me provees cuando creo. Gracias por ser un Dios de esperanza. MAV

PODER DE VIDA

Porque la palabra de la cruz es locura a los que se pierden; pero a los que se salvan, esto es, a nosotros, es poder de Dios. 1 Corintios 1:18.

La palabra traducida "poder", aquí y en otros lugares del Nuevo Testamento, es *dunamis,* la raíz de la palabra dinamita. Se refiere a una tremenda energía que puede resucitar a los muertos. Resucitó a Cristo, y lo colocó a la diestra de Dios en "lugares celestiales" (Efe. 2:6). Este es un poder inexplicable para el hombre. Una fuente de energía más explosiva que cualquier bomba. Las bombas explotan para matar. Este poder explota para dar vida. Este poder no es un arma de destrucción masiva, sino un arma de salvación masiva. Es un poder que puede mover montañas y transformar vidas.

El *Comentario bíblico adventista* dice al respecto: "Para aquellos que debido a su disposición para creer en la genuina afirmación del Evangelio 'están siendo salvados', la 'palabra de la cruz' es 'poder de Dios'. Este poder se demuestra en la transformación del carácter que acompaña al pecador que acepta las estipulaciones de la gracia. El Evangelio es mucho más que una presentación doctrinal o un relato de lo que Jesús hizo por la humanidad cuando murió en la cruz: es la aplicación del grandioso poder de Dios al corazón y a la vida del pecador arrepentido y creyente, que lo convierte en una nueva criatura" (t. 6, p. 661).

Hace un par de años escuché una historia que aparentemente ocurrió en Puerto Rico. En una serie de conferencias, una dama asistía sola a las reuniones. Una noche, mientras la dama estaba sentada en la congregación, sin darse cuenta accionó el teléfono celular que estaba en su cartera. El teléfono llamó a la casa y su esposo contestó la llamada. Él estaba preocupado al notar que su esposa se vestía todas las noches y se ausentaba durante un par de horas. Como nadie respondió, sólo atinó a escuchar con curiosidad. Percibió algunos ruidos extraños. Oyó el canto de varias personas y luego un orador comenzó a predicar. Escuchó toda la predicación por teléfono, y cuando ella regresó a casa, le hizo algunos comentarios acerca del tema de esa noche. Comenzó a asistir a la noche siguiente y varias semanas después fue bautizado.

La Palabra de Dios contiene en sí el poder de una semilla que brota para vida. Ya sea en nuestra propia experiencia, o en la influencia que pueda ejercer en la vida de otros mediante nosotros, permitamos que la Palabra de Dios haga su obra.

Señor, que nunca deje de aprovechar la extraordinaria fuente de poder que es tu Palabra. MAV

NUESTRO CALVARIO

Pero nosotros predicamos a Cristo crucificado, para los judíos ciertamente tropezadero, y para los gentiles locura; mas para los llamados, así judíos como griegos, Cristo poder de Dios, y sabiduría de Dios. 1 Corintios 1:23, 24.

Tarde o temprano, en el camino de la vida nos vamos a encontrar con la cruz del Calvario. No me refiero a escuchar un comentario pasajero sobre aquel acontecimiento, sino a enfrentarnos de lleno, personalmente, con el mensaje de un Dios que muere en la cruz por sus criaturas.

Se trata de la manera más rara de rescatar a un condenado. Los seres humanos fueron secuestrados por el enemigo de Dios, y Dios responde a la amenaza entregando a su mismo Hijo como rescate. Satanás viene con la humanidad atada y con un cuchillo al cuello, y Dios viene en silencio. Con humildad entrega a su Hijo en la cruz y por un instante vuelve el rostro como para no ver aquella escena: "Eloi, Eloi, ¿lama sabactani? que traducido es: Dios mío, Dios mío, ¿por qué me has desamparado?"(Mar. 15:34).

Hubo tres personas en esa escena final en la cruz que arrojan un significado especial sobre aquel suceso. El libro *El Deseado de todas las gentes,* p. 715, dice: "En el mismo día de su muerte, tres hombres que diferían ampliamente el uno del otro, habían declarado su fe: El que comandaba la guardia romana, el que llevó la cruz del Salvador, y el que murió a su lado".

¿Cómo se aplica a nosotros aquella experiencia?

¿Qué hizo el centurión romano? Contempló. "Como Moisés levantó la serpiente en el desierto así el Hijo del Hombre será levantado, para que todo aquel que cree en él tenga vida eterna" (Juan 3:14). ¿Qué más hizo? Declaró públicamente su fe. Hoy hemos de confesar a Jesús en palabra y en hechos, con todas las fuerzas de nuestra alma, con nuestro ejemplo y con nuestra vida.

¿Qué hizo Simón? Cargó la cruz. Aceptó el compromiso. San Lucas 14:27 dice: "Si alguno quiere venir en pos de mí, niéguese a sí mismo, tome su cruz cada día, y sígame". La cruz es el compromiso cristiano. La vida de fe.

¿Qué sucedió con el ladrón? Fue crucificado. Llegó a una condición en la cual no le importó ninguna otra cosa. Tenemos tantas preocupaciones, tantos intereses. En una cruz no cuentan las posesiones ni la apariencia ni el dinero ni los cargos ni el estatus social. En la cruz estamos solos, sin nuestro manto de justicia propia.

Señor, tráeme de nuevo a los pies de tu cruz de muerte, el mejor lugar para aprender a vivir. MAV

EL MARAVILLOSO DIOS DE LOS DON NADIE

Sino que lo necio del mundo escogió Dios, para avergonzar a los sabios; y lo débil del mundo escogió Dios, para avergonzar a lo fuerte. 1 Corintios 1:27.

A menudo le hablo a Dios durante las horas de trabajo. Recuerdo particularmente aquella mañana cuando sumida en un mar de documentos legales y libros de códigos estatales trataba de desempeñar mi labor. Alguien cerca de mí, irreflexivamente, hizo un comentario algo discriminatorio, y me sentí presa del desánimo. "No soy nadie, Señor", enseguida le dije a Dios, sintiendo agudamente mi insignificancia.

¿Se reconoce acaso usted en ese clamor? ¿Es tal vez uno de los millones de extranjeros que viven cada día tratando de sobrevivir en una tierra ajena, y en un mundo donde la discriminación y la injusticia se manifiestan en todas sus múltiples facetas? Si es así, usted sabrá muy bien a lo que me refiero: Rechazo, separación, discriminación, injusticia y aun atropello. Y cómo pesa el aguijón del abuso, la desigualdad y la arbitrariedad sobre la espalda del marginado. Cómo hieren las espinas que incrustan los prepotentes en el corazón de los tristes y los débiles.

Jesús, el dueño y Creador del universo, quiere que usted sepa que él se especializa en amar a los Don Nadie de este mundo. Sólo necesita fijarse en los Evangelios para comprender esta hermosa realidad. Se conmoverá al ver que nuestro Señor Jesucristo, durante su estadía en esta tierra, fue extraordinariamente compasivo hacia los que tenían grandes necesidades y terribles vacíos en sus vidas. Su asociación con las minorías no fue cosa inusual o meros encuentros de casualidad. Jesucristo se vio siempre atraído hacia los fracasados, los rechazados por la sociedad, los marginados, los solitarios, los enfermos, los débiles y los desesperados. Eran éstas las almas por las cuales había dejado su gloria y todo el cielo para morir en la cruz. Y fueron éstos también a quienes él, en su misericordia, ayudó, sanó y satisfizo todas sus necesidades.

Jesús escoge a quienes el mundo desprecia, para que sean sus mejores amigos. Quizás hoy usted no se sienta merecedor de su bendición. Quizás ande por la vida sintiéndose vulnerable y débil. Pero Jesucristo tiene grandes planes en su agenda para aquellos que confían en él. No es necesario ser ni más blancos ni más altos ni más ricos ni mejor educados para considerarnos hijos legítimos del Rey del universo. ¡Qué gracia maravillosa!

Gracias, Padre eterno, por ser el amigo por excelencia de los más necesitados. OLV

LA PROMESA DEL CORDERO

Limpiaos, pues, de la vieja levadura, para que seáis nueva masa, sin levadura como sois; porque nuestra pascua, que es Cristo, ya fue sacrificada por nosotros.
1 Corintios 5:7.

La palabra "pascua" tiene un rico significado para los creyentes judíos y cristianos. La primera pascua se celebró en la fecha de las fiestas judías de las primicias, cuando los israelitas ofrecían ofrendas de los primeros frutos de sus rebaños y cosechas. Con los acontecimientos del tiempo de Moisés, la pascua —cuyas raíces griega y hebrea tienen el significado de "paso"— pasa a ser una conmemoración de la salida del pueblo hebreo de Egipto y de la esclavitud. En la noche anterior a la salida de Egipto, Moisés instruyó al pueblo para que inmolara un cordero y tiñera con su sangre el dintel de la puerta de la casa. De esa manera sus hijos serían eximidos de la décima plaga que mató a los primogénitos de los egipcios (Éxo. 12:3-12, 23).

La pascua cristiana fue establecida para conmemorar los hechos de la muerte y la resurrección de Jesús. Y es que estos hechos se conjugaron estrechamente con la fiesta judía. En el día en que se celebraba la pascua en el año 34, Jesús fue sacrificado como el verdadero Cordero pascual, reposó en la tumba durante el día de reposo estipulado por las fiestas (que en el año en que murió Jesús coincidió con el sábado semanal), y resucitó el día en que los judíos celebraban la fiesta de las primicias.

El que la fiesta judía de la pascua haya sido investida de un nuevo significado cristiano, no anula su simbolismo de liberación y esperanza. Al contrario, el sacrificio de Cristo sentó las bases de la verdadera libertad del ser humano: la libertad del pecado y su opresión. Su sangre igualmente nos exime de la paga del pecado, la muerte (Efe. 1:7; Rom. 6:23). Con él salimos del Egipto espiritual, con él vencemos al faraón de este mundo y marchamos confiados hacia la final liberación de su segunda venida y la entrada a la tierra prometida definitiva.

El pasaje aplica a los creyentes el simbolismo de la masa sin levadura que se empleaba para preparar el pan utilizado en esa ocasión. Ya es hora de prepararnos para el "paso" a la vida eterna, porque el sacrificio de Jesús ya abrió las puertas de nuestro cautiverio.

Gracias por el Cordero de Dios que quita el pecado del mundo. MAV

UN TERCER CAMINO

No os ha sobrevenido ninguna tentación que no sea humana; pero fiel es Dios, que no os dejará ser tentados más de lo que podéis resistir, sino que dará también juntamente con la tentación la salida, para que podáis soportar.
1 Corintios 10:13.

En cierta ocasión, un niño sueco llevaba un barril en un trineo tirado por un caballo. Súbitamente, como si salieran de la nada, una jauría de lobos comenzó a perseguirlo, y se vio ante dos opciones. Podía acelerar para llegar a casa antes que los lobos lo alcanzaran, algo que parecía imposible, o podía detenerse y enfrentar a los animales salvajes. Esto definitivamente no funcionaría. Tenía que buscar una tercera opción.

Finalmente se le ocurrió soltar el caballo, sabiendo que correría al establo y alertaría a su padre. Entonces dio vuelta el barril y se escondió adentro hasta que su padre llegó. La moraleja obvia de la historia es que siempre hay una tercera opción.

A veces necesitamos recordar tal cosa. El pensamiento occidental nos ha enseñado a simplificar el proceso de elección hasta el punto en que tenemos un dilema. Aprendemos a escoger entre una u otra cosa, esto o aquello. El caso es que no todos los desafíos son dilemas. Y muchas veces, la tercera opción es la de Dios.

Pablo pudo decir las palabras del versículo de hoy en medio de su encarcelamiento, habiendo sufrido azotes, humillaciones y múltiples rechazos por causa de su ministerio, porque confiaba en la bondad de su Salvador. Por eso había escrito en otro lugar: "No os ha sobrevenido ninguna tentación que no sea humana; pero fiel es Dios, que no os dejará ser tentados más de lo que podéis resistir, sino que dará también juntamente con la tentación la salida, para que podáis soportar" (1 Cor. 10:13).

Dios ha prometido dirigirnos, acompañarnos, fortalecernos, cuidarnos y protegernos. Necesitamos recordar que no siempre nos conviene tomar el camino más obvio. Si sintonizamos el pensamiento de Dios, él podrá indicarnos la salida. Quizás el tercer camino requiera que nos protejamos en el "barril" de la fe hasta que llegue la ayuda de nuestro Padre Celestial.

Señor, si hoy he de enfrentar una decisión difícil, ayúdame a considerar todas las opciones y a identificar la que tú consideras la mejor. MAV

TODOS SOMOS IMPORTANTES

Vosotros, pues, sois el cuerpo de Cristo, y miembros cada uno en particular.
1 Corintios 12:27.

Pablo dedica varios versículos en 1 Corintios 12 a destacar la diversidad del cuerpo de Cristo. En efecto, el argumento promueve la unidad en la diversidad. "Porque así como el cuerpo es uno, y tiene muchos miembros, pero todos los miembros del cuerpo, siendo muchos, son un solo cuerpo, así también Cristo" (vers. 12). La analogía del cuerpo sirve para destacar la interdependencia de los componentes de la iglesia. Dios no sólo permite las diferencias, sino que las promueve.

Las antiguas máquinas de escribir, que para nuestros días son verdaderos dinosaurios, a veces nos daban una lección en la importancia de cada miembro. Recuerdo muchas veces cuando ciertas teclas se pegaban y uno o más caracteres dejaban de funcionar. *¡Cu n irrit do me sentí en es s oc siones!* No importaba cuál letra del alfabeto faltara, el resultado siempre distaba de lo ideal. La carencia de una sola letra podía arruinar toda una carta o tarea escolar.

Es cierto que se puede escribir sin una letra, o que el cuerpo puede muchas veces subsistir sin uno de sus órganos o miembros, pero la falta se echa de menos. Quizá ninguno de nosotros sea estrictamente indispensable, pero sí somos necesarios. La iglesia puede sobrevivir sin nosotros, incluso otro podría tomar nuestro lugar, pero Dios tiene un plan y una función para cada uno de nosotros.

A veces sentimos que no somos importantes. Que tenemos muy poco que ofrecer. Dígale tal cosa a esa mujer de la ex Unión Soviética que en sillas de ruedas se pasaba las noches en vela haciendo copias de la Biblia en papel carbón con el único dedo que no estaba engarrotado por la artritis. O quéjese de su insignificancia con el laico caribeño que ganaba decenas de almas todos los años sin saber leer ni escribir. O las ancianitas campeonas de la recolección en California, en Nueva York, en México o en Buenos Aires.

La promesa implícita en la presentación de Pablo es que Dios tiene un lugar para cada persona. De la misma manera que cada órgano o miembro del cuerpo de Cristo cumple una función que ningún otro órgano o miembro puede cumplir, nadie en el mundo puede cumplir precisamente el propósito que Dios tiene en mente para cada uno de nosotros.

Hoy te ofrezco todo lo que soy, todo lo que me has dado para que lo uses en tu servicio. MAV

AMOR DE DIOS

El amor es sufrido, es benigno; el amor no tiene envidia, el amor no es jactancioso, no se envanece. 1 Corintios 13:4.

La jueza Clara Warren, de un distrito rural en Carolina del Norte, tiene la reputación de interpretar severamente la ley. Lo que mucha gente no sabe es que después que dicta sentencia en los numerosos casos de delincuencia juvenil, visita asiduamente la cárcel de jóvenes y desarrolla amistad con tantos de ellos como puede. Luego que salen de la cárcel, los ayuda a conseguir empleo y ejerce su influencia para que los admitan en las escuelas del Estado. Incluso ha intercedido en disputas familiares. Lo que quizá no es menos sorprendente es que muchos de esos jóvenes persisten en su vida de delitos y regresan vez tras vez a la cárcel.

Cuando se le pregunta por qué continúa amando a estos jóvenes cuando aparentemente no aprecian lo que hace por ellos, la jueza responde: "Yo no los amo para que ellos me agradezcan. Yo anhelo que cambien. Oro por ellos. Y cuando uno de ellos se endereza, soy la persona más feliz de la tierra. Pero si esto no ocurre, sigo amándolos".

Aunque a menudo pensamos en 1 Corintios 13 como una descripción del amor humano ideal, cuando el apóstol Pablo describió la naturaleza del amor en 1 Corintios 13, se refería por implicación al amor de Dios. El amor de Dios "es sufrido, es benigno..." Visto de esta manera, el himno al amor de 1 Corintios se torna en una promesa de la persistencia y generosidad del amor de Dios hacia nosotros.

El amor es un don. Dios no nos ama porque espera algo a cambio. Aunque los humanos generalmente dejamos de amar a aquel que no aprecia nuestro afecto, Dios nunca deja de amarnos. ¡Cuántas veces nos olvidamos de agradecerle por estar con nosotros cuando lo necesitamos! ¡Cuántas veces hemos pensado que el Señor se ha olvidado de nosotros cuando no nos otorga exactamente lo que deseamos, aunque en realidad nos haya dado algo mejor! El caso es que Dios nunca nos da la espalda. Su amor no es dar y recibir, sino dar y dar.

Padre, permite que mi amor hoy sea como el tuyo, un regalo que no espera retribución. MAV

EL AMOR NUNCA DEJA DE SER

El amor nunca deja de ser; pero las profecías se acabarán, y cesarán las lenguas, y la ciencia acabará. 1 Corintios 13:8.

El amor es uno de los misterios más grandes de la vida. Leemos de él, escribimos acerca de él, lo analizamos, lo definimos y todavía no sabemos lo que es. Damos amor y recibimos amor. A veces lo que más trabajo nos cuesta es mantenerlo. Una cosa es cierta: Dios nos pide que amemos; que lo amemos a él y que amemos a nuestro prójimo.

¿Cómo?

El amor real, el amor de Dios, no es un sentimiento que nos embarga porque alguien dice o hace algo que nos agrada. Tampoco se desvanece porque alguien diga o haga algo que nos desagrada. El amor verdadero es una manera real de vivir y relacionarnos que no depende de cuán buena o mala sea la persona que lo recibe. Es así porque el amor verdadero nos permite ver a los demás como Dios los ve. Nos enseña a ver más allá de las faltas, las promesas sin cumplir, las diferencias y los chascos, y a encontrar la persona que Dios tiene en mente.

El amor de Dios no nos viene en forma natural, sino que es algo que podemos aprender. Lo aprendemos de Jesús cuando descubrimos día tras día su amor por nosotros. En esencia, "nosotros le amamos a él, porque él nos amó primero" (1 Juan 4:19). Cuando comencemos a hacer tal cosa, el amor ya no nos resultará tan misterioso. Aprenderemos a vencer los obstáculos que nos separan de nuestros padres, nuestro cónyuge, nuestros hijos, amigos, vecinos o compañeros de trabajo. Lo que resulta maravilloso es que el amor de Dios nunca deja de ser. "Jehová se manifestó a mí hace ya mucho tiempo, diciendo: Con amor eterno te he amado; por tanto, te prolongué mi misericordia" (Jer. 31:3).

Incluso en el sentido temporal de las cosas, el amor será el único don que permanecerá. Cuando ya no necesitemos el don profético para revelarnos la voluntad divina a nuestras mentes embotadas, cuando ya no necesitemos habilitaciones especiales para comunicar el Evangelio, cuando las nuevas realidades del cielo trastornen por completo nuestra comprensión del universo, el amor de Dios y nuestro amor por él y sus criaturas perdurará.

Querido Dios, permíteme amar hoy como tú amas. MAV

EN BUSCA DE HUMANIDAD

Y así como hemos traído la imagen del terrenal, traeremos también la imagen del celestial. 1 Corintios 15:49.

Las caricaturas a veces presentan la tentación en términos de un diablito rojo que nos incita al mal, versus un angelito vestido de blanco que nos recuerda el camino moral y correcto. Tristemente, el diablito rojo se sale muchas veces con las suyas. Pablo habló a menudo del conflicto entre la naturaleza espiritual y la animal, el hombre nuevo y el hombre viejo, los frutos del Espíritu y de la carne. En Romanos expresa de esta manera dicha tensión: "Así que, queriendo yo hacer el bien, hallo esta ley: que el mal está en mí. Porque según el hombre interior, me deleito en la ley de Dios; pero veo otra ley en mis miembros, que se rebela contra la ley de mi mente, y que me lleva cautivo a la ley del pecado que está en mis miembros. ¡Miserable de mí! ¿quién me librará de este cuerpo de muerte?" (Rom. 7:21-24).

La respuesta se encuentra seguidamente: "Ninguna condenación hay para los que están en Cristo Jesús, los que no andan conforme a la carne, sino conforme al Espíritu. Porque la ley del Espíritu de vida en Cristo Jesús me ha librado de la ley del pecado y de la muerte" (Rom. 8:1, 2). Tenemos una naturaleza carnal que nos impulsa al mal, pero ésta puede ser sujetada a la conducción del Espíritu de Dios. Nuestra vida encuentra sentido únicamente en este sometimiento de la carne al Espíritu, en el trueque de una vida terrenal por una celestial.

Si nos atrevemos a contemplar a Dios en nuestra búsqueda, encontraremos una extraordinaria riqueza de significado y propósito. Descubrimos una forma diferente de vida (ver 2 Cor. 5:17), un origen divino (Gén. 1:27), una fórmula para un matrimonio feliz (Gén. 2:22-24; Efe. 4:21-23), una estructura de nuestro tiempo, una semana de trabajo y un día de reposo semanal (Éxo. 20:8-11)... y un destino glorioso, vivir con Dios (Juan 14:1-3).

En 1 Corintios 15:49, Pablo nos habla de dos Adanes y dos naturalezas que compiten en nuestra vida. El primer Adán representa al hombre natural, a la naturaleza carnal e instintiva del ser humano; el segundo Adán representa a Cristo, y a aquello en nosotros que responde a Dios, el componente espiritual de la existencia. En nosotros —como criaturas formadas a su imagen— se encuentra también el deseo innato de ser hijos de Dios.

Querido Señor, no importa la etapa de la vida que me toque vivir, quiero que tú seas mi Consejero, mi Ayudador y mi sostén. MAV

VENCER LA MUERTE

He aquí, os digo un misterio: No todos dormiremos; pero todos seremos transformados, en un momento, en un abrir y cerrar de ojos, a la final trompeta; porque se tocará la trompeta, y los muertos serán resucitados incorruptibles, y nosotros seremos transformados. 1Corintios 15:51, 52.

El tema de la muerte es universal. Algunos lo perciben como el centro dinámico del orden social, la inspiración de la filosofía, el arte y las tecnologías médicas. Vende periódicos y pólizas de seguros. Nos horroriza y nos conmueve. Aunque sucede todos los días, todavía parece sorprendernos. Incluso, según la ciencia, casi todo lo que vemos unos de otros es materia muerta: la superficie de la piel, el cabello, las uñas.

Frente a la muerte, el ser humano se define. Nos obliga a buscar el sentido de la vida y el más allá. La manera en que nos referimos a ella revela lo que somos. Peter Metcalf señaló que "la vida se hace transparente contra el trasfondo de la muerte". Nos hace pensar en lo que es realmente importante.

Uno de los impulsos centrales del ser humano es el deseo de vivir para siempre. El checo Franz Kafka dijo: "El hombre no puede vivir sin una confianza continua en algo indestructible dentro de sí mismo".

Este impulso se manifiesta en varios tipos de búsqueda: Algunos persiguen la inmortalidad biológica a través de su descendencia. Desean que sus hijos triunfen donde ellos fracasaron, proyectarse hacia el futuro en su persona. Otros intentan preservar su organismo por medio de la congelación, o permanecer en la memoria de la gente por medio de obras de caridad, libros, monumentos o incluso infamias. Las pirámides de Egipto y el Taj Majal de la India son impresionantes monumentos al recuerdo de los muertos. Por su parte, las galerías de la fama en los deportes, los premios y las medallas intentan consagrar los logros humanos a la posteridad. Pero si tuviésemos que escoger entre la inmortalidad simbólica y la vida eterna, todos preferiríamos vivir.

La Palabra de Dios asegura que viviremos. La muerte será un enemigo vencido. La muerte nunca pudo contra el Dador de la vida, ni tampoco podrá coexistir con él en su venida. No más monumentos, no más sed insatisfecha de eternidad.

Gracias, Señor, por la vida que hay en tu Hijo. Gracias porque la muerte actual no es un adiós definitivo. MAV

AGRADEZCAMOS AL SEÑOR NUESTRO DIOS

Mas gracias sean dadas a Dios, que nos da la victoria por medio de nuestro Señor Jesucristo. 1 Corintios 15:57.

Este maravilloso versículo presenta el tema de todos los libros de la Biblia. Es una promesa de triunfo. Para que el ser humano vuelva a amistarse con su Creador, y pueda recuperar el favor de Dios, es necesario el portentoso poder de Jesucristo. Por el triunfo sobre el poder del enemigo, la voz de todo ser viviente ha de levantarse en notas sublimes de agradecimiento, tal como lo hizo Pablo al reconocer su incapacidad para luchar contra las fuerzas del mal.

Repetidas veces el apóstol puso énfasis en la necesidad de expresar nuestra gratitud a Dios. En la Biblia hay alrededor de 138 pasajes bíblicos relacionados al agradecimiento y a la virtud del corazón agradecido. Algunos de estos pasajes están escritos con palabras tan poderosas como las de Colosenses 3:17: "Y todo lo que hacéis, sea de palabra o de hecho, hacedlo todo en el nombre del Señor Jesús, dando gracias a Dios Padre por medio de él".

Las dos grandes maneras en que se expresan la vida y la conducta humana son nuestras palabras y nuestros hechos. Por lo tanto, la alabanza y el agradecimiento deben acompañar todo lo que pensamos y hacemos.

No tenemos por qué esperar hasta ese glorioso día cuando los redimidos de todas partes se junten en las mansiones celestiales, para mostrarle a Dios nuestro sincero agradecimiento y glorificarlo por la esperanza que sus promesas divinas infundieron en nuestros corazones mientras vivimos en esta tierra. Debemos hacerlo ahora, en este momento cuando nuestros ojos se abren a tal discernimiento.

Estimado lector, recuerde que no existe cura mental o bálsamo emocional sin gratitud. Porque en cada situación de nuestra vida, haya sido buena o mala, existe siempre una razón por la cual estar agradecidos.

Cuando su corazón experimente la gracia de Cristo y se dé cuenta de lo que se ha hecho en su favor, asegúrese que su voz también exprese la gratitud interna.

Gracias y más gracias sean dadas, Padre, por todo lo que tú representas en mi vida. OLV

FIRMES Y CONSTANTES

Así que, hermanos míos amados, estad firmes y constantes, creciendo en la obra del Señor siempre, sabiendo que vuestro trabajo en el Señor no es en vano.
1 Corintios 15:58.

La vida de Susana Annesley no fue fácil. Fue la hija número 25 de una familia pobre en una época dura. Se casó con un hombre mucho mayor que ella, tuvo 19 hijos, su casa se quemó, fue enfermiza, su esposo ganaba tan poco que lo pusieron en la cárcel por no pagar sus deudas.

Como muchas madres de su generación, perdió a nueve de sus hijos, uno de ellos por sofocación accidental causada por su nodriza. Varios de sus hijos se apartaron tanto de los caminos de Dios que se refería a ellos como "una aflicción constante". Fue esposa de pastor, pero su mismo matrimonio sufrió por la fuerza de voluntad de ambos y las constantes discusiones. Sin embargo, de ese hogar y de esa mujer nacieron dos hijos que cambiaron la historia de la iglesia cristiana, y fueron dos de los mayores evangelistas de todos los tiempos: John y Charles Wesley.

Nuestras vidas a veces parecen llenas de dificultades. También los creyentes pueden verse plagados de enfermedades, o pueden estar luchando contra hábitos duros de romper, o tienen diferencias en el matrimonio, o sus hijos rechazan las preciosas creencias que recibieron desde pequeños. Hay momentos en los cuales parece que no valiera la pena ser cristianos.

Las dificultades pueden provenir de nuestro temperamento, nuestras circunstancias o nuestras decisiones. No somos instrumentos perfectos, pero Dios nos desafía a perseverar en su servicio y a confiar en él. Esto, a pesar de que otras personas no reconozcan nuestros esfuerzos. Y aunque éstos no logren muchas veces los resultados que quisiéramos, Dios promete que nuestro trabajo no es en vano; que cuando ponemos nuestros esfuerzos en sus manos, siempre habrá un rendimiento que traerá honra a su nombre.

J. N. Andrews, el primer misionero adventista, los esposos White y otros pioneros, sufrieron serias adversidades en el cumplimiento de su misión. La vida humana en un mundo de pecado siempre incluye sombras y sinsabores. El camino puede ser escabroso, pero el destino final es seguro y glorioso.

Querido Señor, a veces siento que no puedo seguir. Esta vida es ingrata y en ocasiones abrumadora, pero sé que si estoy en tu servicio, mi vida y mis obras están en manos seguras. MAV

HOMBRES GENUINOS – 1

Velad, estad firmes en la fe; portaos varonilmente, y esforzaos. Todas vuestras cosas sean hechas con amor. 1 Corintios 16:13, 14.

La promesa de 1 Corintios 16:13 se encuentra al final del pasaje. La actitud que el apóstol desea para sus seguidores en Cristo, produce la bendición del amor de Jesús en la vida. Alude a un tema de importancia actual: la masculinidad según Dios.

Últimamente se ha visto un singular afloramiento de actividades y materiales sobre el tema de la masculinidad. En los Estados Unidos, grupos de hombres se reúnen en campamentos rústicos y aprenden el secreto de compartir sus sentimientos más íntimos con otros hombres que apenas conocen. Algunas de estas reuniones incluyen momentos de "juegos", en los que los hombres se pintan el rostro como los indios y gritan en voz alta para desahogar sus emociones y encontrarse a sí mismos.

Gordon Dalbey, autor de *Healing the Masculine Soul* (Sanando el alma masculina), ha sugerido que muchos de los hombres jóvenes en la actualidad crecieron en un vacío de masculinidad. Sus padres no se involucraron en su crianza, o no eran muy comunicativos, o estaban ausentes gran parte del tiempo. Esta ausencia de un modelo paterno positivo es causa de confusión para muchos hombres que no comprenden enteramente cómo dar expresión a su masculinidad.

Esta confusión respecto a qué constituye la esencia del hombre y su conducta, ha producido varias actitudes tristemente equivocadas. Muchos hombres renuncian a su deber como líderes de la familia y privan a su esposa de la seguridad que ésta buscaba en la protección de un esposo. Algunos encuentran que la tarea de ser un padre y esposo modelo es tan difícil, que se rinden ante el desafío y se contentan con proveer el sustento físico para la familia. Sería muy triste que alguna esposa con sus hijos piensen que el aporte del padre al hogar podría ser perfectamente sustituido por un cheque mensual de sostén público.

Dios tiene un ideal mucho más elevado para el hombre. Espera que éste siga el modelo de Cristo, que ame y proteja a su esposa (Efe. 5:25), que sea el líder espiritual de su casa (Deut. 4:9; 6:7) y que dirija a sus hijos en el camino de la obediencia (Prov. 19:18). Al cumplir estas funciones, el varón se torna en un instrumento de Dios dentro de la familia y la sociedad.

Señor, dame las fuerzas para portarme según el ideal que tú has trazado para mí.

MAV

HOMBRES GENUINOS – 2

Mi amor en Cristo Jesús esté con todos vosotros. Amén. 1 Corintios 16:24.

Algunos expresan su masculinidad por medio de una actitud machista. El machismo se refiere al comportamiento del hombre que se cree superior a la mujer, y a menudo corresponde a una pobre relación del individuo con su padre. Se puede manifestar, no sólo en palabras de odio o despecho, sino en el rechazo de todo lo que sugiera debilidad o inseguridad.

El machista a menudo trata mal a los que lo rodean, especialmente a las mujeres. Maltratar a los demás quizá les dé la impresión de ser superiores a éstos. En el hogar, cualquier sugerencia de que el padre no es "infinitamente sabio, omnisciente y todo suficiente, es considerada un reto a su trono tambaleante y debe ser resuelta mediante la fuerza bruta y la indignación" (Roberts, *Para Adán con amor,* pp. 87, 88).

Aunque pocos hombres se sentirían orgullosos de identificarse con actitudes machistas, la mayoría de nosotros expresa rasgos más leves del problema cuando necesitamos alzar la voz para reclamar el respeto de los hijos o la esposa, o cuando tratamos a otros con insensibilidad o falta de paciencia.

Portarse varonilmente implica tener una relación de fe con Dios. Ser varonil es estar "firme en la fe", ser "esforzado", y hacer todo "con amor". El modelo bíblico de un hombre verdadero describe a un individuo consagrado a Dios, de fe y conducta vigorosa y decidida, pero a la vez sensible y cariñoso.

El hombre cristiano no oculta sus problemas. Sabe que puede contar con la ayuda de Dios para iniciar un proceso de recuperación que comienza con el generoso perdón divino. El hombre verdadero no oculta la realidad ni huye de ella, sino que intenta conformarla al plan de Dios para su vida. Tampoco rechaza los desafíos ni los compromisos que sí valen la pena.

Los hombres que persiguen este ideal bíblico de firmeza, consagración y sensibilidad tendrán un impacto perdurable como esposos, compañeros de trabajo, líderes y especialmente como padres. No hay una persona que tenga mayor influencia sobre la vida de los niños varones que su propio padre. Con la ayuda de Dios como su Padre celestial, cada hombre puede alcanzar el ideal de la genuina masculinidad.

Gracias, Señor, porque cada vez que expresas un ideal para nosotros, también provees los medios para ayudarnos a lograrlo. MAV

VICTORIA DEFINITIVA

Mas a Dios gracias, el cual nos lleva siempre en triunfo en Cristo Jesús, y por medio de nosotros manifiesta en todo lugar el olor de su conocimiento.
2 Corintios 2:14.

Los fanáticos de cualquier deporte o cualquier equipo generalmente tienen más sufrimientos que alegrías. Inevitablemente, después de una serie de campeonato, los fanáticos del equipo perdedor se hunden en una profunda tristeza. El desengaño se hace más agudo aun cuando el equipo ha llegado a la serie tras una victoria inesperada tras otra, contra equipos tenidos por superiores. La Serie Mundial de Béisbol de 2004 fue uno de estos casos.

El chasco de unos contrasta con la alegría de otros. Todos los triunfos o derrotas de la temporada pierden su significado cuando se llega a los juegos por el campeonato. El caso es que en el deporte y en la vida misma, pareciera que una derrota eclipsa todos los triunfos pasados. Salomón era una de esas personas que parecen triunfar siempre, pero eso no era suficiente. El joven rico que se acercó a Jesús parecía tenerlo todo, pero su alma estaba en bancarrota. San Agustín tenía razón cuando dijo que nuestra alma no tendría reposo sino en Dios. El secreto de la felicidad no se encuentra en ganar más que el vecino, o en que nuestro equipo derrote al equipo contrario.

Según Pablo, el triunfo que gozamos en Cristo no guarda mucha relación con el concepto humano del éxito. En realidad, la imagen que se presenta es la de un desfile triunfal de la antigüedad. Cuando un general victorioso regresaba del campo de batalla, se le hacía un desfile de homenaje en el que se quemaba una gran cantidad de incienso. El olor del incienso era así asociado con la alabanza a los triunfadores. En el desfile que Pablo describe, Jesucristo es el General victorioso, y los creyentes marchamos con él y participamos con él en su victoria. La vida de cada cristiano es un aroma suave que esparce por doquier las bendiciones del conocimiento de Jesús.

Padre, ya sea en derrota o en victoria, ayúdame a recordar que si estoy contigo, ya participo del desfile de la victoria final. MAV

LA VIDA ESPIRITUAL

Por tanto, nosotros todos, mirando a cara descubierta como en un espejo la gloria del Señor, somos transformados de gloria en gloria en la misma imagen, como por el Espíritu del Señor. 2 Corintios 3:18.

Hace poco menos de dos años sucedió algo que me despertó una profunda admiración. Dos compañeros de trabajo se sometieron a una cirugía de varias horas de duración. Cuando los cirujanos se quitaron los guantes, mis dos amigos tenían dos riñones sanos entre ambos. Uno le donó al otro el órgano que le prolongará la vida. No son familiares, sólo amigos que se conocen en el trabajo y en la iglesia.

Carl, el enfermo, nació con un solo riñón, y éste se había atrofiado seriamente en los últimos meses. Su sangre estaba tan contaminada antes de conectarse a la máquina de diálisis que apenas tenía energía para sonreír. Jack, el amigo cincuentón, había tenido que someterse a una serie interminable de pruebas, primero para determinar su compatibilidad, y luego para asegurarse de que su órgano estaba en las condiciones óptimas para el trasplante. Por supuesto, Jack no ganará nada, excepto la gratitud eterna del amigo que llevará parte de él dentro de su espalda.

Yo, que profeso un temor mortal a las operaciones, me pregunto: ¿Qué hace que una persona esté dispuesta a tal sacrificio por otra? La sociedad no tiene explicación para un acto de tamaño altruismo. Tampoco explica la abnegación cotidiana de tantos padres y abuelos que cuidan y protegen incansablemente a su prole, sin esperar nada a cambio. No nos dice por qué un esposo decide cuidar de una esposa que ha perdido la razón, año tras año, sin quejarse; ni por qué una mujer perdona vez tras vez a un marido que no la trata bien.

La ciencia nos dice que el instinto debiera impulsarnos únicamente a buscar nuestra supervivencia, nuestro bienestar, pero no es así. En el ser humano hay generalmente deseos profundos de ser buenos, de procurar la felicidad de otros. ¿Por qué? Porque hay en nosotros un parecido imborrable con nuestro Creador; que aunque la humanidad intenta olvidar sus raíces, estamos atados a Dios con cuerdas de herencia y sentimiento.

¿Cómo desempolvamos tal imagen? Contemplando el carácter de Dios.

Ayúdame hoy a ser mejor de lo que soy, porque eso es lo que esperas de mí por tu gracia. MAV

SIEMPRE HAY SOLUCIÓN

Estamos atribulados en todo, mas no angustiados; en apuros, mas no desesperados; perseguidos, mas no desamparados; derribados, pero no destruidos.
2 Corintios 4:8, 9.

Una familia se mudó a una pequeña casa en sus años de jubilación. Entre las cosas a desempacar se encontraba una enorme caja de madera que la compañía de mudanzas había dejado en la calzada a varios metros del garaje. El esposo intentaba inútilmente mover la pesada caja cuando escuchó una voz a sus espaldas:

—Debió haberla medido.

El nuevo vecino se enderezó y se dio vuelta. Un anciano lo observaba apoyado en la cerca.

—¿Qué tiene adentro? —preguntó.

—Libros —respondió.

El anciano le hizo un gesto y le dijo:

—Acérquese, vamos a medirla.

"Medirla" significó estudiar la caja desde cada ángulo y hacer planes y discutir una decena de métodos para moverla. Finalmente decidieron que la mejor manera era parar la caja y dejarla caer, hacerla "caminar" hasta la casa. Así hicieron y el anciano siguió su camino.

¡Cuántos problemas tendrían solución si en vez de intentar arreglarlos inmediatamente, dedicáramos tiempo a "medirlos"! Los dos ingredientes espirituales necesarios para tal cosa son la fe y la paciencia. También se necesita una dosis de realismo. No somos inmunes a los problemas. El Señor bien nos dijo: "Estas cosas os he hablado para que en mí tengáis paz. En el mundo tendréis aflicción; pero confiad, yo he vencido al mundo" (Juan 16:33).

Jesús nunca nos dijo que nuestro mundo sería color de rosa. Nos toca enfrentar todo tipo de desafíos. La lista de 2 Corintios parece indicar problemas de una intensidad creciente; pero contrapesa la realidad problemática con una actitud positiva. La "tribulación" es enfrentada con una actitud que rechaza la "angustia"; los "apuros" no conducen inevitablemente a la "desesperación"; la "persecución" no significa que no estemos "amparados"; incluso, encontrarnos "derribados" no significa que estemos "destruidos". Por esto Juan dijo que "la victoria que ha vencido al mundo, [es] nuestra fe" (1 Juan 5:4).

Padre, dame la fe y la paciencia para analizar mis problemas desde todos los ángulos. MAV

UNA VIDA MEJOR

De modo que si alguno está en Cristo, nueva criatura es; las cosas viejas pasaron; he aquí todas son hechas nuevas. 2 Corintios 5:17.

Supe que algo andaba mal en aquella casa cuando nuestras sesiones de estudio de la Biblia comenzaron a ser interrumpidas por los "clientes" de los dueños de casa. El cambio que comenzaba a forjarse en aquel hogar estaba siendo desafiado por la venta de drogas que hasta ese momento habían ejercido, y el silencio de la meditación espiritual era quebrantado a menudo por los llamados vociferantes de adictos que no se daban por vencidos y querían "mercancía" en el instante.

La lucha entre la vieja y la nueva vida debió ser intensa, pero siempre recordaré el día cuando ambos cónyuges y yo nos arrodillamos con lágrimas en los ojos para constatar por la oración el inicio de una nueva vida en Jesús. Se mudaron poco después del área, huyéndole a la vida pasada, pero llevando consigo algo mucho más valioso que cualquier mercancía: las semillas de una nueva vida. Sin culpa, sin temores y con una nueva esperanza y propósito que nadie podría arrebatarles.

¿Es posible un cambio? ¿Puede un árbol que nace torcido enderezarse? ¿Puede detenerse el curso del destino? La ciencia está comenzando a demostrar el poder de la fe en la vida, y la respuesta contundente de la Biblia a estas preguntas es Sí. El cambio es posible. Un cambio total y definitivo. ¿Cómo?

(1) El cambio sucede de adentro para afuera. La conducta es el resultado de visiones y actitudes que se manifiestan en hábitos. Usted y yo podemos modificar un hábito, pero si no ha cambiado nuestra actitud ni nuestro temperamento, el cambio será superficial.

(2) El poder de cambiar proviene de Dios. Usted y yo no tenemos el poder para efectuar las nuevas conexiones emotivas e intelectuales que nos permitan rechazar nuestra vida actual en favor de un nuevo crecimiento espiritual. Necesitamos reconocer nuestra impotencia. No hay vida sin muerte. No hay trigo si no se entierra el grano.

(3) La transformación continúa por el resto de nuestra vida. Seguimos luchando contra el pecado. Pero es imposible que Dios deje de amarnos (ver Rom. 8:24-28). Y no importa cuántas veces necesitemos su perdón, él está listo para ofrecerlo, gratuitamente.

Señor Jesús, deseo un cambio genuino. Quiero que hoy sea el comienzo de una nueva vida. MAV

EL TIEMPO DE LA SALVACIÓN

Porque dice: En tiempo aceptable te he oído, y en día de salvación te he socorrido. He aquí ahora el tiempo aceptable; he aquí ahora el día de salvación.
2 Corintios 6:2.

Empleamos la palabra tiempo de muchas maneras. La usamos para referirnos a la época durante la cual vive una persona, la estación del año, la edad de las cosas, la oportunidad de hacer algo (ahora no hay tiempo), la extensión de una ausencia (hace tiempo que no nos vemos), el estado atmosférico (hace buen tiempo), y el tiempo verbal. Hablamos de dar tiempo al tiempo.

La palabra tiempo proviene del latín *tempus,* y la palabra griega *cronos* también la encontramos en el castellano cuando se habla de cronómetro, cronología, crónica. Pero el concepto tiempo es un poco más difícil de definir. El tiempo se mide en base a procesos observables. El año es el tiempo que toma la tierra en describir su órbita alrededor del sol. El mes es lo que la luna tarda en dar una vuelta a la tierra y el día es lo que la tierra demora en dar una vuelta sobre su eje.

El tiempo siempre se mide en referencia a una segunda cosa, ya que el tiempo de por sí es completamente intangible. Pero podermos estar seguros de una cosa: El tiempo es real. Si no lo cree, mire una fotografía suya de hace cinco años. Sus efectos o consecuencias se notan fácilmente. El tiempo madura los frutos y hace caer la flor, trae arrugas a los adultos y hace crecer a los niños. Sus consecuencias pueden ser bonitas, pero a veces son tristes y amargas.

Pero no hay nada más importante que el tiempo, porque el tiempo es la sustancia de la vida. La Sra. White advierte: "Nuestro tiempo pertenece a Dios. Cada momento es suyo, y nos hallamos bajo la más solemne obligación de aprovecharlo para su gloria. De ningún otro talento que él nos haya dado requerirá más estricta cuenta que de nuestro tiempo" (*Palabras de vida del Gran Maestro,* p. 277).

¿Qué quiere decir Dios cuando nos pide cuenta de nuestro tiempo? Que nuestro uso del tiempo debe reflejar nuestra vocación. Especialmente ahora, cuando el clima religioso y las señales naturales nos dicen que es hora de estar alertas, porque "nuestra redención está cerca".

Señor, hoy te entrego mi tiempo, tómalo tú y condúceme según tu voluntad. OLV

ZAPATILLAS DEPORTIVAS Y LA CARRERA DEL CRISTIANO

Y me ha dicho: Bástate mi gracia; porque mi poder se perfecciona en la debilidad.
2 Corintios 12:9.

Correr con paciencia es una cosa difícil. Quienes corren saben muy bien a lo que me refiero. El anhelo de alcanzar la meta se torna más intenso con cada gota de sudor y cada estiramiento del músculo. Los pulmones se hinchan, los vasos sanguíneos se dilatan, y el fuerte impacto del talón contra el suelo casi nos hace gritar.

Es generalmente en este punto crucial de mis carreras cuando sueño con que se produzca ese efecto de rebote magistral que hace que el tiempo de contacto entre el pie y el suelo sea mínimo. Claro está, para que se produzca ese efecto, necesitaría las zapatillas deportivas de Maurice Greene, campeón mundial de 100 metros por tercera vez consecutiva y el hombre más rápido del mundo.

Para que Maurice Greene pudiera ganar la medalla de oro en los 100 metros llanos de las Olimpíadas de 1999, hubo muchos expertos, mucha tecnología y mucho dinero envueltos en esa empresa. Primeramente se tuvo que estudiar al atleta en plena acción. Fue necesario digitalizar imágenes y descomponer sus gestos físicos antes de poder diseñar las zapatillas deportivas que correspondieran a su constitución física, a su peso, y en general a sus características de corredor.

Si yo poseyera las zapatillas deportivas de Maurice Greene, estoy segura que mis carreras serían más placenteras. Sin embargo, estoy consciente de que ni las zapatillas de Maurice Greene o las de Carl Lewis me podrían ayudar a terminar mi carrera más pronto, o con el menor esfuerzo posible. Para correr, y llegar a la meta, es necesario que cada corredor lleve sus propias zapatillas.

No existen dos atletas iguales. Si se diseñaran zapatos deportivos para cada atleta, cada uno tendría zapatos diferentes. De igual modo, la carrera que le toca correr a cada cristiano es diferente. Hay creyentes que parecieran correr la carrera de la vida sostenidos por alas invisibles, y hay otros, sin embargo, a quienes les toca correr hasta el mismo final cargando un gran peso. Correr con un dolor profundo en el espíritu y, sin embargo, cumplir fielmente con las responsabilidades que sobre nuestros hombros se nos han puesto, requiere paciencia y fe. No podemos tomar prestados zapatos ajenos. "Bástate mi gracia", dice Jehová.

Padre Eterno, no es de los ligeros la carrera ni la guerra de los fuertes. Vela por mí, que soy débil y estoy cansada, y ayúdame a correr la carrera de la vida hasta el final. OLV

DEJANDO ATRÁS LA CRITICA

Examinaos a vosotros mismos si estáis en la fe; probaos a vosotros mismos. ¿O no os conocéis a vosotros mismos, que Jesucristo está en vosotros, a menos que estéis reprobados? 2 Corintios 13:5.

Hay cristianos que viven inspeccionando a sus hermanos en la fe, y vigilando a los líderes religiosos de la iglesia en forma crítica. Dudan de si estos dirigentes e hijos de Dios son genuinos y firmes en la fe que profesan, y juzgan cada acto suyo dictaminándose a sí mismos superiores a ellos en devoción, fidelidad y rectitud.

En tiempos del apóstol Pablo, los rebeldes corintios estaban más dispuestos a constituirse en jueces de sus hermanos que de sí mismos. Pablo llevó el mensaje de nuestro Señor Jesucristo a un mundo que tenía una multitud de creencias religiosas. Dentro de los nuevos cristianos que poblaban la iglesia en Corinto había toda suerte de personas. Filósofos, epicúreos, materialistas y panteístas formaban parte del grupo de creyentes que aceptó el evangelio de la cruz. Estos nuevos cristianos habían sido testigo del poder de Dios, pero creyéndose superiores a Pablo y al resto de los feligreses, evitaban un autoexamen de conciencia que les habría revelado que no eran todo lo que querían ser o pensaban que eran.

Víctima del chisme y la crítica de su tiempo, el apóstol Pablo desvió de sí mismo la atención de los corintios y los exhortó a examinarse ellos mismos. ¿Eran ellos mismos verdaderos cristianos? ¿Estaban siguiendo el ejemplo de amor y caridad del Señor Jesucristo? Pablo sabía que los cristianos debemos primero someternos nosotros mismos a prueba para poder ser jueces competentes de otros. El Señor Jesucristo estableció una regla que puede producir la armonía y la paz social en la iglesia: "No juzguéis, para que no seáis juzgados. Porque con el juicio con que juzgáis, seréis juzgados, y con la medida con que medís, os será medido. ¿Y por qué miras la paja que está en el ojo de tu hermano, y no echas de ver la viga que está en tu propio ojo?... ¡Hipócrita! saca primero la viga de tu propio ojo, y entonces verás bien para sacar la paja del ojo de tu hermano" (Mat. 7:1-5)

La promesa del texto de hoy es como un paréntesis dentro de la amonestación. El creyente que se autoexamina en busca de una experiencia cristiana genuina, cuenta con la presencia de Jesús en su vida, por medio del Espíritu.

Examíname, Señor, y ayúdame a reconocer mis errores en contraste con tu presencia. OLV

REGOCIJAOS

Por lo demás, hermanos, tened gozo, perfeccionaos, consolaos, sed de un mismo sentir, y vivid en paz; y el Dios de paz y de amor estará con vosotros.
2 Corintios 13:11.

Hay personas que parecen vivir bajo el hálito del descontento. Van por la vida preocupados y de mal humor. Cuando deben cantar, rugen; cuando deben sonreír, desagradan; y si se trata de meditar en las infinitas bendiciones que su amante Padre celestial les prodiga, se recrean en la incredulidad y el desaliento.

No hay nada más desagradable que tratar con una persona pesimista o malhumorada. Esta gente ahuyenta en vez de atraer. Por eso Satanás se regocija cuando los cristianos nos concentramos en la amargura y el enojo. Los hijos de Dios somos los encargados de mostrar el carácter compasivo y tierno de nuestro Salvador Jesús en esta tierra, de manera que quienes no lo conocen todavía puedan allegarse a él sin temor. Pero si vivimos condoliéndonos por todo, o resumiendo la vida en un continuo enojo, nunca podremos llegar a ser capaces de revelar el verdadero carácter de Cristo a un mundo que perece sin él.

El espíritu de profecía nos dice que "no es sabio reunir todos las recuerdos desagradables de la vida pasada, sus iniquidades y desengaños, para hablar de esos recuerdos y llorarlos hasta quedar abrumados de desaliento. La persona desalentada se llena de tinieblas, desecha de su alma la luz divina y proyecta sombra en el camino de los demás" (*El camino a Cristo,* pp. 117, 118).

Nuestros pecados ya han sido perdonados. Nuestra vida se esconde en Jesús. "Por lo demás, hermanos, tened gozo, perfeccionaos, consolaos, sed de un mismo sentir, y vivid en paz". Si seguimos esta regla, la promesa es segura: "Y el Dios de paz y de amor estará con vosotros" (2 Cor. 13:11).

¿Cómo, pues, habremos de continuar viviendo temerosos y enojados? Pidámosle hoy a Dios que eche fuera de nosotros todo negativismo que impida acercarnos al Creador con un corazón lleno de regocijo y agradecimiento. Nuestra vida cambiará, y el resto del mundo nos lo agradecerá.

Padre amante, estoy contento porque tú me amas no obstante mi indignidad. Estoy contento porque tú eres mi huésped divino y la luz que alegra la oscuridad de mi camino. OLV

CRISTO EN NOSOTROS

Con Cristo estoy juntamente crucificado, y ya no vivo yo, mas vive Cristo en mí; y lo que ahora vivo en la carne, lo vivo en la fe del Hijo de Dios, el cual me amó y se entregó a sí mismo por mí. Gálatas 2:20.

Para Pablo, la unión con Cristo era una realidad sustancial. Su afirmación de estar crucificado juntamente con Cristo es más que una imagen literaria. Se refiere a una relación tan íntima, que se sentía unido a él en su cruz y en su propósito de hacer posible nuestra salvación. Rechazaba todo método humano para lograr la salvación y se consideraba muerto al pecado y al mundo. En verdad, ésta es la única manera en que el cristiano puede lograr la victoria.

¿Por qué pecamos? Porque aunque Dios nos ha librado del reino del pecado, todavía tenemos una naturaleza pecaminosa que continuamente nos impulsa hacia el mal. Pablo escribió acerca de esta lucha: "Porque el deseo de la carne es contra el Espíritu, y el del Espíritu es contra la carne; y éstos se oponen entre sí, para que no hagáis lo que quisiereis" (Gál. 5:17).

Hemos sido librados de la esclavitud del pecado, pero todavía tenemos hábitos de esclavos. Dios ha hecho posible la victoria. A través de Cristo y mediante la obra del Espíritu Santo en nosotros podemos resistir las tendencias pecaminosas que habitan en nuestro cuerpo.

La clave, según Pablo, se encuentra en morir a ciertas cosas y estar vivo para otras. Él aceptaba que Jesús es la única fuente de vida genuina, y por lo tanto le había ofrecido al Espíritu Santo la morada de su corazón. Esto implica un cambio en los afectos. Por eso, el apóstol escribió que "el amor de Cristo nos constriñe" (2 Cor. 5: 14); y por eso, aunque el cristiano está en el mundo, no pertenece a él (Juan 17:11, 14).

El apóstol Juan se refirió a la unión con Cristo cuando escribió: "Permaneced en mí, y yo en vosotros. Como la rama no puede llevar fruto por sí misma, si no permanece en la vid; tampoco vosotros, si no permanecéis en mí. Yo Soy la vid, vosotros las ramas. El que permanece en mí, y yo en él, éste lleva mucho fruto. Porque separados de mí, nada podéis hacer" (Juan 15:4, 5).

Gracias, Señor, por tu deseo de habitar en nuestro corazón. Ven y mora en nosotros hoy. MAV

LIBRES EN CRISTO

Estad, pues, firmes en la libertad con que Cristo nos hizo libres, y no estéis otra vez sujetos al yugo de esclavitud. Gálatas 5:1.

Era una noche de otoño. Frente al monumento a Jefferson, en Washington, D. C., varias decenas de personas comenzaban a congregarse al ritmo de los tambores. Una mujer vestida de lino musitaba oraciones ininteligibles a cada lado de la enorme estatua en el centro de la ermita. Nos explicó que Jefferson era un alma afín, que allí se reunían esa noche practicantes y sacerdotes de la religión Wicca, lo que antes se conocía como *witchcraft* o brujería. Cuando el grupo creció y se reunieron alrededor de una fogata, varios voceros interceptaban a los curiosos para contestar preguntas y explicarles las actividades de la noche.

Al comenzar a alejarnos, vimos a una de las participantes vestida de bruja que ufana se detuvo para charlar con nosotros. Le pregunté: "¿Qué cree usted del cristianismo? ¿Ha tenido la oportunidad de conocer a Jesús?" "Él es uno de nosotros", fue su respuesta. No era de extrañar; en una sociedad que dice saberlo todo y creerlo todo, incluso la figura de Jesús es insertada dentro de esquemas totalmente opuestos a su mensaje.

La Biblia predijo la confusión ideológica de nuestros tiempos. "Porque se levantarán falsos Cristos, y falsos profetas, y harán grandes señales y prodigios, de tal manera que engañarán, si fuere posible, aun a los escogidos" (Mat. 24:24). San Pablo añadió que "en los postreros días algunos apostatarán de la fe, escuchando a espíritus engañadores y a doctrinas de demonios" (1 Tim. 4:1). Por otra parte, la sana doctrina trae paz, felicidad y convivencia. No puede leerse el Sermón del Monte (Mat. 5 al 7) ni las exhortaciones de San Pablo, sin sentir a ciencia cierta que los principios del cristianismo son expresiones genuinas de la vida humana plena.

Aquella "bruja" de Washington nos explicó que antes había sido cristiana, pero ahora disfrutaba de algo "mejor". No sé qué habrá causado esta confusión en sus pensamientos, pero la Biblia nos advierte que algunos escogen regresar a la esclavitud. El Hijo nos hizo libres; ojalá que el cristianismo que profesamos no inspire a otros a buscar libertad en el error y el engaño.

Señor, ayúdanos a ser ejemplos vivientes de lo que significa ser libres en ti.

MAV

MÁS ALLÁ DE LOS DEFECTOS

Sobrellevad los unos las cargas de los otros, y cumplid así la ley de Cristo. Gálatas 6:2.

El amor ve más allá de las faltas, pero nuestra mente parece estar programada para concentrarse en los defectos, incluso en las cosas inanimadas. ¡Cuántos de nosotros hacemos un hábito de quejarnos del clima, del tráfico, del polvo que se acumula sobre los muebles, del ruido, de los olores!

Podemos tener un sol magnífico, estar rodeados de un paisaje impresionante, y quejarnos del viento. Podemos tener una familia amante, una salud inquebrantable, un empleo satisfactorio, y deprimirnos por nuestro aspecto físico. A veces nos concentramos en las características insignificantes de una persona y olvidamos todo lo demás. Nos molesta la risa estentórea de uno, la forma de vestirse del otro, la voz nasal. Juzgamos a las personas en base a un rasgo de su personalidad y dejamos de ver su generosidad, su abnegación, sus buenas acciones y su decencia innata.

Me pregunto cuántos defectos de los discípulos Jesús pasó por alto. La impulsividad de Pedro, el perfeccionismo de Marta, las dudas de Tomás, la cautela exagerada de Nicodemo, la introversión de Zaqueo. Más allá de la primera impresión, más allá de las rudezas de su carácter, Jesús vio lo que podían llegar a ser por su gracia.

Nuestra perspectiva es diferente. Nosotros estamos en la misma situación que los discípulos. También tenemos defectos, heredados y cultivados. En el plano espiritual, no gozamos de ninguna superioridad real. Todos somos pecadores necesitados de perdón y redención.

Pablo abunda sobre las implicaciones de "sobrellevar". Nos invita a tener una impresión realista de nuestro valor: "Porque el que se cree ser algo, no siendo nada, a sí mismo se engaña". Nos anima a tener una motivación espiritual en nuestro trato de los demás: "Porque el que siembra para su carne, de la carne segará corrupción; mas el que siembra para el Espíritu, del Espíritu segará vida eterna". Promete una recompensa para los que decidan actuar sobre la base de la bondad: "No nos cansemos, pues, de hacer bien; porque a su tiempo segaremos, si no desmayamos" (ver Gál. 6:3-10).

Señor, ayúdame a vivir hoy según la regla de oro, tratar a los demás como desearía ser tratado. OLV

COSECHANDO LO QUE SEMBRAMOS

Porque el que siembra para su carne, de la carne segará corrupción; más el que siembra para el Espíritu, del Espíritu segará vida eterna. Gálatas 6:8.

Cierta vez leí la fábula de un hombre que curioseando entre los estantes en una tienda se sorprendió al darse cuenta que el que atendía el mostrador era Dios. Asombrado, caminó hasta él, y le preguntó: "¿Qué es lo que vendes, Señor?" A lo cual, Dios le respondió: "¿Qué es lo que tu corazón desea obtener?" Sin mucho pensar, el hombre respondió prestamente: "Quiero felicidad, paz mental, y ser libre del miedo, tanto yo como cada habitante de este mundo". Conmovido, Dios sonrió, y le contestó: "Hijo mío, yo no vendo frutas, sólo semillas".

¡Qué interesante alegoría! En realidad, Dios no es quien produce últimamente los buenos frutos que recoge aquel que tiene una vida feliz. Más bien, el Señor provee la semilla germinadora que ha de cultivar quien desee cosechar el fruto del Espíritu.

En Gálatas 6, Pablo hace énfasis en la importancia de sembrar semillas de caracteres dignos que honren a Dios. Y si nos ponemos a pensar específicamente en lo que implica el versículo 7 con relación a nuestra vida espiritual, lo que hacemos o dejamos de hacer con nuestra vida sería sabiamente calculado. "Pues todo lo que el hombre sembrare, eso también segará" (vers. 7).

Quienes siembran odios, antipatías cosecharán. Quienes cultivan dudas, intranquilidad recogerán. Y así, podríamos mencionar una larga lista de cultivos con sus cosechas. No podemos pretender experimentar las bendiciones de los frutos de Dios cruzados de manos. Es importante reconocer primeramente nuestra necesidad de ponernos a trabajar, de manera que Cristo pueda transformar nuestro carácter.

¿Estamos cansados de nuestra manera de ser? ¿No nos gusta nuestro carácter o nos desanima la forma en que procedemos generalmente? Pidámosle a Dios ayuda, y comencemos hoy a sembrar semillas de nuevas acciones. Veremos que a su tiempo, el Espíritu Santo dará su cuota.

Gracias, Padre, porque con tu ayuda estoy sembrando un carácter digno de ti. OLV

ANTES QUE EL TIEMPO SE ACABE

En él también vosotros, habiendo oído la palabra de verdad, el evangelio de vuestra salvación, y habiendo creído en él, fuisteis sellados con el Espíritu Santo. Efesios 1:13.

Esta tarde, como frecuento hacer durante la hora del almuerzo, hablaba con Dios mientras caminaba en la ciudad. Un vaho gris que subía de la calle mojada por la lluvia lo cubría todo, otorgándole al panorama el aspecto de una pintura mustia, donde hombres y mujeres iban y venían, tal vez sin percibir el amor de Dios.

La urgencia de presentar a Jesús al mundo, dar a conocer su evangelio eterno y el mensaje del tercer ángel eran los temas de mi meditación. Me preguntaba si acaso sabría aquella gente que el tiempo terminaba, y que el gran Sumo Sacerdote, en su obra final de expiación, estaba realizando la labor más asombrosa que jamás se haya efectuado en la historia de la humanidad.

En eso, un hombre de aspecto errabundo que cruzaba la calle en bicicleta, al pasar junto a mí dijo algo que me estremeció: "¡Es tarde! ¡Ya es demasiado tarde!", dijo con voz solemne, y prosiguió su camino, sin que yo pudiera reponerme del todo del asombro.

Nunca supe lo que aquel hombre me habría querido decir. Presumo que tal vez se le hacía tarde para regresar a su trabajo, y hablaba consigo mismo. Pero el pensamiento de que acaso sea ya demasiado tarde para que la humanidad se arrepienta de sus pecados y alcance la salvación eterna, es algo que a muchos nos llena de consternación.

Es la obra de Satanás poner en el corazón de los hijos de Dios un tremendo sentimiento de condenación. El enemigo quiere hacernos pensar que en nuestra condición carente de santidad es imposible acudir a Dios. Pero el susurro mentiroso de Satanás no debería ser un obstáculo entre el pecador y el Salvador. "La salvación es de Jehová" (Jon. 2:9). Por lo tanto, no podemos ganar el cielo por méritos propios. No hay nada ni nadie que nos pueda apartar del amor perdonador de nuestro Salvador. Con el verso de hoy, y con muchos otros similares, nuestro amante Jesús nos asegura que habiendo creído en él ya hemos sido sellados por el Espíritu Santo de la promesa (Efe. 1:13).

¡No es demasiado tarde! Nunca es tarde para acudir al Salvador, y decirle: "Tómame tal como soy".

He aquí mis manos, Señor, haz que trabajen haciendo el bien. He aquí mis pies, haz que caminen en tus preceptos de salvación. He aquí este corazón, transfórmalo con tu poder renovador. OLV

DIOS REVELADO

Para que el Dios de nuestro Señor Jesucristo, el Padre de gloria, os dé espíritu de sabiduría y de revelación en el conocimiento de él, alumbrando los ojos de vuestro entendimiento, para que sepáis cuál es la esperanza a que él os ha llamado, y cuáles las riquezas de la gloria de su herencia en los santos.
Efesios 1:17, 18.

Cuando pienso en los siglos de desarrollo científico, social, filosófico y tecnológico que nuestro mundo ha venido experimentando a través de las generaciones, me pregunto qué papel juega nuestro Creador en este desarrollo del pensamiento. ¿Es Dios un espectador, o participa él también en este universo cambiante de ideas humanas?

Dios se ha interesado en comunicar verdades y conceptos a los seres humanos a lo largo de la historia. Pero Satanás tiene otros propósitos. Introdujo una imagen equivocada de Dios, y cegó el entendimiento de los hombres de manera que lo percibiéramos como a un Dios huraño y falto de amor. A fin de que sus criaturas pudieran comprender su verdadero carácter, Dios tuvo la sorprendente iniciativa de "encarnarse". Esto revela que él desea darse a conocer, y el conocimiento que tenemos de Dios gracias a la autorrevelación, completa todo otro conocimiento que podamos haber obtenido por nosotros mismos.

Pero Dios ha hecho más. Además de sumergirse en la historia finita del hombre en la maravillosa persona de su Hijo Jesucristo, Dios ha empleado varios medios para comunicarse con nosotros. La naturaleza y el mundo natural nos traen mensajes de su grandeza, pero la Biblia expresa un medio más directo y sorprendente: la acción del Espíritu Santo.

El Espíritu Santo inspiró la Biblia, habla al corazón humano, nos conduce a la comprensión de su Palabra, nos convence de pecado, nos edifica y nos fortalece. También pide por nosotros ante Dios Padre y traduce nuestras peticiones. Es decir, el Dios finito se ha hecho personal, no sólo en un momento específico de nuestra historia, sino también en nuestra experiencia diaria. Este es un Dios que puede habitar en nosotros, entrar suavemente en nuestra mente y completarnos, explicar aquellos interrogantes que nos definen como humanos y llenarnos de paz.

Gracias, Padre eterno, porque sabemos que el Hijo de Dios ha venido y nos ha dado entendimiento para conocer al que es verdadero; y " estamos en el verdadero, en su Hijo Jesucristo, quien es el verdadero Dios y la vida eterna". OLV

VIVOS CON CRISTO-1

Pero Dios, que es rico en misericordia, por su gran amor con que nos amó, aun estando nosotros muertos en pecados, nos dio vida juntamente con Cristo (por gracia sois salvos)... Efesios 2:4-6.

Pablo utiliza tres conceptos para describir nuestra condición: esclavitud, condenación y muerte. "La muerte pasó a todos los hombres por cuanto todos pecaron". No que meramente heredamos una naturaleza pecaminosa, sino que todos hemos pecado. Este es un elemento que todos tenemos en común. Puede que seamos diferentes en términos de raza, estatus social, cultura, opiniones políticas, apariencia física, peso y edad, pero todos somos pecadores. Y aparte de Cristo, todos estamos muertos, esclavizados por el mundo, y condenados bajo la ira de Dios.

Cada año de elecciones escuchamos discusiones sobre la importancia del cuidado médico para los ancianos, la educación, el seguro social. Estos son remedios importantes para los problemas del país. Un cuidado médico accesible es altamente deseable. También necesitamos buenas leyes. Pero ni la educación, ni los cuidados de la salud accesibles, ni la buena legislación puede rescatar a los seres humanos de la muerte espiritual. Una enfermedad radical requiere un remedio radical.

Dios nos ha dado un mensaje de buenas nuevas que le ofrece vida a los muertos. El texto comienza: "Pero Dios... aun estando nosotros muertos en pecados". Éramos muertos en el pecado, seguidores del príncipe de las tinieblas, viviendo en la carne, hijos e hijas de la ira. Los primeros tres versículos del capítulo describen una condición desesperada. El hombre es un fracaso total, incapaz de salvarse a sí mismo... "pero Dios". Dios primero describe la situación desesperada para entonces ofrecer un remedio, para entonces iluminar las tinieblas con su luz. Nosotros hacemos lo contrario, alabamos para luego criticar. Y criticamos rasgos que no pueden cambiarse. Dios señala las deficiencias y luego promete corregirlas. Efesios nos dice que hay esperanza incluso para los muertos espirituales, para aquellos que han decidido vivir desconectados totalmente de Dios.

Gracias a Dios, porque él ha tomado la iniciativa para revertir nuestra condición. Hay dos condiciones que pueden aplicarse a nosotros. Lo que somos por naturaleza, y lo que somos por gracia. Por naturaleza estamos muertos, por gracia somos salvos.

Gracias por el inmerecido obsequio de la salvación. MAV

VIVOS CON CRISTO-2

Y juntamente con él nos resucitó, y asimismo nos hizo sentar en los lugares celestiales con Cristo Jesús. Efesios 2:6.

La Biblia nos habla de la muerte espiritual. ¿Quién está espiritualmente muerto? Aquel que vive apartado de Dios. Estar muertos espiritualmente se refiere a estar separados de Dios. Por naturaleza estábamos muertos. Estar muerto espiritualmente es una condición seria, porque la gente muerta no puede hacer nada por sí misma. El muerto no puede darse vida a sí mismo. Sólo el Espíritu de Dios puede hablarle a los muertos.

Cada vez que predicamos, puede ser que les estemos hablando a los muertos. Quizás hay personas aquí que están muertas en sus pecados. El Espíritu convierte al mundo de pecado, de justicia y de juicio (Juan 16:8). Este mundo es, por definición, un cementerio. Los hombres y las mujeres están muertos en su estado natural. Quizá lo peor de estar espiritualmente muerto es que usted puede lucir como que está vivo. El versículo 2 de Efesios 4 dice que Satanás energiza a los hijos de la desobediencia. Están muertos pero parece que están vivos. Son zombis.

Cuando una persona muere y llevan el cadáver a la funeraria suceden varias cosas. Se lo prepara, se lo maquilla, se lo viste con sus mejores ropas y se lo coloca en un ataúd acolchonado. Me imagino que esta persona estaría muy bien, el único problema ¡y tamaño problema! es que está muerta. Ponerle maquillaje a un muerto, vestirlo con ropas hermosas, o ponerlo en un ataúd de gran calidad, no resuelve su problema.

Quizá nosotros nos vistamos como cristianos, comamos según la reforma pro salud, seamos conservadores en doctrina y práctica, pero si estamos llenos de amargura y recelos y odio y egoísmo, todavía estamos muertos.

Pablo emplea tres verbos, que describen lo que Dios hizo a Cristo, y luego, al añadir las palabras "juntamente con él", nos relaciona a nosotros con los mismos tres eventos. Nos dio vida juntamente con Cristo (vers. 5). Juntamente con él nos resucitó (vers. 6), y nos hizo sentar en los lugares celestiales con él (vers. 6).

Pablo afirma que Dios nos dio vida, nos resucitó y nos sentó con Cristo Jesús. No somos especiales porque amamos a Dios y lo adoramos, ni porque aceptamos ciertas doctrinas o seguimos ciertas normas, sino porque estamos "en Cristo".

Ante un nuevo día con sus desafíos y tentaciones, permíteme vivir "en Cristo". MAV

UNA VIDA SIN REGLAS

Por gracia sois salvos por medio de la fe; y esto no de vosotros, pues es don de Dios; no por obras, para que nadie se glorie. Efesios 2:8-10.

A comienzos de 2001, una banda de siete convictos escapó de una cárcel en Texas y llenaron de terror a incontables ciudadanos del suroeste del país, hasta que uno se suicidó, y otros fueron capturados o murieron en un sitio policiaco en el Estado de Colorado. Los prófugos, que cumplían sentencias por crímenes serios, habían robado armas y dinero y asesinado a un policía poco después de su fuga. La conclusión de su descabellada aventura apoya la máxima de que el crimen no paga, pero ¿por qué hay tantas personas que insisten en vivir fuera de las reglas?

La conducta que coloca a un porcentaje de los habitantes de cada país tras las rejas generalmente transgrede principios más o menos universales. Robar, mentir y herir, atentar contra la integridad de otras personas o sus posesiones. Abusar de un menor o un ser más débil no es aceptable en ninguna sociedad. Pero no hay que ser muy perspicaz para descubrir tendencias destructivas y egoístas en todos nosotros. Quizá no hurtemos, pero envidiamos; no matamos, pero odiamos o al menos despreciamos.

Las reglas son necesarias para fijar límites a conductas antisociales, pero tienen sus propias limitaciones. Las reglas no cambian los motivos. Las reglas pueden tornarse en barreras que nos dividen al definir lo que somos. Llegamos a creer que porque seguimos cierta conducta o usamos ciertas frases, somos superiores o al menos diferentes a los demás.

¿Pero qué sucede dentro de nosotros? Sólo cuando se torna en escándalo es que percibimos la capacidad del ser humano para enfrascarse en conductas destructivas. Está aquel que hurta piezas de la fábrica donde trabaja porque piensa que le pagan muy poco. El pastor o sacerdote que se involucra sexualmente con la persona que viene en busca de consejo. Un líder religioso que asesina al esposo de su amante.

Si únicamente destacamos las reglas, puede que vivamos tras una fachada de moralidad y corrección, pero siendo atraídos como un imán por la impureza y los placeres egoístas. Gracias a Dios que nuestra situación ha sido diagnosticada y solucionada por Jesucristo. El remedio de Dios para nuestra perversidad natural es su gracia: su amor por nosotros que no merecemos y que fue demostrado y ofrecido para siempre en el Calvario.

Señor, me aferro a tu gracia. Perdóname y transfórmame por tu Espíritu. MAV

EL PROPÓSITO DIVINO

Y a Aquel que es poderoso para hacer todas las cosas mucho más abundantemente de lo que pedimos o entendemos, según el poder que actúa en nosotros, a él sea gloria en la iglesia en Cristo Jesús por todas las edades, por los siglos de los siglos. Amén. Efesios 3:20, 21.

Le gustaría poder adentrarse en los grandes secretos de la mente divina y conocer lo que el Creador piensa o tiene reservado para usted? Pues no se detenga. Adelante. Descubra a Dios.

Como hijos de Dios, estamos en nuestro derecho de conocer lo que el Señor desea y planea para nuestra vida. Sólo una condición nos es necesaria: Sentir nuestra insuficiencia y nuestra necesidad de él. Sí así lo sentimos, entonces debemos alzar los brazos por medio de la fe y tomar el cielo con las manos.

No importa cuán desalentadora parezca nuestra situación o qué caminos complicados estén siguiendo nuestros pies, nuestro amigo Jesús quiere que sepamos que él está al tanto de todo lo que nos sucede, y que su corazón siente nuestra tristeza y conoce nuestra angustia. Más aún, el Rey del universo quiere que sepamos que desde hace mucho tiempo ya hizo provisión para nuestros problemas. Nos sorprenderemos de las extraordinarias bendiciones que Dios tiene reservadas para nuestra vida si nos tomamos de su mano por medio de la fe.

Grandes transformaciones se realizarán en nuestra vida si clamamos a Dios con fe, humildad y corazones expectantes. A los pies del Salvador veremos florecer nuevos comienzos. Nuevos amaneceres y nuevas oportunidades se desplegarán. Tendremos nuevos pensamientos y nuestro sendero conducirá a la eternidad.

Hagamos nuestros pedidos abiertamente y sin miedo. Sincerémonos ante Dios. Él jamás nos rechazará. Su corazón no podrá jamás cesar de amarnos o dejarnos desconsolados. Siempre nos ayudará. Siempre nos socorrerá.

Los milagros comienzan cuando dependemos de Dios con la sencillez que un niño depende de su padre amante.

Señor, antes de que el sol naciera, tú ya me amabas. Antes que la luz brillara y el mar rugiera, tú ya pensabas en mí. Tomado de tu mano, ayúdame a descubrir la bendición que hoy me tienes reservada. Amén. OLV

COMO CRISTO AMÓ A LA IGLESIA

Maridos, amad a vuestras mujeres, así como Cristo amó a la iglesia, y se entregó a sí mismo por ella. Efesios 5:25.

Dios inventó la familia y se relaciona con la humanidad muchas veces en términos de núcleos familiares. En el comienzo, Dios creó a Adán y le dio la función de clasificar la creación y darles nombres a los animales. Y el flamante taxónomo vio que todos los animales tenían pareja, excepto él. Esta función le hizo sentir la necesidad de una compañera, de "ayuda idónea". Cuando Dios le provee una compañera en un acto de divina clonación, Adán ya conocía lo que era sentirse solo, el único en su clase, sin nadie ni nada que lo comprendiese plenamente, excepto el Creador. Allí, en el verdor de su hermoso hogar, Adán y Eva formaron la primera pareja; y con la llegada del pequeño Caín, la primera familia (Gén. 2:20-24).

Dios desea que tengamos familias felices, consagradas, que transmitan valores espirituales y morales a sus hijos. "Y estas palabras que yo te mando hoy estarán sobre tu corazón; y las repetirás a tus hijos, y hablarás de ellas estando en tu casa, y andando por el camino y al acostarte, y cuando te levantes. Y las atarás como una señal en tu mano, y estarán como frontales entre tus ojos; y las escribirás en los postes de tu casa, y en tus puertas" (Deut. 6:7-9).

De una manera específica, Dios señala que el amor entre los esposos debiera emular el amor de Cristo por su iglesia. Las palabras que siguen al versículo de hoy son especialmente reveladoras: "Maridos, amad a vuestras mujeres, así como Cristo amó a la iglesia, y se entregó a sí mismo por ella, para santificarla, habiéndola purificado en el lavamiento del agua por la palabra, a fin de presentársela a sí mismo, una iglesia gloriosa, que no tuviese mancha ni arruga ni cosa semejante, sino que fuese santa y sin mancha" (Efe. 5:25-27).

Probablemente aquí hay una referencia al lavamiento ritual de la novia antes del matrimonio, y quizá también al bautismo. Además se sugiere que el esposo es el líder espiritual de su familia. El caso es que el amor de Jesús por la iglesia, por usted y por mí, lo llevó a la prueba suprema del amor: A entregar su propia vida por nosotros. Ese ejemplo de entrega y amor desinteresado debiera ser el modelo para nuestras relaciones matrimoniales.

Señor, trae a nuestro hogar el amor que te llevó a salvarnos. MAV

EL AMOR QUE NOS UNIÓ

Por esto dejará el hombre a su padre y a su madre, y se unirá a su mujer, y los dos serán una sola carne. Efesios 5:31.

Lograr la feliz unión de un hombre y una mujer es cosa difícil. El matrimonio no nos predispone necesariamente a la felicidad. Al amor hay que trabajarlo. Hay que crearlo, darle forma y sentimiento como a una obra de arte. Una relación amorosa no se establece necesariamente sobre la base del enamoramiento, la pasión o el azar. El matrimonio debe abarcar más que los sentidos para que perdure. Comprende carácter, fidelidad, firmeza ante la tentación y apoyo en la adversidad.

¿Pero cómo podemos lograr esto? El texto de hoy implica una promesa que culmina en la felicidad matrimonial. Nos asegura que Dios está dispuesto a ayudarnos a entablar una relación en la cual dos corazones se hacen uno, y los cónyuges se complementan y sostienen mutuamente.

El columnista y ministro religioso Jorge Crane, cuenta la historia de una esposa decepcionada que llena de un odio acérrimo hacia su marido se presentó un día en su oficina en busca de ayuda. Decidida ya al divorcio, la mujer le dijo: "Pastor Crane, antes de divorciarme quiero hacer sufrir tanto a mi marido como me ha hecho él sufrir a mí. Dígame, por favor, qué debo hacer".

"Muy bien —le contestó Crane—, estoy totalmente de acuerdo con usted. Le sugiero que haga lo siguiente: Regrese a su casa y actúe como si realmente amara a su marido. Dígale cuanto significa él para usted. Alábelo por cada cosa buena que haga. Extralimítese y vaya más allá de su paciencia. Sea tan amable, considerada y generosa con él como le sea posible. No escatime ningún esfuerzo en complacerlo, en disfrutar de su compañía, y en hacerle creer que realmente lo ama. Después de unos días, ¡entonces suelte la bomba! ¡Eso lo hará sufrir mucho más que todo lo que él le ha hecho sufrir a usted!"

La mujer se marchó dispuesta a hacer lo que le dijeron. Dos meses después, regresó a la oficina del pastor Crane. "¿Está lista para el divorcio?" —le preguntó Crane. "¿Cuál divorcio? —contestó ella— ¡Nunca! He descubierto que realmente amo a mi marido".

Nuestras acciones tienen el poder de cambiar nuestros sentimientos. Nuestro Señor Jesucristo quiere que nuestro matrimonio sea una unión de compañerismo y felicidad de por vida.

Señor, gracias porque tú deseas mi felicidad. OLV

EL DIOS DE LA FAMILIA

Honra a tu padre y a tu madre, que es el primer mandamiento con promesa; para que te vaya bien, y seas de larga vida sobre la tierra. Efesios 6:2.

No es que Dios no tenga en cuenta a los solitarios, todo lo contrario. Pero Dios inventó la familia y se relaciona con la humanidad muchas veces en términos de núcleos familiares. En el comienzo Dios creó a Adán y le dio la función de clasificar la creación y ponerles nombres a los animales. Y el flamante taxónomo vio que todos los animales tenían pareja, excepto él. Esta función le hizo sentir la necesidad de una compañera, de "ayuda idónea". Cuando Dios le provee una compañera en un acto de divina clonación, Adán ya conocía lo que era sentirse solo, el único en su clase, sin nadie ni nada que lo comprendiese plenamente, excepto el Creador. Allí, en el verdor de su lujuriante hogar, Adán y Eva formaron la primera pareja, y con la llegada del pequeño Caín, la primera familia.

Los primeros capítulos de Génesis comienzan un árbol genealógico de hombres y familias, y cuando la tierra sucumbe a la violencia y la corrupción, Dios escoge a una familia, la de Noé, para preservar la raza humana. Luego separa a Abrahán y a su mujer para formar un nuevo pueblo. Muchos están familiarizados con la antigua epopeya y sus protagonistas: Sara, Lot, Agar, Ismael, Isaac, Rebeca, Jacob, Raquel, Esaú.

Cuando Dios promulga su ley, la familia nuevamente ocupa un lugar de prominencia. En el segundo mandamiento, Dios habla de las consecuencias de nuestros actos sobre nuestros hijos y descendientes. En el cuarto mandamiento, Dios especifica que en el sábado debe reposar toda la familia, "no hagas en él obra alguna, tú, ni tu hijo, ni tu hija, ni tu siervo... ni tu extranjero que está dentro de tus puertas" (Éxo. 20:6-11). El quinto mandamiento nos pide que honremos a nuestros padres, el séptimo prohíbe el adulterio y el décimo nos invita a contentarnos con nuestra familia y circunstancias. De diez edictos, cinco aluden a la familia.

En realidad, no sólo honrar a nuestros padres produce bendición, sino que la familia misma, su existencia y el apoyo que significa son una de las mayores bendiciones otorgadas por Dios a los seres humanos.

Gracias, oh Dios, por mis padres, por mi familia carnal, y por la familia espiritual que tanta bendición nos ha significado. MAV

EL GOZO DE JEHOVÁ ES NUESTRA FUERZA

Por lo demás, hermanos míos, fortaleceos en el Señor, y en el poder de su fuerza.
Efesios 6:10.

Hace unos cuantos años, cuando mi hijo mayor era aún pequeño, presencié una escena entre él y su padre que me enseñó una gran lección espiritual.

En un rincón del patio yacía una piedra bastante grande que Alan trataba de cargar. Construía una cueva, y aquel artificio era el motivo que según sus ojos pondría el toque preciso a su estructura. Pero la piedra sobrepasaba en peso a su fuerza, y por más que el niño trataba de moverla, no lo conseguía.

Desde la puerta, mi esposo contemplaba la escena en silencio, dándole a Alan la oportunidad de que pidiera su ayuda. Pero Alan no parecía dispuesto a pedir ayuda. Le dio un puntapié a la piedra, trató de moverla con una pala, y hasta se recostó contra ella tratando de ver si aplicándole todo su peso lograba moverla. Pero al no conseguir lo que pretendía, comenzó a lloriquear frustrado por su incapacidad.

—¿Estás empleando todas tus fuerzas? —le preguntó entonces mi esposo.

—Si, papá, estoy usando todas mis fuerzas —respondió Alan al borde de la fatiga.

—No creo que lo estés haciendo, hijo —insistió mi esposo—. Si estuvieras utilizando toda tu fuerza, me habrías pedido ayuda.

Entonces él se acercó, rodó la piedra y en sólo cuestión de minutos convirtió el sueño de Alan en realidad.

"Yo soy tu fuerza". "Soy tu Padre". "Pide mi ayuda". Nos dice nuestro Padre Celestial cuando nos ve empeñados en resolver solos nuestros problemas. Pero Dios, que es un Dios que otorga primacía al libre albedrío, no nos fuerza a buscarlo. Espera pacientemente a que comprendamos que la vida del cristiano debe ser una cooperación entre lo divino y lo humano. Ambos colaboran. El hombre no puede hacer nada sin la ayuda del poder divino.

¡Cuán necio es seguir empujando la piedra de nuestras dificultades por nosotros mismos! La felicidad plena del ser humano se obtiene en base al sacrificio de nuestro Señor Jesucristo, quien nos dice: "Por lo demás, hermanos míos, fortaleceos en el Señor, y en el poder de su fuerza (Efe. 6:10).

Padre amante, ayúdame a acercarme a ti cuando mis penas sean más grandes que mis logros, y dejar que seas tú quien transforme mis fracasos en rotundas alegrías. OLV

EL ÉXITO VERDADERO

Porque para mí el vivir es Cristo, y el morir es ganancia. Filipenses 1:21.

En los países industrializados se cultiva una verdadera obsesión por el éxito en el mundo corporativo. Con el deseo de obtener las recompensas materiales y psicológicas del éxito en la carrera escogida, muchos desarrollan una mentalidad de competencia.

Se lucha por impresionar a jefes y a compañeros de trabajo. Se reprimen las emociones y se percibe a todo el mundo como un posible cliente o competidor. Esto hace que tengamos pocos amigos, aunque muchos conocidos, que seamos desconfiados y estemos casi siempre a la defensiva.

Algunos llegan a creer que son indispensables en su trabajo, que todo depende de ellos. Debido a esta identificación con su trabajo, sienten que cualquier alza o baja en la compañía se debe a ellos. Todas estas consideraciones pueden crear pesadas tensiones que disminuyen la calidad de vida y atentan contra la felicidad.

El rabino Harold Kushner, autor de varios libros, cuenta cómo su padre fue un hombre de gran éxito en los negocios. Pero cuando murió, nadie recordaba sus grandes habilidades para invertir en la bolsa de valores. Lo que sí recordaron fueron los favores que les hacía a tantas personas. Esto prueba que el carácter es más importante que el éxito o el dinero.

La definición del éxito que sugiere la Biblia es muy diferente de la que propone la sociedad. Dios es quien la da: "Tú, el que da victoria a los reyes, el que rescata de maligna espada a David su siervo" (Sal. 144:10). También es una victoria mucho más abarcante y trascendente. Más allá de la victoria profesional, Dios promete la victoria sobre la muerte: "Sorbida es la muerte en victoria" (1 Cor. 15:54).

Romanos 8 nos da una lista de los triunfos del creyente en comunión con Cristo. "Si Dios es por nosotros, ¿quién contra nosotros? El que no escatimó ni a su propio Hijo, sino que lo entregó por todos nosotros, ¿cómo no nos dará también con él todas las cosas?... ¿Quién nos separará del amor de Cristo? ¿Tribulación, o angustia, o persecución, o hambre, o desnudez, o peligro, o espada?... Antes, en todas estas cosas somos más que vencedores por medio de aquel que nos amó" (ver Rom. 8:31-37).

Hoy podemos gozar de las victorias que da Jesús.

Gracias, Señor, porque el verdadero éxito está al alcance de mi fe. MAV

EL PREMIO

Hermanos, yo mismo no pretendo haberlo ya alcanzado; pero una cosa hago: olvidando ciertamente lo que queda atrás, y extendiéndome a lo que está delante, prosigo a la meta, al premio del supremo llamamiento de Dios en Cristo Jesús. Filipenses 3:13, 14.

Maratonistas, nadadores, futbolistas, boxeadores y entrenadores de todo el mundo se juegan hasta la vida cada cuatro años, con tal de ser los ganadores de una medalla de oro en los Juegos Olímpicos. Los peligros que el continente australiano representaba para los atletas de las Olimpíadas de Sydney de 2000, por ejemplo, fueron múltiples y de diversa naturaleza.

Antes de que se pudiera realizar la competencia de natación de triatlón, fue necesario que un equipo de buzos especialistas en profundidades ahuyentara a los tiburones de las costas australianas. Los maratonistas, ciclistas, remadores y futbolistas corrieron el peligro de ser atacados por las arañas más letales del mundo, por serpientes como la taipán, cuyo veneno es 50 veces más mortífero que el de la cobra, y por cocodrilos de agua salada, que llegan a medir hasta seis metros de largo y pesan hasta 700 kilos. ¿Y para qué todo este riesgo? Para ganar el reconocimiento del mundo y una medalla de oro.

El apóstol Pablo, en la Epístola a los Filipenses nos dice que la vida del cristiano es semejante a una carrera de la Olimpíada. Pero el cristiano no corre por la obtención del reconocimiento ni por la fama que ningún trofeo del mundo nos pueda ofrecer. Corremos, esforzándonos y olvidando lo que va quedando detrás, para alcanzar el premio que Dios nos ha prometido. Un premio que tiene que ver con nuestra salvación eterna y el cumplimiento de las promesas de Dios de felicidad plena.

Comos hijos de Dios, nuestro Salvador Jesús nos anima, para que con Pablo podamos decir: "Olvidando ciertamente lo que queda atrás, y extendiéndome a lo que está delante, prosigo a la meta" (Fil. 3:13, 14). Y mediante el profeta nos dice: "No temas que yo estoy contigo; no desmayes porque yo soy tu Dios que te esfuerzo; siempre te ayudaré, siempre te sustentaré con la diestra de mi justicia" (Isa. 41:10).

Padre, se necesita ser osado y valiente para resistir todo viento contrario y permanecer firme en la carrera del cristiano. Ayúdame hoy a creer en tu ayuda, aunque no te pueda ver. OLV

HECHOS A SU IMAGEN

El cual transformará el cuerpo de la humillación nuestra, para que sea semejante al cuerpo de la gloria suya, por el poder con el cual puede también sujetar a sí mismo todas las cosas. Filipenses 3:21.

El caso de Terry Schiavo, la mujer que vivió en estado vegetativo durante casi 15 años, conmovió al mundo por un tiempo. Los medios de comunicación no cesaban de mostrarla en su lecho, en el hospital donde llevaba años internada. Era desgarrador observarla. Sus ojos siempre abiertos no daban ningún signo evidente de conciencia de sí misma o del ambiente que la rodeaba. Sin poder moverse, parecía sonreír, incapaz de interactuar con los demás o reaccionar a estímulos adecuados.

Me acostumbré a verla siempre con aquella misma mueca. Pero una mañana, las cadenas de televisión interrumpieron su programación. El llanto y las quejas de los activistas religiosos invadieron el aire de aquel día primaveral. Pronto las voces fueron tragadas por el ruido de dos helicópteros que desde el aire captaban el escenario donde la realidad había golpeado duro: ¡Terry Schiavo había muerto! Entonces los canales de televisión mostraron fotografías de cómo había sido la verdadera Terry Schiavo: una linda joven, saludable y feliz. ¡Cuán diferente había sido entonces Terry Schiavo! Un solo pensamiento vino a mi mente: ¿Qué rostro volvería a tener Terry Schiavo el día de la resurrección? ¿Con qué cuerpo resucitarán los muertos?

Desde el Génesis hasta el Apocalipsis, los hijos de Dios de todas las edades nos hemos hecho esta misma pregunta. El patriarca Job, Isaías, Daniel, Malaquías y Juan el Bautista eran muy conscientes de que un día los muertos en Cristo resucitarían. Lo que no sabían era cómo habría de ser ese cuerpo.

El Señor, conociendo nuestra preocupación, inspiró al apóstol Pablo con la divina promesa de hoy: "El cual transformará el cuerpo de la humillación nuestra, para que sea semejante al cuerpo de la gloria suya, por el poder con el cual puede también sujetar a sí mismo todas las cosas" (Fil. 3:21).

Esta preciosa promesa es una de las verdades más solemnes y más gloriosas que revela la Biblia. Al pueblo de Dios, que por tanto tiempo le ha tocado confrontar el problema del dolor y la muerte, le es dado la valiosa promesa de que un día nuestra pobre y débil humanidad será transformada a semejanza de Jesús.

Gracias, Padre, por la bendita promesa de la renovación que nos das en tu Palabra. OLV

CÓMO TENER PAZ

Y la paz de Dios, que sobrepasa todo entendimiento, guardará vuestros corazones y vuestros pensamientos en Cristo Jesús. Filipenses 4:7.

La paz de Dios fortalece el alma y previene los temores y la ansiedad porque edifica nuestra resistencia interior y cambia nuestras actitudes. Pero, ¿cómo la obtenemos?

En primer lugar, la paz de Dios es un don. No es algo que podemos construir o inventar; tampoco es producto de la sugestión. Es un sentimiento real infundido por Dios al alma que cree en él. Hay tres principios importantes en las Escrituras que nos hablan de cómo tener paz:

1. Creer: Esta paz viene por la fe. La palabra griega para "creer" tiene la misma raíz que la palabra "fe". San Juan 14:1 nos señala que la paz interior está unida a la fe. "No se turbe vuestro corazón; creéis en Dios, creed también en mí". La persona que se acerca a Dios debe hacerlo por fe, deber "creer que él existe" (ver Heb. 11:6). Creemos en Dios y en el don de su Hijo, nuestro Salvador.

2. Pedir perdón: Debido a que se fundamenta en una relación con Dios, la obtención de la paz interior debe comenzar con un reconocimiento de nuestros pecados. No podemos tener paz, si no tenemos paz con Dios. El autor de los Proverbios lo dijo así:

"El que encubre sus pecados no prosperará; mas el que los confiesa y se aparta alcanzará misericordia" (28:13).

3. Poner a Dios en primer lugar: Una de las mayores causas de ansiedad es la multiplicidad de asuntos a los cuales damos importancia. Es verdad que tenemos preocupaciones, muchas de ellas válidas, pero entre todo lo que consideramos importante, ¿qué es absoluta y esencialmente indispensable? La Palabra nos dice: "Mas buscad primeramente el reino de Dios y su justicia, y todas estas cosas os serán añadidas" (Mat. 6:33). Esta es la expresión bíblica de la prioridad máxima del ser humano.

Necesitamos un propósito central, una idea que domina todas las otras. Cuando Cristo sea esa idea central en su vida, usted tendrá paz.

Señor, gracias por tu paz que me ayuda a enfrentar las tormentas de la vida. MAV

CONTENTAMIENTO

No lo digo porque tenga escasez, pues he aprendido a contentarme, cualquiera que sea mi situación. Filipenses 4:11.

Bud Robinson fue un predicador protestante en Norteamérica a comienzos del siglo XX. En cierta ocasión Bud fue llevado a Nueva York por varios amigos, quienes lo llevaron a conocer la ciudad. Esa noche, dijo en sus oraciones: "Señor, gracias por dejarme ver todas las maravillas de Nueva York. Y te doy gracias sobre todo porque no vi ni una cosa que desearía tener".

El apóstol Pablo habló en varias ocasiones de la virtud del contentamiento respecto a las posesiones materiales. En 1 Timoteo se encuentra una expresión suscinta de su pensamiento al respecto:

"Pero gran ganancia es la piedad acompañada de contentamiento; porque nada hemos traído a este mundo, y sin duda nada podremos sacar. Así que, teniendo sustento y abrigo, estemos contentos con esto... porque raíz de todos los males es el amor al dinero, el cual codiciando algunos, se extraviaron de la fe, y fueron traspasados de muchos dolores" (1 Tim. 6:6-10).

El contentamiento no es tener todo lo que queremos, sino no querer todo lo que vemos. En el ambiente comercializado y consumista de la sociedad actual, es difícil no sentir deseos de obtener y acumular cada vez más cosas y experiencias. Podríamos referirnos a este afán como codicia; en esencia, sentir que nos falta algo. Por otra parte, según se emplea la palabra en las Escrituras, el contentamiento es un sentido de suficiencia, capacidad y satisfacción y es difícil que seamos felices sin una dosis importante de este sentimiento.

Por otra parte, quizá no debiéramos sentirnos satisfechos o contentos con condiciones que podríamos mejorar si sólo nos esforzáramos un poco más. El contentamiento no elimina las sanas ambiciones. Podemos desear y trabajar por obtener la mejor educación para nosotros y nuestros hijos. Podemos aspirar a mejores empleos y mejores salarios. Pero en el proceso de luchar por mejores condiciones, podemos vivir una vida de contentamiento en el marco de una confianza permanente y fructífera en Dios. El pasaje de Filipenses continúa con las conocidas palabras del versículo 13: "Todo lo puedo en Cristo que me fortalece".

Querido Dios, enséñame hoy a sentirme suficiente en ti. Aunque el ambiente y la sociedad me hacen sentir falto y desprovisto, sé que en ti lo tengo todo. Gracias. MAV

VICTORIA EN CRISTO

Todo lo puedo en Cristo que me fortalece. Filipenses 4:13.

Qué es el éxito? O mejor dicho, ¿qué es el verdadero éxito?

Nuestra sociedad le da una importancia quizá demasiado grande al éxito. O eres exitoso o eres un fracasado. O ganas o pierdes. Los deportes se describen en base a victorias versus fracasos. Tantos juegos ganados versus juegos perdidos para el equipo, o el lanzador. Se habla del boxeador: 20 ganadas, 5 perdidas. Tantos goles. Tantos batazos, tantos *ponches*. Tantos puntos. Victorias y derrotas. ¿Qué en cuanto a la vida cristiana? ¿Tendremos la misma carga en cuanto a triunfar en la vida cristiana? ¿Qué es la victoria total en el cristianismo? ¿De dónde viene la victoria del creyente?

Jeremías 17:5, 7 dice: "Maldito el varón que confía en el hombre... Bendito el varón que confía en Jehová, y cuya confianza es Jehová. Porque será como el árbol plantado junto a las aguas, que junto a la corriente echará sus raíces, y no verá cuando viene el calor, sino que su hoja estará verde; y en el año de sequía no se fatigará, ni dejará de dar fruto".

¿En quién basa usted sus victorias? La Biblia nos dice en Jeremías y en otros lugares que la victoria se encuentra en Cristo. Filipenses 4:13 nos trae las palabras de San Pablo: "Todo lo puedo en Cristo que me fortalece". Romanos añade: "¿Quién nos separará del amor de Cristo? ¿Tribulación, o angustia, o persecución, o hambre, o desnudez, o peligro, o espada?... Antes, en todas estas cosas somos más que vencedores por medio de aquel que nos amó. Por lo cual estoy seguro de que ni la muerte, ni la vida, ni ángeles, ni principados, ni potestades, ni lo presente, ni lo por venir, ni lo alto, ni lo profundo, ni ninguna otra cosa creada nos podrá separar del amor de Dios, que es en Cristo Jesús Señor nuestro" (Rom. 8:35-39).

Señor, que nunca olvide que sólo tú puedes sostenerme en las pruebas inevitables de la vida, y que la victoria que tú otorgas es la más dulce de todas. MAV

¿MENDIGOS O PRÍNCIPES?

Mi Dios, pues, suplirá todo lo que os falta conforme a sus riquezas en gloria en Cristo Jesús. Filipenses 4:19.

Cierta vez escuché la historia de un irlandés que soñaba con emigrar a los Estados Unidos. Un día, un pariente adinerado le regaló un pasaje de barco a bordo de un prestigioso navío. Acostumbrado a la miseria y al hambre, aquel hombre compró unas cuantas hogazas de pan con la idea de que le sirvieran de alimento durante su travesía. Durante el viaje, a menudo se escondía para comerse unas cuantas migajas de pan, de manera que no tuviera que compartirlo con los demás pobres que viajaban con él.

Mientras que los pasajeros ricos disfrutaban de toda clase de manjares en el comedor del barco, él se resignaba con contemplarlos desde lejos a través de las ventanas. Una tarde, cuando el barco ya casi abordaba las costas de Nueva York, un pasajero a bordo lo invitó a que lo acompañara a la cena. "Ah, muchas gracias caballero —contestó el hombre—. Pero no tengo dinero". "¿Qué está diciendo? —exclamó el otro señor—. Amigo, su pasaje al barco es también su pasaje al comedor. Usted está en su derecho a tres comidas por día las cuales fueron pagadas desde el mismo momento que abordó la embarcación".

¿Se imaginan la sorpresa que se llevó aquel hombre? Toda una semana comiendo pan duro, cuando hubiera podido gozar de un banquete diario. Las bendiciones estaban allí, esperando a que él se sirviera. Del mismo modo, como hijos del Rey del universo, ¿no deberíamos acaso apropiarnos de las grandes bendiciones que él ha provisto para cada uno de nosotros?

La fascinante noticia que nos da nuestro Salvador es que no tenemos por qué continuar mendigando. Estamos en nuestro derecho de entrar a la fiesta. No es necesario ser ricos, tener cargos importantes, o ser alguien especial para participar del banquete. El pasaje a la vida eterna, con banquete incluido y todo, ha sido ya pagado por medio de la muerte de nuestro Señor Jesucristo. Atrevámonos hoy a disfrutar la abundante provisión de bendiciones que Dios desea darnos.

Padre, gracias por todas las bendiciones que has provisto para mí. OLV

DOLOR MOMENTÁNEO

Fortalecidos con todo poder, conforme a la potencia de su gloria, para toda paciencia y longanimidad. Colosenses 1:11.

Hace unos dos años nos mudamos a una nueva casa. Una de las condiciones que nos habíamos puesto era el compromiso de convertir parte del garaje para cuatro vehículos en otro dormitorio para nuestro hijo menor. El proceso de remodelación, aunque parecía sencillo, involucró numerosas horas de trabajo de parte de amigos carpinteros, de técnicos de calefacción e instaladores de alfombras. Durante varias semanas sufrimos ruidos, polvo y repetidas visitas a la ferretería.

¿Qué nos sostuvo en medio de aquel período de inconveniencias y desorden? La convicción de que algo momentáneo produciría mejores condiciones en el futuro. Al igual que la visita a un dentista o un médico, la molestia de un momento puede significar una mejoría deseable.

El Señor quiere darnos esa misma visión y confianza cuando enfrentamos desafíos más serios, tales como el dolor del fracaso, la pérdida de un ser querido, el desánimo y la enfermedad crónica. La realidad es que gran parte de la vida requiere que soportemos situaciones adversas. En un sentido cósmico, somos parte de un gran conflicto espiritual que nos hace blancos, ya sea de ataques directos del enemigo, o de un ambiente que atenta contra los valores que hemos abrazado. En su conversación íntima con los discípulos, previa a la Pasión, Jesús les dijo: "Estas cosas os he hablado para que en mí tengáis paz. En el mundo tendréis aflicción; pero confiad, yo he vencido al mundo" (Juan 16:33).

Necesitamos recordar que al otro lado de cada conflicto, habrán cosas mejores. No sólo se nos promete poder espiritual, sino que se nos asegura que estos sufrimientos momentáneos producirán en nosotros el extraordinario don de la paciencia. Ésta es uno de los dones más importantes del Espíritu (Gál. 5:22); tanto es así, que después de advertirles a los discípulos de las persecuciones que habrían de sufrir, Jesús concluyó su discurso con las palabras: "Con vuestra paciencia ganaréis vuestras almas" (Luc. 21:19).

Señor, cada vez que esté cansado de soportar alguna situación difícil, ayúdame a recordar que mi lucha es momentánea, y que contigo la victoria final está asegurada. MAV

LA HERENCIA DE LOS SANTOS

Con gozo dando gracias al Padre que nos hizo aptos para participar de la herencia de los santos en luz. Colosenses 1:12.

Un aspecto importante de la salvación es la santificación. Se refiere a "ser apartados para un uso santo" en el mismo sentido en que fueron consagrados al Señor el tabernáculo, los muebles y los sacerdotes en el Antiguo Testamento. Al convertirnos en creyentes en Jesús, llegamos a formar parte de un "linaje escogido, real sacerdocio, nación santa, pueblo adquirido por Dios" (1 Ped. 2:9).

Una persona santificada ha entrado en un compromiso con Dios y permanece dentro de la esfera de ese compromiso. Esa santificación proviene de Dios al igual que la justificación. "En esa voluntad somos santificados [consagrados] mediante la ofrenda del cuerpo de Jesucristo hecha una vez para siempre" (Heb. 10:10). Pero la santificación o consagración no es únicamente un acto divino. Implica una cooperación voluntaria. San Pablo lo explica muy bien en Filipenses: "Por tanto, amados míos, como siempre habéis obedecido, no como en mi presencia solamente, sino mucho más ahora en mi ausencia, ocupaos en vuestra salvación con temor y temblor" (Fil. 2:12, 13).

Después que una persona ha aceptado la salvación por medio de la gracia de Cristo, "escoge vivir una vida devota a Dios y su servicio. Está dedicado y consagrado a Dios. Por lo tanto es santo" (Arnold V. Wallenkampf, *Justified*, p. 98. Somos llamados a santidad, no sólo a escoger ser devotos a Dios, sino a purificarnos a nosotros mismos como él es puro (1 Tes. 4:7; 1 Cor. 1:2).

La salvación genuina trae consigo el deseo de ser santos. El mismo Espíritu que crea dentro de nosotros la fe que salva, también crea en nosotros estas ansias de santidad. Esta santidad no es lo que nos hace merecedores de la salvación, sino que es parte de la salvación que se recibe por la fe en Cristo. Veamos lo que dice San Pablo: "Porque la gracia de Dios se ha manifestado para salvación a todos los hombres, enseñándonos que, renunciando a la impiedad y a los deseos mundanos, vivamos en este siglo sobria, justa y piadosamente" (Rom. 6:12).

No hay un "secreto" mágico que nos otorgue un sublime estado de santidad, sino que Jesús nos ha dado su gracia y nos ha brindado una nueva condición de vida eterna. Él nos hace aptos para recibir la herencia que sólo los santos reciben.

Gracias, Señor, porque nos has separado para una vida santa y un destino santo. MAV

EL DIOS CREADOR

Porque en él fueron creadas todas las cosas, las que hay en los cielos y las que hay en la tierra, visibles e invisibles; sean tronos, sean dominios, sean principados, sean potestades; todo fue creado por medio de él y para él. Colosenses 1:16.

Aunque parezca un asunto gastado, la respuesta a la pregunta existencial, ¿de dónde vengo?, tiene una importancia capital. Está lo que decimos creer, pero dentro de nosotros, quizá en nuestro subconsciente, se encuentra el centro genuino de nuestras creencias, aquello que determina lo que somos. Y quizá no hay creencia más determinante que el concepto de un Dios que nos creó.

Prácticamente todas las religiones tienen un relato de la creación. Es curioso que aunque los primeros detalles no coinciden, cientos de tradiciones incluyen un diluvio o alguna catástrofe mundial en sus recuentos. La Biblia presenta una breve pero impactante historia de nuestros comienzos. Dios crea el mundo en seis etapas sucesivas correspondientes a períodos de 24 horas, y reposa el séptimo día para celebrar la terminación de la creación.

No son tanto los detalles de la creación, sino sus implicaciones lo que tiene un significado crucial para los seres humanos. Somos el producto del plan divino. Dios fue creando las condiciones para sostener la vida: la vegetación, las estaciones, las aves, la vida marina, los animales y los reptiles (según su "especie" o "género" [Gén. 1:21, 24, 25]). Finalmente crea al hombre y a la mujer, a su imagen, los bendice como pareja (algo así como el primer casamiento), y les explica cuál es su lugar en la creación. El resultado de todo el proceso creador es declarado bueno en gran manera (Gén. 1:31; ver 1:28-30).

Pero el versículo de hoy constituye una preciosa promesa al señalar no sólo el proceso, sino su propósito. Fuimos creados por Jesús y para Jesús. Cristo es el medio, la esfera y el propósito de la creación. Existimos porque él nos creó, y él nos creó porque quiso que existiésemos para él. En Colosas se predicaba una compleja herejía que hacía de los ángeles agentes mediadores de la salvación. Pablo dice que Jesús está por encima de todo, la "cabeza" de todo lo material y espiritual (1:18; 2:19); la razón, principio y final de nuestro existir.

Querido Jesús, el hecho de que somos producto de tu interés y de tu amor, me convence de que mi vida tiene un hermoso significado. Permíteme vivir hoy a la luz de tal conocimiento. MAV

PELIGROS DE UN MUNDO VERDE

Y él es antes de todas las cosas, y todas las cosas en él subsisten. Colosenses 1:17.

Hoy en día, puede que la ballena gris sea de más importancia para muchos que los desamparados de las grandes ciudades. Activistas en la Bahía Neah, en el Estado de Washington, pintaron un viejo submarino noruego con los colores de una orca y se dedicaron a transmitir los sonidos propios de la ballena asesina para alejar las manadas de ballenas grises que corrían peligro de ser cazadas por la tribu india Maka. Los encuentros entre activistas ecológicos y aquellos que pretenden explotar el medio ambiente se han tornado en algo común durante las últimas tres décadas. La posibilidad de que el ser humano pueda impactar el equilibrio ambiental que propicia la vida se ha discutido desde el comienzo de la era industrial.

Los ecólogos y activistas tienen razón al defender la naturaleza. Hay un desajuste entre el uso de los recursos de la Tierra por parte del hombre y el buen funcionamiento de los procesos naturales que ayudan a sostener la vida. Pero aunque los méritos de los ecólogos son indiscutibles, el movimiento ecológico se basa en parte en algunos principios filosóficos erróneos.

Contrariamente a la creencia ecologista, fuimos creados por un Ser infinitamente superior a nosotros. Amamos la naturaleza, no porque sea sagrada, sino porque ésta es un precioso regalo de Dios para nosotros. Ni la ecología ni el evolucionismo reconocen que los problemas del hombre responden a una naturaleza pecaminosa y malvada y a su rechazo de Dios, lo que la Biblia llama pecado. A diferencia de los ecólogos, sabemos que el mundo terminará, no por un proceso natural e impersonal, sino por el designio de Dios.

¿Está bien entonces que descuidemos el mundo que Dios nos ha prestado, y maltratemos su creación? Por supuesto que no. ¿Debemos reciclar? Sí. Porque somos mayordomos de la creación y tenemos una obligación moral de actuar y conducirnos para el bien del ambiente y de otros seres humanos.

Hacemos todo esto, pero sabemos que la opción bíblica para la renovación total y definitiva de la creación es la Segunda Venida de Cristo. No es ésta una doctrina pesimista, sino una esperanza de gloria y bienestar. No es una solución tecnológica a males tecnológicos, sino una salvación moral y espiritual, radical, de un origen externo a nosotros. ¿La ecología es peligrosa? No, pero sus premisas no son completas. El mundo nuevo y perfecto vendrá de Dios.

Gracias, querido Dios, porque antes de todas las cosa estabas tú, y porque todas las cosas en ti subsisten. MAV

¿CLONADOS O PERDONADOS?

Y a vosotros, estando muertos en pecados y en la incircuncisión de vuestra carne, os dio vida juntamente con él, perdonándoos todos los pecados. Colosenses 2:13.

En febrero de 1997, el científico escocés Ian Wilmut anunció el nacimiento de la oveja Dolly, el primer animal clonado, producido, no por la unidad de las células de dos individuos de sexo opuesto, sino con el material genético de un sólo individuo. ¿Cómo se logró tal cosa?

En los términos más sencillos, el Dr. Wilmut tomó óvulos inmaduros (ovocitos) de ovejas y les quitó manualmente los núcleos. Luego combinó estos ovocitos con células tomadas de la ubre de una oveja adulta. El núcleo de la célula completa reemplazó los genes normalmente suministrados por la unión del esperma y el óvulo durante una fertilización normal; se desarrolló un embrión en una solución nutritiva y luego se implantó en el útero de una oveja.

El nacimiento de Dolly creó una verdadera conmoción en el mundo científico. No sólo por la novedad de una reproducción contra natura, sino por sus implicaciones éticas. ¿Deberá utilizarse la ciencia para producir réplicas humanas? ¿Será posible crear otros seres idénticos a nosotros? El 29 de diciembre de 2002, se anunció por la cadena CNN de los Estados Unidos, que un laboratorio europeo había producido el primer clon humano, una bebecita llamada Eva. En esos días se habrían de hacer pruebas a la madre y la criatura para verificar si tenían exactamente los mismos genes.

La idea de reproducir una copia al carbón de nosotros mismos podría parecernos atractiva, pero no puede resolver nuestro problema intrínseco del pecado ni sus consecuencias. Sólo hay una manera de ser restaurados plenamente, y comienza con el perdón otorgado gratuitamente por Jesús. A partir de esa transacción, comienza un proceso que eventualmente resultará en una nueva vida, con un nuevo cuerpo y una nueva mente. Según la Biblia sólo tenemos una manera de extendernos hacia la inmortalidad y la juventud eterna. Nicodemo le preguntó a Jesús: "¿Cómo puede un hombre nacer siendo viejo? ¿Puede acaso entrar por segunda vez en el vientre de su madre, y nacer?"

Querido Dios, necesito que hoy me renueves por tu perdón. Tú eres el único que puede conducirme de muerte a vida. MAV

PAZ ANTE LA CRÍTICA

Y la paz de Dios gobierne en vuestros corazones, a la que asimismo fuisteis llamados en un solo cuerpo; y sed agradecidos. Colosenses 3:15.

La paz que proviene de Cristo no es ausencia de tumultos (ver Juan 16:33), sino serenidad ante las pruebas. Éstas pueden tomar muchas formas y nuestra reacción ante ellas revela el estado de nuestro desarrollo espiritual. Ante las pruebas de origen natural o físico, tales como la enfermedad o la tragedia, tendemos a refugiarnos en Dios. No sucede lo mismo cuando nuestras pruebas tienen un origen humano, como cuando sufrimos el ataque o la crítica de otros. En términos espirituales, este tipo de prueba puede ser uno de los más difíciles.

El conocido pastor Norman Vincent Peale visitó en una ocasión al ex presidente estadounidense Herbert Hoover y sostuvieron una extensa y placentera conversación. Al final de la conversación el pastor Peale le hizo una pregunta al ex mandatario. Le dijo:

—Cuando yo era joven, usted era uno de los hombres más populares del mundo por sus extraordinarios logros en alimentar a los pueblos de Europa después de la Primera Guerra Mundial. Luego el país cayó en las garras de la Gran Depresión y usted se tornó en uno de los hombres más aborrecidos del país. De hecho, durante esa época usted tuvo que soportar más críticas y vituperios que casi cualquier otra persona que he conocido. Lo que quiero saber es: ¿Nunca se deprimió con tanta crítica?

—No, ni tampoco me molestó demasiado —respondió sin vacilación el anciano Hoover.

—¿Cómo pudo soportarla?

—De dos maneras: con la cabeza y con mi fe. Cuando entré en la política, sabía que tendría que pagar un alto precio: el precio de los malentendidos y la crítica. Decidí hacerlo de todas formas. Cuando me llegó la crítica durante la Depresión, me preocupé por la situación, no por la crítica. La segunda —prosiguió—, es también sencilla. Yo soy cuáquero. Amo la paz.

Para Norman Vincent Peale, no hacían falta más explicaciones. Los cuáqueros aprenden a desarrollar un centro de paz interior. Creen que su mejor respuesta ante la agitación y la violencia en el mundo es ser gente de paz. ¡Cuánto beneficio recibiríamos si hiciéramos lo mismo!

Padre, ayúdame a entender hoy que no importa cuán difícil sea una situación, puedo tener paz interior en ti. MAV

MAGNA REUNIÓN

Luego nosotros los que vivimos, los que hayamos quedado, seremos arrebatados juntamente con ellos en las nubes para recibir al Señor en el aire, y así estaremos siempre con el Señor. 1Tesalonicenses 4:17.

Los aeropuertos siempre me han suscitado cierta mezcla de sentimientos antagónicos. De sus recintos he salido llorando, al despedirme de mis seres queridos, y he arribado a ellos con el corazón anhelante por el reencuentro. En los aeropuertos la gente ríe y llora, es feliz o desventurada, porque lo mismo se nos va el alma tras una despedida, que se ensancha la alegría en un renovado encuentro. En cierta medida, cada vez que frecuento un aeropuerto se me ocurre pensar en el feliz día cuando nuestro Señor Jesucristo reúna a su pueblo en un eterno abrazo.

En este mundo nacemos para reír y llorar, para decir adiós y volvernos a reencontrar, pero nuestro último recorrido por esta tierra culmina con la despedida que para el mundo es definitiva e irreversible. Para el cristiano, sin embargo, la separación y la angustia que causa la muerte representa sólo el descanso tras el cual despertaremos imperecederos, prestos a encontrarnos con Cristo y reunirnos con nuestros seres queridos.

¡Qué promesa tan maravillosa la que nos presenta el versículo de hoy! La idea de que seremos arrebatados en las nubes al encuentro de nuestro Señor, juntamente con los muertos que aguardan su venida, me llena de un gozo infinito. Pero es en la última oración de este versículo donde yace todo el significado auténtico de la promesa. Porque nuestro festejo no será por un corto tiempo, tras el cual será menester volvernos a despedir. Ese encuentro será definitivo y eterno. Cristo nos asegura: "Y así estaremos siempre con el Señor".

¿Habremos acaso de dudar de lo que nos asegura el Señor? Cuando pienso en la separación y en el dolor de la muerte, algo en mi corazón se agita con la impaciencia del que espera el reencuentro. Entonces, viene a mi mente la feliz imagen de las reuniones en los aeropuertos: la expectativa de quienes esperan y de quienes llegan, la alegría del aguardado reencuentro.

No debemos dudar del amor de Dios y de la garantía de sus promesas. Nuestro amigo Jesús dio su vida en la cruz del Calvario para que un día nos podamos reunir y vivir con él eternamente.

Ven, Señor Jesús. Y que la esperanza asome en nuestros corazones con el pensamiento del reencuentro eterno. OLV

UN CUERPO BENDECIDO

Y el mismo Dios de paz os santifique por completo; y todo vuestro ser, espíritu, alma y cuerpo, sea guardado irreprensible para la venida de nuestro Señor Jesucristo. 1 Tesalonicenses 5:23.

La Biblia enseña la unidad indivisible de lo físico, lo mental y lo espiritual del ser humano. Dios no deja fuera ninguno de ellos cuando se trata de bendecirnos y santificarnos. Esto implica que la interacción entre estas áreas de la vida es sumamente importante, y muchos de los males actuales se deben a algún problema relacionado con esta interacción.

He aquí un ejemplo: el insomnio. Las dificultades para dormir pueden deberse a múltiples factores físicos, mentales o espirituales. Las personas con trabajos sedentarios que no realizan suficiente actividad física, a menudo duermen mal y esto les causa malestares físicos y mentales. Uno de los mejores antídotos contra el insomnio es el ejercicio físico.

Otro problema bastante común es la falta de energía. Muchas personas, que gozan de una salud bastante buena, se sienten cansadas casi siempre y se fatigan fácilmente. En este caso también se recomienda practicar más ejercicio, ya sea correr, andar en bicicleta, practicar la calistenia o caminar.

Podemos y debemos pedirle a Dios que renueve nuestras fuerzas, pero no olvidemos que sus bendiciones deben alcanzar todo lo que somos, incluso nuestros cuerpos. Vivir de una manera que favorece ciertos aspectos de la vida y descuida otros, no guarda coherencia con el plan de Dios.

Hay una expresión norteamericana cuyo sentido se traduce bien a cualquier idioma: *Use it or lose it.* "Úselo o piérdalo". Su sabiduría es innegable en cualquier área de la vida. La mente, el cuerpo y el espíritu pueden atrofiarse si no se ejercitan. La tarea de la santificación trata precisamente del ejercicio santo de todas nuestras facultades.

Señor, permite que hoy yo no coloque obstáculos a tu objetivo de santificar todo mi ser. MAV

UN DIOS PERSONAL

Y el mismo Jesucristo Señor nuestro, y Dios nuestro Padre, el cual nos amó y nos dio consolación eterna y buena esperanza por gracia, conforte vuestros corazones, y os confirme en toda buena palabra y obra. 2 Tesalonicenses 2:16, 17.

El problema con el concepto de Dios no es si él existe, sino cómo es posible que se interese por los seres humanos. Si aceptamos la Biblia como la fuente máxima de información acerca de Dios, encontramos alternadamente en sus páginas a Dios como el Creador, el Amigo del hombre, el Legislador, el Maestro, el Padre y el Salvador. En todas estas caracterizaciones, Dios no intenta demostrar su existencia o divinidad, sino que deja un registro de su relación con los seres humanos, en el que aprendemos tanto de él como de nosotros mismos.

La tesis de la Biblia es que hubo una ruptura en la relación original entre Dios y sus criaturas humanas. Sorprendentemente, fue Dios quien se acercó a sus criaturas y proveyó bases para enmendar tal ruptura (Gén. 3:8, 9, 15). A esa brecha en las relaciones entre Dios y los hombres, la Biblia la llama pecado. La Simiente de la mujer prometida en Génesis 3:15, quien habría de aplastar la cabeza de la serpiente, era Jesús, el Salvador.

Si hay algo que define la relación divino-humana es su naturaleza personal. Dios caminó con el hombre, le habló, se manifestó a él en sueños y finalmente por medio de su Hijo Jesucristo (Gén. 5:22; Heb. 1:1-3). La vida de Jesús, su sacrificio y su muerte, han sido el esfuerzo culminante de Dios por relacionarse con los seres humanos (véase Juan 1:1-13). Dios se hizo carne y habitó entre nosotros (vers. 14). El hecho que ensombrece esta extraordinaria labor de reconquista y acercamiento de parte de Dios es el rechazo del hombre.

Dios ha insistido en trabar con sus criaturas una relación de amor. Uno de los mandamientos básicos de las Escrituras es: "Amarás al Señor tu Dios con todo tu corazón, y con toda tu alma, y con toda tu mente" (Mat. 22:37; ver Deut. 6:5, 1 Juan 4:8). En Cristo encontramos el centro y el motivo de todo existir humano. En el Calvario, Dios descendió al punto más bajo de la existencia para encontrarse con nosotros y revelarnos su amor. Desde la cruz nos llama a reconciliarnos con él y a recorrer juntos el camino de la esperanza y la eternidad.

Gracias por llamarnos a una relación personal contigo. MAV

CÓMO VIVIR EN ESTOS TIEMPOS

Si alguno no quiere trabajar, tampoco coma. Porque oímos que algunos de entre vosotros andan desordenadamente, no trabajando en nada, sino entremetiéndose en lo ajeno... No os canséis de hacer el bien. 2 Tesalonicenses 3:10-13.

Jesús nos enseñó por medio de varias parábolas a trabajar mientras esperamos. En la parábola de los talentos se castigó al siervo indolente e infiel, y se prometió beneficios infinitos a los fieles (Mat. 25:14-30). Es obvio que el Señor no deseaba que los creyentes se concentraran de tal manera en la segunda venida que descuidaran sus deberes cotidianos.

El apóstol Pablo se refirió al problema cuando amonestó a los tesalonicenses: "Si alguno no quiere trabajar, tampoco coma. Porque oímos que algunos de entre vosotros andan desordenadamente, no trabajando en nada, sino entremetiéndose en lo ajeno... No os canséis de hacer el bien" (2 Tes. 3:10-13).

La advertencia que más se destaca en el sermón profético de nuestro Señor es la invitación a velar: "Pero de aquel día y de la hora nadie sabe, ni aun los ángeles que están en el cielo, ni el Hijo, sino el Padre. Mirad, velad y orad; porque no sabéis cuándo será el tiempo. Es como el hombre que yéndose lejos, dejó su casa, y dio autoridad a sus siervos, y a cada uno su obra, y al portero mandó que velase. Velad, pues, porque no sabéis cuándo vendrá el Señor de la casa" (Mar. 13:32-35).

Se nos exhorta a velar y a orar. Privadamente y en compañía de otros creyentes. "No dejando de congregarnos —aconseja el apóstol Pedro—, como algunos tienen por costumbre, sino exhortándonos; y tanto más, cuanto veis que aquel día se acerca" (Heb. 10:25).

También se nos invita a vivir en sobriedad y a exhibir una buena conducta. "Mirad también —dice el Evangelio— por vosotros mismos, que vuestros corazones no se carguen de glotonería y embriaguez y de los afanes de la vida, y venga de repente sobre vosotros aquel día" (Luc. 21:34).

En términos prácticos, lo que creemos determinará cómo vivimos en estos días. Si creemos lo que la Biblia nos dice, viviremos como los que se preparan para un viaje. Atesoraremos lo indispensable y descartaremos lo innecesario. Esta actitud permeará todas las áreas de la vida y el uso diario de nuestro tiempo. Nos animará a velar respecto a lo que entra en nuestra mente a través de nuestros sentidos, a dedicarnos al servicio, a ser portadores de las buenas nuevas de la salvación a nuestros familiares y conocidos.

Señor, ayúdame a vivir según la esperanza que anida en mi corazón. MAV

LA LUCHA CONTRA EL PECADO

Palabra fiel y digna de ser recibida por todos: que Cristo Jesús vino al mundo para salvar a los pecadores, de los cuales yo soy el primero. 1 Timoteo 1:15.

La Biblia indica que la fuente del pecado es nuestro propio corazón o naturaleza (Mar. 7:21-23; Luc. 6:45). A causa de que nosotros no podemos discernir los motivos secretos de nuestro propio corazón, el primer paso que hemos de dar para hallar remedio a nuestra maldad es permitir que el Espíritu Santo nos examine e identifique el pecado en nosotros. Por eso David escribió: "Examíname, oh Dios, y conoce mis pensamientos; y ve si hay en mí camino de perversidad, y guíame en el camino eterno" (Sal. 139:23).

El segundo paso consiste en velar y orar para no caer en tentación (Mat. 26:41). Y el sabio Salomón nos advirtió: "Sobre toda cosa guardada, guarda tu corazón; porque de él mana la vida" (Prov. 4:23). Velar lo que vemos, oímos, gustamos y sentimos. Cuidar las "avenidas del alma".

El tercer paso es apropiarnos del poder de Jesús. Para reclamar la victoria sobre la condición de pecado, necesitamos "ser fortalecidos con poder en el hombre interior por su Espíritu" (Efe. 3:16). El poder para resistir la tentación proviene de Jesucristo. Las palabras de 1 Timoteo 1:15 constituyen una promesa extraordinaria. Este es el meollo del Evangelio: "Cristo Jesús vino al mundo para salvar a los pecadores".

En esencia, nuestra salvación se hace posible cuando intimamos con Jesús y aprendemos a depender de él en todo y para todo, cuando aceptamos que él es un elemento básico de nuestra existencia, que todo lo que somos gira alrededor de su Persona.

El agente de esa unión con Cristo es el Espíritu Santo. Él es quien nos da vida espiritual y el poder para vivirla. Una de las cosas que el Espíritu hará es conducirnos a la Palabra que él mismo inspiró. Nuestras convicciones y determinaciones se han de desarrollar en base a la Palabra de Dios. Por eso es que el apóstol Pablo nos dijo: "No os conforméis a este siglo, sino transformaos por medio de la renovación de vuestro entendimiento, para que comprobéis cuál sea la buena voluntad de Dios, agradable y perfecta" (Rom. 12:2). La voluntad de Dios es que usted y yo tengamos una vida espiritual victoriosa.

Gracias por satisfacer todas nuestras necesidades importantes. Hoy decido confiar en tu promesa. OLV

EL CONOCIMIENTO DE LA VERDAD

Porque esto es bueno y agradable delante de Dios nuestro Salvador, el cual quiere que todos los hombres sean salvos y vengan al conocimiento de la verdad.
1 Timoteo 2:3, 4.

El apóstol Pablo dedica el segundo capítulo de su primera Epístola a Timoteo al tema de la oración de la iglesia. En este contexto, expresa el deseo de Dios de que los "hombres sean salvos y vengan al conocimiento de la verdad".

Los deseos de Dios son promesas, por lo tanto él se interesa en ambos aspectos de su deseo: que seamos salvos y que conozcamos la verdad. La realidad es que la verdad y la salvación son inseparables. No podemos ser salvos en la mentira.

Pablo le aconsejó a Timoteo: "Entre tanto que voy, ocúpate en la lectura, la exhortación y la enseñanza... Ten cuidado de ti mismo y de la doctrina" (1 Tim. 4:13, 16).

A Tito le dio una instrucción similar: "Mas tú enseña conforme a la sana doctrina... Muéstrate dechado de buenas obras: pureza de doctrina, dignidad, palabra sana, intachable" (Tito 2:1, 7-8, Biblia de Jerusalén).

Todos somos vulnerables al error, incluso los que pretenden ser seguidores de Jesús. El Señor advirtió: "Porque se levantarán falsos cristos, y falsos profetas, y harán grandes señales y prodigios, de tal manera que engañarán, si fuere posible, aun a los escogidos" (Mat. 24:24).

Dios tiene normas que ha revelado en su Santa Palabra. Él desea que sigamos el camino trazado por su Hijo Jesucristo, pero nos da la oportunidad de aceptar o rechazar sus ofrecimientos.

Ser sinceros no basta. Incluso nuestra conciencia no siempre es una guía sabia. Lo que importa es lo que la Biblia dice. Si el Señor desea que vengamos al conocimiento de la verdad, es porque es esencial conocerla y recibirla en el alma, especialmente "la verdad que es en Jesús" (Efe. 4:21).

Señor, líbrame del error en materia espiritual. Gracias por tu deseo de conducirme a la verdad. MAV

¿POR QUÉ SUFRIMOS?

Que por esto mismo trabajamos y sufrimos oprobios, porque esperamos en el Dios viviente, que es el Salvador de todos los hombres, mayormente de los que creen. 1 Timoteo 4:10.

El sufrimiento es el pan de cada día para la humanidad. En menor o mayor grado nos toca enfrentarlo, ya sea en carne propia o ajena. Para el apóstol Pablo, su misma misión era motivo de persecuciones y ataques personales. Otros sufren por enfermedades, injusticias, accidentes, actos de violencia o la ausencia de un ser querido. Algunas veces sabemos por qué sufrimos, otras veces no entendemos y quedamos con interrogantes que nos queman el alma.

Muchos hemos llegado a la conclusión de que la mejor explicación del sufrimiento la encontramos al pie de la cruz de Cristo. Allí sufrió el Dios todopoderoso, no por causa de su impotencia, sino por la divina disposición de que las criaturas inteligentes tengan el poder de escoger su destino. Con cada jadeo del Hombre-Dios de 33 años y medio, se nos confirmaba el interés supremo del Creador por cada miembro de la raza humana. Al pie de la cruz se desenmascara al enemigo que tilda a Dios de injusto y frío con sus criaturas. De una vez y para siempre se responden todas las dudas acerca del amor de Dios.

Jesús murió por nuestra libertad. Porque Dios no obliga a sus criaturas a obedecerle. Porque eliminar a Satanás y las consecuencias de su rebelión habría alterado sus principios de amor y justicia. Por esto escogió el camino del sometimiento y la muerte (ver Isa. 53:1-6).

Por su sufrimiento, Jesús compró nuestra libertad: libertad de la culpa por medio del perdón (ver Isa. 1:18), libertad del poder del mal por medio de la Palabra de Dios (S. Juan 8:32), libertad para hacer el bien (2 Cor. 5:17), esperanza de una vida mejor en las mansiones de paz gracias a la Segunda Venida de nuestro Señor (Juan 14:1-3).

Y si hoy nos toca pasar por el valle de sombra y de muerte, el buen Pastor sin duda nos llevará a lugares de delicados pastos (Sal. 23; ver Apoc. 21:1-5).

Gracias, Señor, porque en medio del dolor, nunca falta tu consuelo. MAV

COSAS QUE EL DINERO NO PUEDE COMPRAR

A los ricos de este siglo manda que no sean altivos, ni pongan la esperanza en las riquezas, las cuales son inciertas, sino en el Dios vivo, que nos da todas las cosas en abundancia para que las disfrutemos. 1 Timoteo 6:17.

El famoso editor de *The Saturday Evening Post*, George Horace Lorimer, escribió en cierta ocasión: "Es bueno tener dinero y las cosas que con él se pueden comprar, pero también es bueno, de vez en cuando, verificar y asegurarse de que no se han perdido las cosas que el dinero no puede comprar".

Esta declaración, que hace eco a las palabras de 1 Timoteo, debiera inspirarnos a hacer un inventario de las cosas que tenemos que no podríamos comprar, pero que ciertamente no desearíamos perder.

En primer lugar tendríamos que colocar el amor de Dios. Este es el amor que verdaderamente nos sostiene cuando todo lo demás se ha acabado, amor generoso, que nada espera, que todo lo soporta y que nunca deja de ser (1 Cor. 13).

En segundo lugar contaríamos el amor de seres queridos y amigos, que se gana en el intercambio de afecto y apoyo y al compartir juntos la vida.

La lista tendría que incluir la belleza de la naturaleza. Hay muchas obras humanas que despiertan la admiración, pero la belleza y la abundancia de la creación de Dios superan por mucho la producción humana. La única estructura humana que puede verse desde el espacio es la muralla china, las grandes ciudades apenas cambian el color de la superficie de la tierra. Sí pueden distinguirse las grandes cadenas montañosas y los cuerpos acuáticos.

Todos los días podemos disfrutar la grandeza del cielo, el sol, las estrellas, las plantas y los árboles, el canto de las aves, el beso de la brisa.

Hay una lista interminable de tesoros gratuitos. Entre ellos la paz mental, la clara conciencia, la buena salud, la libertad de la opresión, la oportunidad de congregarnos para adorar, el ejercicio físico, una buena biblioteca, la oración, la esperanza en la vida eterna, la oportunidad de servir. Cada uno podría añadir algo más a esta lista.

El pasaje de arriba nos invita a confiar en Dios, quien provee en abundancia lo que es más importante que cualquier riqueza humana.

Señor, gracias por los muchos tesoros que has puesto a mi alcance. MAV

ESPÍRITU DE AMOR

Porque no nos ha dado Dios espíritu de cobardía, sino de poder, de amor y de dominio propio. 2 Timoteo 1:7.

Es curioso que el antídoto de la cobardía sea un conjunto de virtudes otorgadas por Dios. El libro bíblico de Gálatas nos da una lista más completa: "Mas el fruto del Espíritu es amor, gozo, paz, paciencia, benignidad, bondad, fe, mansedumbre, templanza; contra tales cosas no hay ley" (Gál. 5:22, 23).

Se podría argüir que el amor es el concepto universal más poderoso de todos, porque "Dios es amor" (1 Juan 4:8). Por contraste, su opuesto, el egoísmo, es un principio debilitante y que nos roba el valor y el poder para enfrentar los desafíos de la vida. Razón tenía Platón cuando estimaba que el amor desmedido a sí mismo era la causa de todas las faltas del individuo.

El egoísmo malogra las mejores relaciones. Causa sufrimientos indecibles en el matrimonio. Destruye amistades. Nos encierra en un círculo miserable de conmiseración y tristeza. Nos hace pedantes insoportables, compañeros indeseables.

Dios quiere librarnos del temor y darnos el poder de su amor. La mejor descripción del poderoso principio del amor se encuentra en 1 Corintios 13: "El amor es sufrido, es benigno; el amor no tiene envidia, el amor no es jactancioso, no se envanece; no hace nada indebido, no busca lo suyo, no se irrita, no guarda rencor; no se goza de la injusticia, mas se goza de la verdad. Todo lo sufre, todo lo cree, todo lo espera, todo lo soporta".

Pero la manifestación de un amor tal es una condición sobrenatural. Dios es la única fuente de ese amor. "Amados —dice el apóstol Juan—-, amémonos unos a otros; porque el amor es de Dios. Todo aquel que ama, es nacido de Dios, y conoce a Dios" (1 Juan 4:7, 8).

Por eso es que ese tipo de amor habría de ser la única señal definitiva de filiación con Cristo. "En esto conocerán todos que sois mis discípulos, si tuviereis amor los unos con los otros" (Juan 13:35). No eran sus prácticas religiosas ni sus doctrinas lo que los señalaban como cristianos, sino la presencia entre ellos —evidenciada en sus acciones— del amor *ágape*. ¿Acaso es de extrañar que el testimonio de aquellos primeros discípulos fuera tan poderoso?

Señor, dame el amor que me llenará de valor, de poder y me ayudará a tener dominio propio. MAV

CONFIEMOS EN DIOS

Por lo cual asimismo padezco esto; pero no me avergüenzo, porque yo sé a quién he creído, y estoy seguro que es poderoso para guardar mi depósito para aquel día.
2 Timoteo 1:12.

Uno de los elementos más sobresalientes en las palabras de Pablo a Timoteo es la suprema confianza en Dios revelada por el apóstol. Esta actitud le permitió soportar la persecución, la soledad y el rechazo en el cumplimiento de su misión.

En su aplicación a cada creyente, el tema de la confianza en Dios es de importancia básica porque se relaciona con el comienzo del pecado y sus consecuencias. Eva fue tentada por la serpiente en el Edén y el resultado fue el pecado original que inició la separación entre la raza humana y su Creador. Durante el proceso de la tentación, Satanás siguió un proceso definido para ganar la confianza de Eva. En primer lugar le preguntó: "¿Conque Dios os ha dicho: No comáis de todo árbol del huerto?" (Gén. 3:1). De esta manera hizo que Eva dudara si Dios en efecto había dicho eso. En segundo lugar, desmintió frontalmente a Dios al decir que Eva no moriría al comer del fruto prohibido (3:4). Así indicó que Dios no era confiable. Finalmente le dijo a Eva que el resultado de comer del fruto sería altamente positivo. Génesis 3:6 nos dice: "Y vio la mujer que el árbol era bueno para comer, y que era agradable a los ojos, y árbol codiciable para alcanzar la sabiduría; y tomó de su fruto, y comió; y dio también a su marido, el cual comió así como ella".

En esencia, Satanás logró que Eva desconfiara de Dios y decidiera convertirse a sí misma en el centro de su devoción. En vez de amar a su Creador y respetar su voluntad, decidió amarse a sí misma y buscar la felicidad aparte de Dios. Ese es el meollo del pecado y la clave de nuestro problema.

Cuando intentamos vivir una vida espiritual victoriosa, debemos comenzar por comprender la naturaleza del pecado. El pecado es una condición de amor al yo en la que Dios queda desplazado. Sus consecuencias son el sentido de culpa, incomodidad ante todo lo relacionado con Dios y relaciones defectuosas con otros y con uno mismo. Este *pecado*, como condición universal de la raza humana desde la caída de Eva y Adán, es la causa de toda acción específica señalada como pecado por la Biblia.

El antídoto del pecado es la fe, la confianza implícita en Dios como un Dios bueno, que tiene toda la intención de salvarnos. En sus manos estamos seguros.

Gracias porque nosotros también podemos saber a quién hemos creído. MAV

NADA QUE TEMER

Tú, pues, hijo mío, esfuérzate en la gracia que es en Cristo Jesús.
2 Timoteo 2:1.

La "gracia que es en Cristo Jesús" no es una gracia barata. Las palabras de Pablo a Timoteo lo confirman: "Tú, pues, sufre penalidades como buen soldado de Jesucristo". Y más tarde añade una dimensión bastante más severa: "Si somos muertos con él, también viviremos con él; si sufrimos, también reinaremos con él" (2 Tim. 2:3, 11, 12).

Luego de un cautiverio largo y terrible como rehén en Irán durante la presidencia de Jimmy Carter, el joven Gary Lee regresó a su hogar en los Estados Unidos. La iglesia a la que asistía la familia preparó una celebración para darle la bienvenida. Mientras la congregación cantaba "Sublime gracia", el joven barbado sonreía y movía la cabeza mientras saboreaba el momento.

Cuando le dieron la oportunidad contó que antes de disfrutar el milagro de verse libre, había experimentado otro de igual magnitud. Poco después de su captura, le permitieron tener una Biblia, y un día leyó Isaías 43:5: "No temas, porque yo estoy contigo; del oriente traeré tu generación, y del occidente te recogeré".

—Cuando leí estas palabras —relató—, sentí que Dios me estaba haciendo una promesa. De alguna manera supe que regresaría sano y salvo a mi hogar. Después de ese día, todo aquel infierno se me hizo mucho más fácil.

Lo que sucedió con Gary puede suceder con cualquier hombre o mujer de fe. La gracia de Dios no sólo produce finales felices. Es más, algunas veces la fe nos puede llevar al martirio, como sucedió con varios de los apóstoles y miles de fieles a lo largo de la historia. Pero la gracia que nos sostiene es más profunda que el dolor más profundo. Esa gracia genuina es lo único que puede sostenernos en las pruebas. Lo único que puede darnos paz, no sólo al final de la jornada sino mientras transitamos los valles lóbregos del dolor y la prueba.

Señor, gracias por la gracia que me sostiene y me brinda paz, incluso durante la peor de las pruebas. MAV

UN SOLO MEDIADOR

Porque esto es bueno y agradable delante de Dios nuestro Salvador, el cual quiere que todos los hombres sean salvos y vengan al conocimiento de la verdad. Porque hay un solo Dios, y un solo mediador entre Dios y los hombres, Jesucristo hombre. 2 Timoteo 2:3-5.

Jesús nació y creció en "gracia y sabiduría para con los hombres". Como nosotros, enfrentó los apremios de la naturaleza humana. "Fue tentado en todo... pero sin pecado" (Heb. 4:15). Tuvo que aprender a esperar. Le tocó enfrentar el desprecio, las enfermedades, la soledad, la incomprensión, la ingratitud y la injusticia.

Su trayecto inexplicable desde el cielo a la tierra, con sus enormes implicaciones, fue expresado por el apóstol Pablo en Filipenses 2:5-8: "Haya, pues, en vosotros este sentir que hubo también en Cristo Jesús, el cual, siendo en forma de Dios, no estimó el ser igual a Dios como cosa a que aferrarse, sino que se despojó a sí mismo, tomando forma de siervo, hecho semejante a los hombres; y estando en condición de hombre, se humilló a sí mismo, haciéndose obediente hasta la muerte, y muerte de cruz".

¡Qué Dios como éste! Que se identifica a tal grado con sus criaturas. Jesús nos revela a Dios como hombre, sumergido en nuestro mundo y nuestras miserias. Es el punto de contacto entre Dios y la humanidad, el encuentro indivisible y eterno entre Dios y sus criaturas. La Deidad tiene tres personas: el Padre, el Hijo y el Espíritu Santo, pero sólo Jesús vivió y murió como hombre para poder salvarnos. Fue a través de Cristo que la Deidad tendió un brazo a la humanidad. Por eso, Jesús es el "camino, la verdad y la vida" (Juan 14:6).

Sobre la cruz contemplamos una manifestación personal y visible del amor de Dios. No se trata de conceptos abstractos o esotéricos. "De tal manera amó Dios al mundo, que ha dado a su Hijo unigénito, para que todo aquel que en él cree, no se pierda, mas tenga vida eterna" (Juan 3:16). Dios amó, por lo tanto dio. Y lo dio todo, sin reservarse nada. A través de Cristo se nos comunica el amor divino a nuestros tristes corazones. Él fue el Dios que se dejó escupir, y abrazar; el Dios que dio consejos a medianoche a los confundidos; el Dios que sanó a los enfermos, uno tras otro, sin quejarse; el Dios que amó a sus detractores, a sus verdugos y a Judas.

¿Quieres conocer a Dios? Ven a Jesús.

Gracias por el Puente provisto entre el cielo y la tierra. MAV

LA GRAN CARRERA

He peleado la buena batalla, he acabado la carrera, he guardado la fe.
2 Timoteo 4:7.

John Rider es un corredor olímpico. No es que participe en los Juegos Olímpicos, cuyo comienzo se remonta a los tiempos de los apóstoles, sino que compite en Olimpíadas Especiales, para discapacitados. Practica el tiro de la pelota y la carrera. Toda su familia lo contempla con orgullo mientras repite el juramento de las Olimpíadas Especiales, que es una especie de oración: "Quiero ganar, pero si no puedo ganar, dame el valor para intentarlo".

¡Qué palabras tan maravillosas! Lo que sucede es que el diminuto John no aprendió a caminar sino hasta que tuvo diez años de edad. Poder correr le tomó varios años más. Todavía no ha ganado una sola carrera... es muy pequeño, sus piernas son muy delgadas para correr tan rápido como otros jóvenes. Y a veces, abrumado por la emoción de la multitud de espectadores que lo apremian, se detiene en medio de la carrera y él mismo se ofrece ¡hurras!, y aplaude y grita entusiasmado. A sus familiares no les importa cuánto tiempo le toma terminar la carrera. Para ellos, John es un ganador.

La gran carrera del cristiano es similar a la carrera de este joven. Y en un sentido cósmico, los espectadores son las miríadas de ángeles y de seres no caídos de todo el universo. También los creyentes que en esta tierra nos acompañan en el camino de la salvación. Esto es lo que dice Hebreos 12:1. Pero el Espectador que más aprecia los esfuerzos de cada corredor es Dios mismo. Él está allí, en las gradas, emocionado por nuestros pasos que a veces van tambaleantes, pero que se dirigen rumbo a la meta.

Y el premio no es dado precisamente al que llega primero. "Todos los que aman su venida" lo recibirán. Quizá la actitud del "corredor" es tan importante como los resultados. El apóstol ciertamente expresa la satisfacción de uno que ha tenido el valor de participar en estas Olimpíadas Especiales. Una competencia en la que no cuentan las habilidades especiales, los talentos o los dones que nos distinguen. Una carrera en la que está perfectamente bien que, a veces, nos detengamos a aplaudir y gritar entusiasmados.

Querido Dios, por favor hazme ver que estás conmigo, que nunca he estado solo en esta carrera de la vida. MAV

UN JUEZ JUSTO

Por lo demás, me está guardada la corona de justicia, la cual me dará el Señor, juez justo, en aquel día; y no sólo a mí, sino también a todos los que aman su venida. 2 Timoteo 4:8.

Los ritos del santuario y otros pasajes bíblicos nos sugieren que el juicio tiene varias fases: (1) Un juicio previo al advenimiento. Se necesita un juicio antes de la segunda venida de Cristo para determinar quiénes se salvarán y quiénes se perderán cuando él venga a buscar a sus hijos. Daniel 7:9, 10, 13, 14 sienta las bases del proceso. Apocalipsis muestra lo imperioso de este juicio investigador cuando incluye la promesa de Jesús: "He aquí yo vengo pronto, y mi galardón conmigo, para recompensar a cada uno según sea su obra" (capítulo 22:12).

Jesús viene a pagar a "cada uno según sus obras" (Mat. 16:27); se refirió a esto cuando relató la parábola del banquete de bodas (Mat. 22:10-14). Según su relato, el rey llegó a inspeccionar a los invitados a la boda de su hijo y cuando encontró a uno que no estaba vestido de bodas, mandó a que lo echaran en las tinieblas de afuera. La inspección ilustra la obra del juicio previo al advenimiento (la boda en sí). El vestido de bodas es símbolo de la justicia de Cristo otorgada a cada creyente que acepta el sacrificio de Jesús y se entrega por la fe al Salvador.

(2) El juicio durante el milenio, del que habla Apocalipsis y en el que hemos de participar los redimidos. El profeta Juan dice: "Y vi tronos, y se sentaron sobre ellos los que recibieron facultad de juzgar... y vivieron y reinaron con Cristo mil años" (capítulo 20:4). Pablo añade: "¿O no sabéis que los santos han de juzgar al mundo?" (1 Cor. 6:1).

Este juicio milenario "abarca la revisión de la sentencia de los malvados, y beneficiará a los redimidos al proveer para ellos la comprensión de la forma como Dios trata con el pecado y con los pecadores que no fueron salvos" (*Creencias de los adventistas del séptimo día*, p. 368).

(3) La última etapa del juicio final es la fase ejecutiva; cuando Dios hace descender fuego del cielo que destruye a los malvados y purifica el planeta (ver Apoc. 20:11-15; Mat. 25:31-46; 2 Ped. 3:7-13). Se nos dice que los mismos pecadores reconocerán que los juicios de Dios son justos y verdaderos (Apoc. 15:3) porque todo el proceso refleja el carácter santo y justo de nuestro Dios.

Gracias, Señor, por tus leyes y por tus juicios. Gracias porque tu justicia viene acompañada de tu amor inigualable. MAV

EL PODER DE LA ESPERANZA

Porque la gracia de Dios se ha manifestado para salvación a todos los hombres, enseñándonos que, renunciando a la impiedad y a los deseos mundanos, vivamos en este siglo sobria, justa y piadosamente, aguardando la esperanza bienaventurada y la manifestación gloriosa de nuestro gran Dios y Salvador Jesucristo. Tito 2:11-13.

Como ministro he visto muchos funerales en varios países. Nunca he estado en un funeral donde no haya percibido una gran tristeza. Los seres humanos nos resistimos a la idea y mucho más a la presencia de ese elemento extraño que nos roba la felicidad, que arruina los más hermosos sueños y nos deja solos y desconsolados. Para contrarrestar ese oscuro espectro de la muerte, muchos se aferran a cualquier ideología que les ofrezca esperanza.

La noción de que existe un mundo paralelo de espíritus que incluye las almas de aquellos que han muerto, es popularizada por los medios de comunicación y por los cultos de diversas religiones, desde los salones de espiritismo afro-caribeño hasta en las más sofisticadas y elegantes catedrales del primer mundo. Se encuentra en los ritos del candombe de Brasil y en los dioses vudús de Haití, en la santería cubana y en las iglesias católicas y protestantes.

La doctrina de la inmortalidad del alma ha sido la base de numerosas creencias a través de los siglos. Comenzó con la fatídica frase de Satanás en el Edén, cuando le aseguró a Adán y Eva que, contrariamente a lo dicho por Dios, no morirían al comer del árbol de la ciencia del bien y el mal: "No moriréis" (Gén. 3:4). Desde ese momento, el hombre ha creído la mentira de que el ser humano tiene un alma inherentemente inmortal.

La Biblia presenta una idea muy diferente. La vida se encuentra en Jesús y en su salvación. Al haber quedado inoculados con el germen de la muerte, necesitamos de un evento radical para recuperar la vida inmortal: la resurrección de los muertos en ocasión de la segunda venida de Jesús. Esta es la esperanza que inflamaba el corazón de los apóstoles, nuestro encuentro con el mismo Dios.

Jesús resucitó y con él resucitó la humanidad. En él tomó cuerpo la esperanza de todos los que a través de los siglos anhelaron algo mejor. El destello de vida y luz que refulgió en la tumba nueva de José de Arimatea aumentará en intensidad hasta que cada ser humano sea despertado del sueño de la muerte. Ya se acerca la mañana gloriosa.

Gracias, oh Dios, por la bendita esperanza de tu venida. MAV

LAVADOS Y LIMPIADOS

Nos salvó, no por obras de justicia que nosotros hubiéramos hecho, sino por su misericordia, por el lavamiento de la regeneración y por la renovación en el Espíritu Santo. Tito 3:5-7.

El conocido autor Dennis Hensley cuenta del fenómeno ocurrido durante las Olimpíadas de 1980 en las competencias de patinaje. El atleta norteamericano Eric Heiden ganó medallas de oro en todas las carreras de patín. En las primeras cuatro competiciones, de 500, 1.000, 1.500 y 5.000 metros, Heiden fijó nuevas marcas olímpicas. En la competición final, la carrera de 10.000 metros, Heiden no sólo batió el record, sino que patinó más rápido que ningún otro hombre en la historia con un tiempo de 14 minutos, 28 segundos.

Estas hazañas no fueron una sorpresa para los conocedores del deporte. A Eric Heiden se lo reconocía como el mejor patinador de todos los tiempos, y había ganado todas las carreras en las que había competido como aficionado. Es lógico pensar que los que tenían que competir contra él se desmoralizarían al saber que era prácticamente imposible ganarle al campeón. Pero sucedió todo lo contrario.

Cuando Heiden ganó la carrera de los 500 metros, el ganador de la medalla de plata, Evgeny Kulikov, de la Unión Soviética, hizo el mejor tiempo de su carrera deportiva. Cuando Heiden ganó la carrera de 1.000 metros, el patinador que quedó en segundo lugar también logró el mejor tiempo de su carrera.

Y así sucesivamente. Aunque perdieron contra Heiden, estos patinadores alcanzaron mayor velocidad que nunca antes porque estaban haciendo todo lo posible por alcanzar al campeón. A este notable fenómeno algunos le dieron el nombre de efecto "Heiden".

Los creyentes tenemos el efecto "Jesús". Los logros del cristiano se inspiran en él, pero Jesús va mucho más allá. Somos salvos por él, por su misericordia y no por nuestros esfuerzos. Él nos lava mediante el bautismo, y nos renueva por la presencia del Espíritu en nuestras vidas. Él no es sólo nuestro Modelo, sino que en él, como nuestro Sustituto, cruzamos victoriosos la meta. Con él todos somos campeones.

Gracias, Señor, por darnos todo lo necesario para vivir una vida victoriosa. MAV

ORACIONES GENEROSAS

Doy gracias a mi Dios, haciendo siempre memoria de ti en mis oraciones. Filemón 4.

Quizá la promesa implícita en la carta de Pablo a Filemón es lo que podemos aprender de la manera en que Pablo se proyecta en su carta hacia el amo de Onésimo, el esclavo que se ha convertido a Cristo a través de su contacto con Pablo en su prisión. En su carta apreciamos la manera cuidadosa y amable en que Pablo encara su pedido a Filemón de que perdone y reciba a Onésimo, ahora no como esclavo, sino como hermano en Cristo.

Onésimo había escapado de su amo. En la sociedad del primer siglo, un esclavo que escapaba de su amo había cometido un crimen imperdonable, y quedaba totalmente bajo la merced de éste en cuanto a su castigo. Lo que Pablo le pide a Filemón implica un extraordinario ejercicio de la bondad y la comprensión de parte de éste. El hecho de que Filemón era un creyente, le habría dado a Pablo el derecho a exigir que practicase el amor exigido por Cristo en el Sermón del Monte (Mat. 5:38-48). Pero Pablo aborda su pedido con tacto. Declara su afecto y su satisfacción por las buenas obras de Filemón, especialmente el amor de éste por los hermanos.

Pablo, un apóstol del Señor, con un derecho natural de ejercer autoridad sobre Filemón, toma una actitud de respeto y condescendencia hacia él. No es difícil imaginar una respuesta positiva de parte del sujeto de la epístola. El trato amable y generoso de Pablo hacia Filemón es un modelo de la manera en que hemos de relacionarnos con aquellos sobre quienes deseamos influir a favor de Cristo. En cierto sentido, Pablo puede actuar con generosidad, porque él mismo es un esclavo redimido por Jesucristo. (La palabra griega *doulos,* traducida como "siervo" en Romanos 1:1, significa "esclavo".)

El hecho de que Pablo es un anciano, que le escribe a Filemón desde la cárcel con tan extraordinaria entereza y poder de persuasión es una muestra de lo que Dios puede hacer por nosotros cuando permitimos que su Espíritu nos infunda la gracia que sólo él puede darnos.

Señor, dame la gracia para tratar a los demás como el esclavo redimido que soy. MAV

VIVIENDO EN EL TIEMPO DEL FIN

Dios, habiendo hablado muchas veces y de muchas maneras en otro tiempo a los padres por los profetas, en estos postreros días nos ha hablado por el Hijo, a quien constituyó heredero de todo, y por quien asimismo hizo el universo.
Hebreos 1:1, 2.

"No es sabio ni valiente el hombre que se tiende sobre los rieles de la historia a esperar que el tren del futuro lo atropelle", dijo cierta vez Dwight Eisenhower (*Time,* 6 de octubre de 1952).

Vivimos en tiempos cambiantes como nunca antes. Se calcula que el conocimiento total disponible se duplica cada siete años. Cambia la ciencia, la tecnología, y todo esto afecta la manera como vivimos. ¿Cómo enfrentar estos cambios? ¿Cómo prepararnos para enfrentar el futuro? ¿Cómo adaptarnos al torrente de acontecimientos que nos sepulta bajo el peso de la incertidumbre?

Usted y yo podemos advertir varias tendencias generales en nuestros días: aumento de la violencia, la inmoralidad y los problemas familiares. Aumento en las conductas autodestructivas: el uso de drogas, el alcoholismo. También se ha multiplicado el interés en lo religioso.

¿Vivimos en el tiempo del fin?

En primer lugar, quizá nos toca ampliar nuestra definición del tiempo del fin. Los apóstoles entendieron que los días finales comenzaron cuando Jesús vino por primera vez. El autor de Hebreos así lo menciona al comienzo de su epístola: "Dios, habiendo hablado muchas veces y de muchas maneras en otro tiempo a los padres por los profetas, en estos postreros días nos ha hablado por el Hijo, a quien constituyó heredero de todo, y por quien asimismo hizo el universo" (Heb. 1:1, 2). La venida de Cristo marcó el fin del reino del pecado, cuando Satanás fue juzgado (Juan 12:31-32). Por eso, cuando murió, Jesús exclamó: "consumado es".

Estos últimos días, inaugurados con la primera venida de Cristo, serán consumados en ocasión de su segunda venida. El apóstol Pedro expresó su fe en términos de las promesas de Dios. Podemos esperar "cielos nuevos y tierra nueva" porque Dios lo prometió. No porque veamos las señales, aunque las señales indican la proximidad de los hechos, sino porque el Señor lo dijo.

Ayúdame a confiar nuevamente en tus promesas, a ver el mundo que me rodea con los ojos de la fe. MAV

ESTÁ ESCRITO

Pues en cuanto él mismo padeció siendo tentado, es poderoso para socorrer a los que son tentados. Hebreos 2:18.

Las manecillas del reloj marcaban casi las 8:00 de la mañana. Si no me daba prisa, seguramente llegaría tarde a mi primer día de trabajo. Sabía que si había personas que entendían el cumplimiento de las leyes, eran los diputados de la oficina del fiscal general, donde me habían empleado. Incumplir con el horario de trabajo establecido en mi primer día, no se vería nada bien. Pero la hilera de autos que esperaba detrás de la barrera que un tren pasara lentamente, me alejaba de mi propósito de llegar a tiempo. Miré por el espejo retrovisor, miré a la izquierda y a la derecha, y como vi que el tren no avanzaba ni había autos aproximándose por la vía contraria, decidí zumbarme contra la corriente y cruzar las líneas ferroviarias.

Todo salió tal como esperaba, sin ningún incidente. Lo que nunca imaginé, sin embargo, fue que detrás de mí cruzaría también un auto de policía haciéndome señales de alto.

—¿No vio usted el rótulo amarillo en el cruce? —me preguntó el oficial—. Es bastante grande, estoy seguro que lo pudo ver bien.

Por supuesto que lo había visto bien, como también sabía que estaba infringiendo la ley. Lo que no sabía era que un oficial de la ley presenciaría mi violación de las reglas de tránsito.

En cierto aspecto, nuestra vida espiritual se asemeja a lo ocurrido. El Evangelio nos enseña a obedecer a Dios, nos llama a salir de nuestra conexión con el pecado. Hemos visto las señales en el camino que nos advierten del peligro, hemos leído la Palabra de Dios, hemos aprendido los Diez Mandamientos de memoria, que nos fueron dados como guías y pautas de seguridad, y sin embargo, cuán lerdos somos para obedecer y cumplir la ley de Dios. ¡Qué triste sería si Jesucristo, el Supremo Oficial de la ley de Dios, nos multara por haberla ofendido!

Nuestro Salvador, en el desierto de la tentación, nos mostró cómo podemos lograr la victoria sobre el pecado. Es sólo por medio de la Palabra de Dios como podemos resistir la tentación y cumplir la ley de Dios. Cuando nos veamos tentados a desobedecer la ley de Dios, clamemos a Aquel que enfrentó a Satanás y venció con un "Escrito esta". "Pues en cuanto él mismo padeció siendo tentado, es poderoso para socorrer a los que son tentados" (Heb. 2:18).

Gracias, Padre, porque prometes socorrerme en los momentos de tentación. OLV

UN REPOSO PARA LOS CANSADOS

Por tanto, queda un reposo para el pueblo de Dios. Porque el que ha entrado en su reposo, también él ha reposado de sus obras, como Dios de las suyas. Hebreos 4:9, 10.

Hay un cansancio físico que exige el descanso del cuerpo y de la mente. Cuando llega el fin de cada jornada, o el fin de la semana, nuestros cuerpos piden reposo. Este cansancio del organismo, si no es satisfecho, puede acumularse hasta resultar en serios males físicos y/o psicológicos.

Existe otro tipo de cansancio que se manifiesta en lo más profundo de la naturaleza humana. Es un anhelo inextinguible por un reposo superior, un anhelo que se remonta a nuestro origen. Sabemos que el cuerpo no puede descansar si la mente no está en reposo, y la mente sólo puede reposar en su Creador. Por eso dijo Jesús: "Venid a mí todos los que estáis trabajados y cargados, que yo os haré descansar. Llevad mi yugo sobre vosotros, y aprended de mí... y hallaréis descanso para vuestras almas" (Mat. 11:28, 29).

El sábado ofrece ambos tipos de reposo: El reposo del cuerpo y el del alma. Tomás de Aquino se refería al sábado como el día para tener una vacación con Dios. Esta es la esencia del sábado; el día en que el hombre se dedica a encontrarse con su Creador.

El mandamiento del sábado divide la semana en dos partes: la del hombre y la de Dios. "Seis días trabajarás y harás toda tu obra; mas el séptimo día es reposo para Jehová tu Dios; no hagas en él obra alguna, tú, ni tu hijo, ni tu hija, ni tu siervo, ni tu criada..." (Éxo. 20:8-11). Y luego destaca el origen distintivo del sábado: "Porque en seis días hizo Jehová los cielos y la tierra, el mar, y todas las cosas que en ellos hay, y reposó en el séptimo día; por tanto, Jehová bendijo el día de reposo y lo santificó".

Algunos afirman que la observancia del sábado es evidencia de legalismo. El reposo sabático por definición es antilegalista. Implica desistir de nuestras obras para reposar en la obra completa de la redención lograda por Jesús. A eso se refiere el autor de Hebreos cuando dice: Queda "un reposo para el pueblo de Dios. Porque el que ha entrado en su reposo, también él ha reposado de sus obras, como Dios de las suyas" (Heb. 4:9, 10).

Jesús obró la creación y la redención por nosotros. No podemos hacer nada para merecer ni una ni la otra. El sábado es símbolo de la gracia de Dios y un preludio de la existencia en comunión directa con él. El sábado es lo que nuestra vida debiera ser y lo que ciertamente será.

Gracias, Señor, por darme el reposo que sólo tú puedes dar. MAV

UN ACCESO MEJOR AL CIELO

Este es el pacto que haré con ellos. Después de aquellos días, dice el Señor: Pondré mis leyes en sus corazones, y en sus mentes las escribiré. Hebreos 10:16.

La ley moral de Dios fue expresada en los Diez Mandamientos (Éxo. 20). Los mandamientos de Dios son vigentes para el ser humano hoy. Expresan principios universales y eternos para la vida. No han sido abolidos ni neutralizados (Mat. 5:17). Siguen brindándonos una pauta que nos muestra si vivimos en armonía con su Dador. Cristo no vino a este mundo para echar por tierra los mandamientos, sino a cumplir con sus exigencias y colocarnos en un plano de perdón y aceptación de parte de Dios que nos permite ahora obedecerlo a él como hijos agradecidos.

Hoy en día sentimos que sabemos tanto que nos atrevemos a erigirnos en jueces de la misma Palabra. Quitamos y adaptamos y nos formamos un concepto de Dios que se ajuste a nuestros deseos y debilidades. Pero ese Dios no puede salvar. La mentira no nos puede salvar. La mentira confunde, trastorna y desanima. Sólo la verdad que está en Jesús puede salvarnos.

El libro de Hebreos nos habla del mejor camino que Dios provee a través de Jesucristo. La primera parte del capítulo 10 de Hebreos se refiere a la ley ceremonial. Los sacrificios del antiguo pacto no podían hacer perfecto al pecador; "la sangre de los toros y de los machos cabríos no puede quitar los pecados" (Heb. 10:4). Luego se alude a la Encarnación y a la salvación obrada por Cristo: "He aquí que vengo, oh Dios, para hacer tu voluntad; quita lo primero, para establecer esto último" (vers. 9).

El libro de Hebreos expresa el plan de salvación en términos del cumplimiento superior de los pactos del Antiguo Testamento en la Persona de Jesús. "Somos santificados mediante la ofrenda del cuerpo de Jesucristo hecha una vez para siempre" (vers. 10). Se destaca la superioridad del ministerio de Cristo como Sumo Sacerdote. Se cita la promesa del nuevo pacto y se indica que Cristo ha provisto un mejor remedio para el pecado, al proveernos el único acceso eficaz a la presencia de Dios. "Acerquémonos con corazón sincero, en plena certidumbre de fe, purificados los corazones de mala conciencia, y lavados los cuerpos con agua pura" (Heb. 10:22).

Gracias, Señor, por la superioridad del ministerio de Cristo como medio de salvación. En realidad, sólo él puede otorgarla. MAV

ESPERA

Porque os es necesaria la paciencia, para que habiendo hecho la voluntad de Dios, obtengáis la promesa. Hebreos 10:36.

La sociedad moderna nos ha enseñado a obtener resultados inmediatos en casi cada área de la vida. Con sopas instantáneas, hornos de microondas, comunicaciones por Internet, correo rápido, y todo tipo de máquinas y servicios diseñados para ahorrarnos tiempo, esperar se ha tornado en una virtud casi desaparecida.

Esperar es una de las pruebas más difíciles para el cristiano. A simple vista sería lógico esperar resultados instantáneos en nuestra vida espiritual. A fin de cuentas, tenemos un Dios todopoderoso. Queremos que nuestros defectos o nuestros desafíos desaparezcan en un santiamén. Como el Pedro de la Biblia, somos impulsivos e irreflexivos, dispuestos a levantar enramadas o a cortar orejas. Reaccionamos exageradamente o demasiado rápido. Nos tornamos defensivos. Nos enojamos. Somos sarcásticos. Juzgamos antes de tiempo.

Muchas veces actuamos por instinto y nuestras respuestas no reflejan un pensamiento cuidadoso o mesurado. La Biblia nos enseña a esperar. Abrahán esperó muchos años por el hijo prometido. Jacob esperó por Raquel. José esperó en la cárcel de Faraón. Moisés esperó en el desierto.

Hebreos nos dice que necesitamos paciencia. Las dos opciones que nos ofrece el texto son esperar o retroceder. A primera vista no parecen conceptos opuestos, pero en un mundo en el que se vive por la fe, en un reino enemigo que intenta ahogar nuestras esperanzas, esperar es la esencia misma de nuestra experiencia cristiana. Cuando actuamos impulsivamente, no le damos al Espíritu Santo la oportunidad de obrar en nosotros y enseñarnos la importante lección que quiere impartirnos.

Señor, ayúdame a pausar antes de reaccionar y permitir que tú retengas el control de mi vida. MAV

UN NUEVO CREDO

Pero sin fe es imposible agradar a Dios; porque es necesario que el que se acerca a Dios crea que le hay, y que es galardonador de los que le buscan. Hebreos 11:6.

El credo de los apóstoles data de los primeros siglos de la era cristiana. En la actualidad ha sido reemplazado por expresiones más extensas de las creencias de cada denominación. Desde 1985, la iglesia adventista del séptimo día ha expresado su comprensión actual de las Escrituras por medio de 27 doctrinas fundamentales. Éstas presentan un resumen cuidadoso de la teología adventista y son contenidas en un volumen de 451 páginas. Pero además de la formulación corporativa de sus creencias, cada miembro probablemente hace un resumen personal de aquello que cree.

Como en los primeros siglos del cristianismo, hoy enfrentamos un ambiente crecientemente secular, en el que incluso los temas centrales del cristianismo han sido colocados en tela de juicio. El concepto mismo de Cristo varía según la disposición de la persona a aceptar versiones parciales del Jesús de los Evangelios, o la versión completa y autorizada que reclama un lugar en nuestra mente y corazón.

Comencemos por lo básico. Yo creo que hay un mundo espiritual e invisible y un Dios que nos comprende y se interesa por nosotros. También creo, amparado en la Biblia, que necesito un Salvador. No creo que esté en un proceso evolutivo natural que me convierta en un mejor ser humano. Dentro de mí advierto que a menudo yerro, que adquiero cargas espirituales que sólo reciben alivio gracias a la persona de Jesucristo.

Sólo la verdad incorporada en Jesús puede traer salvación a nuestro corazón y a nuestro hogar. Sólo esa verdad puede libertarnos. En Jesús tenemos: (1) *Un camino de salvación.* Por eso sólo él puede decir: "Yo soy el camino, la verdad y la vida" (Juan 14:6). (2) *El perdón de nuestros pecados.* Cristo es nuestro abogado que intercede por nosotros en el juzgado celestial: el santuario (1 Juan 2:1; Hebreos 4:14-16). (3) *Una nueva vida.* El perdón de Jesús nos coloca en un plano de novedad de vida, no importa cuáles hayan sido las circunstancias de nuestra experiencia pasada. "De modo que si alguno está en Cristo, nueva criatura es; las cosas viejas pasaron; he aquí todas son hechas nuevas" (2 Cor. 5:17). (4) *Esperanza de salvación y vida eterna.* Jesucristo promete salvación para todo aquel que cree en él (1 Juan 5:11, 12).

Gracias por el mensaje de esperanza eterna para mí y para los míos. MAV

¿CUÁL ES SU PASADENA?

Conforme a la fe murieron todos éstos sin haber recibido lo prometido, sino mirándolo de lejos, y creyéndolo, y saludándolo, y confesando que eran extranjeros y peregrinos sobre la tierra... por lo cual Dios no se avergüenza de llamarse Dios de ellos; porque les ha preparado una ciudad. Hebreos 11:13, 16.

El funeral había concluido. Las personas se iban alejando del cementerio, algunos permanecieron sentados en los bancos de piedra del camposanto algunos instantes más. Todos recordaban al hombre del cual se acababan de despedir.

Había venido de la isla de Chipre, en el Mediterráneo, muchos años atrás. Había comenzado un puesto de frutas en la calle y eventualmente había llegado a ser el dueño de un restaurante de mucho éxito. Pero nunca se había sentido totalmente satisfecho. Tenía un sueño que no se había cumplido. El de retirarse y vivir en Pasadena, California.

Nunca había visitado Pasadena, pero había leído todo lo que había podido conseguir sobre la ciudad. "Está en la misma latitud que Chipre —decía—; debe ser muy similar". Incluso se suscribía al periódico local de Pasadena y lo leía de tapa a tapa. Probablemente sabía más del lugar que los habían nacido allí.

Cada vez que alguien le preguntaba cuándo se iba a jubilar para mudarse al lugar sobre el cual tanto pensaba, respondía: "El próximo año. El año que viene vendo y me voy".

Pero "el próximo año" nunca llegó.

¿Tiene usted su propia Pasadena? ¿Tiene el deseo de hacer algo, ir a algún lugar, un objetivo que desea alcanzar, un sueño que sigue posponiendo para el "próximo año"? Si es así, quizá es hora de disponerse a lograr aquello que tanto desea. Con la ayuda de Dios, haga planes hoy mismo.

Por supuesto, hay un Pasadena que no hemos de alcanzar en este mundo. San Pablo citaba a Isaías cuando escribió: "Cosas que ojo no vio, ni oído oyó, ni han subido en corazón de hombre, son las que Dios ha preparado para los que le aman" (1 Cor. 2:9; ver Isa. 64:4). Por esa ciudad no tenemos que preocuparnos. Podemos mirarla, creerla y saludarla, pero Dios es quien se encarga de que llegue a ser una realidad tan grandiosa que escapa a toda imaginación humana.

Querido Dios, ayúdanos a alcanzar los sueños que podemos alcanzar, y a confiar en los que tú nos has prometido. MAV

SEDUCIDOS POR EL MATERIALISMO

Sean vuestras costumbres sin avaricia, contentos con lo que tenéis ahora; porque él dijo: No te desampararé, ni te dejaré. Hebreos 13:5.

Después de la muerte de su hijastro, Harry hizo sacar a la esposa de éste de su casa en Florida, porque "necesitaba el dinero". Esto parece ser la descripción de un problema doméstico común, con una excepción: Harry Helmsley era el dueño de una fortuna de unos 5 mil millones de dólares.

Harry y su esposa Leona, dueños de numerosos hoteles de lujo en los Estados Unidos, recientemente fueron hallados culpables de evadir impuestos. Iván Boesky, experto en arbitraje de la bolsa de valores norteamericana y dueño de una fortuna de 200 millones de dólares, fue a la cárcel por divulgar y aprovechar información de sus clientes. Varios ejecutivos millonarios de la compañía internacional *Enron* fueron acusados a comienzos de 2002 por inflar las ganancias y engañar a sus inversionistas.

Estos casos son sintomáticos de una sociedad que valora las ganancias monetarias como el objetivo máximo de la vida. Si se valora el dinero sobre todo lo demás, quizá no debiera sorprendernos que tantos jóvenes y adultos escojan sacar provecho del tráfico de drogas y otras formas de crimen que producen mayores dividendos que el trabajo honesto.

¿Cuáles son los resultados de la riqueza? ¿Son felices aquellos que la alcanzan? Un gran número de personas ricas padece ansiedad crónica, depresión y exceso de ocio. Incluso se ha acuñado un nombre para las varias enfermedades que afligen a los ricos: *affluenza.* Pero el problema en sí no son las riquezas, sino el afán desmedido por tenerlas, o por tener aquello que las riquezas hacen posible.

¿Somos materialistas? ¿Cuál es el orden de nuestras prioridades? ¿Dedicamos mucho tiempo a pensar en nuevas posesiones que deseamos adquirir? ¿Somos avaros o sumamente ahorrativos? Si nos viéramos presionados, ¿estaríamos dispuestos a mentir con tal de obtener ganancias materiales? ¿Nos preocupamos excesivamente por el nivel de vida que llevan nuestros vecinos? ¿Practicamos el hábito de la oración y el estudio de la Biblia, o sencillamente no tenemos tiempo?

El problema del materialismo es el mismo problema del secularismo, desplaza a Dios del centro de nuestra vida y coloca nuestro interés en otros dioses. En este sentido es un problema espiritual.

Señor, ayúdame a no sustituir jamás tu compañía por los bienes materiales. MAV

PEDIR SABIDURÍA

Y si alguno de vosotros tiene falta de sabiduría, pídala a Dios, el cual da a todos abundantemente y sin reproche, y le será dada. Santiago 1: 5.

Los primeros versículos de la epístola de Santiago son un verdadero semillero de promesas. Se presenta el tema de las pruebas como un proceso beneficioso para el creyente. Las pruebas producen paciencia y el ejercicio de la paciencia desarrolla un carácter maduro y cabal. En este contexto de las pruebas y la madurez del cristiano, Santiago explica que los problemas de la vida no deben impedir nuestro desarrollo ni el que procedamos con rectitud.

¿Por qué se destaca la necesidad de la sabiduría? No se habla, por supuesto, del conocimiento de las cosas y los detalles, porque el conocimiento no garantiza el mejor razonamiento y mucho menos la mejor conducta. Proverbios señaló: "Porque Jehová da la sabiduría, y de su boca viene el conocimiento y la inteligencia" (2:6). Esta sabiduría que viene de Dios es especialmente útil para hacerles frente a las pruebas, porque nos permite ver las cosas desde una perspectiva "celestial".

Una enseñanza importante de este versículo es la generosidad de Dios. Dios da "abundamente" porque así es por naturaleza. Cuando pedimos sabiduría, un don que él desea darnos, su respuesta es positiva y "sin reproche", lo que significa que Dios no nos recuerda constantemente nuestras carencias o fracasos.

La sabiduría de Dios puede llegarnos en la persona de amigos o consejeros. Dios puede hablarnos por medio de las circunstancias que nos revelen su voluntad. Pero también ha provisto fuentes permanentes de sabiduría en su Palabra y otros materiales que comparten los valores divinos; es nuestro deber investigar estas fuentes con la inteligencia que Dios nos ha provisto.

La condición para recibir una respuesta de Dios es la fe. Y la fe se fundamenta en el conocimiento de Dios. Debemos acercarnos a él con confianza, apoyándonos en sus promesas y sabiendo que él "nos ama y que sabe mejor qué es lo que nos conviene" (*La educación,* p. 247). Otra condición que precede a la fe misma es el reconocimiento de nuestra necesidad. Aquí hay una especie de contradicción. En cierto sentido, reconocer que tenemos falta de sabiduría es una señal de sabiduría. El sabio nunca está satisfecho con sus conocimientos, sino que busca constantemente ampliar sus criterios examinándolo todo y reteniendo lo bueno.

Gracias, Señor, por la sabiduría divina revelada en la vida de Jesucristo. MAV

RESISTE LA TENTACIÓN

Bienaventurado el varón que soporta la tentación; porque cuando haya resistido la prueba, recibirá la corona de vida, que Dios ha prometido a los que le aman.
Santiago 1:12.

Se dice de los irlandeses que son gente amistosa, ansiosos de que los turistas se sientan bienvenidos en la Isla de la Esmeralda. Les duele tener que decirle a una persona que lo que quiere no está disponible, o que sus planes de viaje serán difíciles de concretar. De manera que cuando usted les hace una pregunta, a veces su respuesta es un tanto indirecta.

Un grupo de turistas le preguntó a un anciano irlandés cómo llegar adonde iban. Se quitó la gorra y se rascó la cabeza mientras pensaba detenidamente. "Señores —dijo finalmente—, si yo quisiera llegar allí, no comenzaría donde estoy ahora".

Creo que el consejo se aplicaría bastante bien a aquellos que quieren llegar al cielo algún día. ¿Cómo es su vida ahora? ¿En qué lugar se encuentra? ¿Se han introducido en su vida pequeñas deshonestidades? ¿Se encuentra repitiendo chismes maliciosos? ¿Permite que otros paguen por sus errores, o se otorga el crédito que pertenece a otro? ¿Se ha tornado impaciente con aquellos que no comparten sus opiniones o su experiencia?

El camino al cielo tiene que comenzar en una plataforma de arrepentimiento sincero. "El que no naciere de nuevo —le dijo Jesús a Nicodemo—, no puede ver el reino de Dios". Y añadió: "El que no naciere de agua y del Espíritu, no puede entrar en el reino de Dios" (Juan 3:3-5). Un análisis somero de nuestra vida actual podría indicarnos si el lugar donde nos encontramos es consecuente con nuestra vocación. Quizá concluyamos que, "si quiero llegar allá, no debo comenzar donde estoy".

Aunque en el camino al cielo dependemos totalmente de nuestro Guía Jesucristo, la elección de nuestro destino debe ejercer una influencia decidida sobre nuestra vida actual. Juan lo expresó de esta manera: "Y todo aquel que tiene esta esperanza en él, se purifica a sí mismo, así como él es puro" (1 Juan 3:3).

Señor, ayúdanos a evitar los obstáculos y desvíos en el camino que nos lleva al hogar. MAV

MIS MEJORES REGALOS

Toda buena dádiva y todo don perfecto desciende de lo alto, del Padre de las luces, en el cual no hay mudanza, ni sombra de variación. Santiago 1:17.

Dar regalos es uno de los mayores motivos de satisfacción para el ser humano. "Dar" definitivamente es mejor que "recibir". Damos regalos en ocasión de cumpleaños, en Navidad, a los recién casados, a los recién nacidos, a la persona amada. A veces dar nos resulta tan importante que incurrimos en serias deudas para hacerlo. Pero hay regalos que superan los dones materiales y que pueden brotar naturalmente del cultivo de nuestro carácter.

Walter Harter sugiere la siguiente lista. Usted puede añadir otros "regalos".

El don del ejemplo: Demuestre qué es lo que usted valora.

El don del ánimo: Extienda su mano y su corazón para apoyar a los que lo necesitan.

El don de la humildad: Admita sus errores y diga a menudo las palabras prodigiosas: "Me equivoqué".

El don del tacto: Prométase pensar antes de hablar y dé tan pocos consejos como pueda.

El don de la tolerancia: Pídale a Dios que lo libre de cualquier prejuicio o fanatismo.

El don del aprecio: Muéstreles a aquellos que lo rodean que usted valora lo que son y lo que hacen por usted en el camino de la vida.

El don de la paciencia: Proclame que hay tiempo. Tiempo para reparar los muros caídos. Tiempo para cometer errores y pedir perdón. Tiempo para comenzar de nuevo.

El don de nuestra presencia: Hágase presente cuando sea necesario. Estar allí es infinitamente mejor que hablar por teléfono o enviar una carta.

El don de la gratitud: Sea agradecido por cada tesoro que Dios y la vida le han dado. Déle gracias a Dios por su familia, sus amigos, sus compañeros en la fe, por la salud, por la oportunidad de abrir los ojos a un nuevo día.

Que mis palabras y acciones hoy sean un motivo de ánimo y agradecimiento en la vida de otros. MAV

MÁS CERCA DE DIOS

Acercaos a Dios, y él se acercará a vosotros. Santiago 4:8.

El pasaje de Santiago 4 presenta una tensión entre el bien y el mal y a los seres humanos como electores en el conflicto. Los polos opuestos son el mundo y Dios, los soberbios y los humildes, el diablo y Dios. Somos llamados a dejar de ser amigos del mundo para ser amigos de Dios, a someternos a Dios y resistir al diablo (vers. 3-7).

Quizá no hay un pasaje de las Escrituras que exprese mejor la lucha entre estos dos polos que la lucha de Jesús en el Getsemaní. Allí se encontró Jesús de rodillas, llorando y orando; separado de sus discípulos y abrumado por el peso de su extraordinaria misión. Tenía algo que confesar a su Padre, sentía temor.

El espíritu de profecía señala: "Ahora le parecía estar excluido de la luz de la presencia sostenedora de Dios. Ahora se contaba con los transgresores. Debía llevar la culpabilidad de la humanidad caída. Sobre el que no conoció pecado, debía ponerse la iniquidad de todos nosotros. Tan terrible le parece el pecado, tan grande el peso de la culpabilidad que debe llevar, que está tentado a temer que quedará privado para siempre de su Padre" (*El Deseado de todas las gentes,* p. 636).

Aunque algunos proponen que su voluntad estaba en pugna con la voluntad de su Padre, ése no era el motivo de su angustia. Por sentirse separado de su Padre, temía no poder resistir los embates del tentador (*Ibíd.*, p. 637). Aunque su conflicto supera en alcance e intensidad cualquier lucha humana, nos enseña elementos que se aplican a nuestra lucha espiritual.

En primer lugar, su angustia lo lleva a la oración, a acercarse a su Padre. Cuando no percibe claramente su destino, cuando siente que el futuro de su misión está en juego, dice: "Padre mío, si es posible, pase de mí esta copa; pero no sea como yo quiero, sino como tú" (Mat. 26:39). Un total de tres veces confirma su confianza en su Padre. Varias veces profiere las palabras: "Hágase tu voluntad". Por su parte, Dios envía un ángel para fortalecerlo.

Estos momentos dramáticos en Getsemaní nos dicen algo más. Incluso cuando Dios no decide cambiar las circunstancias, él nos da fuerzas para enfrentarlas. Por medio de la oración, él nos prepara para los grandes desafíos de la vida. La promesa es incontrovertible; si nos acercamos a él, él se acercará a nosotros.

Señor, permíteme que yo te busque cada día, para que cuando lleguen las pruebas, no me aleje de ti. MAV

NUEVA CRIATURA EN CRISTO

Bendito el Dios y Padre de nuestro Señor Jesucristo, que según su grande misericordia nos hizo renacer para una esperanza viva. 1 Pedro 1:3.

El sol de mediodía calcina la tierra de Sicar. En la distancia, el paisaje produce una imagen invertida como si se reflejara en una superficie líquida. Es el intenso calor que juega al espejismo con el polvo seco del camino. Un camino que ahora no es un camino, sino lo que parece ser una estela temblorosa y fantasmagórica por donde nadie camina.

A esa hora del día, uno sólo puede dormirse o sentarse bajo la sombra de un árbol. Pero en la soledad acérrima que se interpone en la ruta del sol, cruza alguien que rompe todo esquema. Es alguien que no es nadie. Una mujer a quien no le importa el calor, ni las miradas acusadoras; está acostumbrada a ser diferente. Haber nacido mujer es ya en sí una circunstancia que anula su valor. Por lo menos el de una mujer como ella. Una mujer que ni la dignidad del nombre se le apropia. Su lugar de nacimiento le concede la única identidad posible. Se la conoce tan sólo como "la samaritana".

No se dirige al pozo en busca de agua en la mañana, cuando las mujeres de la aldea salen juntas, evitando el sol de la tarde que despunta cruel y asfixiante sobre la tierra, como las miradas de los hombres. Ella conoce muy bien su lugar en la aldea. Sale por agua a esa hora cuando nadie va. Como siempre hace, como siempre había de ser. Pero ese día las cosas serían diferentes, se avecinaba un encuentro que quedaría grabado por siempre en la historia de esta tierra, como muestra del poder renovador de Jesucristo en la vida del pecador y del caído.

El encuentro de la mujer samaritana con Jesús dio un giro de 90 grados a su triste existencia de relaciones insatisfechas. Ese día sus pies se dirigieron del camino polvoriento del pecado hacia las calzadas gloriosas de la ciudad celestial. El contacto con el Salvador cambió su confusión en orden, y transformó su humillación en victoria. Jesucristo es el único que nos puede impartir una esperanza viva. El mundo sólo ofrece promesas vacías y sueños insatisfechos. El texto bíblico de hoy anuncia un cambio de actitud forjado en nuevas expectativas nacidas en una relación con Jesús. Sólo él puede inspirar un optimismo genuino, el sentimiento de que todo, tarde o temprano, resultará en el bien de quienes lo buscan.

Gracias, Señor, porque heredamos la historia de un pueblo que fue continuamente transformado por tu Espíritu. Y porque la historia continúa. OLV

CONOCIENDO A DIOS

Siendo renacidos, no de simiente corruptible, sino de incorruptible, por la palabra de Dios que vive y permanece para siempre. 1 Pedro 1:23.

Vivimos en la era de la informática, cuando el conocimiento y la capacidad de obtenerlo parecen ser el logro cumbre de la sociedad. Algunos creen que la capacidad de utilizar los nuevos medios informáticos es lo que determinará el éxito en la sociedad, o si pertenecerá a una segunda clase de ciudadanos sin las destrezas y sin las ventajas de la clase privilegiada.

El procesamiento efectivo de información ha creado las megaempresas del presente y facilita la creación de nuevas tecnologías y servicios, pero la informática tiene un requisito central. Los programadores han acuñado la frase: "Entra basura, sale basura". En otras palabras, las computadoras no pueden corregir datos falsos, incorrectos o cargados de una determinada intención. Los teléfonos celulares y los localizadores no pueden detectar la mentira en la voz de sus usuarios. Todavía es indispensable la cualidad de ser genuinos, de manejar datos y conceptos que se ajustan a la realidad.

En nuestra vida espiritual también es importante la veracidad y confiabilidad de los datos que componen nuestro conocimiento espiritual. Si nuestra fe se basa en principios o nociones equivocadas, nuestra vida carecerá de poder y eficacia. Pero, ¿cómo sabemos que lo que creemos es verdadero o correcto?

El ser humano tiende a percibir a Dios según sus propios prejuicios o actitudes. Si nuestra información acerca de Dios es incompleta o inexacta, nuestro concepto de Dios va a depender de nuestras propias tendencias. Vamos a "crearnos" a nuestro propio Dios. Éste podrá ser entonces severo y vengativo, un "Dios" castigador que asecha a los seres humanos para manifestarles su ira y desagrado. O quizá se trate de un "Dios" antojadizo que hoy nos ama y mañana nos castiga sin otra razón que el ejercicio caprichoso de su voluntad.

La Palabra de Dios es la única fuente de información fidedigna y confiable respecto a Dios y a su verdadero carácter. Lo importante es que su mensaje transformador llegue a nosotros sin la obstrucción de nuestros conceptos inexactos. El pasaje de hoy nos dice que cuando permitimos que el mensaje de la Palabra entre a nuestra mente, actúa como una semilla que germina y resulta en una nueva vida espiritual.

Señor, permíteme un encuentro con tu Palabra. Que llegue a mi mente por encima de las barreras que yo mismo he edificado y que allí crezca para vida eterna. MAV

BELLEZA INTERNA

Vuestro atavío no sea el externo de peinados ostentosos, de adornos de oro o de vestidos lujosos, sino el interno, el del corazón, en el incorruptible ornato de un espíritu afable y apacible, que es de grande estima delante de Dios.
1 Pedro 3:3, 4.

En la Biblia hay una tensión entre lo externo y lo interno. No porque tenga que existir forzosamente una pugna entre lo que hay en el corazón y lo que se muestra externamente, sino porque cuando existe tal pugna, la salud espiritual de la persona generalmente se deteriora. Cuando un individuo profesa una cosa y es otra, eventualmente abandona su fe.

Lo que produce la satisfacción de Dios es un espíritu afín al suyo. La belleza que le importa a Dios es la belleza interna. Esta armonía del alma no está sujeta a los cambios de percepciones ni a las diferencias culturales. Él nos invita a preocuparnos por lo que hay en el corazón, en el nuestro y en el de los demás.

Una pareja septenaria contaba acerca de sus cincuenta años de vida matrimonial. Cuando se casaron, ella tenía hermosos cabellos largos y sedosos, que él adoraba casi tanto como a ella. En cada cumpleaños y fiesta navideña, él le hacía obsequios para el cabello: cepillos de plata, agujas y peinetas de carey. Todo iba bien hasta que el cabello corto se puso de moda. Un día, ella decidió cortarse el cabello. Cuando su esposo la vio, le preguntó:

—¿Qué has hecho con tu pelo?

—Me lo corté —repuso ella.

El esposo llegó a casa pasada la medianoche. Abrazó a su esposa y le dijo:

—Tengas cabello o no, te quiero de todas formas.

Su amor nunca había flaqueado durante cincuenta años de cambios de cabellos, vestimentas y actitudes. Había descubierto que lo que cuenta es lo de adentro, no lo de afuera.

El adorno interior es definitivamente el más importante. Lo hermoso es que Dios mismo ha prometido ayudarnos a cambiar nuestro corazón. Cuando éste cambia, nuestro exterior muestra lo que prima adentro.

Señor, no me dejes confundir las apariencias externas con la belleza que tú puedes poner en nuestro corazón. OLV

DESARMANDO LA IMPIEDAD

Sed todos de un mismo sentir, compasivos, amándoos fraternalmente, misericordiosos, amigables; no devolviendo mal por mal, ni maldición por maldición, sino por el contrario, bendiciendo, sabiendo que fuisteis llamados para que heredaseis bendición. 1 Pedro 3:8, 9.

A veces se nos hace muy difícil practicar la compasión porque se nos ha enseñado que la misericordia es símbolo de debilidad, o temor. Estoy convencida, no obstante, que la compasión radica en el corazón del hombre como símbolo del carácter de Dios, aunque su reflejo puro y bueno se haya ido borrando de sus rasgos más significativos.

Nuestro nuevo siglo está marcado por una deshumanización altamente preocupante. La falta de compasión nos desintegra y nos habilita para seguir un camino carente de amor. Manifestamos impiedad a lo largo de nuestras vidas de maneras contundentes. Vamos en decadencia, porque no comprendemos que la falta de compasión no es otra cosa que la falta de amor.

El apóstol Pedro exhortó a los cristianos a regresar a la compasión, porque la compasión engendra felicidad. El gran propósito del ser humano es alcanzar la felicidad. Ser felices es un sentimiento inherente a la misma vida, y ni los escenarios sociales que dividen al mundo en categorías, ni las ideologías, las creencias o la educación modifican ese sentir. El propósito de la compasión es precisamente que logremos ser felices. Amando a nuestro prójimo llegaremos a los límites de la felicidad. La necesidad de amor subyace en el fundamento mismo de la existencia humana, y la ausencia de compasión nos aleja de nuestra meta.

Hay miles de personas hoy en día que perecen sin haber encontrado la felicidad. No sea uno de ellos. Hoy, en vez de reñir con sus hijos, abrácelos. En vez de criticar a su cónyuge, acéptelo tal como es. Perdone a su enemigo y permita el paso a la compasión, no vaya a ser que el día pase y la noche venga sin que hayamos podido conocer la verdadera felicidad.

Padre, ayúdame hoy a ser compasivo. OLV

¿CONTESTA DIOS NUESTRAS ORACIONES?

Porque los ojos del Señor están sobre los justos, y sus oídos atentos a sus oraciones.
1 Pedro 3:12.

Contesta Dios realmente nuestras oraciones? Yo creo que sí. Por supuesto, hemos aprendido que su respuesta puede venir en una de estas tres formas: Sí, no, o espera un poco.

Algunos creyentes, como Pablo, tienen condiciones físicas para las cuales no hay remedio. Hay discapacidades que causan incontables angustias, males crónicos que nos frustran y desesperan. La promesa de hoy no afirma que Dios sane o resuelva cada dolencia o desafío, más bien nos asegura que él escucha cada oración.

Vez tras vez se expresa esa verdad en las Escrituras: "Pacientemente esperé a Jehová, y se inclinó a mí, y oyó mi clamor. Y me hizo sacar del pozo de la desesperación, del lodo cenagoso; puso mis pies sobre peña, y enderezó mis pasos" (Sal. 40:1, 2).

"Jehová está lejos de los impíos; pero él oye la oración de los justos" (Prov. 15:29). Jesús prometió: "Y todo lo que pidiereis en oración, creyendo, lo recibiréis" (Mat. 21:22).

El apóstol Pablo registró: "Por nada estéis afanosos, sino sean conocidas vuestras peticiones delante de Dios en toda oración y ruego, con acción de gracias" (Fil. 4:7).

Es obvio que Dios desea librarnos de nuestras angustias y pesares, pero hay otra pregunta que debiéramos hacernos: ¿Estaremos orando por el motivo correcto?

¿Será posible que estemos orando por algo que no nos conviene? Quizás en vez de pedir ser curados de una condición crónica, debiéramos decir: "Señor, por favor dame las fuerzas para enfrentar esta condición y vivir con ella". Esto le permite a Dios ejercer su voluntad y hacer por nosotros lo que él cree mejor.

Ayúdame a orar hoy de una manera más sabia, más confiada en tu bondad, más dispuesta a aceptar tu voluntad. OLV

COSAS DEL AMOR

Y ante todo, tened entre vosotros ferviente amor; porque el amor cubrirá multitud de pecados. 1 Pedro 4:8.

Desde hace varias décadas se viene hablando de diferentes tipos de amor: *eros*, el amor a primera vista, una atracción basada en los atributos físicos de la otra persona; *fileo*, el amor hermanable de personas que tienen elementos e intereses comunes; y *ágape*, el amor desinteresado y solícito. Hoy se han añadido a esta lista el *storgé*, el afecto que se desarrolla con el tiempo y que es mayormente caracterizado por un sentido de compromiso; y la *manía*, una preocupación intensa por el ser amado, caracterizada por el ánimo de posesión y los celos intensos.

Todos anhelamos desarrollar relaciones que nos satisfagan en todos los aspectos, que nos provean no sólo sentimientos agradables, sino que nos sirvan como fundamento para enfrentar al mundo con todos sus desafíos. En ese sentido, los ingredientes del amor que satisface son bastante universales. Una psicóloga, Beverly Fehr, les pidió a cientos de personas que hicieran una lista de los atributos del amor. Los términos que más se repitieron fueron: (1) interés por el bienestar de la otra persona, (2) felicidad, (3) deseo de estar con el/la otro/a, (4) amistad, (5) libertad para hablar de todo, (6) sentimientos cálidos, (7) aceptación, (8) confianza, (9) compromiso y (10) compartir las cosas.

El modelo bíblico del amor es el amor *ágape*, y su descripción clásica se encuentra en 1 Corintios 13: "El amor es sufrido, es benigno; el amor no tiene envidia, el amor no es jactancioso, no se envanece; no hace nada indebido, no busca lo suyo, no se irrita, no guarda rencor; no se goza de la injusticia, mas se goza de la verdad. Todo lo sufre, todo lo cree, todo lo espera, todo lo soporta" (versículos 4-7).

Este es el tipo de amor que debe primar sobre los demás. Este es el amor que motivó el ministerio de Jesucristo en la tierra. El único problema es que este amor desinteresado es contrario a la naturaleza humana. ¿Qué podemos hacer para desarrollarlo en nuestras relaciones? Porque proviene de Dios, debemos adquirirlo por medio de una relación con Dios. Necesitamos pedirle que nos colme de este amor.

Señor, ayúdame a amar con el amor que tú me has mostrado. Purifica mis sentimientos y hazme como tú. MAV

EL HUECO EN EL AGUA

Revestíos de humildad; porque Dios resiste a los soberbios, y da gracia a los humildes. 1 Pedro 5:5.

Hay cristianos que se creen imprescindibles en la obra de Dios. Y puede que tengan razón. Estas personas fueron bendecidas con grandes talentos. Están calificadas para desempeñar cualquier labor de responsabilidad; son eminentes oradores, cantantes profesionales e increíbles maestros de la Palabra de Dios. No obstante, no debemos olvidar que el versículo de hoy, además de que representa el compromiso de Dios de otorgar su gracia a los humildes, es también un reproche divino hacia quienes se contemplan a sí mismos como indispensables.

Dios aborrece el orgullo. Fue el orgullo la base del pecado en el cielo y toda su desgracia. El orgullo conduce a los hombres a oponerse a Dios y a oprimir a sus semejantes. Isaías vio que el profeso pueblo de Dios se estaba jactando y gloriando de sus proezas, y también lo vio humillado en el polvo ante el Creador en el gran día de Jehová (Isa. 2:12).

Existe un proverbio anónimo que ilustra cuán imprescindibles somos: "Tome un recipiente y llénelo de agua. Introduzca la mano hasta la muñeca. Sáquela, y comprobará que su recuerdo será equivalente a la medida del hueco que deja".

Podemos jugar con el agua todo lo que queramos. Podemos revolverla y salpicar. Podemos bautizar a miles, y dar a conocer nuestro nombre a lo ancho de toda la tierra. Pero al sacar la mano del agua comprobaremos que las moléculas del agua "olvidan" inmediatamente nuestra presencia.

El Señor nos insta a revestirnos de humildad. Así como en los tiempos de la esclavitud un esclavo se ponía su delantal para servir, los cristianos deben cambiarse sus vestiduras de autosuficiencia y presentarse ante Dios y sus hermanos en humildad. Cuánta paz habría en el mundo si el hombre siguiese el consejo del apóstol Pedro.

Dios nunca rechaza al hombre que siente la suma necesidad de acercarse a su Creador para pedir su ayuda.

Padre eterno, ayúdame a recordar que la soberbia del hombre le abate, pero al humilde de espíritu sustenta la honra. OLV

CONFIANZA PLENA

"Echando toda vuestra ansiedad sobre él, porque él tiene cuidado de vosotros".
1 Pedro 5:7.

En nuestros días, los medios de comunicación mantienen un clima de amenaza. El desconcierto llega a extremos impensables. A las estadísticas de la delincuencia, a la frecuencia de accidentes aéreos, a la incidencia de enfermedades y desastres metereológicos, se agrega ahora la posibilidad de envenenamientos masivos y ataques biológicos por parte de terroristas.

El miedo nos impulsa y la seguridad disminuye. La pobreza, el desempleo, la desigualdad social, la carestía, los asesinatos, los crímenes, las drogas y los abusos sexuales son pánicos con nombres diferentes que se agregan a la lista de nuestra cultura del miedo. La aprensión cunde por las calles del mundo, y la ansiedad borra la alegría y la paz de los corazones. El siglo está lleno de gritos desolados en mil idiomas.

Nuestro corazón incrédulo es el núcleo donde se aferran nuestros temores, donde se gesta nuestra desconfianza y se genera nuestra turbación, pero el mundo natural nos enseña una lección de absoluta confianza en nuestro Dios.

La naturaleza no teme. La naturaleza se entrega a su Creador esperando de él su salvación. Juntamente con el hombre, los animales fueron afectados por el pecado. Sufren y mueren por los efectos de la transgresión, y sin embargo el mundo natural confía en su Hacedor para el sustento de su vida.

¿No hemos de echar también nosotros toda nuestra ansiedad sobre los hombros del Hijo de Dios? El Señor nos dice: "Mirad las aves del cielo que no siembran, ni siegan, ni recogen en graneros; y vuestro Padre celestial las alimenta. ¿No valéis vosotros mucho más que ellas? ¿Y quién de vosotros podrá, por mucho que se afane, añadir a su estatura un codo? Y por el vestido, ¿por qué os afanáis? Considerad los lirios del campo, cómo crecen: no trabajan ni hilan; pero os digo, que ni aun Salomón con toda su gloria se vistió así como uno de ellos. Y si la hierba del campo que hoy es, y mañana se echa en el horno, Dios la viste así, ¿no hará mucho más a vosotros, hombres de poca fe? No os afanéis, pues, diciendo: ¿Qué comeremos, o qué beberemos, o qué vestiremos? Porque los gentiles buscan todas estas cosas; pero vuestro Padre celestial sabe que tenéis necesidad de todas estas cosas" (Mat. 6:26-32).

Depongamos hoy el ánimo de hijo desconfiado, y retengamos viva la esperanza y la alegría dentro del corazón.

Gracias, Padre, por la lección de confianza que me enseña la naturaleza. OLV

SIN TEMOR AL FUTURO

Tenemos también la palabra profética más segura, a la cual hacéis bien en estar atentos como a una antorcha que alumbra en lugar oscuro, hasta que el día esclarezca y el lucero de la mañana salga en vuestros corazones. 2 Pedro 1:19.

Hoy más que nunca, el mundo entero parece aferrarse cada vez más a cualquier falacia humana que le ofrezca cierta certeza con relación al futuro. Se vegeta o se vive, prácticamente, sobre el tiovivo del miedo y la ansiedad. Lo que busca el mundo es aliviarse de las incógnitas que le depara el futuro, y para ello el hombre estudia y cree en todo tipo de ciencia que le revele lo que está por acontecer.

Desde los mapas natales hasta las posiciones de los planetas en el momento del nacimiento, se ha creado toda una panoplia de mentiras para aliviar la zozobra, erradicar el temor y terminar con la incertidumbre que nos presenta el porvenir. El miedo al futuro paraliza y desconcierta. Miles de hombres y mujeres de todas las edades se aferran a las profecías y vaticinios de los profetas populares como Michel de Nostradamus, Jeanne Dixon, o Walter Mercado.

Si tuviésemos más fe en Dios y en sus predicciones para el futuro, viviríamos confiados en sus promesas y predicciones. No habría necesidad de tantos neurólogos, médicos de rehabilitación, sociólogos y psicólogos que minasen nuestros bolsillos, porque Jesucristo sería el bálsamo divino que llenaría nuestra alma y nuestro corazón de la paz que todo ser viviente anhela y necesita.

A los cristianos se nos ha dado un mapa detallado y consciente que nos revela exactamente el camino que debemos seguir. Si ponemos atención, escucharemos la dulce voz del Maestro, que nos dice detrás de las cortinas de nuestra poca fe: "No temas, deja tu futuro en mis manos".

El Dios del universo quiere dirigirnos. Para poder distinguir su voz de las demás voces, es necesario que nuestra confianza se base en la Palabra de Dios. Nuestro guía eterno nos ha dicho: "Tenemos también la palabra profética más segura, a la cual hacéis bien en estar atentos".

Gracias, Señor, por revelarme cómo será el futuro. OLV

LA PACIENCIA DE DIOS

El Señor no retarda su promesa, según algunos la tienen por tardanza, sino que es paciente para con nosotros, no queriendo que ninguno perezca, sino que todos procedan al arrepentimiento. 2 Pedro 3:9, 10.

La paciencia es la distinción especial de los redimidos, uno de los componentes clave del carácter de los redimidos. "Aquí está la paciencia de los santos, los que guardan los mandamientos de Dios y la fe de Jesús", dice Apocalipsis 14:12.

José esperó por su liberación. Abraham esperó por el hijo de la promesa. Jacob esperó por Raquel. Moisés esperó ochenta años en dos desiertos. Pablo esperó antes de ser comisionado. Hebreos 11 hace referencia a la paciencia de grandes hombres y mujeres del pasado: "Conforme a la fe murieron todos éstos sin haber recibido lo prometido, sino mirándolo de lejos, y creyéndolo, y saludándolo, y confesando que eran extranjeros y peregrinos sobre la tierra" (Heb. 11:13).

Pero la paciencia es un don de Dios. El apóstol Pablo escribió: "Las cosas que se escribieron antes, para nuestra enseñanza se escribieron, a fin de que por la paciencia y la consolación de las Escrituras, tengamos esperanza. Pero el Dios de la paciencia y de la consolación os dé entre vosotros un mismo sentir según Cristo Jesús" (Rom. 15:4, 5). En su Epístola a los Tesalonicenses, dijo: "Y el Señor encamine vuestros corazones al amor de Dios, y a la paciencia de Cristo" (2 Tes. 3:5).

¡Cuánto ha esperado por nosotros Dios! ¡Cuánto ha tenido que tocar a la puerta de nuestro corazón! ¡Cuántas veces nos ha hablado en las tiernas notas de un himno, por medio de una meditación, un sermón, o las palabras de un ser amado!

Dios aguarda nuestro arrepentimiento, nuestra sinceridad, nuestro clamor por su presencia. En cada etapa de nuestra vida ha estado allí, con el deseo de guiarnos, de ayudarnos a escoger bien, de consolarnos, de hacernos ver que este mundo no es todo, que nos aguarda un mundo mejor.

¿Qué le responderemos a este Dios de la paciencia? ¿Habrá sido en vano su espera?

Señor, no quiero que esperes más por mí. Quiero estar contigo, que seas el Guía de mi vida, hoy y siempre. MAV

PROMESA DE JUSTICIA

Pero nosotros esperamos, según sus promesas, cielos nuevos y tierra nueva, en los cuales mora la justicia. 2 Pedro 3:13.

En este mundo no mora la justicia. Ni las instituciones de gobierno ni los atestados tribunales de las grandes ciudades garantizan la justicia total. Aquí y allá, en las empresas, en los hogares, en los procesos políticos, se sacrifican los valores de la equidad por la avaricia, el egoísmo y el amor al poder. Por eso es tan preciosa la promesa de justicia en el mundo venidero. Su cumplimiento gira alrededor de la función de un juez divino universal.

La Palabra de Dios nos indica que Jesucristo, luego de su ascensión al cielo, ha estado involucrado en la representación de todos los creyentes desde su posición a la diestra del Padre (Heb. 12:2). Desde allí "puede salvar perpetuamente a los que por él se acercan a Dios, viviendo siempre para interceder por ellos" (Heb. 7:25). Pero el Salvador no permanece indefinidamente en esta posición. El "juzgará a los vivos y a los muertos en su manifestación y en su reino" (2 Tim. 4:1). En cierto momento Jesucristo abandonará su función actual como Sumo Sacerdote en el santuario celestial para dedicarse a la obra del juicio. Esto está expresado en los siguientes pasajes: "Porque el Hijo del Hombre vendrá en la gloria de su Padre con sus ángeles, y entonces pagará a cada uno conforme a sus obras" (Mat. 16:27).

"Porque es necesario que todos nosotros comparezcamos ante el tribunal de Cristo, para que cada uno reciba según lo que haya hecho mientras estaba en el cuerpo, sea bueno o sea malo" (2 Cor. 5:10).

El hecho de que Jesucristo, nuestro Salvador, sea el juez, debe infundirnos confianza en la buena voluntad de Dios. "¿Quién acusará a los escogidos de Dios? Dios es el que justifica. ¿Quién es el que condenará? Cristo es el que murió; más aun, el que también resucitó, el que además está a la diestra de Dios, el que también intercede por nosotros" (Rom. 3:33-34).

La participación de Jesucristo en el juicio garantiza la justicia divina. El mensaje central del juicio final es que nuestra suerte está en las manos de un Amigo que vino a "buscar y salvar lo que se había perdido" (Luc. 19:10).

Puedo confiar en que mi futuro está en buenas manos; gracias por esta hermosa esperanza. OLV

JESUCRISTO EL JUSTO

Hijitos míos, estas cosas os escribo para que no pequéis; y si alguno hubiere pecado, abogado tenemos para con el Padre, a Jesucristo el justo. 1 Juan 2:1, 2.

El conferencista Mark Finley utiliza una ilustración de su niñez para explicar la actitud de Dios en el juicio. Era una tarde calurosa en Norwich, Connecticut, y un grupo de niños comenzaron a jugar béisbol en el patio trasero de la casa de uno de ellos. Todo fue muy bien hasta la tercera entrada. A Mark le tocaba batear. Lanzaron la bola. Mark hizo girar el bate con todas sus fuerzas. La pelota pasó por encima del jardín central. Se iba, se iba y se fue... Por encima de la cerca, fuera del alcance de la vista de los niños y de lleno contra una ventana de cristal.

Mark tuvo mucho miedo. Comenzó a correr, no alrededor de las bases, sino hacia su casa. Quería darle la noticia a su papá antes de que la vecina le informara por teléfono.

El papá escuchó atentamente a Mark y sólo le dijo: "Entremos al auto". Se dirigieron a la casa de la vecina y el papá le pidió a Mark que explicara lo sucedido. Luego Mark quedó asombrado por lo que pasó. El papá habló con una voz suave y calmada: "Sra. Gerhard, soy el padre de Mark. Yo acepto la responsabilidad total por lo que ocurrió. Él es culpable. Rompió su ventana. Pero no se preocupe, yo recogeré los pedazos del vidrio roto y repararé la ventana inmediatamente".

Eso es lo que sucede con nuestro Padre celestial cuando confesamos nuestros pecados. Él anuncia frente a todo el universo: "Éste es mi hijo. Ésta es mi hija. Yo acepto la responsabilidad por lo que han hecho. Yo los he perdonado. Repararé los pedazos rotos de su vida para que puedan ser una ventana a través de la cual el mundo pueda ver las maravillas de mi gracia".

Las tiernas palabras de 1 Juan constituyen una de las promesas más maravillosas de las Escrituras. Nos ofrecen un escape de las garras de la culpabilidad. Nos brindan una puerta abierta a una vida nueva, en paz con Dios y con los hombres. No descuidemos hoy el tesoro del perdón divino gracias al precioso sacrificio de nuestro Señor.

Querido Dios, gracias por la oportunidad de ser renovado por tu perdón y la obra de tu Espíritu en mi vida. MAV

LA LUZ VERDADERA

Sin embargo, os escribo un mandamiento nuevo, que es verdadero en él y en vosotros, porque las tinieblas van pasando, y la luz verdadera ya alumbra.
1 Juan 2:8.

Hace años me topé con folletos de un movimiento pseudocristiano que usaba el amor comunitario como un anzuelo para ganar conversos. Las mujeres de la secta apelaban abiertamente al sexo para atraer a nuevos miembros.

En 1 Juan 2, el apóstol trata el tema de una vida que refleje la salvación obrada por Cristo. Uno de los temas que dan estructura al pasaje es la importancia de la obediencia a la verdad. "El que dice: Yo le conozco —señala—, y no guarda sus mandamientos, el tal es mentiroso, y la verdad no está en él" (2:4). El mandamiento verdadero (o la doctrina verdadera) transforma la vida y se manifiesta en la mayor de las virtudes cristianas: el amor.

El amor y la verdad van de la mano. La verdad se prueba por el amor, y el amor por la verdad. Para Juan, el amor es la evidencia máxima del cristianismo (Juan 13:35). Pero el amor debe responder a una doctrina correcta. Pablo le aconsejó a Timoteo: "Entre tanto que voy, ocúpate en la lectura, la exhortación y la enseñanza... Ten cuidado de ti mismo y de la doctrina" (1 Tim. 4:13, 16).

A Tito le dio una instrucción similar: "Mas tú enseña conforme a la sana doctrina... Muéstrate dechado de buenas obras: pureza de doctrina, dignidad, palabra sana, intachable" (Tito 2:1, 7-8, Biblia de Jerusalén).

Todos somos vulnerables al error, incluso los que pretenden ser seguidores de Jesús. El Señor advirtió: "Porque se levantarán falsos cristos, y falsos profetas, y harán grandes señales y prodigios, de tal manera que engañarán, si fuere posible, aun a los escogidos" (Mat. 24:24).

Juan hace un contraste entre la luz y las tinieblas en el contexto de la vida del creyente. El que vive en la luz verdadera es aquel que ama a su hermano; el que lo aborrece, vive en tinieblas (1 Juan 2:9-11). Nos dice que cuando tenemos una comprensión genuina del Evangelio, ésta resultará en una vida que refleje los valores del cristianismo.

Gracias por la verdad que transforma mi vida en algo mejor. Gracias por el tesoro de tu Palabra. MAV

LAS CIMAS DE LAS MONTAÑAS

Y el mundo pasa, y sus deseos; pero el que hace la voluntad de Dios permanece para siempre. 1 Juan 2:17.

Sabe lo que significa la palabra claustrofobia? Para muchos, es ansiedad intensa que surge de forma inmediata. Significa sentir de repente que el mundo se da vuelta: La boca seca, el corazón latiendo a cien por hora y sudores fríos.

La claustrofobia es un miedo a los espacios cerrados. Las personas que padecen esta anomalía psicológica suelen sentirse muy vulnerables cuando de alguna manera se les restringe la libertad. Puede que Noé y su familia no padecieran de esta condición psicosomática. Sin embargo, estar recluidos en un cajón de madera durante siete meses y medio pudo haber sido algo realmente difícil de soportar.

Noé y su familia fueron testigos del horrible cataclismo que destruyó y transformó para siempre el mundo. La Biblia nos enseña que "quince codos más alto subieron las aguas, después que fueron cubiertos los montes" (Gén. 7: 20). ¿Se imagina lo que habrá sido para Noé y su familia la primera vista de las gloriosas cimas de las montañas? Indudablemente, algo emocionante. Sin embargo, para poder ver las cimas de las montañas, Noé y su familia tuvieron que estar en un lugar especial: A salvo dentro del arca.

Quizá para algunos de los familiares de Noé el arca parecía una jaula austera y restrictiva, pero allí era el único lugar donde podían encontrar la salvación. Afuera, la tormenta hacía estragos; afuera, el rugido de las fieras desesperadas por salvarse, y la muerte inevitable. Todo lo que tenía aliento de espíritu de vida en sus narices, y toda planta, y todo árbol que había sobre la tierra, pereció.

Estamos de camino al cielo dentro del arca figurativa de la fe. Pero a veces nos sentimos restringidos, deseosos de liberarnos, y no percibimos que en el horizonte las cimas de las montañas anuncian el arribo a la patria celestial.

Estimado lector, lo invito a que hoy dedique un tiempo a estudiar la Palabra de Dios. Vayamos al lugar más elevado. A lo alto del arca de la fe, y observemos el panorama que nos depara el horizonte del futuro. Dios nos ha prometido que, aunque el mundo pase, quien hace su voluntad permanecerá para siempre. No podemos ni debemos ignorar las cimas de las montañas.

Gracias, querido Dios, porque tú constituyes mi salvación. OLV

VEN Y VE

Pues si nuestro corazón nos reprende, mayor que nuestro corazón es Dios, y él sabe todas las cosas. 1 Juan 3:20

Una enseñanza bíblica básica es que Dios es omnisapiente, todo lo sabe. Pero aunque Dios sea el mayor experto en ciencias, matemáticas o literatura, la Biblia no destaca particularmente su destreza en estas materias. Dios conoce nuestro corazón mejor que nosotros mismos. Veamos uno de los muchos pasajes que ilustran esta extraordinaria cualidad de Dios.

Poco después que Juan testificara de Jesús, en ocasión de su bautismo, como "el Cordero de Dios que quita el pecado del mundo", el Maestro procedió a llamar a los doce al discipulado. El proceso de selección y reclutamiento fue fascinante. Uno tras otro, los discípulos de Juan se buscaron y se encontraron para darse las buenas nuevas en las que habían creído: Que el Hijo de Dios camina entre los hombres.

La experiencia de Felipe y Natanael es muy reveladora. Después que Jesús le dijera a Felipe "sígueme", Felipe halló a Natanael y le dijo: "Hemos hallado a aquel de quien escribió Moisés en la ley" (Juan 1:45). Incrédulo, la respuesta de Natanael fue: "¿De Nazaret puede salir algo de bueno?" "Ven y ve", fue la sorprendente expresión de Felipe. Tal vez, Felipe no tenía la suficiente destreza comunicativa como para convencer a su amigo de que en Jesús había encontrado al Hijo de Dios, pero su respuesta llena de fe lo dice todo: "Ve, y compruébalo por ti mismo".

Ahora entra Jesús en escena. Cuando vio a Natanael, le dijo: "He aquí un verdadero israelita, en quien no hay engaño. Le dijo Natanael: ¿De dónde me conoces? Antes que Felipe te llamara, cuando estabas debajo de la higuera, te vi" (vers. 47, 48). En aquella declaración del Maestro, Natanael percibió su Omnipotencia. Las palabras del salmista se volcaron en su memoria como un canto revelador: "Oh Jehová, tú me has examinado y conocido. Has escudriñado mi andar y mi reposo, y todos mis caminos te son conocidos" (Sal. 139:1-3).

"Rabí, tú eres el Hijo de Dios; tú eres el Rey de Israel" (vers. 49), le dijo entonces Natanael a Jesús, declarándolo así como el Mesías, mucho antes de que Jesús efectuara su primer milagro. Jesús nos conoce aun desde antes de nacer. Sabe quiénes somos, lo que hacemos, lo que necesitamos y lo que anhela nuestro corazón. Nos dice: "Yo sé todas las cosas. No te asombres cuando veas que cosas aún más grandiosas que éstas haré contigo" (ver Juan 1:50).

Gracias, Padre, por tu maravilloso poder. OLV

DIOS NOS AMA

El que no ama, no ha conocido a Dios; porque Dios es amor. En esto se mostró el amor de Dios para con nosotros, en que Dios envió a su Hijo unigénito al mundo, para que vivamos por él. 1 Juan 4:8, 9.

Hay personas a quienes se les dificulta inmensamente perdonar. ¡Cuántas esposas y esposos, padres e hijos, amigos y compañeros de trabajo van por la vida cosechando amarguras, enfermedades y separaciones como consecuencia de antiguas ofensas y errores del pasado!

Generalmente, el mundo piensa que el perdón es el regalo inmerecido del lastimado hacia su ofensor. Pero el perdón es más bien el regalo de sanidad que el ofendido se hace a sí mismo. En el acto de perdonar hay sanidad del alma y renovación del espíritu. Perdonar nos libera de ataduras que afligen el alma y enferman el cuerpo. Pero más que todo, el perdón es la más sublime expresión del amor. Por eso, quien ama perdona.

En el versículo de hoy, el apóstol Juan señala la imperiosa necesidad del amor, afirmando que quien no ama no ha conocido a Dios, porque Dios es amor. ¿Y cómo nos mostró nuestro Señor Jesucristo ese amor? Perdonándonos. En esto consiste el amor de Dios: "No en que nosotros hayamos amado a Dios, sino en que él nos amó a nosotros, y envió a su Hijo en propiciación por nuestros pecados" (1 Juan 4:10).

Si se le dificulta perdonar, piense en Jesús, y en lo que hubiera sido el fin de la raza humana si el Hijo de Dios no hubiese estado tan dispuesto a perdonar. Piense que Jesucristo fue entregado por nuestros delitos y resucitado para nuestra justificación, aun sin merecerlo.

El cristiano debe recordar que Jesús nos perdonó para que pudiéramos llegar libremente hasta su trono. Es nuestro privilegio allegarnos a Dios confiadamente, pero para que podamos recibir la bendición que esta relación conlleva, es necesario seguir el ejemplo de Jesucristo y aprender a perdonar a nuestros enemigos. No debemos olvidar, sin embargo, que aceptar el perdón es tan significativo como otorgarlo.

Como hijos de Dios tenemos el deber de amarnos los unos a los otros. Si nuestro Salvador pudo orar por sus verdugos en la cruz del Calvario: "Padre, perdónalos, porque no saben lo que hacen " (Luc. 23:34), también nosotros debemos poder perdonar a quienes nos han ofendido.

Gracias, Padre, por el ejemplo de perdón que nos dejaste en tu Palabra. OLV

EL CRISTIANO Y EL MUNDO

Porque todo lo que es nacido de Dios vence al mundo; y esta es la victoria que ha vencido al mundo, nuestra fe. 1 Juan 5:4.

A veces, los creyentes damos la impresión de que somos extraterrestres. Utilizamos un vocabulario muy particular para referirnos a las cosas del mundo, como si nuestro planeta Tierra fuera una entidad ajena y contraria a nuestros principios y a nuestra existencia en sí. Hablamos en términos de "ya dejé el mundo", "fulano es un mundano". Este uso del vocablo es bíblico, pero en su forma actual, sugiere la ambivalencia del cristiano en medio de una sociedad muchas veces hostil a sus valores.

Estamos en el mundo, pero no somos de él, así dijo Jesús en el capítulo 17 de San Juan. Somos parte de la sociedad, pero muchas veces no compartimos su pensamiento. ¿Cómo relacionarnos con un ambiente que pocas veces favorece la práctica de la religión?

En verdad, muchas personas dicen ser religiosas. Una encuesta de opinión entre norteamericanos señaló que un 54 por ciento asevera ser religioso, mientras que un 30 por ciento dice ser espiritual, pero no religioso. Un 86 por ciento asegura creer en Dios, y un 8 por ciento afirma creer en un espíritu universal, pero sólo un 45 por ciento asiste a una iglesia o sinagoga. En los países europeos, el porcentaje de la población que asiste a las iglesias es mucho más bajo. Entre las doctrinas mencionadas, la que recibió el mayor apoyo de los encuestados (79 por ciento) fue la de que Dios un día juzgará a la humanidad y decidirá quién irá al cielo y quién al infierno.

Lo que resulta quizá más significativo es que un 39 por ciento de los que afirmaron ser religiosos, señaló no creer en "muchas de las cosas enseñadas por su religión", y el 45 por ciento aseguró prestar más atención a su propia opinión en sus decisiones antes que a Dios o a las enseñanzas religiosas.

Rodeados de un pensamiento tal, ¿cómo obtenemos la fe que vence al mundo? "La fe viene por el oír, y el oír por la palabra de Dios" (Rom. 10:17). San Pedro enseñó que somos renacidos "por la palabra de Dios que vive y permanece para siempre" (1 Pedro 1:23). Podemos confiar en la Palabra de Dios como una guía segura para nuestra vida. Los que así hagamos, no seremos "como la onda del mar, que es arrastrada por el viento y echada de una parte a otra" (Sant. 1:6). Nacida de la Palabra, la fe del creyente puede superar la confusión de nuestros tiempos.

Señor, te ruego que hagas crecer mi fe por tu Palabra. OLV

UN SALVADOR EFICAZ

Y este es el testimonio: que Dios nos ha dado vida eterna; y esta vida está en su Hijo. 1 Juan 5:11.

Hoy en día, cualquier persona pensante siente reservas al abordar un tema abiertamente religioso. Se le hace difícil a una raza crecientemente secular colocar a Dios como el centro vital de su existencia. El hombre piensa que puede fabricarse por sí mismo caminos que lo conduzcan a una vida feliz, sin necesidad de un Salvador. Piensa que él es el único responsable de su destino, que estamos solos en el universo y librados a nuestra suerte.

Pero los cristianos sabemos que no estamos solos en este drama de vida y muerte. No somos parte de un proceso evolutivo, ni mucho menos simples organismos provenientes de la acción ciega del azar y de la selección natural. Sabemos que hay un mundo invisible a los ojos, y un Dios que nos comprende y se interesa por nosotros. Y el mundo necesita desesperadamente conocer esta verdad.

La raza humana puede haber acumulado ciencia y conocimientos, puede verse grande delante de sus propios ojos, y sin necesidad de un Salvador, pero todavía se debate entre el bien y el mal, y cada nueva generación tiene su dosis de guerras, problemas sociales, inmoralidad y corrupción. Como seres humanos erramos y adquirimos cargas emocionales que sólo pueden recibir alivio en la persona de Jesucristo. Necesitamos un Salvador.

Cristo nos ofrece la oportunidad de una nueva vida, nos otorga amor y paz, y la esperanza de salvación y vida eterna. La iniciativa divina comienza en el momento en que Adán y Eva decidieron transferir su lealtad del Creador a la serpiente. Allí mismo Dios nos dijo que no nos abandonaría a nuestra suerte. Los seres humanos perdieron la unión con Dios que gozaban cuando fueron creados, y éste tomó la iniciativa, por medio de su Hijo Jesucristo, de proveernos toda posibilidad de restaurar la relación rota.

La evidencia interna de la presencia de Jesús en la vida no admite discusión ni condena. No hay ateo o escéptico que pueda desaprobar el influjo de amor y bienestar que trae el Espíritu Santo a la vida. Nuestro Dios nos ama con amor eterno y hasta el grado de sacrificar a su propio Hijo por salvarnos y restaurarnos. Usted y yo decidimos si creeremos en ese amor o lo rechazaremos con todo lo demás que Jesús puede traer a nuestra vida.

Querido Jesús, ayúdame hoy a recordar que nuestro Dios nos amó tanto, que llegó hasta el grado de sacrificar a su propio Hijo por salvarnos y restaurarnos, y permite que mi elección me lleve a ti. MAV

LA PROMESA MODELO

Y esta es la confianza que tenemos en él, que si pedimos alguna cosa conforme a su voluntad, él nos oye. Y si sabemos que él nos oye en cualquiera cosa que pidamos, sabemos que tenemos las peticiones que le hayamos hecho. 1 Juan 5:14, 15.

Esta promesa es una de las más hermosas y poderosas de toda la Biblia. El apóstol, en palabras conmovedoras, ha expresado que tener al Hijo y creer en él equivale a tener la vida eterna. Esto es así porque la morada de Cristo en el alma produce inevitablemente un nuevo nacimiento y una amistad perdurable con Jesús. Ésta es una epístola profundamente cristocéntrica. La declaración de fe de Juan lo habría separado de los judíos con quienes los primeros cristianos compartían muchas veces los lugares de culto. También debió haberlo separado de los griegos y otros creyentes en los múltiples dioses del paganismo.

Ahora, Juan explica lo que la fe en un Salvador tal significa en la práctica de la oración. Por cuanto la oferta de salvación en Jesús es tan extraordinaria, la confianza del creyente en Dios debe ser implícita y total. En realidad, los seres humanos somos una parte clave para el cumplimiento de la promesa.

Se la expresa en términos condicionales que colocan el peso de la iniciativa en nuestros hombros. "Si pedimos conforme a su voluntad, él nos oye"; "si sabemos que él nos oye... sabemos que tenemos las peticiones". Se trata de una cadena de eslabones de la fe humana seguida por la respuesta y la certeza divinas.

Es una promesa completa porque contempla ambas perspectivas: la humana y la divina. Hemos de pedir "conforme a su voluntad". Esto no es problema si sabemos y confiamos en que "Dios es amor", en que él desea nuestro bien y tiene el deseo de salvarnos. Es más, su deseo de salvarnos es mucho más fuerte que el nuestro. Por lo tanto, si pedimos en favor de nuestra salvación, Dios estará más que dispuesto a concedernos nuestra petición.

Cuando comprendemos que él ciertamente nos oye, podemos estar seguros de su respuesta. Recibiremos aquello que Dios, en su sabiduría, sabe que nos conviene en el contexto de nuestra petición.

Gracias, Señor, por esta fantástica promesa. Ayúdame hoy a indagar cuál es tu voluntad, para que mis oraciones concuerden con tus deseos de bien para mi vida. MAV

LA DOCTRINA DE CRISTO

Cualquiera que se extravía, y no persevera en la doctrina de Cristo, no tiene a Dios; el que persevera en la doctrina de Cristo, ése sí tiene al Padre y al Hijo. 2 Juan 4.

Una encuesta de fines de siglo reveló que el 94 por ciento de los norteamericanos dice creer en Dios, pero apenas un 30 por ciento asiste a las iglesias. En Australia, el 85 por ciento afirma lo mismo, pero sólo un 4 por ciento se congrega en templos. En muchas sociedades, especialmente en los países más desarrollados, parece imperar una cultura pseudo cristiana. Se cree en Dios y en su Hijo Jesucristo, pero los conceptos respecto a la persona de Dios y a su plan de salvación, a menudo están mezclados con el error y responden muy poco a las enseñanzas de la Biblia.

San Pablo, hablando del contraste entre los que insisten en el pecado y los que viven una nueva vida en Cristo, señala que el creyente ha de ser enseñado según "la verdad que está en Jesús" (Efe. 4:20, 21). En el mundo del saber hay muchas verdades importantes. Hay verdades matemáticas (suma, resta, multiplicación), verdades físicas (ley de la gravedad, la entropía, la relatividad), verdades biológicas, psicológicas e incluso eclesiásticas, pero la única que salva es la verdad que está en Jesús.

Las verdades concernientes a Dios y a su salvación son oscurecidas por las tradiciones o pensamientos de los seres humanos, y se pierde el poder renovador del Evangelio. Entre los conceptos bíblicos que se han diluido se encuentran la doctrina del pecado y la salvación por la gracia.

La Biblia enseña que estamos destituidos de la gloria de Dios y que necesitamos el perdón y la santificación que sólo él puede darnos (Rom. 3:23; 6:23; 1 Juan 3:4; Isa. 1:17-18). Desde el nacimiento del Psicoanálisis a fines del siglo XIX, psicólogos y sociólogos pugnan por librarnos de toda culpabilidad. Nos dicen que está bien odiar, engañar y vivir una vida inmoral y licenciosa. Pero Jesús vino a salvarnos del pecado, no en él (Juan 1:29). También nos dice que somos salvos por un Dios externo a nosotros. El hombre no se salva a sí mismo, ni la salvación se encuentra dentro de nosotros. No somos dioses y no existe un camino de superación que nos pueda convertir en tales. No hay otro medio de salvación fuera de Jesucristo (Hech. 4:12). Jesús es "el camino, y la verdad, y la vida", y nadie va al Padre o a su reino sino por él (Juan 14:6).

Gracias por el camino que abriste gracias al sacrificio de tu Hijo. MAV

SALUD PLENA

Amado, yo deseo que tú seas prosperado en todas las cosas, y que tengas salud, así como prospera tu alma. 3 Juan 2.

Le interesa a Dios que usted y yo tengamos buena salud? El texto de 3 de Juan 2 así lo sugiere. Pero, ¿de qué concepto de salud se está hablando?

Algunos dicen que salud se refiere a la ausencia de enfermedades. El versículo menciona el concepto de prosperidad, por lo tanto se trata de algo más que ausencia de enfermedades. Se refiere a estar bien, a vivir en prosperidad física, mental y espiritual.

Nuestro cuerpo es "templo del Espíritu Santo" (1 Cor. 6:19); por lo tanto, no debe ser contaminado por hábitos que lo enferman. La Biblia también nos ofrece otro principio de importancia vital respecto de la salud. "Por lo demás, hermanos, todo lo que es verdadero, todo lo honesto, todo lo justo, todo lo puro, todo lo amable, todo lo que es de buen nombre; si hay virtud alguna, si algo digno de alabanza, en esto pensad" (Fil. 4:8). Aunque se enfatiza la salud mental, la relación entre ésta y el bienestar físico es obvia.

Desde hace varias décadas, la Iglesia Adventista ha expresado su mensaje de la salud mediante *los ocho recursos naturales.* He aquí la lista con aplicaciones sugerentes:

El sol: Exponerse al sol un mínimo de 20 minutos al día.

El aire puro: Respirar al aire libre al menos 20 minutos al día. Respirar profundamente.

El ejercicio: Hacer ejercicio aeróbico por lo menos 30 minutos tres veces a la semana.

El agua: Beber un mínimo de 6 vasos de agua todos los días.

El reposo: Dormir un mínimo de 6 horas cada noche, y un promedio de 8.

La temperancia: Abstenerse de sustancias dañinas, incluyendo el tabaco, las drogas, el alcohol.

La buena alimentación: Comer una dieta balanceada, con alimentos de los tres grupos principales, frutas, proteínas y carbohidratos. Evitar el exceso de grasa y de azúcar.

La confianza en Dios: Dedicar tiempo significativo todos los días a la comunión con Dios.

Señor, gracias por tus deseos de que tengamos una salud plena. Guíame en la aplicación de tus consejos. MAV

PODEROSO PARA GUARDARNOS SIN CAÍDA

Y a aquel que es poderoso para guardaros sin caída, y presentaros sin mancha delante de su gloria con gran alegría. Judas 24.

El santuario era el escenario de ritos y ceremonias que ejemplificaban el plan divino para la salvación del hombre. Había varios tipos de sacrificios (ver Lev. 4-6). Generalmente el pecador colocaba sus manos sobre la cabeza del animal destinado al sacrificio y le quitaba la vida. El sacerdote recogía la sangre del animal y la rociaba sobre el santuario. En el caso del sacrificio por los pecados del sumo sacerdote, se rociaba la sangre sobre el velo que separaba el Lugar Santo del Santísimo.

Los pecados de los penitentes se transferían al santuario por medio del animal sacrificado. Estos sacrificios simbolizaban la máxima ofrenda de la vida de Cristo, la que los reemplazó para siempre (ver Heb. 9:28; 10:11, 12). Una vez al año, en el día de la expiación, se realizaba una ceremonia que purificaba al santuario de los pecados (ver Lev. 16).

Estos ritos, en su aparente complejidad, enseñaban principios sencillos. Entre éstos, el más básico era que la salvación responde a una iniciativa divina. Dios proveyó el Cordero "que quita el pecado del mundo" (Juan 1:29). Dios sustituyó al hijo de Abrahán con el Hijo de la promesa (véase Heb. 3). El pecador no podía llevar sus propios pecados sin ser condenado, por eso los transfería al cordero que lo sustituía. Dios era quien purificaba el santuario y a los adoradores.

Otro principio básico modelado por el santuario era que Dios desea librarnos del pecado y sus consecuencias. A la vez que los juicios de Dios son justos y verdaderos (Apoc. 15:3), "no hay ninguna condenación para los que están en Cristo Jesús, los que no andan conforme a la carne, sino conforme al Espíritu" (Rom. 8:1). Jesús mismo nos prometió: "El que oye mi palabra, y cree al que me envió, tiene vida eterna; y no vendrá a condenación, mas ha pasado de muerte a vida" (S. Juan 5:24).

Dios desea guardarnos sin caída y limpiarnos de toda mancha para que vivamos en su presencia. ¿Aceptaremos su oferta?

Límpiame, Señor, del pecado que me aleja de ti. MAV

VEREMOS SU ROSTRO

Y verán su rostro, y su nombre estará en sus frentes. Apocalipsis 2:4.

Las visiones del Apocalipsis de Juan parecen tener antecedentes en los libros proféticos del Antiguo Testamento. Por ejemplo, Isaías y Ezequiel hablan del cielo y del templo de Dios (véase Isa. 25; 54:6-62; 65, 66, y Eze. 40-48). Pero hay varias diferencias interesantes. En la descripción del cielo en el Apocalipsis no hay templo. El que no hubiese templo debe haber sorprendido a los judíos. Sin embargo, la promesa del templo será cumplida de una manera mucho más gloriosa.

La bendición más gloriosa de toda se encuentra en Apocalipsis 2:4: "Y verán su rostro, y su nombre estará en sus frentes". El templo era un lugar para buscar la presencia de Dios, pero ahora los redimidos tienen —como nunca antes— acceso sin impedimentos a Dios y Jesús, y esto traerá el mayor éxtasis y felicidad al ser humano. Por eso no se necesitarán sacerdotes especiales en la Nueva Jerusalén. La ciudad no tiene templo porque todos en ella podrán ver a Dios. Toda la ciudad es ahora el Lugar Santísimo, el lugar donde Dios mora.

Quizá por eso la ciudad es cuadrada, igual que el Lugar Santísimo del santuario. El ángel que estaba con Juan midió la ciudad y ésta medía 12.000 estadios de ancho, de alto y de largo. Se trata de un cubo de 2.400 km (1.500 millas) por cada lado. Su altura lo hace sobresalir por mucho la envoltura atmosférica actual. Tiene doce puertas y doce fundamentos. Las puertas se relacionan con las doce tribus y los fundamentos con los doce apóstoles. Está abierta hacia todas las direcciones. Sus puertas nunca se cerrarán. Habrá acceso ilimitado. "Y llevarán la gloria y la honra de las naciones a ella" (21:26).

Esta ciudad es universal, no es ni judía ni gentil. Incluso aquellos que antes fueron enemigos de Dios, ciudadanos de la antigua Babilonia, Edom, Moab, Egipto, serán bienvenidos a la ciudad eterna de Dios. En el Antiguo Testamento, Isaías vio que los reyes de la naciones gentiles entraban a Jerusalén como cautivos, pero según Juan entran por su propia voluntad. Así se señala una salvación universal, basada en una condición vital: creer en el Hijo de Dios, cuya muerte expió nuestros pecados para siempre.

Señor, queremos entrar por las puertas de la ciudad y ver tu rostro. No hay nada en esta vida que sea más importante que esto. MAV

LA VICTORIA DEL CREYENTE

El que tiene oído, oiga lo que el Espíritu dice a las iglesias. Al que venciere, le daré a comer del árbol de la vida, el cual está en medio del paraíso de Dios. Apocalipsis 2:7.

Al victorioso le toca el botín, es un refrán común en Norteamérica. Los mensajes a las siete iglesias contienen promesas para los victoriosos. Lo hermoso de estas promesas es que Dios nos da tanto la victoria como su recompensa.

La victoria del creyente siempre guarda una relación con su fe. Nuestras victorias y nuestros fracasos encuentran su lugar dentro de un marco delineado por nuestra fe. La presencia del Espíritu Santo incluso trastorna las escalas que utilizamos para medir nuestros logros. Nos mueve una nueva lealtad a lo bueno y a lo divino. Los símbolos usuales del éxito —las riquezas, la posición social, la influencia— pierden su importancia.

Los mensajes a las siete iglesias contienen siete promesas asociadas con la victoria que comienzan con la frase "el que venciere". La lista de recompensas incluye:

1. Comer del árbol de la vida (Apoc. 2:7).
2. No sufrir la muerte segunda (2:11).
3. Comer del maná escondido, recibir una piedra blanca con un nombre nuevo (2:17).
4. Autoridad sobre las naciones y la estrella de la mañana (2:26-28).
5. Vestiduras blancas y que no se borre su nombre del libro de la vida (3:5).
6. Llegar a ser columna en el templo de Dios (3:12).
7. Sentarse en el trono con Jesucristo (3:21).

Somos aliados con Dios en la aventura de la vida. Por lo tanto, él está dispuesto a jugar un papel importante en concedernos la victoria en las áreas indispensables. La victoria del creyente es por lo tanto una victoria interna que puede manifestarse externamente. Un sentido de triunfo que se compone de muchos triunfos pequeños sobre el odio, el rencor, la envidia, el orgullo, el egoísmo, la maldad. Lo que para algunos pareciera una conquista personal de menor importancia, para el creyente puede significar la gloriosa respuesta a una ferviente oración.

La victoria del creyente está ligada inseparablemente a la victoria de Jesucristo sobre el pecado y la muerte. Gracias a su victoria, nosotros podremos un día comer del árbol de la vida.

Ayúdanos a disfrutar por la fe de las bendiciones prometidas a las iglesias. MAV

LA IMPORTANCIA DE UN BUEN NOMBRE

...Y le daré una piedrecita blanca, y en la piedrecita escrito un nombre nuevo, el cual ninguno conoce sino aquel que lo recibe. Apocalipsis 2:17.

Vivimos en una época plagada de escándalos. Presidentes y sus amantes llenan las primeras planas. Artistas, maestros y hasta miembros del clero han sido protagonistas de los escándalos más comentados de nuestros días. Escritores e investigadores revisionistas han revelado serios defectos en la conducta privada de venerados héroes del pasado y de las últimas décadas. Las historias que antes no merecían mención sino en las páginas sociales, han adquirido detalles más sórdidos y se han elevado al escenario internacional.

Como seres humanos, no quisiéramos ser juzgados por la prensa y su fascinación por comentarios breves que hacen o deshacen a una persona en pocos segundos o párrafos. Nos gustaría pensar que la imagen que reflejamos revela nuestros mejores deseos, o por lo menos una realidad más completa.

Durante toda la vida estamos transmitiendo a los demás nuestras actitudes, valores y creencias, pero al acercarnos a los años dorados de la ancianidad, esta actividad se torna consciente. Ya no pensamos tanto en nuestra propia agenda, sino que advertimos que somos un eslabón más en la cadena de la vida. Llega el momento cuando hemos de pasar algo de nosotros a la próxima generación.

¿Qué estamos dejando a la posteridad? Una herencia es mucho más que los bienes materiales. A la hora de la muerte, nadie recordará cuánto dinero teníamos, ni la casa en que vivíamos, sino la influencia que desplegamos sobre los demás. El sabio Salomón declaró: "De más estima es el buen nombre que las muchas riquezas, y la buena fama más que la plata y el oro" (Prov. 22:1).

¿Qué dejaremos a nuestros herederos? Le propongo que desde hoy mismo busquemos la ayuda divina para cultivar un buen carácter. Quizás esto signifique arreglar cuentas con Dios y con nuestro prójimo. Quizá requiera que confesemos todos nuestros pecados y pidamos perdón. Es posible que tengamos que dejar atrás las cargas de un carácter deforme, de una imagen externa muy alejada de los sentimientos internos. Pero Jesucristo puede y quiere darnos una vida nueva. Y sólo podemos compartir con los demás lo que está en nuestra posesión. Al igual que el apóstol Pedro de antaño, compartamos la fe en Jesucristo como un legado precioso de sanidad, fe y esperanza.

Ayúdame, Padre, a edificar una vida que glorifique tu nombre. MAV

UNA PUERTA QUE NADIE PUEDE CERRAR

Yo conozco tus obras; he aquí, he puesto delante de ti una puerta abierta, la cual nadie puede cerrar; porque aunque tienes poca fuerza, has guardado mi palabra, y no has negado mi nombre. Apocalipsis 3:8.

El mundo nos cierra muchas puertas. Ya sea por razones de procedencia, raza, acento, finanzas o circunstancias, hay puertas que se abren para algunos y se cierran para otros. Son pocos los que alcanzan los bienes universales de la fama, la fortuna y el poder. Afortunadamente, Jesús nos ofrece algo mejor: una puerta que nadie puede cerrar.

Nos abrió esa puerta con su Encarnación y sacrificio. Por eso dijo: "Yo soy la puerta; el que por mí entrare, será salvo; y entrará, y saldrá, y hallará pastos" (Juan 10:9). Esta puerta conduce a la salvación final, a la mayor celebración de todas: Las bodas del Cordero, cuando una gran multitud en el cielo alabará al Creador en un eterno coro de aleluyas. "Entonces el Rey dirá a los de su derecha: Venid, benditos de mi Padre, heredad el reino preparado para vosotros desde la fundación del mundo" (Mat. 25:34).

Luego de toda esta noche tumultuosa de estruendo, guerras y muerte, brotará la luz de un nuevo amanecer universal. Entonces se abrirán las puertas de una gran ciudad. San Juan nos dice:

"Vi un cielo nuevo y una tierra nueva; porque el primer cielo y la primera tierra pasaron... Y yo Juan vi la santa ciudad, la nueva Jerusalén, descender del cielo, de Dios, dispuesta como una esposa ataviada para su marido... Sus puertas nunca serán cerradas de día, pues allí no habrá noche" (Apoc. 21:1, 3, 25).

Luego el apóstol se refiere a las condiciones para entrar por esas puertas: "Bienaventurados los que lavan sus ropas, para tener derecho al árbol de la vida, y para entrar por las puertas en la ciudad" (22:14). ¿Quiénes podrán presenciar los resultados de esa victoria final? ¿Quiénes entrarán por esas puertas? Todos los que acepten la elocuente invitación de nuestro Salvador en el Calvario. El Apocalipsis nuevamente nos exhorta: "He aquí, yo vengo pronto; retén lo que tienes, para que ninguno tome tu corona" (Apoc. 3:11).

Gracias, Señor, por cada puerta que me abres, y por la puerta final que mantienes abierta para cada uno de nosotros. MAV

UNA PUERTA ABIERTA EN EL CIELO

Después de esto miré, y he aquí una puerta abierta en el cielo; y la primera voz que oí, como de trompeta, hablando conmigo, dijo: Sube acá, y yo te mostraré las cosas que sucederán después de estas. Apocalipsis 4:1.

El concepto "puerta" en la Biblia tiene un contenido muy amplio. Su uso va desde el significado natural de un punto de acceso físico a la idea de Jesús como una "Puerta" al cielo.

Veamos algunos usos en el Antiguo y Nuevo Testamento. Luego de su visión de una escalera que unía el cielo con la tierra, Jacob exclamó: "¡Cuán terrible es este lugar! No es otra cosa que casa de Dios, y puerta del cielo" (Gén. 28:17). En Jueces 16, Sansón arrancó las puertas de una ciudad para obtener su libertad. Nehemías mandó que se cerrasen las puertas de la ciudad durante el sábado para guardar a los israelitas de la desobediencia al cuarto mandamiento.

El salmo 24 presenta la gloriosa escena de la entrada de Jesús al cielo luego de su victoria en la cruz: "Alzad, oh puertas, vuestras cabezas, y alzaos vosotras, puertas eternas, y entrará el Rey de gloria. ¿Quién es este Rey de gloria? Jehová el fuerte y valiente, Jehová el poderoso en batalla" (vers. 7, 8).

En Isaías, las "puertas" son el medio de acceso al cielo para los redimidos. "Abrid las puertas, y entrará la gente justa, guardadora de verdades" (Isa. 26:2).

Jesucristo expresó un contraste entre dos caminos divergentes con dos destinos opuestos en términos de dos "puertas". "Entrad por la puerta estrecha; porque ancha es la puerta, y espacioso el camino que lleva a la perdición, y muchos son los que entran por ella" (Mat. 7:13). A Jesús le tocó padecer "fuera de la puerta" para que nosotros tengamos acceso a la ciudad santa.

Para los discípulos y los apóstoles, las puertas físicas y espirituales se fueron abriendo para permitir la propagación del Evangelio (ver Hech. 16:26; 1 Cor. 16:9). Jesucristo nos reveló la alusión más importante del concepto "puerta": "Yo soy la puerta; el que por mí entrare, será salvo; y entrará, y saldrá, y hallará pastos" (Juan 10:9). Entrar y salir se refiere a permitir que Cristo enmarque nuestra vida en todos sus aspectos. Si entramos por la puerta que él nos abre, hallaremos la salvación prometida.

Señor, ayúdame a reconocer cuáles son las puertas que tú nos abres; a no confundirlas con las oportunidades comunes de la vida. MAV

CAMINE DERECHO

Escribe al ángel de la iglesia en Laodicea: He aquí el Amén, el testigo fiel y verdadero, el principio de la creación de Dios. Apocalipsis 3:14.

Dentro de la colección de historias acerca de los padres fundadores de los Estados Unidos, se encuentra una que siempre me ha llamado la atención. Se cuenta que cierto viajero llegó un atardecer a las riberas del río Mississippi, y allí se vio obligado a detenerse porque el río no contaba todavía con un puente. Era invierno, y el agua estaba cubierta por una gruesa capa de hielo que bien podía hacer las funciones de puente. Pero el hombre, temeroso por su vida, dudaba si el hielo podía soportar su peso. Caía la noche, y como le era imprescindible cruzar el río y llegar hasta el pueblo más cercano, para mayor seguridad decidió cruzarlo arrastrándose.

Temeroso, cuando ya iba por la mitad del río, con las manos y las rodillas entumecidas y casi al punto de la hipotermia, súbitamente escuchó detrás de él los cascos de un caballo y el chirrido de las ruedas de un carretón que se aproximaba. Se volvió para comprobar que no deliraba, y lo que vio lo dejó atónito. Efectivamente, un carruaje tirado por caballos se aproximaba, y sobre él, el cochero marchaba entonando felizmente una canción

Puede ser que la historia de esta mañana nos provoque risa. Pero lamentablemente, muchos de nosotros nos comportamos como el temeroso viajero de la historia, con relación a nuestra vida espiritual. Paradójicamente nos arrastramos cuando deberíamos caminar erguidos, y perecemos afligidos por el temor, cuando bien pudiésemos atravesar el hielo de esta vida con una canción en nuestros labios.

Sabemos que Dios es fiel y verdadero. Sabemos que podemos colocar nuestras cargas, nuestros miedos, y nuestra ansiedad sobre Jesucristo, quien ha prometido sostenernos con su poder (Sal. 55:22), y sin embargo optamos muchas veces por cruzar el río de la vida arrastrándonos.

Jesús es el Amén. Es el "así es", la afirmación de la presencia de Dios con la humanidad. Quien comparte su mensaje con Laodicea no es un extraño. Sus palabras son producto de su amor y su preocupación por nosotros. La característica saliente del carácter de Jesucristo es su integridad, y su confiabilidad. Nos ha dado sus promesas para que ellas sostengan el peso de nuestras pruebas y preocupaciones.

Decidamos hoy seguir el ejemplo del cochero de la historia.

Querido Padre, dame la certeza de que con tu ayuda no caeré. OLV

UNA SOLA VOZ

He aquí, yo estoy a la puerta y llamo; si alguno oye mi voz y abre la puerta, entraré a él, y cenaré con él, y él conmigo. Apocalipsis 3:20.

No es fácil buscar una aguja en un pajar. ¿Ha buscado alguna vez algo entre muchas cosas? ¿Se le ha perdido algo entre mucha gente? ¿Se le ha perdido una llave en la arena? ¿Se le ha perdido una esposa en un centro comercial?

Cuando niño me perdí y fue una experiencia muy desagradable. Vagué entre una tupida multitud durante largos minutos, con mis ojos a la altura de la cintura de los adultos hasta que divisé a mi madre, que me buscaba desesperadamente.

Es difícil encontrar algo cuando hay muchas otras cosas parecidas. Aquel día encontré a mi madre cuando escuché su voz.

¿No se ha perdido usted alguna vez? ¿Se ha sentido alguna vez perdido espiritualmente? ¿Sin saber adónde ir, ni cómo encontrar el camino de regreso?

Dios nos habla. Su voz es indiscutible. Sólo tenemos que saber distinguirla entre todas las otras voces que compiten por nuestra atención. Juan supo expresar en forma particular este concepto. Veamos:

"Las ovejas oyen su voz; y a sus ovejas llama por nombre, y las saca" (Juan 10:3).

"También tengo otras ovejas que no son de este redil; aquéllas también debo traer, y oirán mi voz; y habrá un rebaño, y un pastor" (Juan 10:16).

"Todo aquel que es de la verdad, oye mi voz" (Juan 18:37).

"Viene la hora, y ahora es, cuando los muertos oirán la voz del Hijo de Dios; y los que la oyeren vivirán" (Juan 5:25).

En Apocalipsis 3:20, es la dulce voz del Salvador lo que permite que se lo identifique. Esta es una voz entre todas, una voz inconfundible, maravillosa; no por su tono o su melodía, sino por su contenido de verdad y esperanza. Es una voz que abre tumbas, levanta enfermos, convence corazones, restaura matrimonios, despierta nuevos ánimos, cambia conceptos arraigados, transforma vidas.

Señor, que hoy escuche tu voz tras el bullicio y las luchas de la vida. MAV

CREADOS PARA ÉL

Señor, digno eres de recibir la gloria y la honra y el poder; porque tú creaste todas las cosas, y por tu voluntad existen y fueron creadas. Apocalipsis 4:11.

Una amiga del famoso escritor y literato británico C. S. Lewis le preguntó en una ocasión cómo es que alguien tan inteligente como él podía creer en Dios. Lo que Lewis demostró con su perspicaz producción literaria es que sería extraño que una persona inteligente e informada se resignara a la incertidumbre de una vida sin Dios. Más y más científicos reconocen que la creación no sólo es posible, sino que es la única conclusión a la que se puede llegar respecto a la vida en el universo.

Dos astrónomos ateos, los Drs. Fred Hoyle y Chandra Wickramasinghe, se dedicaron a analizar las posibilidades de vida por medio de modelos matemáticos, bajo la presuposición de que el universo tenía 20 mil millones de años. Calcularon todas las posibilidades y llegaron a la conclusión de que la probabilidad de que la vida surgiera por sí sola igualaba a cero. El Dr. Hoyle lo expresó así: "Es igual que la probabilidad de que un tornado, soplando por un basurero, construyera un Boeing 747".

El Dr. Henry Schaefer, postulado cinco veces para el premio Nóbel, dijo lo siguiente después de evaluar la evidencia a favor de una causa exterior al universo: "Tiene que existir un Creador. Debe tener un poder y sabiduría pasmosos, además de ser amante y justo". El Dr. Arthur Schawlow, ganador del premio Nóbel en Física en 1981, declaró por su parte: "Encuentro en el universo una necesidad de Dios y también encuentro esa necesidad en mi propia vida".

El convencimiento al que han llegado éstos y muchos otros científicos toca cuerdas importantes de nuestros sentimientos, porque se refiere a nuestro concepto más profundo de identidad. Quiénes somos está estrechamente ligado a nuestro origen como raza y esto es un asunto que ningún ser humano pensante puede ignorar. El versículo de hoy nos dice que existimos porque es la voluntad de Dios.

"Porque así dijo Jehová —declara Isaías—, que creó los cielos; él es Dios, el que formó la tierra, el que la hizo y la compuso; no la creó en vano, para que fuese habitada la creó: Yo soy Jehová, y no hay otro" (Isa. 45:18).

Señor, gracias por la preciosa identidad que encuentro en las Escrituras como criatura de un Dios amante. Ayúdame a vivir como tal. MAV

UN CANTO NUEVO

Y cantaban un nuevo cántico, diciendo: Digno eres de tomar el libro y de abrir sus sellos; porque tú fuiste inmolado, y con tu sangre nos has redimido para Dios, de todo linaje y lengua y pueblo y nación. Apocalipsis 5:9.

El libro de Apocalipsis dice que los redimidos vamos a recibir varias cosas, entre éstas, una corona, una piedrecita blanca con un nombre nuevo y un canto, el canto de Moisés y del Cordero. Ese canto empieza ahora. Representa nuestra experiencia personal de salvación.

El tema de ese cántico se repite muchas veces: Éxodo 15:2 dice: "Jehová es mi fortaleza y mi cántico, y ha sido mi salvación. Este es mi Dios, y lo alabaré; Dios de mi padre, y lo enalteceré". Job 35:10 añade: "¿Dónde está Dios mi Hacedor, que da cánticos en la noche?".

Los salmos presentan un cuadro conmovedor del creyente que confía en Dios en medio de sus pruebas: "Pacientemente esperé a Jehová, y se inclinó a mí, y oyó mi clamor. Y me hizo sacar del pozo de la desesperación, del lodo cenagoso; puso mis pies sobre peña, y enderezó mis pasos. Puso luego en mi boca cántico nuevo, alabanza a nuestro Dios" (Sal 40. 1-3).

El Salmo 96:1-3 nos exhorta: "Cantad a Jehová cántico nuevo; cantad a Jehová, toda la tierra. Cantad a Jehová, bendecid su nombre; anunciad de día en día su salvación. Proclamad entre las naciones su gloria, en todos los pueblos sus maravillas".

El salmo exílico expresa la angustia del pueblo de Dios obligado a abandonar Jerusalén: "¿Cómo cantaremos cántico de Jehová en tierra de extraños?" (Sal. 137:4).

Dios ha colocado música a nuestro alrededor. Se encuentra en el silbido del viento, el ritmo de las olas, el canto de un arroyuelo, el trinar de las aves y la risa de los niños y nuestros seres amados. Pero el cántico nuevo del creyente supera todo esto. En Apocalipsis 5:9, este cántico nuevo es una expresión del agradecimiento a Dios por la redención que Cristo ha obrado por nosotros. Es el canto supremo de alabanza, el himno de nuestra liberación del pecado y de la muerte. Un canto que se renueva cada vez que reconocemos la obra de Dios en nuestro favor. En cierto sentido es un cántico obligado para el redimido. ¿Cómo no vamos a cantar si nuestro destino ha sido cambiado?

Señor, cuando la discordia llena mi vida, dame una melodía de tu amor. OLV

LA MAYOR VICTORIA

Y miré, y oí la voz de muchos ángeles alrededor del trono, y de los seres vivientes, y de los ancianos; y su número era millones de millones, que decían a gran voz: El Cordero que fue inmolado es digno de tomar el poder, las riquezas, la sabiduría, la fortaleza, la honra, la gloria y la alabanza. Apocalipsis 5:11, 12.

Un día, hace cerca de dos mil años, se levantó una cruz sobre el Monte Calvario. Sujeto a ella con clavos que traspasaban sus manos y pies, se encontraba el Salvador de la humanidad. Lo que aparentaba ser una cruel derrota fue en efecto la mayor victoria de la historia. La cruz con que se pretendía maldecir el nombre precioso de Jesús, se convirtió en el símbolo eterno de la victoria sobre el mal y la salvación de toda la raza humana.

Jesús fue victorioso porque venció el pecado al resistir cada tentación. Jesús fue victorioso porque manifestó un amor más poderoso que los odios humanos. Fue victorioso porque doblegó a Satanás, a la enfermedad y a la muerte misma (ver Mat. 4:1-11, 23-24; Heb. 2:9-14).

Satanás se había posesionado de este mundo al usurpar la autoridad de Adán y Eva. Así, el príncipe de las tinieblas se adueñó de la preciosa creación de Dios. Jesús vino a su guarida para arrebatarle de las manos el derecho a gobernar y trazar un nuevo destino para la raza humana.

Sobre ese burdo madero del Calvario se firmó la declaración de nuestra victoria. La Biblia es elocuente para anunciar la victoria del creyente en las palabras de San Pablo: "Gracias sean dadas a Dios, que nos da la victoria por medio de nuestro Señor Jesucristo" (1 Cor. 15:57). Y luego repite el mismo pensamiento: "Mas a Dios gracias, el cual nos lleva siempre en triunfo en Cristo Jesús" (2 Cor. 2:14). La victoria de Cristo es la nuestra, porque él murió en nuestro lugar. Usted y yo estábamos en su mente y vibrábamos con cada pulsación de su corazón cuando pendía en la cruz de la salvación. Allí Jesús consumó el sacrificio que lo convirtió en el "Cordero de Dios que quita el pecado del mundo".

¿Cómo podemos apropiarnos de su victoria?

Por la fe, la confianza en Dios que se fortalece en la obediencia: "Esta es la victoria que ha vencido al mundo, nuestra fe. ¿Quién es el que vence al mundo, sino el que cree que Jesús es el Hijo de Dios?" (1 Juan 5:4).

Gracias, Señor, por tantas promesas de victoria que me aseguran un destino glorioso. MAV

¿TÚ O YO, SEÑOR?

El séptimo ángel tocó la trompeta, y hubo grandes voces en el cielo, que decían: Los reinos del mundo han venido a ser de nuestro Señor y de su Cristo; y él reinará por los siglos de los siglos. Apocalipsis 11:15.

El escritor John McVay escribió a fines de 2004: "Tengo un problema de soberanía. En la mañana, leo la Palabra de Dios, donde percibo claramente que Dios es el Señor de todas las cosas. Confieso su soberanía y doblo mis rodillas, cedo así todos mis dominios ante él (como si realmente tuviese alguno). ¿Qué son mis dominios? Todo aquello sobre lo cual ejerzo control o influencia, aquello que considero mi propiedad.

"Según transcurre el día, no obstante, comienzo a anexar territorios. Quizás un villorrio por aquí, una casa por allá. Quizá calladamente reclame autoridad sobre un par de condados. Sépase que no se trata de una invasión o revolución, sino de incursiones tímidas, sutiles, en el reino soberano de Dios. Tales movimientos, por supuesto, podrían llevar a algo más, al asalto de la fortaleza de Dios y el planteamiento de la airada bandera de mi propio gobierno donde sólo debiera estar el estandarte del Rey".

Cuando los seres humanos insistimos en el ejercicio de la autoridad que sólo le compete a Dios, disputamos la realidad del señorío de Dios sobre la totalidad del universo. Veamos un ejemplo. En Hechos 12:20-23, Herodes (Agripa I) tiene un problema de soberanía. Después de dar un poderoso discurso recibe fuertes encomios. Los representantes de Tiro y de Sidón exclaman: "¡Voz de Dios, y no de hombre!" (vers. 22). Herodes no disputa la declaración, y la respuesta divina es tan devastadora como instantánea: "Al momento un ángel del Señor le hirió, por cuanto no dio la gloria a Dios; y expiró comido de gusanos" (vers. 23).

Parece curioso que Herodes sea castigado por un pecado de omisión, por no haberle dado gloria a Dios. De hecho, uno podría argumentar que fue castigado no por su propio pecado, sino por el pecado de otros: la gente de Tiro y Sidón que le ofrece alabanza blasfema. Pero la muerte de Herodes ilustra el error de no darle a Dios el lugar que merece.

Jesús es el Rey de reyes. Todos los gobiernos, todas las voluntades de este mundo, tendrán que doblegarse ante su suprema autoridad. ¿No será hora de que usted y yo aceptemos de una vez por todas su soberanía?

Señor, te rindo hoy mi voluntad. Sé tú el centro y lo más importante en mi vida. MAV

DEMOS GRACIAS

Te damos gracias, Señor Dios Todopoderoso, el que eres y que eras y que has de venir, porque has tomado tu gran poder, y has reinado. Apocalipsis 11:17.

Se cuenta que cierta vez una anciana pidió una entrevista con el presidente Abrahán Lincoln. Cuando entró a la oficina del presidente, éste se levantó y la invitó a sentarse. Luego le preguntó, como hacía con todos los que lo visitaban: "Señora, ¿qué puedo hacer por usted?"

La tímida mujer le respondió con una voz queda: "Señor presidente, usted es un hombre muy ocupado. No vine a pedirle nada. Me enteré de que le gusta este tipo de galletitas, y vine solamente a traerle algunas que preparé especialmente para usted".

Hubo silencio por unos instantes y los ojos de Abraham Lincoln se llenaron de lágrimas. Finalmente dijo: "Señora, le agradezco mucho su regalo. Me llena de emoción. Durante todos mis años de presidencia, han venido a mi oficina muchas personas a pedirme favores y a demandar servicios. Usted es la primera persona que ha venido a mi oficina sin pedir nada, sin esperar nada, sino para traerme un obsequio. Se lo agradezco en lo más profundo de mi corazón".

La gratitud es una virtud con recompensa. Somos bendecidos cuando dejamos de gratificar nuestro yo y decidimos reconocer las bondades de Dios y de nuestro prójimo.

Dar gracias es la acción natural de los redimidos. "Como seguidores de Cristo hemos de hacer que nuestras palabras sean motivo de ayuda y ánimo mutuos en la vida cristiana. Necesitamos hablar mucho más de lo que solemos de los capítulos preciosos de nuestra experiencia. Debiéramos hablar de la misericordia y la amante bondad de Dios, de la incomparable profundidad del amor del Salvador. Nuestras palabras debieran ser palabras de alabanza y agradecimiento. Si la mente y el corazón están llenos del amor de Dios, éste se revelará en la conversación (*Palabras de vida del Gran Maestro*, p. 317).

¿Por qué no dedicamos algunos instantes hoy para agradecer personalmente por los servicios o la bondad de alguien? Quizá podamos enviar una nota, o hacer una llamada telefónica. En el caso de nuestro Padre celestial, ¿por qué no elevar una plegaria únicamente de agradecimiento? ¿Sin pedir nada, sin esperar nada?

Señor, ayúdame a librarme de mi egoísmo natural y dedicar algunos instantes a la acción de gracias. MAV

SERES CREADOS

Temed a Dios, y dadle gloria, porque la hora de su juicio ha llegado; y adorad a aquel que hizo el cielo y la tierra, el mar y las fuentes de las aguas.
Apocalipsis 14:7.

Una encuesta de opinión pública Gallup de 1991 recogió las creencias de los norteamericanos respecto de la creación y evolución. Los resultados fueron sorprendentes. Después de dos generaciones de enseñanza de la evolución en todas las escuelas públicas, solamente el 9 por ciento dijo que aceptaba la evolución materialista. El 47 por ciento dijo ser creacionista estricto, y el 40 por ciento cree que existe la evolución, pero que Dios guió el proceso evolutivo.

Aparentemente, hay más personas que creen en la creación o al menos en la intervención divina en el proceso de la creación. Yo también, a través de los años, a pesar de verme expuesto como tantos otros a los embates de una educación basada en la percepción naturalista y atea de la naturaleza, he decidido aferrarme a cuatro ideas básicas:

1. *La Biblia es la Palabra inspirada de Dios, de principio a fin.* Cada vez que se mencionan hechos históricos o científicos en la Biblia, aunque ésta no sea un libro de historia ni de ciencia, han de tomarse como verdaderos y confiables.

2. *La Tierra y la vida que ella existe fueron creadas en una semana literal,* tal como lo registra Génesis 1.

3. *Todos los seres vivos fueron traídos a la existencia en base al poder creador de Dios.* El hombre fue hecho a la imagen de Dios, no a partir del desarrollo gradual de antepasados en el reino animal.

4. *El diluvio fue una catástrofe real* que destruyó el mundo primitivo y fue la causa de la mayoría de los fósiles.

Además, la creación bíblica fue un acto de amor cuyo resultado fue "bueno en gran manera" (Gén. 1:31). La humanidad fue hecha perfecta, pero cayó y depende de un plan de restauración iniciado por Dios. La salvación del hombre no proviene de un proceso impersonal que nos va mejorando paulatinamente, sino que se funda en Jesús como la única esperanza de redención y vida eterna.

Señor, ayúdame a proclamar tu nombre como Creador del cielo y la tierra. MAV

TODO NUEVO-1

Y el que estaba sentado en el trono dijo: He aquí, yo hago nuevas todas las cosas. Y me dijo: Escribe; porque estas palabras son fieles y verdaderas. Apocalipsis 21:5.

Quizá no apreciamos plenamente el concepto de novedad que nos ha traído Jesús. Pensemos algunos momentos en la edad de las cosas. A veces la edad indica mayor valor. Las pinturas famosas y algunos muebles y artefactos históricos cobran valor según pasa el tiempo. Hay pinturas como la Mona Lisa de Da Vinci y los grandes clásicos cuyo valor es tan elevado que simplemente no se puede determinar a ciencia cierta. Hay otras cosas que, según su uso, valen más o menos en relación con su edad. Un caballo muy viejo vale menos, un anciano es de valor incalculable. Una casa vieja puede valer mucho o poco, según su condición. Algunos quesos y vinos son mejores cuando son viejos, el pan y los frijoles cocidos no mejoran con el paso del tiempo. Un cónyuge que ha compartido con uno toda una vida vale tanto que no se puede calcular su valor.

Pero para todos los seres vivos, el paso del tiempo trae inevitablemente el descenso y el fin de la existencia. Sucede esto con las flores, los animales y los seres humanos. Y el problema va mucho más allá de las arrugas. Queremos vida nueva. Queremos resucitar con Jesús. Queremos nuevas oportunidades.

Quizá la promesa que mejor responde a estos anhelos es el pasaje de Apocalipsis 21:1-5:

"Vi un cielo nuevo y una tierra nueva; porque el primer cielo y la primera tierra pasaron, y el mar ya no existía más. Y yo Juan vi la santa ciudad, la nueva Jerusalén, descender del cielo, de Dios, dispuesta como una esposa ataviada para su marido. Y oí una gran voz del cielo que decía: He aquí el tabernáculo de Dios con los hombres, y él morará con ellos; y ellos serán su pueblo, y Dios mismo estará con ellos como su Dios. Enjugará Dios toda lágrima de los ojos de ellos; y ya no habrá muerte, ni habrá más llanto, ni clamor, ni dolor; porque las primeras cosas pasaron. Y el que estaba sentado en el trono dijo: He aquí, yo hago nuevas todas las cosas" (Apoc. 21:1-5).

Relea el texto. ¿Ha captado bien el significado de este pasaje? En los próximos días meditaremos en su contenido en base a cuatro promesas: la de un mundo nuevo, la de una casa nueva, la de una relación nueva con Dios y la de un cuerpo nuevo.

Renuévame hoy, Señor, con el influjo de tu amor. MAV

TODO NUEVO-2

Vi un cielo nuevo y una tierra nueva; porque el primer cielo y la primera tierra pasaron, y el mar ya no existía más. Apocalipsis 21:1.

Un mundo nuevo

Habrá una renovación total de nuestro mundo. Una superficie mucho mayor, porque ya no habrá mar. No sabemos si se parecerá nuevamente al Edén. Pero las condiciones de vida serán mucho mejores. Veamos algunas Escrituras.

El apóstol Pedro nos habla de la manera en que ocurrirá la renovación y sus implicaciones. "Pero el día del Señor vendrá como ladrón en la noche; en el cual los cielos pasarán con grande estruendo, y los elementos ardiendo serán deshechos, y la tierra y las obras que en ella hay serán quemadas. Puesto que todas estas cosas han de ser deshechas, ¡cómo no debéis vosotros andar en santa y piadosa manera de vivir, esperando y apresurándoos para la venida del día de Dios, en el cual los cielos, encendiéndose, serán deshechos, y los elementos, siendo quemados, se fundirán! Pero nosotros esperamos, según sus promesas, cielos nuevos y tierra nueva, en los cuales mora la justicia" (2 Ped. 3:10-13).

Isaías se refiere más bien al mundo nuevo: "Se alegrarán el desierto y la soledad; el yermo se gozará y florecerá como la rosa. Florecerá profusamente, y también se alegrará y cantará con júbilo; la gloria del Líbano le será dada, la hermosura del Carmelo y de Sarón. Ellos verán la gloria de Jehová, la hermosura del Dios nuestro... Entonces los ojos de los ciegos serán abiertos, y los oídos de los sordos se abrirán. Entonces el cojo saltará como un ciervo, y cantará la lengua del mudo; porque aguas serán cavadas en el desierto, y torrentes en la soledad. El lugar seco se convertirá en estanque, y el sequedal en manaderos de aguas; en la morada de chacales, en su guarida, será lugar de cañas y juncos. Y habrá allí calzada y camino, y será llamado Camino de Santidad.... No habrá allí león, ni fiera subirá por él, ni allí se hallará, para que caminen los redimidos. Y los redimidos de Jehová volverán, y vendrán a Sion con alegría; y gozo perpetuo será sobre sus cabezas; y tendrán gozo y alegría, y huirán la tristeza y el gemido" (Isa. 35:1-10).

Nuestro viejo mundo, plagado por desastres naturales y los desechos de una humanidad descuidada, será transformado. Ya no habrá mar, el mayor símbolo de las separaciones. Ya no habrá templo. Ya no habrá enfermedades ni guerras. "Cosas que ojo no vio, ni oído oyó, ni han subido en corazón de hombre, son las que Dios ha preparado para los que le aman" (1 Cor. 2:9).

Ayúdame a no perder de vista el nuevo mundo que me estás preparando. MAV

TODO NUEVO-3

Y yo Juan vi la santa ciudad, la nueva Jerusalén, descender del cielo, de Dios, dispuesta como una esposa ataviada para su marido. Apocalipsis 21:2.

U*na casa nueva*

Ésta no es la Jerusalén vieja, sino la nueva, la que no conoce nacionalidades ni restricciones. No es la histórica ciudad de Palestina, con su mezquita de Omán o su Muro de Lamentaciones. Esta es la ciudad de la promesa, la de doce puertas de perla y muros de piedras preciosas. La de calles de oro. La que existe para ser habitada ahora por la iglesia, el pueblo de Dios de toda tribu, lengua y pueblo.

Esta es la morada prometida por Jesús cuando dijo: "No se turbe vuestro corazón; creéis en Dios, creed también en mí. En la casa de mi Padre muchas moradas hay; si así no fuera, yo os lo hubiera dicho; voy, pues, a preparar lugar para vosotros. Y si me fuere y os preparare lugar, vendré otra vez, y os tomaré a mí mismo, para que donde yo estoy, vosotros también estéis" (Juan 14:1-3).

Aquí encontraremos nuestro hogar definitivo. Una casa debiera ser el lugar donde encontramos paz, donde somos lo que somos. Jesús te ofrece la verdadera casa de tus sueños; la que se siente tuya. Tu lugar. A veces no sentimos que tenemos lugar en este mundo. En efecto, Jesús dijo en su oración sacerdotal: "Yo les he dado tu palabra; y el mundo los aborreció, porque no son del mundo, como tampoco yo soy del mundo" (Juan 17:14). Los que somos inmigrantes a veces sentimos que no estamos completamente bien en ninguna parte. A veces no sabemos quiénes somos. Como cantara Facundo Cabral, "No soy de aquí, ni soy de allá". Pero de ahí, sí somos.

Hay una casa nueva para usted. Si su nombre está en el libro de la vida, ya es suya. No sé si hay llaves en el cielo, pero si hubiere llaves, ya hay una con su nombre. Una nueva casa en una nueva ciudad, en un mundo renovado. Si pudiese soñar con ella (algo imposible según 1 Corintios 2:9), sería la casa de sus sueños.

Señor, permite que nuestro hogar, aquí y ahora, refleje nuestro destino contigo. MAV

TODO NUEVO-4

Y oí una gran voz del cielo que decía: He aquí el tabernáculo de Dios con los hombres, y él morará con ellos; y ellos serán su pueblo, y Dios mismo estará con ellos como su Dios. Apocalipsis 21:3.

Una relación nueva con Dios

Aquí se nos promete la presencia de Dios. Apocalipsis 21 más adelante nos dice: "Y no vi en ella templo; porque el Señor Dios Todopoderoso es el templo de ella, y el Cordero. La ciudad no tiene necesidad de sol ni de luna que brillen en ella; porque la gloria de Dios la ilumina, y el Cordero es su lumbrera" (vers. 22, 23).

Habrá ciertas cosas y no habrá otras. No hay templo, porque toda ella será un templo. Se acabaron los velos. Pablo nos dice: "Cuando yo era niño, hablaba como niño, pensaba como niño, juzgaba como niño; mas cuando ya fui hombre, dejé lo que era de niño. Ahora vemos por espejo, oscuramente; mas entonces veremos cara a cara. Ahora conozco en parte; pero entonces conoceré como fui conocido" (1 Cor. 13:12, 13).

En 1 Juan 3:2 leemos: "Amados, ahora somos hijos de Dios, y aún no se ha manifestado lo que hemos de ser; pero sabemos que cuando él se manifieste, seremos semejantes a él, porque le veremos tal como él es".

La presencia directa de Dios lo cambia todo. Antes se le dijo a Moisés que a Dios nadie lo pudo ver jamás y vivir. Ahora podremos, porque habremos sido transformados. Este es el cumplimiento definitivo de la promesa de la Nochebuena. El "Emanuel" se quedará con nosotros.

Un himno conocido expresa este poderoso anhelo:

"En presencia estar de Cristo,/ver su rostro, ¿qué será,/cuando al fin, en pleno gozo,/mi alma le contemplará?/Cara a cara espero verle/cuando venga en gloria y luz;/cara a cara allá en el cielo/he de ver a mi Jesús" (*Himnario adventista*, #165).

De la lista de cosas nuevas prometidas por el pasaje de Apocalipsis 21:1-5, no sé cuál le infunde mayor entusiasmo; si un mundo nuevo, una nueva ciudad sin templo o una casa nueva. Pero nada de esto tendría mucho significado sin la presencia de Dios. ¿Se imagina el encuentro suyo con Jesús, con Aquel que murió por usted? ¿Caer de rodillas ante él, decirle en persona cuánto lo ama?

Señor, ¡qué extraordinario privilegio poder verte! Que nada se interponga entre nosotros y la posibilidad de ver tu faz. MAV

TODO NUEVO-5

Enjugará Dios toda lágrima de los ojos de ellos; y ya no habrá muerte, ni habrá más llanto, ni clamor, ni dolor; porque las primeras cosas pasaron. Apocalipsis 21:4.

Un *cuerpo nuevo y una vida nueva*

En 1 Corintios 15 Pablo expresa la tremenda esperanza de la transformación de nuestro cuerpo: "He aquí, os digo un misterio: No todos dormiremos; pero todos seremos transformados, en un momento, en un abrir y cerrar de ojos, a la final trompeta; porque se tocará la trompeta, y los muertos serán resucitados incorruptibles, y nosotros seremos transformados. Porque es necesario que esto corruptible se vista de incorrupción, y esto mortal se vista de inmortalidad. Y cuando esto corruptible se haya vestido de incorrupción, y esto mortal se haya vestido de inmortalidad, entonces se cumplirá la palabra que está escrita: Sorbida es la muerte en victoria" (vers. 51-54).

Desde que nacemos vamos muriendo. Cuánta tristeza sentimos cuando aquellos que nos preceden se tornan más frágiles y finalmente pasan al descanso. Todos lloramos, incluso los hombres. Sufrimos y lloramos. A veces por enfermedades del cuerpo, a veces por enfermedades de la mente o del alma. Perdemos la salud y la memoria. Sufrimos desengaños y traiciones. Tarde o temprano nos bebemos las lágrimas de las despedidas.

Todo eso se va a acabar. Gracias a Jesús. "Enjugará Dios toda lágrima de los ojos de ellos; y ya no habrá más muerte, ni habrá más llanto, ni clamor ni dolor". Lucas registró la resurrección del hijo de la viuda de Naín (Luc. 7:11-17). Cuando Jesús y sus seguidores se acercaban a la ciudad de Naín, salía una comitiva triste a enterrar a un muerto, no a cualquier muerto, sino al hijo único de una viuda. Leamos: "Y había con ella [con la viuda] mucha gente de la ciudad. Y cuando el Señor la vio, se compadeció de ella, y le dijo: No llores. Y acercándose, tocó el féretro; y los que lo llevaban se detuvieron. Y dijo: Joven, a ti te digo, levántate. Entonces se incorporó el que había muerto, y comenzó a hablar. Y lo dio a su madre" (vers. 12-16).

Todo este mundo es parte de esa comitiva de dolor y de muerte, pero Jesús nos detiene y nos dice: No llores. Se acabó el dolor. Se acabó la muerte. Se acabó la separación. Se acabó la soledad. Se acabó la enfermedad. Se acabó la guerra. Se acabó el abuso. Se acabó el diablo que causaba todo esto.

Gracias por la naturaleza total de la transformación prometida. MAV

EL FIN DEL SUFRIMIENTO

Y no habrá más maldición; y el trono de Dios y del Cordero estará en ella, y sus siervos le servirán. Apocalipsis 22: 3

Esta promesa es algo así como una sonata nocturna en sol mayor. Es el Aleluya de Händel con todo el coro completo de la Biblia. Las notas de este himno sagrado penetran en el cerebro entumecido por el sufrimiento de siglos de pecado y dolor, y despiertan la esperanza de triunfo del creyente. ¡Razón suficiente tiene el cristiano para regocijarse en esta bendita promesa!

Las noticias de la situación del mundo en nuestros días hablan por sí solas. Con sed milenaria la tierra se traga a sus muertos. A diestra y a siniestra las voces de la humanidad doliente se alzan en un lamento desesperado suplicando la liberación. Las paredes de Jenin se pintan con palmas de manos ensangrentadas, y desde las celdas pútridas de los Abu Ghraibs del mundo se escucha el clamor de los condenados a muerte. La desolación reinante en las tumbas de Kabul es nuestro pan de cada día. Ningún ritual del dolor podrá apagar el llanto de la ciudad de Mihama, o apaciguar el desconsuelo de Kashmiri.

Enterrados en el epicentro cósmico del monstruo milenario llamado sufrimiento, llora Bali y se lamentan los oprimidos de las guerras civiles de Chechenia. Morimos todos dentro del desamparo de la gran Ramallah de este mundo. Pero entre los escombros sombríos del dolor, las guerras y los odios étnicos, aún brilla un rayo de esperanza. Los ojos de Jehová recorren toda la tierra desde su estrado, y sus oídos escuchan los clamores de agonía de sus criaturas. No demorará el Señor en poner fin al sufrimiento.

Sepamos que se acerca la Luz que deslumbrará con su poder a las fieras de este mundo. Nuestro Señor Jesús nos dice: Un poquito más, y "enjugará Dios toda lágrima de los ojos; y ya no habrá muerte, ni habrá más llanto, ni clamor, ni dolor; porque las primeras cosas pasaron" (Apoc. 21:4).

Esta promesa es más grande que la realidad de las noticias. ¡Regocíjate tierra! ¡Canten, mortales todos! ¡Sí, ven, Señor Jesús! Y haz que brille tu Sol de Justicia sobre los sufridos de este mundo. Amén y amén.

Gracias Padre, por la esperanza bendita de la renovación de esta tierra, y de la raza caída. OLV

PREDICCIONES DE FIN DE AÑO

Y me dijo: No selles las palabras de la profecía de este libro, porque el tiempo está cerca. Apocalipsis 22:10.

Si a usted no le ha sucedido todavía, es muy probable que en las próximas semanas comience a sufrir en mayor o menor grado de la fiebre de fin de año. Si no le afecta la culminación de otro año, con su magnética capacidad de conjurar todos los sueños del futuro, sin duda lo alcanzarán las declaraciones de los múltiples profetas de fin de año. Pareciera que cada *tic tac* que nos acerca a un año nuevo tiene la virtud de aumentar la capacidad predictiva de algunos.

Entre los profetas en boga se encuentran pensadores de la Nueva Era como Edgar Cayce, quien predijo que los polos norte y sur se derretirán y causarán diluvios mundiales y terremotos. Richard Noone escribió un libro en el que predice que el sol, la luna y los planetas del sistema solar entrarán en línea, y que esto producirá un cambio en la orientación del eje terráqueo. Si este cambio no produce el fin del mundo, al menos resultará en tremendas catástrofes, como el hundimiento de muchas islas y ciudades costeras.

Un programa de la cadena NBC, en los Estados Unidos, presentó la teoría de que la Gran Pirámide de Giza, en Egipto, contiene una línea de tiempo que predijo certeramente las fechas de la entrega de la ley a Moisés en el Sinaí, el nacimiento de Cristo y el comienzo de las dos guerras mundiales en el siglo XX. Según estos estudiosos, también puede predecirse la destrucción del mundo.

Pero quizá lo más importante es la fuente de tales predicciones. Lo que mejor determina si una predicción se cumplirá, es la persona que la emite. Sólo aquel que tiene el poder para hacer cumplir él mismo lo predicho, puede garantizar a ciencia cierta su cumplimiento.

Jesús es ese profeta. Ya sean sus promesas o predicciones, en él se encuentra el poder que asegura su cumplimiento. Al igual que los profetas de fin de año, la Biblia predice tiempos difíciles, pero a diferencia de aquellos, nos ofrece esperanza. No sabemos cuándo ocurrirá, porque no es el plan de Dios que sepamos fechas, pero sabemos definitivamente que un día no muy lejano, Jesucristo regresará a este mundo a reclamarlo como suyo. Porque él lo prometió.

Querido Señor, no sé qué me traerá el futuro, pero sé que contigo estoy seguro, y eso es suficiente. OLV

JESÚS, NUESTRA PERPETUA LUZ

No habrá allí más noche; y no tienen necesidad de luz de lámpara, ni de luz del sol, porque Dios el Señor los iluminará; y reinarán por los siglos de los siglos. Apocalipsis 22:5.

Durante la estación del invierno, el frío es intenso, la oscuridad limita la visión, y una fina helada suele cubrir la superficie de la carretera, asemejándola a una pista de patinaje. En tales condiciones es peligroso conducir. Pero lo peor de todo es la neblina. Si alguna vez le ha tocado conducir en la neblina, podrá compartir conmigo el sentimiento de extravío que acompaña a la experiencia.

Esa mañana, de camino al trabajo, movía el volante tratando de ubicar la carretera dentro de una niebla compacta que lo sobrecogía todo. Era tan espesa la capa de nubes, que las luces de los autos no lograban traspasarla. Pero entonces, súbitamente, algo insólito ocurrió: La densa cortina de niebla cedió, revelando de repente ante mi asombro una hermosa y soleada mañana de invierno.

La alegría que inmediatamente provocó la visión del sol en mí, vigorizó mi espíritu y disipó el letargo. ¡Qué bendición es la presencia del sol cuando la oscuridad es intensa! En la naturaleza, la luz es sin duda la condición indispensable para la existencia, el movimiento y la vida de todo lo que Dios creó. La luz se compone de una variedad de energías. En los seres humanos ejerce su influencia para activar funciones fisiológicas, entre ellas la fertilidad y los cambios de humor. La luz entra a los ojos no sólo para estimular la visión, sino para estimular nuestro reloj biológico en el hipotálamo. Nos provee energía y, en definitiva, nos hace felices.

¿Se imagina lo que será ver a Jesús, quien es la Luz del mundo, en ese glorioso día cuando la triste humanidad salga por fin de la oscuridad absoluta donde la ha enterrado el pecado y la ruptura de la comunicación con Dios?

La promesa que se nos da es que no habrá allí más noche, y no tendremos necesidad de luz artificial o natural, porque Dios el Señor y Creador del cielo y la tierra nos iluminará con su santa presencia. Pero mientras esperamos por Jesús, es posible vivir aquí rodeados de su luz, aunque sólo podamos ver un pálido reflejo de su gloria. El mismo Jesús promete ser nuestra luz aquí en la tierra, de manera que podamos ver el sendero que nos conducirá hasta nuestra patria celestial.

Gracias, Jesús, por ser mi sol y mi luz. OLV

"VENGO PRONTO"

He aquí yo vengo pronto, y mi galardón conmigo, para recompensar a cada uno según sea su obra. Apocalipsis 22:12.

Mientras la vida corre un curso normal, podemos sobrevivir gracias a la rutina y el instinto. Nuestra naturaleza nos pide que luchemos por sobrevivir. Nos alimentamos, buscamos comodidades. Buscamos salud porque queremos vernos libres de dolores y achaques. Buscamos posesiones, buscamos poder e influencia sobre los demás. Buscamos placer y lucir bien. Pero cuando nos sobreviene una tragedia inexplicable y de efectos definitivos y graves, ninguna de estas cosas son suficientes.

Uno de los protagonistas del drama del 11 de septiembre de 2001, fue un pasajero del avión que se estrelló en Pennsylvania. Se llamaba Jeremy Glick, medía 6'5" (1,96 m) y tenía 31 años de edad. Sabemos lo que ocurrió porque Jeremy y otros pasajeros pudieron comunicarse por teléfono con sus familiares.

Jeremy pudo hablar con sus padres y su esposa. A ésta le explicó cuáles eran sus planes y le preguntó cuáles eran sus opciones. Su esposa le informó lo que acababa de ocurrir en Nueva York y cuando Jeremy comprendió que la misión de los terroristas era una misión suicida para matar a muchas otras personas, él supo lo que tenía que hacer. Cuando él y sus compañeros vieron que sobrevolaban un terreno mayormente solitario, Jeremy le dijo a su esposa: "Cariño, sé feliz, yo estoy de acuerdo con cualquier decisión que tomes en el futuro... Voy a entrar a la cabina". Las personas que estaban escuchando al otro lado del teléfono escucharon gritos y gemidos, un gran silencio y se cortó la comunicación cuando el avión se estrelló y Jeremy murió con los terroristas.

Este mundo ha sido secuestrado por el gran terrorista Satanás. Íbamos rumbo a la tragedia total cuando Jesús le dijo a su Padre: "Hágase tu voluntad". Más tarde, desde la cruz, clamó: "Consumado es", se escuchó un gran gemido, y Jesús murió, sellando con su muerte la destrucción del mal y los enemigos de Dios y la humanidad.

La Biblia enseña que Dios triunfará definitivamente sobre el mal. Un día levantaremos los ojos y veremos a Jesús. No más sueños quebrantados, no más enfermedad, no más sufrimiento, no más preocupaciones. Sólo Jesús, el que prometió venir a buscarnos. Le invito a recibirlo. ¿Desea usted encontrarse con él? ¿Estará satisfecho con los símbolos de la felicidad, o quiere lo auténtico?

Ven, Señor Jesús. OLV

VEN Y TOMA

Y el Espíritu y la Esposa dicen: Ven. Y el que oye, diga: Ven. Y el que tiene sed, venga; y el que quiera, tome del agua de la vida gratuitamente. Apocalipsis 22:17.

El versículo de hoy es una de muchas invitaciones de Dios a escoger el buen camino. El Espíritu y la Esposa invitan a entrar en la ciudad (vers. 14). El creyente tiene la oportunidad de aceptar el ofrecimiento de la salvación eterna, representada por el acceso al agua de vida. El tono es de aceptación y afecto. Este es el destino que Dios nos ha deparado. Si lo deseamos, es nuestro.

El libre albedrío es uno de los conceptos más poderosos de las Escrituras. Se lo enseña desde el relato del Edén y el árbol del bien y el mal hasta la invitación final a recobrar la vida eterna. El ser humano puede ejercer su voluntad para escoger a Dios y sus caminos. También se le permite escoger el rechazo de Dios y de una vida de bien. Dios no nos obliga a seguirlo o adorarlo. Dios no desea la devoción de máquinas o *zombies*, sino de seres libres, capaces de amarlo porque así lo desean.

Por cuanto la decisión de afiliarnos con Dios ocurre en el sagrado recinto de la mente, no hay obstáculos que puedan impedirla. Cada persona, no importa cuál sea su condición o sus circunstancias, puede aceptar la invitación de Dios. Su llamado resuena a través de las edades:

"A los cielos y a la tierra llamo por testigos hoy contra vosotros, que os he puesto delante la vida y la muerte, la bendición y la maldición; escoge, pues, la vida, para que vivas tú y tu descendencia" (Deut. 30:19).

"Someteos a Jehová, y venid a su santuario" (2 Crón. 30:8).

"Dame, hijo mío, tu corazón, y miren tus ojos por mis caminos" (Prov. 23:26).

"A todos los sedientos: Venid a las aguas; y los que no tienen dinero, venid, comprad y comed. Venid, comprad sin dinero y sin precio, vino y leche" (Isa. 55:1)

"Venid a mí todos los que estáis trabajados y cargados, y yo os haré descansar" (Mat. 11:28).

Acerca de la respuesta humana, Elena de White escribió: "Por medio del debido ejercicio de la voluntad, puede obrarse un cambio completo en vuestra vida. Al dar vuestra voluntad a Cristo, os unís con el poder que está sobre todo principado y potestad" (*El camino a Cristo,* p. 48).

Señor, acepto tu llamado a la vida contigo. Desde hoy decido que tú ocupes la dirección total y definitiva de mi vida. MAV

COMIENZOS Y FINALES

El que da testimonio de estas cosas dice: Ciertamente vengo en breve. Amén; sí, ven, Señor Jesús. La gracia de nuestro Señor Jesucristo sea con todos vosotros. Amén. Apocalipsis 22:20, 21.

Comenzamos el primer día del año con Génesis 1:1: "En el principio Dios". Hoy concluimos con el último versículo, todavía con Dios, todavía con la necesidad de un nuevo comienzo.

Necesitamos caminar con Jesús. "Oh hombre, él te ha declarado lo que es bueno, y qué pide Jehová de ti: solamente hacer justicia, y amar misericordia, y humillarte ante tu Dios" (Miq. 6:8). Pero el lugar obligado de partida es la cruz. "Fue primero en la cruz donde yo vi la luz, y mi carga de pecados dejé. Fue allí por fe do vi a Jesús, y siempre con él, feliz seré".

Comenzamos, continuamos y terminamos con Cristo. El último capítulo de la Biblia nos dice:

"He aquí yo vengo pronto, y mi galardón conmigo, para recompensar a cada uno según sea su obra. Yo soy el Alfa y la Omega, el principio y el fin, el primero y el último" (Apoc. 22:20, 21).

En el principio, Dios, y al final, Dios. Comienzos y finales. En los últimos meses hemos tenido sin duda muchos comienzos, y algunos finales y conclusiones. Algunos han ganado nuevos seres queridos. Otros hemos perdido a familiares cercanos. Hemos comenzado nuevas relaciones, nuevas amistades, nuevos trabajos, nuevos proyectos. Hemos crecido y sufrido. Empacamos y desempacamos.

Sólo deseo que Jesús esté al final de nuestro camino, del suyo y el nuestro. En cierto sentido, él siempre está allí, al final de todo: "El Alfa y la Omega, el primero y el último". El dueño de las llaves de la vida y de la muerte. El "camino, y la verdad y la vida".

Señor, gracias por permitirnos recorrer contigo otro año. No sabemos lo que traerá el futuro, pero sabemos que contigo lo tenemos todo, hoy y siempre. MAV

REFERENCIAS BÍBLICAS

ENERO Página

1 Gén. 1:1-45 7
2 Gén. 1:26, ... 8
3 Gén. 2:16, ... 9
4 Gén. 2:185 10
5 Gén. 3:155 11
6 Gén. 4:15 12
7 Gén. 6:17, 185 13
8 Gén. 12:2, 35 14
9 Gén. 15:15 15
10 Gén. 22:85 16
11 Gén. 24:75 17
12 Gén. 29:315 18
13 Gén. 28:155 19
14 Gén. 32:285 20
15 Éxo. 4:125 21
16 Éxo. 19:55 22
17 Éxo. 20:125 23
18 Éxo. 29:45, 465 24
19 Éxo. 33:145 25
20 Éxo. 33:21, 225 26
21 Lev. 16:305 27
22 Lev. 25:105 28
23 Lev. 26:3-55 29
24 Lev. 26:65 30
25 Lev. 26:115 31
26 Núm. 6:24-265 32
27 Núm. 9:185 33
28 Núm. 11:235 34
29 Núm. 14:95 35
30 Deut. 4:405 36
31 Deut. 5:165 37

FEBRERO Página

1 Deut. 8:3 38
2 Deut. 20:4 39
3 Deut. 30:19 40
4 Jos. 1:5 41
5 Jos. 1:9 42
6 Jos. 23:11 43
7 Jos. 23:14 44
8 Jos. 1:8 45
9 Juec. 1:22 46
10 Juec. 15:18, 19 47
11 Juec. 6:12 48
12 Juec. 6:14 49
13 Rut 3:13 50
14 1 Sam. 2:7 51
15 1 Sam. 2:95 52
16 1 Sam. 3:9, 11 53
17 1 Sam. 16:7 54
18 2 Sam. 22:33 55
19 2 Sam. 23:5 56
20 1 Rey. 2:3 57
21 2 Rey. 7:1 58
22 1 Crón. 29:12 59

23 2 Crón. 6:24, 25 60
24 2 Crón. 7:14 61
25 2 Crón. 20:15 62
26 2 Crón. 20:17 63
27 Esd. 8:22 64
28 Esd. 9:15 65

MARZO Página
1 Neh. 8:10 66
2 Neh. 8:12 67
3 Est. 4:16 68
4 Job 5:17, 18 69
5 Job 11:17 70
6 Job 19:25-27 71
7 Job 22:21 72
8 Job 34:21 73
9 Job 38:31 74
10 Sal. 3:8 75
11 Sal. 17:5 76
12 Sal. 19:1 77
13 Sal. 23 78
14 Sal. 30:5 79
15 Sal. 34:17 80
16 Sal. 37:4 81
17 Sal. 48:10 82
18 Sal. 49:8 83
19 Sal. 55:17 84
20 Sal. 91:2, 3 85
21 Sal. 91:5, 6 86
22 Sal. 91:11 87
23 Sal. 92:14 88
24 Sal. 119:9 89
25 Sal. 119:105 90
26 Sal. 121:3 91
27 Sal. 144:3 92
28 Sal. 145:18 93
29 Prov. 1:8, 9 94
30 Prov. 2:6 95
31 Prov. 3:5, 6 96

ABRIL Página
1 Prov. 4:18 97
2 Prov. 10:1 98
3 Prov. 18:10 99
4 Prov. 18:24 100
5 Prov. 19:14 101
6 Prov. 21:31 102
7 Prov. 23:26 103
8 Ecl. 3:11 104
9 Ecl. 9:1 105
10 Ecl. 11:1 106
11 Ecl. 12:13 107
12 Cant. 8:6 108
13 Isa. 1:18 109
14 Isa. 9:6 110
15 Isa. 26:3 111
16 Isa. 30:15 112
17 Isa. 35:10 113
18 Isa. 40:8 114
19 Isa. 40:29 115
20 Isa. 40:31 116
21 Isa. 44:6 117
22 Isa. 56:2 118
23 Isa. 58:8 119
24 Isa. 58:13, 14 120
25 Isa. 60:18 121
26 Isa. 60:19 122
27 Isa. 62:2 123
28 Jer. 10:23 124
29 Jer. 18:6 125
30 Jer. 24:7 126

MAYO Página

1 Jer. 29:13 127
2 Jer. 31:3 128
3 Jer. 31:4 129
4 Jer. 33:6 130
5 Jer. 33:11 131
6 Jer. 34:17 132
7 Lam. 3:22, 23 133
8 Lam. 3:26 134
9 Lam. 3:63 135
10 Eze. 11:19, 20 136
11 Eze. 18:32 137
12 Eze. 20:12 138
13 Eze. 36:27 139
14 Eze. 36:29 140
15 Dan. 2:21 141
16 Dan. 2:44 142
17 Dan. 12:1 143
18 Dan. 12:3 144
19 Ose. 6:2, 3 145
20 Ose. 6:3 146
21 Ose. 13:14 147
22 Ose 14:5 148
23 Joel 2:23 149
24 Joel 2:28 150
25 Joel 2:32 151
26 Amós 3:7 152
27 Amós 5:4, 5 153
28 Abd. 1:17 154
29 Jon. 1:8, 9 155
30 Jon. 2:9 156
31 Miq. 7:18 157

JUNIO Página

1 Nah. 1:15 158
2 Hab. 2:3 159
3 Hab. 2:4 160
4 Hab. 2:14 161
5 Sof. 3:17 162
6 Hag. 2:9 163
7 Zac. 8:2 164
8 Zac. 9:12 165
9 Zac. 9:16 166
10 Zac. 9:17 167
11 Mat. 1:21 168
12 Mat. 5:1, 2 169
13 Mat. 5:3 170
14 Mat. 5:4 171
15 Mat. 5:5 172
16 Mat. 5:6 173
17 Mat. 5:7 174
18 Mat. 5:8 175
19 Mat. 5:9, 10 176
20 Mat. 5:16 177
21 Mat. 6:19, 20 178
22 Mat. 6:26 179
23 Mat. 11:28-30 180
24 Mat. 15:24 181
25 Mat. 19:26 182
26 Mat. 21:16 183
27 Mat. 24:35 184
28 Mat. 28:20 185
29 Mar. 1:41 186
30 Mar. 2:27 187

JULIO Página

1 Mar. 5:36 188
2 Mar. 8:35, 36 189
3 Mar. 9:23 190
4 Mar. 13:11 191
5 Mar. 13:31 192
6 Mar. 14:62 193

7 Luc. 1:79 194
8 Luc. 2:14 195
9 Luc. 3:16 196
10 Luc. 6:48 197
11 Luc. 10:19, 20 198
12 Luc. 11:13 199
13 Luc. 12:29-31 200
14 Luc. 15:22 201
15 Luc. 19:10 202
16 Luc. 21:29, 30 203
17 Luc. 12:31 204
18 Luc. 22:32 205
19 Juan 1:4, 5 206
20 Juan 1:12 207
21 Juan 1:29 208
22 Juan 3:16 209
23 Juan 5:8 210
24 Juan 6:47 211
25 Juan 7:37, 38 212
26 Juan 8:11 213
27 Juan 8:12 214
28 Juan 8:32 215
29 Juan 8:34-36 216
30 Juan 10:9 217
31 Juan 10:10 218

AGOSTO Página

1 Juan 10:27-29 219
2 Juan 11:25, 26 220
3 Juan 13:1 221
4 Juan 14:1-3 222
5 Juan 14:6, 7 223
6 Juan 14:27 224
7 Juan 15:4 225
8 Juan 15:9 226
9 Juan 15:13 227
10 Juan 16:22 228
11 Juan 17:3 229
12 Juan 19:30 230
13 Hech. 2:38, 39 231
14 Hech. 4:12 232
15 Hech. 16:31 233
16 Hech. 17:24, 25 234
17 Hech. 17:26 235
18 Rom. 1:17 236
19 Rom. 3:24, 25 237
20 Rom. 5:1, 2 238
21 Rom. 6:4 239
22 Rom. 6:23 240
23 Rom. 8:11 241
24 Rom. 8:26 242
25 Rom. 8:28 243
26 Rom. 8:38, 39 244
27 Rom. 12:21 245
28 Rom. 13:11 246
29 Rom. 15:13 247
30 1 Cor. 1:18 248
31 1 Cor. 1:23, 24 249

SEPTIEMBRE Página

1 1 Cor. 1:27 250
2 1 Cor. 5:7 251
3 1 Cor. 10:13 252
4 1 Cor. 12:27 253
5 1 Cor. 13:4 254
6 1 Cor. 13:8 255
7 1 Cor. 15:49 256
8 1 Cor. 15:51, 52 257
9 1 Cor. 15:57 258
10 1 Cor. 15:58 259
11 1 Cor. 16:13, 14 260
12 1 Cor. 16:24 261

13 2 Cor. 2:14 262
14 2 Cor. 3:18 263
15 2 Cor. 4:8, 9 264
16 2 Cor. 5:17 265
17 2 Cor. 6:2 266
18 2 Cor. 12:9 267
19 2 Cor. 13:5 268
20 2 Cor. 13:11 269
21 Gál. 2:20 270
22 Gál. 5:1 271
23 Gál. 6:2 272
24 Gál. 6:8 273
25 Efe. 1:13 274
26 Efe. 1:17, 18 275
27 Efe. 2:4-6 276
28 Efe. 2:6 277
29 Efe. 2:8-10 278
30 Efe. 3:20, 21 279

OCTUBRE Página

1 Efe. 5:25 280
2 Efe. 5:31 281
3 Efe. 6:2 282
4 Efe. 6:10 283
5 Efe. 1:21 284
6 Fil. 3:13, 14 285
7 Fil. 3:21 286
8 Fil. 4:7 287
9 Fil. 4:11 288
10 Fil. 4:13 289
11 Fil. 4:19 290
12 Col. 1:11 291
13 Col. 1:12 292
14 Col. 1:16 293
15 Col. 1:17 294
16 Col. 2:13 295
17 Col. 3:15 296
18 1 Tes. 4:17 297
19 1 Tes. 5:23 298
20 2 Tes. 2:16, 17 299
21 2 Tes. 3:10-13 300
22 1 Tim. 1:15 301
23 1 Tim. 2:3, 4 302
24 1 Tim. 4:10 303
25 1 Tim. 6:17 304
26 2 Tim. 1:7 305
27 2 Tim. 1:12 306
28 2 Tim. 2:1 307
29 2 Tim. 2:3-5 308
30 2 Tim. 4:7 309
31 2 Tim. 4:8 310

NOVIEMBRE Página

1 Tito 2:11-13 311
2 Tito 3:5-7 312
3 File. 4 313
4 Heb. 1:1, 2 314
5 Heb. 2:18 315
6 Heb. 4:9, 10 316
7 Heb. 10:16 317
8 Heb. 10:36 318
9 Heb. 11:6 319
10 Heb. 11:13, 16 320
11 Heb. 13:5 321
12 Sant. 1:5 322
13 Sant. 1:12 323
14 Sant. 1:17 324
15 Sant. 4:8 325
16 1 Ped. 1:3 326
17 1 Ped. 1:23 327
18 1 Ped. 3:3, 4 328
19 1 Ped. 3:8, 9 329

20 1 Ped. 3:12 330
21 1 Ped. 4:8 331
22 1 Ped. 5:5 332
23 1 Ped. 5:7 333
24 2 Ped. 1:19 334
25 2 Ped. 3:9, 10 335
26 2 Ped. 3:13 336
27 1 Juan 2:1, 2 337
28 1 Juan 2:8 338
29 1 Juan 2:17 339
30 1 Juan 3:20 340

DICIEMBRE Página

1 1 Juan 4:8, 9 341
2 1 Juan 5:4 342
3 1 Juan 5:11 343
4 1 Juan 5:14, 15 344
5 2 Juan 4 345
6 3 Juan 2 346
7 Jud. 24 347
8 Apoc. 2:4 348
9 Apoc. 2:7 349
10 Apoc. 2:17 350
11 Apoc. 3:8 351
12 Apoc. 4:1 352
13 Apoc. 3:14 353
14 Apoc. 3:20 354
15 Apoc. 4:11 355
16 Apoc. 5:9 356
17 Apoc. 5:11, 12 357
18 Apoc. 11:15 358
19 Apoc. 11:17 359
20 Apoc. 14:7 360
21 Apoc. 21:5 361
22 Apoc. 21:1 362
23 Apoc. 21:2 363
24 Apoc. 21:3 364
25 Apoc. 21:4 365
26 Apoc. 22:3 366
27 Apoc. 22:10 367
28 Apoc. 22:5 368
29 Apoc. 22:12 369
30 Apoc. 22:17 370
31 Apoc. 22:20, 21 371

GUÍA PARA EL AÑO BÍBLICO

ENERO
1 Gén. 1, 2
2 Gén. 3-5
3 Gén. 6-9
4 Gén. 10, 11
5 Gén. 12-15
6 Gén. 16-19
7 Gén. 20-22
8 Gén. 23-26
9 Gén. 27-29
10 Gén. 30-32
11 Gén. 33-36
12 Gén. 37-39
13 Gén. 40-42
14 Gén. 43-46
15 Gén. 47-50
16 Job 1-4
17 Job 5-7
18 Job 8-10
19 Job 11-13
20 Job 14-17
21 Job 18-20
22 Job 21-24
23 Job 25-27
24 Job 28-31
25 Job 32-34
26 Job 35-37
27 Job 38-42
28 Éxo. 1-4
29 Éxo. 5-7
30 Éxo. 8-10
31 Éxo. 11-13

FEBRERO
1 Éxo. 14-17
2 Éxo. 18-20
3 Éxo. 21-24
4 Éxo. 25-27
5 Éxo. 28-31
6 Éxo. 32-34
7 Éxo. 35-37
8 Éxo. 38-40
9 Lev. 1-4
10 Lev. 5-7
11 Lev. 8-10
12 Lev. 11-13
13 Lev. 14-16
14 Lev. 17-19
15 Lev. 20-23
16 Lev. 24-27
17 Núm. 1-3
18 Núm. 4-6
19 Núm. 7-10
20 Núm. 11-14
21 Núm. 15-17
22 Núm. 18-20
23 Núm. 21-24
24 Núm. 25-27
25 Núm. 28-30
26 Núm. 31-33
27 Núm. 34-36
28 Deut. 1-3
29 Deut. 4, 5

MARZO
1 Deut. 6-7
2 Deut. 8-9
3 Deut. 10-12
4 Deut. 13-16
5 Deut. 17-19
6 Deut. 20-22
7 Deut. 23-25
8 Deut. 26-28
9 Deut. 29-31
10 Deut. 32-34
11 Jos. 1-3
12 Jos. 4-6
13 Jos. 7-9
14 Jos. 10-12
15 Jos. 13-15
16 Jos. 16-18
17 Jos. 19-21
18 Jos. 22-24
19 Juec. 1-4

20 Juec. 5-8
21 Juec. 9-12
22 Juec. 13-15
23 Juec. 16-18
24 Juec. 19-21
25 Rut 1-4
26 1 Sam. 1-3
27 1 Sam. 4-7
28 1 Sam. 8-10
29 1 Sam. 11-13
30 1 Sam. 14-16
31 1 Sam. 17-20

ABRIL
1 1 Sam. 21-24
2 1 Sam. 25-28
3 1 Sam. 29-31
4 2 Sam. 1-4
5 2 Sam. 5-8
6 2 Sam. 9-12
7 2 Sam. 13-15
8 2 Sam. 16-18
9 2 Sam. 19-21
10 2 Sam. 22-24
11 Sal. 1-3
12 Sal. 4-6
13 Sal. 7-9
14 Sal. 10-12
15 Sal. 13-15
16 Sal. 16-18
17 Sal. 19-21
18 Sal. 22-24
19 Sal. 25-27
20 Sal. 28-30
21 Sal. 31-33
22 Sal. 34-36
23 Sal. 37-39
24 Sal. 40-42
25 Sal. 43-45
26 Sal. 46-48
27 Sal. 49-51
28 Sal. 52-54
29 Sal. 55-57
30 Sal. 58-60

MAYO
1 Sal. 61-63
2 Sal. 64-66
3 Sal. 67-69
4 Sal. 70-72
5 Sal. 73-75
6 Sal. 76-78
7 Sal. 79-81
8 Sal. 82-84
9 Sal. 85-87
10 Sal. 88-90
11 Sal. 91-93
12 Sal. 94-96
13 Sal. 97-99
14 Sal. 100-102
15 Sal. 103-105
16 Sal. 106-108
17 Sal. 109-111
18 Sal. 112-114
19 Sal. 115-118
20 Sal. 119
21 Sal. 120-123
22 Sal. 124-126
23 Sal. 127-129
24 Sal. 130-132
25 Sal. 133-135
26 Sal. 136-138
27 Sal. 139-141
28 Sal. 142-144
29 Sal. 145-147
30 Sal. 148-150
31 1 Rey. 1-4

JUNIO
1 Prov. 1-3
2 Prov. 4-7
3 Prov. 8-11
4 Prov. 12-14
5 Prov. 15-18
6 Prov. 19-21
7 Prov. 22-24
8 Prov. 25-28
9 Prov. 29-31
10 Ecl. 1-3
11 Ecl. 4-6
12 Ecl. 7-9
13 Ecl. 10-12
14 Cant. 1-4
15 Cant. 5-8
16 1 Rey. 5-7
17 1 Rey. 8-10
18 1 Rey. 11-13
19 1 Rey. 14-16
20 1 Rey. 17-19
21 1 Rey. 20-22
22 2 Rey. 1-3
23 2 Rey. 4-6
24 2 Rey. 7-10
25 2 Rey. 11-14: 20
26 Joel 1-3

27 2 Rey. 14:21-25
Jon. 1-4
28 2 Rey. 14:26-29
Amós 1-3
29 Amós 4-6
30 Amós 7-9

JULIO
1 2 Rey. 15-17
2 Ose. 1-4
3 Ose. 5-7
4 Ose. 8-10
5 Ose. 11-14
6 2 Rey. 18, 19
7 Isa. 1-3
8 Isa. 4-6
9 Isa. 7-9
10 Isa. 10-12
11 Isa. 13-15
12 Isa. 16-18
13 Isa. 19-21
14 Isa. 22-24
15 Isa. 25-27
16 Isa. 28-30
17 Isa. 31-33
18 Isa. 34-36
19 Isa. 37-39
20 Isa. 40-42
21 Isa. 43-45
22 Isa. 46-48
23 Isa. 49-51
24 Isa. 52-54
25 Isa. 55-57
26 Isa. 58-60
27 Isa. 61-63
28 Isa. 64-66
29 Miq. 1-4
30 Miq. 5-7
31 Nah. 1-3

AGOSTO
1 2 Rey. 20, 21
2 Sof. 1-3
3 Hab. 1-3
4 2 Rey. 22-25
5 Abd. y Jer. 1, 2
6 Jer. 3-5
7 Jer. 6-8
8 Jer. 9-12
9 Jer. 13-16
10 Jer. 17-20
11 Jer. 21-23
12 Jer. 24-26
13 Jer. 27-29
14 Jer. 30-32
15 Jer. 33-36
16 Jer. 37-39
17 Jer. 40-42
18 Jer. 43-46
19 Jer. 47-49
20 Jer. 50-52
21 Lam.
22 1 Crón. 1-3
23 1 Crón. 4-6
24 1 Crón. 7-9
25 1 Crón. 10-13
26 1 Crón. 14-16
27 1 Crón. 17-19
28 1 Crón. 20-23
29 1 Crón. 24-26
30 1 Crón. 27-29
31 2 Crón. 1-3

SEPTIEMBRE
1 2 Crón. 4-6
2 2 Crón. 7-9
3 2 Crón. 10-13
4 2 Crón. 14-16
5 2 Crón. 17-19
6 2 Crón. 20-22
7 2 Crón. 23-25
8 2 Crón. 26-29
9 2 Crón. 30-32
10 2 Crón. 33-36
11 Eze. 1-3
12 Eze. 4-7
13 Eze. 8-11
14 Eze. 12-14
15 Eze. 15-18
16 Eze. 19-21
17 Eze. 22-24
18 Eze. 25-27
19 Eze. 28-30
20 Eze. 31-33
21 Eze. 34-36
22 Eze. 37-39
23 Eze. 40-42
24 Eze. 43-45
25 Eze. 46-48
26 Dan. 1-3
27 Dan. 4-6
28 Dan. 7-9
29 Dan. 10-12
30 Est. 1-3

OCTUBRE

1 Est. 4-7
2 Est. 8-10
3 Esd. 1-4
4 Hag. 1, 2
Zac. 1, 2
5 Zac. 3-6
6 Zac. 7-10
7 Zac. 11-14
8 Esd. 5-7
9 Esd. 8-10
10 Neh. 1-3
11 Neh. 4-6
12 Neh. 7-9
13 Neh. 10-13
14 Mal. 1-4
15 Mat. 1-4
16 Mat. 5-7
17 Mat. 8-11
18 Mat. 12-15
19 Mat. 16-19
20 Mat. 20-22
21 Mat. 23-25
22 Mat. 26-28
23 Mar. 1-3
24 Mar. 4-6
25 Mar. 7-10
26 Mar. 11-13
27 Mar. 14-16
28 Luc. 1-3
29 Luc. 4-6
30 Luc. 7-9
31 Luc. 10-13

NOVIEMBRE

1 Luc. 14-17
2 Luc. 18-21
3 Luc. 22-24
4 Juan 1-3
5 Juan 4-6
6 Juan 7-10
7 Juan 11-13
8 Juan 14-17
9 Juan 18-21
10 Hech. 1, 2
11 Hech. 3-5
12 Hech. 6-9
13 Hech. 10-12
14 Hech. 13, 14
15 Sant. 1, 2
16 Sant. 3-5
17 Gál. 1.3
18 Gál. 4-6
19 Hech. 15-18:11
20 1 Tes. 1-5
21 2 Tes. 1-3
Hech. 18:12-19:20
22 1 Cor. 1-4
23 1 Cor. 5-8
24 1 Cor. 9-12
25 1 Cor. 13-16
26 Hech. 19:21-20:1
2 Cor. 1-3
27 2 Cor. 4-6
28 2 Cor. 7-9
29 2 Cor. 10-13
30 Hech. 20:2
Rom. 1-4

DICIEMBRE

1 Rom. 5-8
2 Rom. 9-11
3 Rom. 12-16
4 Hech. 20:3-22:30
5 Hech. 23-25
6 Hech. 26-28
7 Efe. 1-3
8 Efe. 4-6
9 Fil. 1-4
10 Col. 1-4
11 Heb. 1-4
12 Heb. 5-7
13 Heb. 8-10
14 Heb. 11-13
15 File.
1 Ped. 1, 2
16 1 Ped. 3-5
17 2 Ped. 1-3
18 1 Tim. 1-3
19 1 Tim. 4-6
20 Tito 1-3
21 2 Tim. 1-4
22 1 Juan 1, 2
23 1 Juan 3-5
24 2 Juan
3 Juan y Judas
25 Apoc. 1-3
26 Apoc. 4-6
27 Apoc. 7-9
28 Apoc. 10-12
29 Apoc. 13-15
30 Apoc. 16-18
31 Apoc. 19-22